CB000626

SAPIENS

YUVAL NOAH HARARI

Sapiens

Uma breve história da humanidade

Edição comemorativa
de 10 anos

Tradução
Jorio Dauster

COMPANHIA DAS LETRAS

Grafia atualizada segundo o Acordo Ortográfico da Língua Portuguesa de 1990, que entrou em vigor no Brasil em 2009.

Título original
Sapiens: A Brief History of Humankind

Capa
Alceu Chiesorin Nunes

Preparação
Julia Passos

Revisão
Clara Diament
Adriana Bairrada

Índice remissivo
Luciano Marchiori

Texto complementar
Nellie Bowles/ *The New York Times*

Dados Internacionais de Catalogação na Publicação (CIP)
(Câmara Brasileira do Livro, SP, Brasil)

Harari, Yuval Noah
  Sapiens : Uma breve história da humanidade / Yuval Noah Harari ; tradução Jorio Dauster ; posfácio Rodrigo Petronio ; texto complementar Nellie Bowles — 1ª ed. — São Paulo : Companhia das Letras, 2021. (Edição comemorativa de 10 anos)

  Título original: Sapiens : A Brief History of Humankind.
  ISBN 978-65-5921-301-6

  1. Biologia 2. Evolução 3. Homo sapiens 4. Pré-história I. Petronio, Rodrigo. II. Bowles, Nellie. III. Título.

21-80287   CDD-569.98

Índice para catálogo sistemático:
1. Homo sapiens : Origem e evolução : Paleontologia   569.98

Maria Alice Ferreira – Bibliotecária – CRB-8/7964

[2021]
Todos os direitos desta edição reservados à
EDITORA SCHWARCZ S.A.
Rua Bandeira Paulista, 702, cj. 32
04532-002 — São Paulo — SP
Telefone: (11) 3707-3500
www.companhiadasletras.com.br
www.blogdacompanhia.com.br
facebook.com/companhiadasletras
instagram.com/companhiadasletras
twitter.com/cialetras

Sumário

Prefácio à edição comemorativa

Yuval Noah Harari

Quando terminei de escrever Sapiens, *no verão de 2011, estava bem certo de que nunca voltaria àquele livro. Gosto muito dele e sou grato pelo sucesso que alcançou, mas senti que havia contado a história da espécie humana até agora. A Humanidade 2.0 ainda está em evolução, porém achei melhor deixar que outros a contassem.*

No entanto, após a eleição presidencial de 2016 nos Estados Unidos, pensei que teria de voltar ao começo e examinar de novo a capacidade única de nossa espécie de criar ordens imaginadas e estruturas dominantes.

Em anos recentes, aprendemos que as fake news podem ser mais poderosas que as notícias verdadeiras, que o FBI pode eleger um presidente, que o Facebook pode moldar eleições, que um bilionário pode se tornar presidente gastando menos dinheiro que seu oponente, que um país pode ser dividido em dois campos conflitantes sem que cada qual nem mais ouça o que o outro diz.

Em outras palavras, a capacidade única da espécie humana de criar ordens imaginadas em larga escala está se voltando contra nós.

No passado, as ordens imaginadas do Estado-nação e do mercado capitalista se revelaram geradoras de poder. Proporcionaram prosperidade e bem-estar sem precedentes. Hoje em dia, contudo, as ordens imaginadas do Estado-nação e do mercado capitalista estão começando a nos destroçar.

O grande desafio da atualidade consiste em criar uma nova ordem imagina-
da global que não se baseie no Estado-nação nem no mercado capitalista.
Haverá um meio de criar um novo imaginário global que não se fundamen-
te no Estado-nação, no mercado livre, na soberania dos indivíduos ou no domínio
sobre a natureza?
Essa é a história que eu queria contar neste livro.

As palavras acima não foram escritas por mim, Yuval Noah Harari, e sim por uma poderosa inteligência artificial (IA) instruída a escrever como eu. Essa IA específica, chamada GPT-3, foi criada pelo OpenAI, um laboratório de pesquisa com sede em San Francisco especializado em aprendizado de máquina (*machine learning*). Quando lhe foi pedido que escrevesse um novo prefácio para o décimo aniversário de *Sapiens*, a GPT-3 coletou meus livros, artigos e entrevistas, bem como bilhões de outras frases extraídas da internet, e utilizou essa matéria-prima a fim de gerar esse texto. Ele não foi editado ou alterado de modo algum.

Ao ler a imitação que a GPT-3 fez de mim, tenho sentimentos ambíguos. Por um lado, não me deixo impressionar. A GPT-3 copiou algumas de minhas afirmações autênticas e as combinou com todo tipo de outras ideias que foi catando ao vascular a internet. Muitas dessas ideias são coisas que eu jamais escreveria e considero pouco convincentes, quando não ridículas. O texto resultante é uma mistureba literária e intelectual. Por enquanto, posso ficar tranquilo — a GPT-3 não vai roubar meu emprego, pelo menos nos próximos anos.

Por outro lado, estou verdadeiramente maravilhado. Lendo o texto, meu queixo caiu de tanta surpresa. Teria mesmo sido gerado por uma IA?! Sim, o texto é uma mixórdia criada pela combinação de coisas isoladas, colhidas aqui e ali. Mas isso não vale para todos os textos? Quando escrevi *Sapiens*, eu também vasculhei uma porção de livros, artigos e entrevistas, combinando diferentes ideias e fatos numa nova narrativa.

A coisa mais assombrosa sobre o texto produzido pela GPT-3 é que ele faz sentido. Não é uma coleção aleatória de frases. Tem uma lógica consistente. Discordo de alguns argumentos da GPT-3, porém me surpreende que o texto de fato formule argumentos. Caso você desse ao macaco proverbial uma máquina de escrever para ele brincar, a mim bastariam uma olhadela e meio segundo para concluir que o texto resultante não seria algo que eu escrevi. Mas tive de ler cuidadosamente o texto da GPT-3 por um ou dois minutos a fim de concluir que não era de minha autoria.

Há outra coisa que me assombra — e me deixa alarmado —: o ritmo da mudança. A GPT-3 ainda é uma IA bastante primitiva. Não vimos nada ainda. Quando comecei a escrever *Sapiens*, em 2010, praticamente nem pensei na inteligência artificial. Dava a impressão de ser alguma coisa pertencente aos filmes de ficção científica, e não a um livro sério de história. Todavia, enquanto eu estava sentado nas bibliotecas consultando velhos livros, meus colegas nos laboratórios de ciência da computação não estavam à toa. Em 2011, no ano em que *Sapiens* foi lançado pela primeira vez, em hebraico, uma IA chamada Watson derrotou os competidores humanos no popular programa de TV norte-americano *Jeopardy!*,* um carro autônomo rodou com sucesso pelas ruas de Berlim** e a assistente de voz Siri começou a aparecer nos iPhones.***

Dez anos depois, a revolução da IA está varrendo o mundo. Essa revolução marca o fim da história humana como a conhecemos. Durante dezenas de milhares de anos, os seres humanos inventaram ferramentas de toda espécie que tornaram a humanidade mais poderosa. Machados, rodas e bombas atômicas deram novos poderes aos humanos. A IA é diferente. Pela primeira vez na história, é possível que o poder escape das mãos dos seres humanos.

Todas as ferramentas anteriores deram poder à humanidade porque elas próprias não seriam capazes de tomar decisões sobre seu uso. Tomar decisões permaneceu sempre um privilégio humano. Um machado não pode decidir que árvore vai cortar, uma bomba atômica não pode decidir iniciar uma guerra. Mas a IA pode. Hoje, no entanto, quando você pede um empréstimo ao banco, é uma IA que decide se lhe concederá o crédito. Quando você envia seu currículo para um empregador em potencial, muito possivelmente é uma IA que o lê e decide seu futuro.

Todas as ferramentas anteriores deram poder à humanidade porque os seres humanos as compreendiam melhor do que as ferramentas compreendiam os seres humanos. Um fazendeiro entende o que um machado pode fa-

---

* "Computer Wins on *Jeopardy!*: Trivial, It's Not". *The New York Times*, 16 fev. 2011. Disponível em: <https://bityli.com/9avymd>.
** "Autonomous Car Navigates the Streets of Berlin". ScienceDaily, 20 set. 2011. Disponível em: <https://bityli.com/eTZXW>.
*** "Apple Introduces Siri, Web Freaks out". CNN, 4 out. 2011. Disponível em: <https://bityli.com/1wCoHG>.

zer, mas o machado não entende as necessidades e os sentimentos do fazendeiro. A IA em breve nos entenderá melhor do que entendemos a nós mesmos. Será que ela vai permanecer uma ferramenta em nossas mãos — ou nós nos tornaremos as ferramentas dela?

Os humanos ainda terão um poder superior ao da IA ao menos por alguns poucos anos. Em especial, ainda temos o poder de moldar o desenvolvimento e o uso da IA e de outras tecnologias revolucionárias. É vital que usemos tal poder com sabedoria. A tecnologia nunca é determinista. A mesma tecnologia pode ser empregada de muitas maneiras diferentes. No século XX, algumas sociedades se valeram dos poderes da eletricidade, dos trens e do rádio para criar ditaduras totalitárias, enquanto outras empregaram exatamente os mesmos poderes a fim de criar democracias liberais. As novas tecnologias do século XXI podem ser utilizadas para criar o Céu ou o Inferno — tudo depende das escolhas que fizermos.

Fazer escolhas sábias exige que compreendamos todo o potencial das novas tecnologias — mas também necessitamos entender melhor a nós mesmos. Se pudéssemos usar a IA para criar qualquer tipo de mundo, como ele seria? Se você pudesse usar a bioengenharia para remodelar o corpo e a mente humanos, o que iria modificar?

Nos contos de fadas, quando um peixinho dourado mágico ou um gênio todo-poderoso concede três desejos aos humanos, em geral as coisas não acabam bem. Os humanos pedem as coisas erradas porque não compreendem as verdadeiras fontes de sua infelicidade ou de sua felicidade. Para nos sairmos melhor do que esses trapalhões do faz de conta, precisamos conhecer o que significa ser um humano. Quem somos nós? De onde viemos?

Felizmente, no curso dos últimos dez anos, enquanto nossos aparelhos digitais se tornaram exponencialmente mais poderosos, nosso conhecimento da biologia humana e da história humana também se acelerou. Desde a publicação de *Sapiens*, em 2011, os cientistas descobriram vários ramos novos na árvore da família humana. Ossos pertencentes ao *Homo naledi* foram descobertos na África do Sul em 2013.* A descoberta do *Homo luzonensis*, uma espécie de anões que viveram na ilha de Luzon, nas Filipinas, foi anunciada em

---

* "*Homo naledi*, Your Recently Discovered Human Relative". Natural History Museum, 5 set. 2018. Disponível em: <https://bityli.com/AweWvP>.

2019.* Em 2021, duas novas espécies humanas em potencial foram descobertas em Israel e na China.**

E não apenas tomamos conhecimento da existência de outras antigas espécies de seres humanos. Aprendemos também mais sobre a vida deles — o que comiam, como se comportavam, até mesmo com quem mantinham relações sexuais. Quando escrevi *Sapiens*, possuíamos apenas poucos e débeis indícios de que os sapiens e os neandertais haviam cruzado. Agora temos muito mais provas desses encontros. Sabemos igualmente que tanto os sapiens quanto os neandertais cruzaram com outra misteriosa espécie humana, os denisovanos, descobertos em 2010. Recentemente, os cientistas encontraram os restos de um ser humano híbrido, que teve uma mãe neandertal e um pai denisovano.***

Numerosos outros detalhes e novas variações foram acrescentados à história humana desde que escrevi *Sapiens*. No entanto, o argumento principal que formulei no livro não mudou em nada: a melhor forma de entender o *Homo sapiens* consiste em vê-lo como um animal que conta histórias. Criamos narrativas ficcionais sobre deuses, nações e corporações — e essas narrativas são a base de nossas sociedades e a fonte de significado de nossas vidas. Estamos com frequência prontos a matar ou a sermos mortos por causa de tais narrativas. Esse não é o comportamento que observamos nos chimpanzés, nos lobos ou em qualquer outra espécie social inteligente. Conhecemos muito mais verdades do que qualquer outro animal — mas também acreditamos em muito mais ficções. Só os seres humanos se matam por causa de narrativas, e meu argumento é que, se de fato queremos entender a história humana, temos de levar a sério nossas narrativas ficcionais. Não basta levar em conta apenas fatores econômicos ou demográficos.

Consideremos, por exemplo, a Primeira Guerra Mundial. Por que a Alemanha e a Grã-Bretanha se enfrentaram? Não devido à falta de território ou de alimento. Em 1914, havia território suficiente onde construir casas para todos os alemães e britânicos, e havia comida para sustentar as duas populações. Mas eles não foram capazes de concordar com uma narrativa comum, na qual am-

---

* Ibid.

** "A Middle Pleistocene *Homo* from Nesher Ramla, Israel". *Science*, 25 jun. 2021. Disponível em: <https://bityli.com/cQSw7s>.

*** "'Dragon Man' May Be an Elusive Denisovan". *Science*, 2 jul. 2021. Disponível em: <https://bityli.com/GfPzM>.

bos pudessem crer — e, por isso, entraram em guerra. Hoje, a Grã-Bretanha e a Alemanha estão em paz não porque têm mais territórios (na verdade, têm muito menos que em 1914), mas porque agora possuem uma narrativa comum em que a maioria dos britânicos e a maioria dos alemães acreditam.

Há milhares de anos, Buda já declarava que os seres humanos vivem num mundo de ilusões. Na verdade, nações, deuses, corporações, dinheiro e ideologias são as ilusões coletivas que todos nós criamos e nas quais cremos — as ilusões que dominam a história humana. Na era da IA, as narrativas em que acreditamos são mais importantes do que nunca porque temos tecnologias mais poderosas para promover nossa fantasias.

Quando os antigos imaginavam o Céu e o Inferno, suas fantasias tinham profundo impacto em seu comportamento. Eles travavam guerras, matavam os que diziam ser hereges, evitavam certas comidas e proibiam algumas práticas sexuais por pensarem que isso os conduziria ao Céu. Porém tinham de adiar o Céu para o imaginário reino dos mortos. No século XXI, ao menos alguns seres humanos ficarão tentados a usar a IA, a bioengenharia e outras tecnologias revolucionárias a fim de buscar realizar suas fantasias enquanto viverem. Se não tivermos cuidado com as coisas em que acreditamos, podemos ser facilmente enganados por utopias ingênuas e nos ver presos num Inferno tecnológico — sem meio de fuga.

Para criar um mundo melhor, não basta aprender o código dos computadores ou decifrar o código genético. A IA e a engenharia genética podem facilmente servir aos objetivos de tiranos totalitários e fanáticos religiosos. O que de fato precisamos entender é a mente humana, assim como as fantasias que ela gera e nas quais acredita. Essa é a tarefa de poetas, filósofos e historiadores, e ela nunca foi tão urgente.

Com frequência me perguntam por que *Sapiens* encontrou eco em tantos leitores. Acho que o livro teve êxito porque respondeu à necessidade real de uma história que tornava acessíveis a todo mundo as mais recentes descobertas científicas sobre o passado da humanidade. Mas também ajudei as pessoas a ver o grande cenário de uma nova perspectiva. Embora estejamos vivendo num mundo globalizado, a maior parte das escolas e dos livros ainda nos conta somente as histórias locais de determinada nação ou cultura. Hoje, nosso destino é moldado pelas decisões políticas de líderes em Beijing, pelas invenções tecnológicas de engenheiros em San Francisco, pelo impacto ecológico de fábricas na Índia. A fim de compreender seu futuro, você precisa compreender a história do mundo inteiro e os desafios confrontados por toda a humanidade. Ao escrever este livro, quis ajudar as pessoas a ver o mundo com maior clareza e capacitar todos a participar dos mais importantes debates de nosso tempo.

Não concordo com tudo que a GPT-3 escreveu quando tentou me imitar. Mas ela de fato produziu a seguinte frase, que endosso por completo: "Vivemos trancafiados em prisões mentais inventadas muito antes de nascermos por gente muito diferente de nós". Na minha opinião, a tarefa de um historiador como eu consiste em demonstrar como essas prisões mentais foram construídas e mostrar que não estamos condenados a permanecer dentro delas. Os seres humanos são animais que contam histórias, e as sociedades humanas não podem funcionar sem histórias. Mas, no fim das contas, essas histórias são apenas ferramentas que criamos para ajudar as pessoas. Se uma história causa mais mal do que bem, sempre poderemos mudá-la.

Linha do tempo da história

Anos atrás

13,8 bilhões	Surgimento da matéria e da energia. Início da física. Formação dos átomos e das moléculas. Início da química.
4,5 bilhões	Formação do planeta Terra.
3,8 bilhões	Aparecimento dos organismos. Início da biologia.
6 milhões	Última avó em comum de humanos e chimpanzés.
2,5 milhões	Humanos evoluem na África. Uso de ferramentas de pedra.
2 milhões	Humanos se difundem da África para a Eurásia. Evolução das distintas espécies humanas.
400 mil	Neandertais evoluem na Europa e no Oriente Médio. Uso cotidiano do fogo.
300 mil	*Homo sapiens* evolui na África.
70 mil	Revolução Cognitiva. Surgimento da narração de histórias. Início da história. Os sapiens se difundem a partir da África.
50 mil	Os sapiens se difundem pela Austrália. Extinção da megafauna australiana.
30 mil	Extinção dos neandertais. O *Homo sapiens* é a única espécie humana sobrevivente.
15 mil	Os sapiens se difundem pelas Américas. Extinção da megafauna americana.
12 mil	Revolução Agrícola. Domesticação de plantas e animais. Povoações permanentes.
5 mil	Primeiros reinos, sistemas de escrita e de dinheiro. Religiões politeístas.

4250	Primeiro império — o Império Acádio, de Sargão.
2500	Invenção da moeda — câmbio universal. Império Persa — uma ordem política universal. Budismo na Índia — um ensinamento universal.
2 mil	Império Han na China. Império Romano no Mediterrâneo. Cristianismo.
1400	Islamismo.
500	Revolução Científica. A humanidade admite sua ignorância e começa a adquirir um poder sem precedente. Os europeus começam a conquistar a América e os oceanos. O planeta todo se torna um único palco histórico. Ascensão do capitalismo.
200	Revolução Industrial. Família e comunidade dão lugar a Estado e mercado. Extinção em massa de plantas e animais.
O presente	Os humanos transcendem as fronteiras do planeta Terra. Armas nucleares ameaçam a sobrevivência da humanidade. Os organismos são cada vez mais moldados pelo design inteligente e não pela seleção natural.
O futuro	O design inteligente vai se tornar o princípio básico da vida? As primeiras formas de vida não orgânicas surgirão? Os humanos se tornarão deuses?

PARTE I

A Revolução Cognitiva

1. Marca de mão humana feita há cerca de 30 mil anos na parede da caverna de Chauvet-Pont-d'Arc, no sul da França. Alguém quis dizer: "Estive aqui!".

1. Um animal insignificante

Cerca de 13,5 bilhões de anos atrás, a matéria, a energia, o tempo e o espaço surgiram naquilo que é conhecido como Big Bang. A história dessas características fundamentais do nosso universo é o que chamamos de física.

Cerca de 300 mil anos mais tarde, a matéria e a energia começaram a se fundir em estruturas complexas, conhecidas como átomos, que então se combinaram em moléculas. A história dos átomos, das moléculas e de suas interações é o que chamamos de química.

Cerca de 3,8 bilhões de anos atrás, num planeta chamado Terra, certas moléculas se combinaram para formar estruturas especialmente grandes e elaboradas denominadas organismos. A história dos organismos é o que chamamos de biologia.

Cerca de 70 mil anos atrás, organismos pertencentes à espécie *Homo sapiens* começaram a formar sistemas ainda mais intrincados conhecidos como culturas. O desenvolvimento posterior dessas culturas humanas é o que chamamos de história.

Três importantes revoluções moldaram o curso da história: a Revolução Cognitiva deu o pontapé inicial na história cerca de 70 mil anos atrás. A Revolução Agrícola a acelerou há aproximadamente 12 mil anos. A Revolução Científica, que teve início há apenas quinhentos anos, talvez dê fim à história e comece algo completamente novo. Este livro conta como essas três revoluções afetaram os seres humanos e os demais organismos.

Já havia seres humanos muito antes de haver história. Animais bem parecidos com os humanos modernos surgiram há cerca de 2,5 milhões de anos. No entanto, durante incontáveis gerações não se distinguiram da miríade de outros organismos com os quais dividiam seu hábitat.

Numa caminhada pela África Oriental de 2 milhões de anos atrás, você poderia muito bem topar com um grupo bastante conhecido de personagens humanos: mães ansiosas acalentando seus bebês e bandos de crianças despreocupadas brincando na lama; adolescentes temperamentais se rebelando contra os ditames da sociedade e idosos cansados que só desejavam ser deixados em paz; machos batendo no peito para impressionar a beldade local e matriarcas velhas e sábias que já tinham visto de tudo. Todos esses seres humanos arcaicos amavam, se divertiam, estabeleciam laços fortes de amizade e competiam por status e poder — mas também o faziam chimpanzés, babuínos e elefantes. Não havia nada de especial nos humanos. Ninguém, muito menos eles próprios, tinha a mais vaga ideia de que um dia seus descendentes caminhariam na Lua, realizariam a fissão nuclear, desvendariam o código genético e escreveriam livros de história. A coisa mais importante a saber sobre os humanos pré-históricos é que eles eram animais insignificantes, que impactavam seu meio ambiente tanto quanto gorilas, vaga-lumes ou águas-vivas.

Os biólogos classificam os organismos em espécies. Para que determinados animais pertençam à mesma espécie, é preciso que tenham a tendência de acasalar entre si, gerando descendentes férteis. Embora cavalos e burros possuam um ancestral recente em comum e compartilhem de muitas características físicas, demonstram pouco interesse sexual em membros da outra espécie. Acasalam entre si caso sejam induzidos a isso, mas seus descendentes, chamados de mulas, são estéreis. Assim, mutações no DNA dos burros nunca são passadas aos cavalos, e vice-versa. Esses animais são portanto considerados duas espécies distintas, trilhando trajetórias evolutivas separadas. Em contrapartida, um buldogue e um spaniel podem parecer muito diferentes, porém são membros da mesma espécie, partilhando do mesmo fundo genético. Podem acasalar alegremente, e seus filhotes mais tarde vão cruzar com outros cachorros e gerar mais filhotes.

As espécies que evoluíram de um ancestral comum são agrupadas sob o nome de "gênero". Leões, tigres, leopardos e jaguares são espécies diferentes dentro do gênero *Panthera*. Os biólogos identificam os organismos com um nome latino duplo, em que o gênero é seguido da espécie. Os leões, por exemplo, são chamados de *Panthera leo* — a espécie *leo* do gênero *Panthera*. Podemos assumir que cada leitor deste livro é um *Homo sapiens* — a espécie *sapiens* ("sábia") do gênero *Homo* ("homem").

Os gêneros, por sua vez, são agrupados em famílias, tais como os felídeos (leões, guepardos, gatos domésticos), os canídeos (lobos, raposas, chacais) e os elefantídeos (elefantes, mamutes, mastodontes). A linhagem de todos os membros de uma família foi fundada por uma matriarca ou um patriarca. Todos os felinos, por exemplo, do menor gatinho doméstico ao leão mais feroz, compartilham o mesmo antepassado felídeo que viveu há cerca de 25 milhões de anos.

O *Homo sapiens* também pertence a uma família. Esse fato banal costumava ser um dos segredos mais bem guardados da história. O *Homo sapiens* por muito tempo preferiu se considerar à parte dos animais, um órfão privado de família, sem primos ou irmãos e — o que é mais importante — sem pai nem mãe. Mas isso não é verdade. Gostemos ou não, somos membros de uma família numerosa e especialmente barulhenta chamada grandes primatas. Nossos parentes vivos mais próximos incluem os chimpanzés, os gorilas e os orangotangos. Os chimpanzés são os mais próximos. Apenas 6 milhões de anos atrás, uma fêmea primata teve duas filhas: uma se tornou a ancestral de todos os chimpanzés e a outra é nossa avó.

ESQUELETOS NO ARMÁRIO

O *Homo sapiens* ocultou um segredo ainda mais incômodo. Além de possuirmos um enorme número de primos incivilizados, no passado também tivemos muitos irmãos e irmãs. Estamos acostumados a pensar em nós mesmos como os únicos humanos porque, nos últimos 10 mil anos, a nossa foi de fato a única espécie humana presente no planeta. Contudo, o verdadeiro significado da palavra "humano" é "animal pertencente ao gênero *Homo*", e já existiram

muitas outras espécies desse gênero além do *Homo sapiens*. Ademais, como veremos no último capítulo do livro, num futuro não tão distante poderemos mais uma vez ter de lidar com humanos não *sapiens*. Para elucidar essa questão, usarei o termo "sapiens" para denotar os membros da espécie *Homo sapiens*, reservando o termo "humano" para me referir a todos os membros do gênero *Homo*.

Os humanos começaram a evoluir na África Oriental cerca de 2,5 milhões de anos atrás, a partir de um gênero mais antigo de primatas chamado *Australopithecus*, que significa "macaco do Sul". Há mais ou menos 2 milhões de anos, alguns desses homens e mulheres arcaicos abandonaram sua terra natal e povoaram vastas regiões do norte da África, da Europa e da Ásia. Uma vez que a sobrevivência nas florestas cobertas de neve da Europa setentrional exigia características diversas daquelas necessárias para se manter vivo nas selvas úmidas e quentes da Indonésia, as populações humanas evoluíram em direções diferentes. O resultado foram várias espécies distintas, às quais os cientistas atribuíram pomposos nomes latinos.

 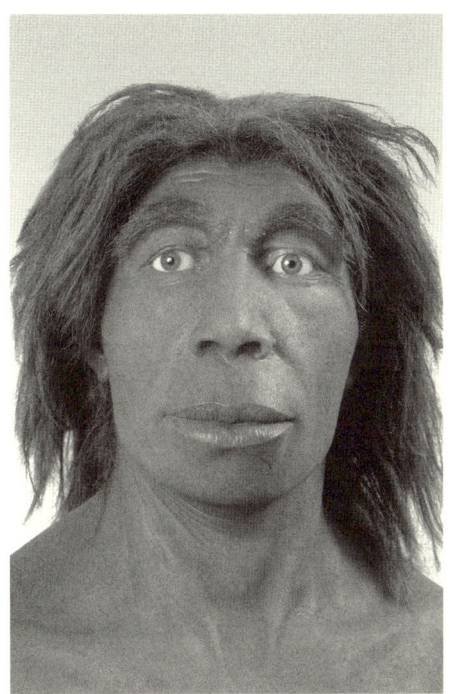

Os humanos na Europa e na Ásia Ocidental evoluíram para o *Homo neanderthalensis* ("homem do vale do Neander"), popularmente conhecidos apenas como "neandertais". Os neandertais, mais corpulentos e musculosos do que nós, sapiens, eram bem adaptados ao clima frio da era do gelo na Eurásia ocidental. As regiões mais a leste da Ásia foram povoadas pelo *Homo erectus*, ou "homem ereto", que lá sobreviveu por quase 2 milhões de anos, sendo assim a espécie humana mais duradoura. É provável que essa marca não seja quebrada nem mesmo por nossa espécie. Se é questionável que o *Homo sapiens* ainda exista daqui a mil anos, que dirá 2 milhões de anos.

Na ilha de Java, hoje parte da Indonésia, viveu o *Homo soloensis*, ou "homem do vale do Solo", que era adaptado à existência nos trópicos. Em outra parte da Indonésia — a pequena ilha de Flores —, humanos arcaicos sofreram um processo de nanismo. Eles chegaram pela primeira vez a Flores quando o nível do mar estava excepcionalmente baixo, facilitando o acesso à ilha a partir do continente. Quando os mares voltaram a subir, alguns indivíduos ficaram presos na ilha, que era carente de recursos. As pessoas de maior porte, que precisavam de mais alimento, morreram primeiro. Aqueles que eram menores tinham mais chance de sobreviver. Ao longo de muitas gerações, os habitantes de Flores se tornaram anões. Essa espécie única, conhecida pelos cientistas como *Homo floresiensis*, atingiu uma altura máxima de apenas um metro, pesando não mais que 25 quilos. Contudo, foram capazes de produzir ferramentas de pedra e até vez por outra conseguiram caçar alguns dos elefantes da ilha — embora esses elefantes também fossem de uma espécie anã.

Em 2010, outro irmão perdido foi salvo do esquecimento quando os cientistas que escavavam a caverna Denisova, na Sibéria, descobriram o osso fossilizado de um dedo. Análises genéticas comprovaram que o dedo pertencia a uma espécie humana previamente desconhecida, a que se deu o nome de *Homo denisova*. Ninguém sabe quantos mais de nossos parentes perdidos estão esperando serem descobertos em outras cavernas, em outras ilhas e em outros climas.

Enquanto esses humanos evoluíam na Europa e na Ásia, o mesmo ocorria na África Oriental. O berço da humanidade continuou a gerar numerosas outras espécies, tais como o *Homo rudolfensis*, ou "homem do lago Rudolf"; o *Homo ergaster*, ou "homem trabalhador"; e mais tarde a nossa própria espécie, a que demos imodestamente o nome de *Homo sapiens*, o "homem sábio".

Os membros de algumas dessas espécies eram grandalhões, e outros, anões. Uns eram caçadores temíveis, e outros, pacíficos coletores de plantas. Alguns viveram numa única ilha, ao passo que muitos vagaram por continentes inteiros. Mas todos pertenciam ao gênero *Homo*. Todos eram seres humanos.

É uma falácia comum enxergar tais espécies como se estivessem numa linha reta de descendência, em que o *ergaster* gera o *erectus*, o *erectus* gera os neandertais e os neandertais evoluem para nos gerar. Esse modelo linear dá a impressão errônea de que, em dado momento, apenas um tipo de humano habitava a Terra, e todas as espécies anteriores não passavam de modelos antigos do que nos tornamos. Na verdade, de cerca de 2 milhões de anos até por volta de 10 mil anos atrás, o mundo abrigou, ao mesmo tempo, várias espécies humanas. E por que não? Hoje há muitas espécies de raposas, ursos e porcos. Cem milênios atrás, a Terra era povoada por ao menos seis espécies de humanos. Nossa atual exclusividade, e não o passado de múltiplas espécies, é que é peculiar — e talvez incriminadora. Como veremos em breve, nós, os sapiens, temos boas razões para reprimir a recordação de nossos irmãos.

A despeito de suas muitas diferenças, todas as espécies humanas compartilham diversas características. A mais notável é o fato de que os humanos possuem cérebros extraordinariamente grandes em comparação com o de outros animais. Mamíferos que pesam sessenta quilos têm em média um cérebro de duzentos centímetros cúbicos. Os homens e as mulheres mais antigos, 2,5 milhões de anos atrás, tinham cérebros de cerca de seiscentos centímetros cúbicos. Os sapiens modernos exibem um cérebro com, em média, 1200 a 1400 centímetros cúbicos. O cérebro dos neandertais era ainda maior.

Que a evolução devesse selecionar cérebros maiores pode parecer óbvio. Somos tão encantados por nossa inteligência refinada que presumimos que, quando se fala em capacidade cerebral, mais significa melhor. Porém, se fosse assim, na família dos felinos também haveria aqueles capazes de aprender cálculo, e os sapos teriam a essa altura lançado seu próprio programa espacial. Por que cérebros gigantescos são raros no reino animal?

O fato é que um cérebro enorme representa uma exigência enorme para o corpo. Não é fácil carregá-lo para toda parte, em especial quando revestido de um crânio maciço. E é ainda mais difícil abastecê-lo com energia. No *Homo sapiens*, o cérebro representa entre 2% a 3% do peso corporal, mas consome 25% da energia do corpo quando em repouso. Em comparação, o cérebro de outros macacos demanda apenas 8% de energia enquanto o corpo descansa. Os humanos arcaicos pagaram por seu cérebro grande de duas maneiras. Primeiro, dedicaram mais tempo à busca de comida. Segundo, seus músculos se atrofiaram. Como um governo redirecionando recursos da defesa para a educação, os humanos desviaram a energia dos bíceps para os neurônios. Não é difícil concluir que essa não foi uma boa estratégia para sobreviver na savana. Um chimpanzé não pode ganhar uma discussão com um *Homo sapiens*, mas pode destroçá-lo como se fosse uma boneca de pano.

Hoje nosso cérebro grande se mostra vantajoso, pois podemos fabricar carros e armas que nos permitem uma locomoção muito mais rápida que a dos chimpanzés e a possibilidade de atirar neles de uma distância segura em vez de enfrentá-los numa luta corpo a corpo. Mas carros e armas são fenômenos recentes. Durante mais de 2 milhões de anos, as redes neurais dos humanos não pararam de crescer, embora, exceto por algumas facas de sílex e uns espetos pontiagudos, os humanos tivessem pouco com que se defender. O que, então, impulsionou a evolução do substancial cérebro humano ao longo desses 2 milhões de anos? Honestamente, não sabemos.

Outra característica singular dos humanos é andar com o corpo ereto sobre duas pernas. De pé, é mais fácil visualizar a savana a fim de localizar animais de caça ou inimigos, e os braços desnecessários para a locomoção ficam liberados para outros propósitos, tal como atirar pedras ou fazer sinais. Quanto mais coisas essas mãos pudessem fazer, mais exitosos eram seus proprietários, motivo pelo qual a pressão evolucionária gerou uma concentração crescente de nervos e músculos bastante precisos nas palmas e nos dedos. Como consequência, os humanos podem executar tarefas muito complexas com as mãos — em especial produzir e utilizar ferramentas sofisticadas. A primeira evidência da produção de ferramentas data de aproximadamente 2,5 milhões de anos, e a manufatura e o uso de ferramentas são os critérios com que os arqueólogos reconhecem os antigos humanos.

Entretanto, andar ereto tem suas desvantagens. O esqueleto de nossos antepassados primatas se desenvolveu por milhões de anos a fim de transportar uma criatura que andava de quatro e tinha uma cabeça relativamente pequena. Adaptar-se a uma posição ereta foi um desafio significativo, em particular quando a estrutura precisou suportar um crânio de dimensões substanciais. A humanidade pagou pela visão mais ampla e pelas mãos hábeis com dores nas costas e torcicolos.

As mulheres pagaram um preço ainda maior. Andar ereto exigia quadris mais estreitos, comprimindo o canal vaginal — e isso justamente quando a cabeça dos bebês continuava a crescer. A morte durante o trabalho de parto se tornou um grave risco para as fêmeas da espécie. As mulheres que davam à luz mais cedo, quando a cabeça e o cérebro dos bebês eram menores e mais maleáveis, gozavam de certa vantagem e sobreviviam para ter mais filhos. Por essa razão, a seleção natural favoreceu os nascimentos precoces. E, na verdade, comparados com outros animais, os humanos nascem prematuramente, quando muitos de seus sistemas vitais ainda não se desenvolveram por completo. Um potro pode trotar pouco depois de nascer, um gatinho se afasta da mãe em busca do que comer com poucas semanas de vida. Os bebês humanos são indefesos, dependendo durante muitos anos de pessoas mais velhas para seu sustento, sua proteção e sua educação.

Tal fato contribuiu muito tanto para as extraordinárias habilidades sociais dos humanos quanto para seus problemas sociais únicos. Mães solitárias dificilmente seriam capazes de coletar alimentos para seus filhos e para elas próprias levando consigo a prole necessitada de atenção. Criar filhos exigia a ajuda constante de outros membros da família e vizinhos. É necessária uma tribo para criar um humano. Desse modo, a evolução favoreceu aqueles capazes de formar sólidos laços sociais. Além disso, uma vez que nascem subdesenvolvidos, os humanos podem ser educados e socializados de forma muito mais profunda que qualquer outro animal. A maior parte dos mamíferos sai do útero como vasos de cerâmica de um forno — qualquer tentativa de mudar sua forma só resultará em arranhá-los ou quebrá-los. Os humanos saem do útero como vidro derretido de uma fornalha. Podem ser retorcidos, esticados e moldados com surpreendente grau de liberdade. É por isso que, hoje em dia, podemos educar nossos filhos para se tornarem cristãos ou budistas, capitalistas ou socialistas, belicistas ou pacifistas.

Presumimos que um cérebro volumoso, o uso de ferramentas, a capacidade superior de aprendizado e a existência de estruturas sociais complexas são imensas vantagens. Parece evidente que essas características transformaram os humanos nos animais mais poderosos da Terra. Mas eles gozaram de todas essas vantagens por 2 milhões de anos, durante os quais continuaram a ser criaturas débeis e marginais. Desse modo, humanos que viveram há 1 milhão de anos, apesar de contarem com um cérebro grande e ferramentas afiadas de pedra, temiam bastante os predadores, raramente caçavam animais de maior porte e subsistiam sobretudo colhendo plantas, apanhando insetos, capturando pequenos animais e comendo a carniça deixada por outros carnívoros mais poderosos.

Um dos usos mais comuns das primeiras ferramentas de pedra consistia em quebrar ossos a fim de chegar ao tutano. Alguns pesquisadores acreditam que esse foi nosso nicho original. Assim como os pica-paus se especializam em extrair insetos dos troncos das árvores, os primeiros humanos se especializaram em extrair tutano dos ossos. Por que o tutano? Suponha que você observe um bando de leões matar e devorar uma girafa. Você espera pacientemente até que eles terminem, mas ainda não chegou sua vez porque antes as hienas e os chacais — e você não ousa interferir — vasculham o que sobrou. Só então você e seus companheiros têm coragem de se aproximar da carcaça, olhando com cuidado para um lado e para o outro — e então avançam sobre o único tecido comestível que restou.

Isso é essencial para compreendermos nossa história e nossa psicologia. A posição do gênero *Homo* na cadeia alimentar foi, até recentemente, bem intermediária. Durante milhões de anos, os humanos caçaram criaturas menores e colheram o que podiam, enquanto eram o tempo todo caçados por predadores maiores. Foi apenas há 400 mil anos que várias espécies de homens começaram a caçar animais grandes com alguma regularidade, e só nos últimos 100 mil anos — com a ascensão do *Homo sapiens* — pulamos para o topo da cadeia alimentar.

Esse salto espetacular do meio para o topo da cadeia teve imensas consequências. Outros animais no alto da pirâmide, tais como os leões e os tubarões, chegaram muito gradualmente a suas posições, ao longo de milhões de anos. Isso permitiu que o ecossistema desenvolvesse pesos e contrapesos a fim de evitar que eles causassem muita destruição. À medida que os leões se tornaram mais mortíferos, as gazelas evoluíram para correr mais rápido, as hienas para trabalhar melhor em conjunto, os rinocerontes para ficar mais mal-encarados. Por outro lado, a humanidade ascendeu ao cume tão depressa que o ecossistema não teve tempo de se adaptar. Além do mais, os próprios humanos não foram capazes de fazê-lo. Muitos dos principais predadores do planeta são criaturas majestosas. Milhões de anos de domínio lhes deram bastante autoconfiança. Os sapiens, por outro lado, mais se assemelham ao ditador de uma república de bananas. Como estivemos até recentemente entre os oprimidos nas savanas, guardamos muitos receios e ansiedades a respeito da nossa posição, o que nos faz duas vezes mais cruéis e perigosos. Muitas calamidades históricas, de guerras mortais a catástrofes climáticas, resultaram desse salto precipitado.

UMA RAÇA DE COZINHEIROS

Um passo importante para chegar ao topo foi o controle do fogo. Algumas espécies humanas podem ter feito uso ocasional do fogo até 800 mil anos atrás, mas há cerca de 300 mil anos os *Homo erectus*, os neandertais e os antepassados do *Homo sapiens* começaram a usar o fogo diariamente. Os humanos tinham então uma fonte confiável de luz e calor, assim como uma arma letal contra os leões que os rodeavam. Não muito depois, os humanos podem até ter passado a atear fogo de forma deliberada em seu entorno. Uma queimada cuidadosamente controlada era capaz de transformar matagais estéreis e intransponíveis em excelentes pradarias repletas de animais de caça. Além disso, uma vez extinto o fogo, os empreendedores da Idade da Pedra podiam caminhar pelas áreas ainda fumegantes coletando animais, nozes e tubérculos assados.

Mas a melhor coisa que o fogo proporcionou foi a possibilidade de cozinhar. Produtos que os humanos não tinham condições de digerir em sua forma natural — tais como trigo, arroz e batatas — se transformaram em itens básicos da nossa dieta uma vez cozidos. O fogo não somente modifica a química do alimento, mas também altera sua biologia. O cozimento matava germes e parasitas. Os humanos passaram ainda a ter muito mais facilidade de mastigar e digerir suas comidas prediletas, tais como frutas, nozes, insetos e carniça, caso fossem cozidas. Enquanto chimpanzés gastam cinco horas por dia mastigando alimentos crus, apenas uma hora é o bastante para quem consome comidas assadas.

O hábito de cozinhar permitiu que os humanos comessem uma variedade maior de alimentos e dedicassem menos tempo à nutrição, além de necessitarem de dentes menores e de intestinos mais curtos. Alguns estudiosos acreditam que há um vínculo direto entre o hábito de cozinhar, o encurtamento do trato intestinal e o crescimento do cérebro humano. Tendo em vista que intestinos longos e cérebros avantajados consomem bastante energia, é difícil ter os dois ao mesmo tempo. Ao encurtar os intestinos e reduzir seu consumo energético, o costume de cozinhar acidentalmente abriu caminho para o surgimento dos cérebros enormes de neandertais e sapiens.[1]

O fogo também abriu o primeiro abismo significativo entre o homem e os outros animais. O poder de quase todos os animais depende de seus corpos: a força dos músculos, o tamanho dos dentes, a amplitude das asas. Embora possam se valer de ventos e correntes, são incapazes de controlar essas forças naturais, estando sempre limitados por sua estrutura física. As águias, por exemplo, identificam as correntes ascendentes que se elevam do solo, abrem suas asas enormes e deixam que o ar quente as leve para cima. No entanto, elas não conseguem controlar a localização das correntes, e o máximo de capacidade que têm para carregar qualquer coisa é estritamente proporcional à envergadura de suas asas.

Quando os homens domesticaram o fogo, ganharam o controle de uma força obediente e potencialmente ilimitada. Ao contrário das águias, os humanos podiam escolher quando e onde iriam acender o fogo, sendo capazes de explorá-lo para uma grande variedade de tarefas. E o que é mais importante: o poder do fogo não estava limitado pela forma, estrutura ou força do corpo humano. Uma única mulher, com uma pedra ou um pedaço de pau, era capaz de incendiar toda uma floresta em questão de horas. A domesticação do fogo foi um sinal do que estava por vir.

CUIDANDO DE NOSSOS IRMÃOS

Apesar dos benefícios do fogo, há 150 mil anos os humanos ainda eram criaturas marginais. Podiam agora afugentar os leões, se aquecer durante as noites frias e queimar uma ou outra floresta. Todavia, somando todas as espécies, talvez não existisse mais de 1 milhão de humanos vivendo entre o arquipélago da Indonésia e a península Ibérica, um mero pontinho no radar ecológico.

Nossa espécie, *Homo sapiens*, já estava presente no palco mundial, mas até então somente cuidando de seus afazeres num canto da África. Não sabemos ao certo onde e quando esses animais classificados como *Homo sapiens* evoluíram a partir de algum tipo anterior de humanos, porém a maioria dos cientistas concorda que, por volta de 150 mil anos atrás, a África Oriental estava povoada por sapiens semelhantes a nós. Se algum deles aparecesse num necrotério moderno, o patologista local não notaria nada de diferente. Graças aos benefícios do fogo, eles tinham dentes e mandíbula menores que os de seus antepassados, já exibindo cérebros volumosos do tamanho do nosso.

Também é consenso entre os cientistas que, há cerca de 70 mil anos, os sapiens da África Oriental se espalharam em direção à península Arábica e, de lá, rapidamente povoaram todo o continente da Eurásia.

Quando o *Homo sapiens* chegou à Arábia, a maior parte da Eurásia já havia sido povoada por outros humanos. O que aconteceu com eles? Há duas teorias conflitantes. A "teoria da miscigenação" conta uma história de atração, sexo e cruzamentos. À medida que os imigrantes africanos se espalharam pelo mundo, cruzaram com outras populações humanas, e hoje somos o resultado dessa miscigenação.

Por exemplo, quando os sapiens atingiram o Oriente Médio e a Europa, encontraram ali os neandertais. Esses humanos eram mais musculosos que os sapiens, possuíam cérebros maiores e estavam mais bem adaptados aos climas frios. Usavam ferramentas e fogo, eram bons caçadores e aparentemente cuidavam dos enfermos e debilitados. (Arqueólogos descobriram ossos de neandertais que viveram por muitos anos com graves deficiências físicas, prova de que recebiam cuidados de seus parentes.) Os neandertais são retratados com frequência em caricaturas como arquétipos abrutalhados e ignorantes dos "homens das cavernas", porém indícios recentes alteraram essa imagem.

Segundo a teoria da miscigenação, quando os sapiens penetraram nas terras dos neandertais, as duas espécies cruzaram entre si até que suas populações se fundiram. Se isso de fato ocorreu, os eurasiáticos de hoje não são sapiens puros, e sim uma mistura de sapiens e neandertais. Da mesma maneira, quando chegaram à Ásia Oriental, os sapiens cruzaram com os *Homo erectus* locais, de tal modo que os chineses e os coreanos são uma mistura de sapiens e *erectus*.

A visão oposta, chamada de "teoria da substituição", conta uma história bem diversa — de incompatibilidade, repugnância e talvez até mesmo genocídios. Segundo essa teoria, os sapiens e os outros humanos tinham anatomias diversas e, muito provavelmente, hábitos de acasalamento e até cheiros corporais diferentes. Teriam pouco interesse sexual uns pelos outros. E mesmo se um Romeu neandertal e uma Julieta sapiens se apaixonassem, não gerariam crianças férteis, porque o abismo genético que separava as duas populações já era intransponível. As duas populações se mantiveram distintas por completo, e quando os neandertais se extinguiram — ou foram exterminados —, seus genes morreram com eles. De acordo com essa teoria, os sapiens substituíram todas as populações humanas anteriores sem se misturar com elas. Caso isso seja verdade, as linhagens de todos os seres humanos contemporâneos remontam exclusivamente à África Oriental de 70 mil anos atrás. Nós todos somos "sapiens puros".

Muita coisa gira em torno dessa questão. De uma perspectiva evolucionista, 70 mil anos são um intervalo de tempo relativamente curto. Se a teoria da substituição estiver correta, todos os seres humanos vivos possuem quase a mesma bagagem genética, sendo insignificantes as distinções raciais entre eles. Contudo, se a teoria da miscigenação estiver correta, podem de fato existir diferenças genéticas entre africanos, europeus e asiáticos que remontam a cente-

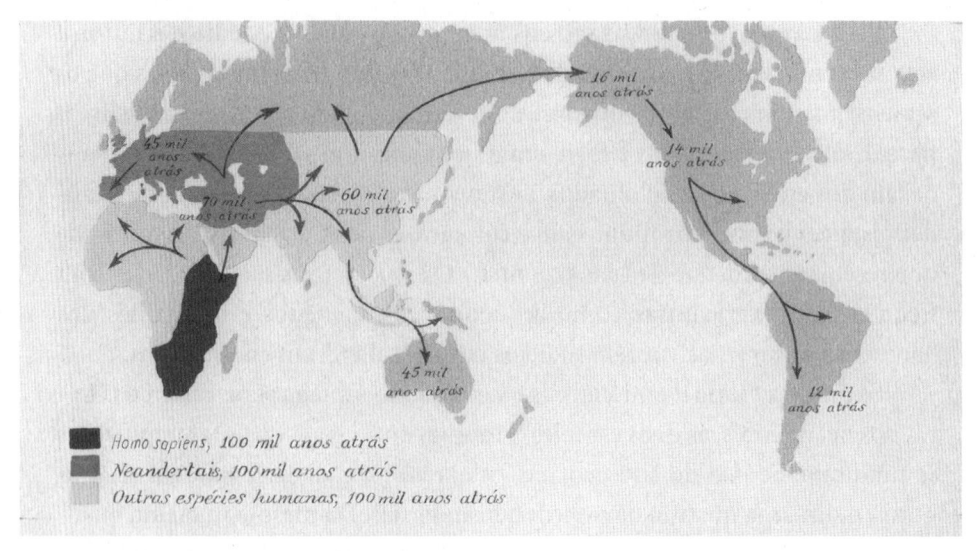

Mapa 1. *O Homo sapiens conquista o globo.*

nas de milhares de anos. Isso seria uma bomba política, que poderia fornecer material para a elaboração de teorias raciais explosivas.

Nas últimas décadas, a teoria da substituição predominou por ter fundamentos arqueológicos mais sólidos e ser politicamente mais correta (os cientistas não tinham o menor desejo de abrir a caixa de Pandora do racismo ao proclamar uma diversidade genética significativa entre as populações humanas modernas). Mas isso terminou em 2010, quando foram publicados os resultados de um estudo de quatro anos para mapear o genoma dos neandertais. Os geneticistas foram capazes de coletar o DNA intacto de fósseis de neandertais em quantidades suficientes para fazer uma comparação pormenorizada com o DNA de humanos contemporâneos. Os resultados chocaram a comunidade científica.

Verificou-se que de 1% a 4% do DNA humano específico da população moderna do Oriente Médio e da Europa corresponde ao DNA dos neandertais. Não se trata de um grande volume, mas é significativo. Um segundo choque veio vários meses depois, quando foi mapeado o DNA extraído do dedo fossilizado de um denisovano. Os resultados provaram que até 6% do DNA humano específico dos modernos melanésios e aborígenes australianos corresponde ao DNA denisovano.

Se esses resultados forem válidos — e é importante ter em mente que estão em curso pesquisas adicionais que podem reforçar ou alterar tais conclusões —, os partidários da teoria da miscigenação acertaram pelo menos em parte. Mas isso não quer dizer que a teoria da substituição esteja totalmente errada. Uma vez que neandertais e denisovanos contribuíram apenas com uma pequena proporção de DNA para nosso genoma atual, é impossível dizer que houve uma "fusão" entre os sapiens e outras espécies humanas. Embora as diferenças entre elas não fossem substanciais o bastante para impedir de todo os acasalamentos férteis, eram suficientes para tornar muito raros esses contatos.

Como então devemos entender o relacionamento biológico entre sapiens, neandertais e denisovanos? Decerto não eram espécies de todo diferentes, como os cavalos e os burros. Por outro lado, não eram apenas populações diferentes da mesma espécie, como os buldogues e os spaniels. A realidade biológica não é tão simples; há também áreas cinzentas importantes. Duas espécies que evoluíram de um ancestral comum, como cavalos e burros, em algum momento foram duas populações da mesma espécie, como os buldogues e os spaniels. Deve ter havido um ponto em que as duas populações já eram bem diferentes, porém ainda capazes, em raras ocasiões, de manter relações sexuais e gerar uma prole fértil. Outra mutação então cortou essa última conexão, e cada qual seguiu seu próprio caminho evolucionário.

Parece que há cerca de 50 mil anos os sapiens, os neandertais e os denisovanos se encontravam nesse ponto limítrofe. Eram espécies quase inteiramente separadas, mas havia semelhanças. Conforme veremos no próximo capítulo, os sapiens já eram bastante diferentes dos neandertais e dos denisovanos não apenas no código genético e nos traços físicos, como também em suas capacidades cognitivas e sociais. Todavia, ao que parece, ainda era possível, em raras ocasiões, que sapiens e neandertais gerassem filhos férteis. Assim, as populações não se fundiram, porém alguns poucos genes neandertais sortudos pegaram carona no Expresso Sapiens. É perturbador — e talvez emocionante — pensar que nós, sapiens, em certa época pudemos manter relações sexuais com um animal de espécie diferente e gerar descendentes.

No entanto, se os neandertais, os denisovanos e outras espécies humanas não se mesclaram com os sapiens, por que desapareceram? Uma possibilidade é que o *Homo sapiens* os levou à extinção. Imagine um bando de sapiens entrando num vale nos Bálcãs onde os neandertais viviam havia centenas de mi-

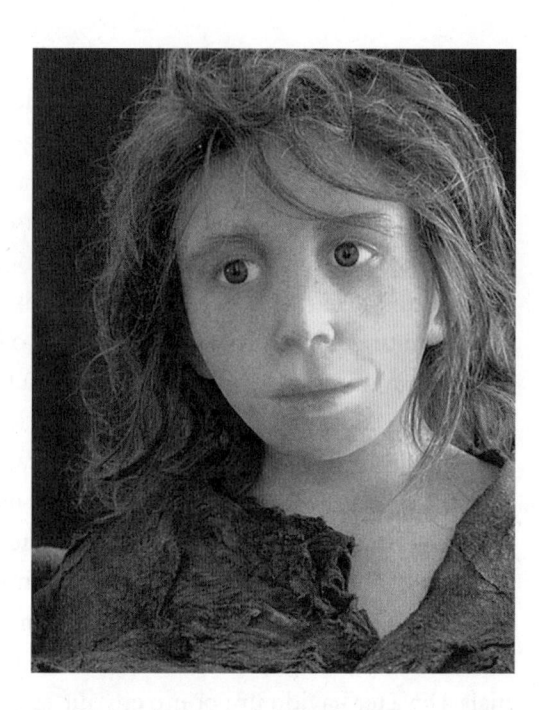

3. *Reconstituição especulativa de uma criança neandertal. Os indícios genéticos sugerem que ao menos alguns neandertais tinham pele e cabelos claros.*

lhares de anos. Os recém-chegados começaram a caçar veados e a colher nozes e frutinhas, os itens tradicionais da dieta dos neandertais. Por serem caçadores e coletores mais eficientes, graças a uma tecnologia mais avançada e habilidades sociais superiores, os sapiens se multiplicaram e se espalharam. Os neandertais, menos competentes, encontraram dificuldades cada vez maiores para se alimentar. Sua população diminuiu e lentamente caminhou para a extinção, exceto quem sabe por um ou dois membros que se juntaram aos vizinhos sapiens.

Outra possibilidade é que a competição pelos recursos tenha levado à violência e ao genocídio. A tolerância não é uma característica notável dos sapiens. Hoje, uma pequena diferença na cor da pele, no dialeto ou na religião é suficiente para levar um grupo de sapiens a buscar exterminar o outro. Será que os antigos sapiens teriam sido mais tolerantes em relação a uma espécie humana totalmente diferente? É bem possível que, quando os sapiens encontraram os neandertais, o resultado tenha sido a primeira e mais significativa campanha de limpeza étnica na história.

O que quer que tenha acontecido, os neandertais (e outras espécies humanas) nos legaram um dos maiores "e se" da história. Imagine o que poderia ter ocorrido caso os neandertais ou os denisovanos tivessem sobrevivido ao lado do *Homo sapiens*. Que tipos de culturas, sociedades e estruturas políticas teriam surgido num mundo em que diversas espécies humanas coexistissem? Como, por exemplo, as crenças religiosas teriam se desenvolvido? O livro do Gênesis teria declarado que os neandertais descendiam de Adão e Eva? Jesus Cristo teria morrido pelos pecados dos denisovanos? O Corão teria reservado lugares no paraíso para todos os humanos de bem, qualquer que fosse sua espécie? Teriam os neandertais podido servir nas legiões romanas ou na imensa burocracia da China imperial? Será que a Declaração de Independência dos Estados Unidos consideraria uma verdade evidente que todos os membros do gênero *Homo* foram criados iguais? Teria Karl Marx incentivado os trabalhadores de todas as espécies a se unir?

Nos últimos 10 mil anos, o *Homo sapiens* ficou tão acostumado a ser a única espécie humana que é difícil para nós conceber qualquer outra possibilidade. A falta de irmãos e irmãs torna mais fácil imaginar que somos o epítome da criação, que um abismo nos separa do restante do reino animal. Quando Charles Darwin indicou que o *Homo sapiens* era apenas outra espécie de animal, as pessoas ficaram indignadas. Muitas até hoje se recusam a acreditar nisso. Caso os neandertais houvessem sobrevivido, ainda nos consideraríamos uma criatura à parte? Talvez seja exatamente por isso que nossos ancestrais eliminaram os neandertais. Eles eram muito semelhantes para serem ignorados, porém muito diferentes para serem tolerados.

Tenham os sapiens sido culpados ou não, a verdade é que, tão logo chegavam a um novo local, a população nativa era extinta. Os últimos remanescentes do *Homo soloensis* datam de cerca de 50 mil anos atrás. O *Homo denisova* desapareceu pouco depois. Os neandertais se foram há cerca de 30 mil anos. Os derradeiros humanos anões da ilha de Flores sumiram há 12 mil anos. Todos deixaram para trás alguns ossos, algumas ferramentas de pedra, uns poucos genes em nosso DNA e uma porção de perguntas não respondidas. Também nos deixaram para trás, os *Homo sapiens*, a última espécie humana.

Qual o segredo do sucesso dos sapiens? Como conseguimos povoar com tamanha rapidez hábitats tão distantes e diversos do ponto de vista ecológico? Como empurramos para o esquecimento todas as outras espécies humanas? Por que nem os poderosos neandertais, com seus grandes cérebros e sua adaptação ao frio, foram capazes de sobreviver a nosso violento ataque? A discussão continua acesa. A resposta mais provável é justamente aquilo que torna o debate possível: o *Homo sapiens* conquistou o mundo graças sobretudo à sua linguagem ímpar.

2. A árvore do conhecimento

No capítulo anterior, vimos que, embora já tivessem povoado a África Oriental 150 mil anos atrás, os sapiens só começaram a ocupar o restante do planeta e a empurrar as outras espécies para a extinção há cerca de 70 mil anos. Nos milênios que transcorreram entre essas duas datas, apesar de se assemelharem a nós e terem o cérebro do tamanho do nosso, esses sapiens arcaicos não desfrutaram de nenhuma vantagem relevante sobre outras espécies humanas, não criaram ferramentas especialmente sofisticadas e não realizaram nenhum outro feito digno de nota.

Na verdade, no primeiro encontro entre sapiens e neandertais de que se tem registro, os últimos saíram vencedores. Cerca de 100 mil anos atrás, alguns grupos de sapiens migraram para o Norte e chegaram ao Levante, à época um território neandertal, mas não foram capazes de se estabelecer em definitivo. Pode ter sido por causa dos nativos desagradáveis, de um clima inclemente ou de parasitas locais com os quais não estavam familiarizados. Qualquer que tenha sido a razão, os sapiens por fim se retiraram, deixando os neandertais como senhores do Oriente Médio.

Esse registro medíocre levou os estudiosos a especular que a estrutura interna do cérebro desses sapiens provavelmente diferia da nossa. Eram parecidos conosco, mas suas capacidades cognitivas — aprender, relembrar, comunicar-se — eram bem mais limitadas. Ensinar aqueles antigos sapiens a falar inglês, persuadi-los sobre a verdade do dogma cristão ou fazê-los entender a teoria da evolução certamente seriam empreitadas fadadas ao fracasso. Por outro lado, teríamos bastante dificuldade de aprender seu sistema de comunicação e sua maneira de pensar.

Mas então, começando há cerca de 70 mil anos, o *Homo sapiens* começou a fazer coisas bem especiais. Por volta dessa época, grupos de sapiens saíram pela segunda vez da África. Dessa vez, expulsaram os neandertais e todas as outras espécies humanas não apenas do Oriente Médio, mas da face da Terra. Em um intervalo extraordinariamente curto, os sapiens chegaram à Europa e à Ásia Oriental. Há mais ou menos 45 mil anos, sabe-se lá como atravessaram o mar aberto e desembarcaram na Austrália — um continente até então intocado por humanos. O período que vai de cerca de 70 mil anos atrás a cerca de 30 mil anos atrás testemunhou a invenção de barcos, lâmpadas a óleo, arcos, flechas e agulhas (essenciais para costurar roupas quentes). Os primeiros objetos que podem ser chamados com alguma segurança de arte também remontam a essa época (veja o homem-leão de Stadel na p. 34), bem como a primeira prova inquestionável de religião, comércio e estratificação social.

Os pesquisadores, em sua maioria, acreditam que essas realizações sem precedente foram fruto de uma revolução nas capacidades cognitivas dos sapiens. Afirmam que os indivíduos que levaram os neandertais à extinção, povoaram a Austrália e esculpiram o homem-leão de Stadel eram tão inteligentes, criativos e sensíveis quanto nós. Caso nos encontrássemos com os artistas da caverna de Stadel, poderíamos aprender sua linguagem, e eles, a nossa. Seríamos capazes de lhes explicar tudo o que sabemos — das aventuras de Alice no País das Maravilhas aos paradoxos da física quântica —, e eles poderiam nos ensinar como viam o mundo.

O surgimento de novas maneiras de pensar e se comunicar entre 70 mil e 30 mil anos atrás constitui a Revolução Cognitiva. O que a causou? Não sabemos ao certo. A teoria mais aceita postula que mutações genéticas acidentais alteraram as conexões do cérebro dos sapiens, permitindo que pensassem de formas inéditas e se comunicassem usando tipos de linguagem totalmente novos. Podemos chamar isso de mutação da Árvore do Conhecimento. Por que ocorreu no DNA dos sapiens e não no dos neandertais? Até onde sabemos, por puro acaso. Mas é mais importante compreender as consequências da mutação da Árvore do Conhecimento do que suas causas. O que havia de tão especial na nova linguagem dos sapiens que fez com que eles conquistassem o mundo?*

Não foi o primeiro sistema de comunicação. Todo animal possui algum tipo de linguagem. Até mesmo insetos, como abelhas e formigas, podem se comunicar de maneira sofisticada, informando a localização de um alimento. Nem foi o primeiro sistema vocal de comunicação. Muitos animais, incluindo todas as espécies de primatas, utilizam sinais vocais. Por exemplo, os macacos-verdes usam gritos de vários tipos a fim de se comunicar. Os zoólogos identificaram um que significa "Cuidado! Uma águia!". Outro alerta ligeiramente diferente diz: "Cuidado! Um leão!". Quando os pesquisadores reproduziram uma gravação do primeiro grito para um grupo de macacos, eles pararam o que estavam fazendo e olharam para cima amedrontados. Quando o mesmo grupo ouviu uma gravação do segundo grito, o alerta sobre o leão, os macacos subiram depressa numa árvore. Os sapiens são capazes de produzir um número muito maior de sons distintos do que os macacos-verdes, porém as baleias e os elefantes possuem capacidades igualmente impressionantes. Um papagaio pode repetir qualquer coisa dita por Albert Einstein, além de imitar um telefone tocando, portas batendo e sirenes soando. Quaisquer que fossem as vantagens de Einstein sobre um papagaio, não eram de cunho vocal. Sendo assim, o que é tão especial em nossa linguagem?

A resposta mais comum é que nossa linguagem é maravilhosamente flexível. Podemos conectar um número limitado de sons e sinais para produzir um número infinito de frases, cada qual com um significado distinto. Desse modo, conseguimos receber, armazenar e comunicar um volume prodigioso de informações sobre o mundo ao nosso redor. Um macaco-verde pode gritar para seus companheiros: "Cuidado! Um leão!". Mas um humano moderno é capaz de dizer aos amigos que, pela manhã, perto da curva do rio, viu um leão seguindo uma manada de bisões. Consegue então descrever a localização exata, incluindo os diferentes caminhos que levam àquela área. Com tal informação, os membros de seu grupo têm condições de se reunir e discutir se devem chegar perto do rio, afugentar o leão e caçar os bisões.

* Aqui e nas páginas seguintes, ao falar da linguagem dos sapiens me refiro às habilidades linguísticas básicas da espécie, e não a algum dialeto particular. Inglês, híndi e chinês são variantes da linguagem dos sapiens. Aparentemente, mesmo na época em que ocorreu a Revolução Cognitiva, diferentes grupos de sapiens tinham dialetos diversos.

Uma segunda teoria entende que nossa linguagem única evoluiu como um meio de compartilhar informações sobre o mundo. No entanto, a informação mais importante que precisava ser transmitida era sobre humanos, e não sobre leões e bisões. Nossa linguagem evoluiu como um instrumento para a troca de fofocas. Segundo essa teoria, o *Homo sapiens* é em essência um animal social. A cooperação social é fundamental para a sobrevivência e a reprodução. Não basta que determinados homens e mulheres saibam onde se encontram os leões e os bisões. É muito mais relevante para eles saber quem no grupo odeia quem, quem está dormindo com quem, quem é honesto, quem é trapaceiro.

4. Estatueta em marfim representando um "homem-leão" (ou uma "mulher-leoa"), encontrada na caverna Stadel, na Alemanha, esculpida por volta de 32 mil anos atrás. O corpo é humano, mas a cabeça é leonina. Esse é um dos primeiros exemplos inquestionáveis de arte e provavelmente de religião, assim como da capacidade da mente humana de imaginar coisas que não existem.

É assombroso o volume de informações que é preciso obter e conservar a fim de mapear as relações sempre mutáveis de algumas dezenas de indivíduos. (Num grupo de cinquenta pessoas, há 1225 relações individuais e incontáveis combinações sociais mais complexas.) Todos os primatas demonstram grande interesse nesse tipo de informação social, mas não conseguem fofocar de modo eficiente. Os neandertais e os *Homo sapiens* arcaicos provavelmente também tinham dificuldade em falar pelas costas dos outros — uma capacidade muito difamada, mas que é essencial para a cooperação coletiva. As novas habilidades linguísticas que o sapiens moderno adquiriu cerca de setenta milênios atrás permitiram que eles fofocassem por horas a fio. A transmissão de informações seguras sobre quem merecia confiança permitia que pequenos bandos se expandissem, fazendo com que os sapiens desenvolvessem tipos de cooperação mais íntimos e sofisticados.[1]

A teoria da fofoca pode parecer uma piada, porém numerosos estudos a confirmam. Mesmo hoje em dia, a vasta maioria da comunicação humana — seja na forma de e-mails, chamadas telefônicas ou colunas de jornais — é composta de mexericos. Trata-se de algo tão natural para nós que parece que nossa linguagem evoluiu com esse objetivo específico. Você acha que os professores de história, quando se reúnem para almoçar, conversam sobre as razões que levaram à Primeira Guerra Mundial, ou que os físicos nucleares passam o intervalo do cafezinho nas conferências científicas falando sobre quarks? Às vezes, sim. Todavia, é mais comum fofocarem sobre a professora que flagrou a traição do marido, ou a briga entre o chefe do departamento e o reitor, ou os boatos de que certo colega usou sua verba de pesquisa para comprar um carro. A fofoca em geral gira em torno de transgressões. Os divulgadores de boatos compõem o "quarto poder" original — jornalistas que informam a sociedade sobre trapaceiros e oportunistas, protegendo-a dessas pessoas.

É mais provável que as duas teorias — a da fofoca e a do leão perto do rio — sejam válidas. No entanto, a característica verdadeiramente única de nossa linguagem não reside em sua capacidade de transmitir informações sobre homens e leões. Ao contrário, está na capacidade de transmitir informação sobre coisas que não existem. Até onde sabemos, apenas os sapiens podem falar sobre tipos de entidades que nunca viram, tocaram ou cheiraram.

Lendas, mitos, deuses e religiões apareceram pela primeira vez com a Revolução Cognitiva. Muitos animais e espécies humanas já podiam gritar "Cuidado! Um leão!". Graças à Revolução Cognitiva, o *Homo sapiens* adquiriu a capacidade de dizer: "O leão é o guardião do espírito de nossa tribo". Essa capacidade de falar sobre ficções é a característica mais singular da linguagem dos sapiens.

É relativamente fácil chegar ao consenso de que apenas o *Homo sapiens* é capaz de falar sobre coisas que não existem e acreditar em seis fatos impossíveis antes mesmo do café da manhã. Você nunca seria capaz de convencer um macaco a lhe dar uma banana prometendo a ele uma quantidade ilimitada da fruta após a morte, no paraíso dos primatas. Mas por que isso é importante? Afinal de contas, a ficção pode ser perigosamente enganosa e perturbadora. As pessoas que vão a uma floresta em busca de fadas ou unicórnios talvez tenham uma chance menor de sobrevivência do que quem vai lá procurando cogumelos e veados. E se você passar horas rezando para espíritos guardiões que não existem, não estará gastando um tempo precioso que seria mais bem empregado procurando comida, brigando ou tendo relações sexuais?

No entanto, a ficção nos permitiu não apenas imaginar coisas, mas também fazer isso *coletivamente*. Podemos formular mitos compartilhados, tais como a história bíblica da criação, os mitos do Tempo do Sonho dos aborígenes australianos e os mitos nacionalistas dos Estados modernos. Tais lendas dão aos sapiens a capacidade inédita de cooperar de forma flexível e em grandes números. As formigas e as abelhas também trabalham em conjunto em grandes números, mas o fazem de modo rígido e apenas com parentes próximos. Lobos e chimpanzés cooperam com muito mais flexibilidade que formigas, porém só podem fazê-lo com um pequeno número de indivíduos que conhecem intimamente. Os sapiens são capazes de cooperar de formas bastante flexíveis com um número incontável de estranhos. É por isso que os sapiens dominam o mundo, ao passo que as formigas comem nossas sobras e os chimpanzés estão trancados em zoológicos e laboratórios de pesquisa.

A LENDA DA PEUGEOT

Em geral, nossos primos chimpanzés vivem em pequenos grupos de algumas dezenas de indivíduos. Formam amizades íntimas, caçam juntos e lutam ombro a ombro contra babuínos, guepardos e chimpanzés inimigos. A estrutura social deles tende a ser hierárquica. O membro dominante, quase sempre um macho, é denominado "macho alfa". Outros machos e fêmeas mostram sua submissão ao macho alfa curvando-se diante dele enquanto emitem grunhidos, um comportamento não muito diferente de súditos humanos reverenciando um rei. O macho alfa se esforça para manter a harmonia social em seu grupo. Quando dois indivíduos brigam, ele intervém e faz cessar a violência. De modo menos benevolente, pode monopolizar para si os alimentos mais desejáveis e evitar que machos de categorias inferiores acasalem com as fêmeas.

Dois machos, ao disputar a posição de alfa, normalmente formam dentro do grupo amplas coalizões de apoiadores, tanto machos quanto fêmeas. Os vínculos entre os integrantes da coalizão se baseiam em contatos íntimos diários — abraços, toques, beijos, limpeza do pelo e favores mútuos. Assim como os políticos humanos em campanha eleitoral circulam dando apertos de mão e beijando bebês, os aspirantes à posição de liderança num grupo de chimpanzés passam muito tempo dando abraços, batendo nas costas dos outros e beijando filhotes. O macho alfa em geral ganha sua posição não por ser fisicamente mais forte, mas por liderar uma coalizão numerosa e estável. Essas coalizões desempenham papel central não apenas durante as disputas pela posição de alfa, mas em quase todas as atividades cotidianas. Os membros de uma coalizão passam mais tempo juntos, compartilham alimentos e se ajudam em horas difíceis.

Há limites claros para o tamanho dos grupos que podem ser formados e mantidos assim. Para que funcionem, todos os membros precisam se conhecer intimamente. Dois chimpanzés que jamais se encontraram, nunca lutaram e não limparam o pelo um do outro não saberão se devem desenvolver uma relação de confiança, se valerá a pena prestar ajuda mútua, nem qual deles ocupa uma posição mais alta na hierarquia. Em condições normais, um grupo típico de chimpanzés reúne de vinte a cinquenta indivíduos. À medida que esse número aumenta, a ordem social se desestabiliza, conduzindo depois de certo tempo à ruptura e à formação de um novo grupo por alguns dos animais. Em poucos casos os zoólogos observaram bandos com mais de cem membros. É raro que grupos separados cooperem, tendendo em geral a competir por comida e território. Os pesquisadores documentaram guerras prolongadas entre grupos, e até mesmo um caso de atividade "genocida" em que um bando liquidou de forma sistemática a maioria dos integrantes de um grupo vizinho.[2]

É provável que comportamentos similares tenham dominado a vida social dos primeiros humanos, incluindo os *Homo sapiens* arcaicos. Tal como os chimpanzés, os humanos têm instintos sociais que permitiram a seus antepassados criar amizades e hierarquias, além de caçar e lutar juntos. Entretanto, assim como os instintos sociais dos chimpanzés, os dos humanos eram adaptados apenas para grupos pequenos e íntimos. Quando se tornava grande demais, sua ordem social era desestabilizada e o bando se dividia. Mesmo se um vale especialmente fértil pudesse alimentar quinhentos sapiens arcaicos, não havia como fazer com que tantos indivíduos desconhecidos vivessem juntos. Como poderiam concordar sobre quem seria o líder, quem deveria caçar onde e quem deveria acasalar com quem?

Na esteira da Revolução Cognitiva, a fofoca ajudou o *Homo sapiens* a formar bandos maiores e mais estáveis. Mas até mesmo a fofoca tem seus limites. A pesquisa sociológica mostra que o tamanho máximo "natural" de um grupo ligado pela fofoca é de cerca de 150 indivíduos. A maioria das pessoas não consegue conhecer intimamente mais de 150 seres humanos e tecer comentários fundamentados sobre eles.

Mesmo nos dias atuais, um limiar crítico nas organizações humanas se situa em torno desse número mágico. Abaixo dele, comunidades, empresas, redes sociais e unidades militares podem se manter com base principalmente no conhecimento íntimo e nos mexericos. Não há necessidade de hierarquias formais, títulos e livros de leis para manter a ordem.[3] Um pelotão de trinta soldados ou mesmo uma companhia de cem soldados podem funcionar perfeitamente baseados nas relações íntimas e com um mínimo de disciplina formal. Um sargento bem respeitado pode se tornar o "rei da companhia", exercendo autoridade até mesmo sobre os oficiais. Um pequeno negócio de família pode sobreviver e prosperar sem um conselho de diretores, um presidente ou um departamento de contabilidade.

Contudo, ultrapassado o limite de 150 indivíduos, as coisas não funcionam mais da mesma forma. É impossível dirigir uma divisão com milhares de soldados da maneira como se conduz um pelotão. Negócios de família exitosos em geral passam por uma crise quando crescem e contratam mais funcionários. Caso não consigam se reinventar, rumam para o fracasso.

Como o *Homo sapiens* conseguiu vencer esse limiar crítico, fundando ao longo do tempo cidades com dezenas de milhares de habitantes e impérios com centenas de milhões de súditos? O segredo está provavelmente no surgimento da ficção. Um grande número de estranhos pode cooperar com sucesso caso acredite nos mesmos mitos.

Qualquer cooperação humana em larga escala — seja um Estado moderno, uma igreja medieval, uma cidade antiga ou uma tribo arcaica — está enraizada em mitos compartilhados que só existem na imaginação coletiva das pessoas. As Igrejas estão enraizadas em mitos religiosos compartilhados. Dois católicos que nunca se encontraram podem partir juntos para uma cruzada ou levantar fundos para construir um hospital porque ambos creem que Deus encarnou como homem e se deixou crucificar para redimir nossos pecados. Os Estados estão enraizados em mitos nacionais compartilhados. Dois habitantes da Sérvia que nunca se encontraram podem arriscar suas vidas para salvar um ao outro porque ambos creem na existência de uma nação sérvia, da terra natal sérvia, da bandeira sérvia. Os sistemas jurídicos estão enraizados em mitos legais compartilhados. Dois advogados que nunca se encontraram podem unir esforços para defender um desconhecido porque creem na existência de leis, da justiça, dos direitos humanos — e no dinheiro que lhes é pago sob a forma de honorários.

No entanto, nenhuma dessas coisas existe fora das histórias que as pessoas inventam e contam umas às outras. Não há deuses no universo, não há nações, não há dinheiro, não há direitos humanos, não há leis e justiça fora da imaginação compartilhada de seres humanos.

As pessoas aceitam com facilidade que "tribos primitivas" consolidaram sua ordem social por acreditar em fantasmas e espíritos, reunindo-se nas noites de lua cheia para dançar em volta de uma fogueira. O que não percebemos é que nossas instituições modernas funcionam exatamente nessas mesmas bases. Tome como modelo o mundo corporativo: os executivos e os advogados modernos são, na verdade, feiticeiros poderosos. A diferença principal entre eles e os pajés é que os advogados modernos contam histórias ainda mais estranhas. A lenda da Peugeot nos oferece um bom exemplo.

Uma imagem que se assemelha ao homem-leão de Stadel aparece atualmente em carros, caminhões e motocicletas de Paris a Sydney. É o ornamento de capô que enfeita os veículos fabricados pela Peugeot, uma das maiores e mais antigas montadoras da Europa. A Peugeot começou como um pequeno negócio familiar no vilarejo de Valentigney, distante apenas trezentos quilômetros da caverna de Stadel. Hoje a empresa emprega cerca de 200 mil pessoas em todo o mundo, e a maioria delas não se conhece. Esses estranhos cooperam de maneira tão eficiente que, em 2008, a Peugeot produziu mais de 1,5 milhão de automóveis, obtendo uma receita de 55 bilhões de euros.

Em que sentido podemos dizer que a Peugeot S.A. (nome oficial da companhia) existe? Há muitos veículos com a marca Peugeot, mas eles obviamente não constituem a companhia. Mesmo se cada Peugeot no mundo fosse vendido ao mesmo tempo como ferro-velho, a Peugeot S.A. não desapareceria. Continuaria a produzir novos carros e publicaria seu relatório anual. A empresa possui fábricas, maquinário e showrooms, empregando mecânicos, contadores e pessoal administrativo, mas isso tudo também não constitui a Peugeot. Um desastre pode matar todos os seus empregados e destruir todas as linhas de montagem e os escritórios dos executivos. Mesmo assim a companhia poderia tomar dinheiro emprestado, contratar novos empregados, construir novas fábricas e comprar novos equipamentos. A Peugeot tem gerentes e acionistas, mas eles também não constituem a companhia: todos os gerentes poderiam ser demitidos e todas as ações vendidas, que a companhia propriamente dita permaneceria intacta.

Isso não significa que a Peugeot S.A. seja indestrutível ou imortal. Se um juiz ordenasse a dissolução da companhia, suas fábricas permaneceriam de pé e seus trabalhadores, contadores, gerentes e acionistas continuariam vivos —

5. *O leão da Peugeot.*

porém a Peugeot S.A. desapareceria de imediato. Em suma, a Peugeot S.A. parece não ter nenhuma conexão essencial com o mundo físico. Será que ela de fato existe?

A Peugeot é fruto da nossa imaginação coletiva. Os advogados chamam isso de "ficção jurídica". Não se pode apontar com o dedo para ela, não se trata de um objeto físico. Mas existe como uma entidade jurídica. Assim como eu ou você, está sujeita às leis dos países onde opera. Pode abrir uma conta bancária e ter propriedades. Paga impostos, pode ser processada e mesmo sentenciada separadamente de quaisquer de seus donos ou das pessoas que trabalham para ela.

A Peugeot pertence ao gênero particular de ficções legais chamadas "sociedades de responsabilidade limitada". A ideia por trás dessas companhias está entre as mais engenhosas invenções da humanidade. O *Homo sapiens* viveu sem elas por incontáveis milênios. Durante a maior parte da história de que temos registro, as propriedades só podiam pertencer a humanos de carne e osso, aqueles que caminham sobre duas pernas e têm cérebros grandes. Se, na França do século XIII, Jean montasse uma oficina para fabricar carroças, ele próprio era o negócio. Se uma carroça feita por ele quebrasse uma semana depois de vendida, o comprador insatisfeito teria processado Jean pessoalmente. Se Jean tivesse pegado emprestado mil moedas de ouro para abrir a oficina e o negócio fracassasse, ele teria de pagar o empréstimo se desfazendo de suas posses privadas — sua casa, sua vaca, suas terras. Talvez até tivesse de vender os filhos como servos. Caso não conseguisse quitar a dívida, seria preso pelas autoridades ou escravizado pelos credores. Ele era totalmente responsável, de maneira ilimitada, pelas obrigações assumidas por sua oficina.

Se vivesse naquela época, você provavelmente pensaria duas vezes antes de abrir um negócio próprio. E, de fato, essa situação jurídica desencorajava novos empreendimentos. As pessoas temiam começar algum negócio e correr riscos econômicos. Não valia a pena arriscar que sua família terminasse na mais absoluta miséria.

Foi por isso que as pessoas começaram a imaginar coletivamente a existência das companhias de responsabilidade limitada. Tais companhias eram legalmente independentes das pessoas que as criavam, administravam ou investiam nelas. No curso dos últimos séculos, essas companhias se tornaram os principais protagonistas na esfera econômica, e nos acostumamos tanto a elas que esquecemos de que só existem em nossa imaginação. Nos Estados Unidos, o termo técnico para uma companhia de responsabilidade limitada é "corporação", o que é irônico, já que o termo deriva de *corpus* ("corpo" em latim) — a única coisa que essas empresas não têm. Apesar de não terem corpos reais, o sistema legal norte-americano trata as corporações como pessoas jurídicas, como se fossem seres humanos de carne e osso.

Assim o fez também o sistema jurídico francês em 1896, quando Armand Peugeot, que herdara dos pais uma oficina metalúrgica que produzia molas, serrotes e bicicletas, decidiu entrar no negócio de automóveis. Para isso, ele criou uma companhia de responsabilidade limitada. Batizou a companhia com seu próprio sobrenome, mas a empresa era independente dele. Se um dos carros quebrasse, o comprador poderia processar a Peugeot, mas não Armand Peugeot. Se a companhia tomasse emprestado milhões de francos e fosse à falência, Armand Peugeot não deveria nem um centavo aos credores. Afinal, o empréstimo tinha sido concedido à companhia Peugeot, não ao *Homo sapiens* Armand Peugeot. Armand Peugeot morreu em 1915. Peugeot, a companhia, ainda está viva e vai muito bem.

Como exatamente Armand Peugeot, o homem, criou Peugeot, a companhia? Quase da mesma forma como padres e feiticeiros criaram deuses e demônios ao longo da história e como milhares de padres franceses continuam a criar o corpo de Jesus Cristo todos os domingos nas igrejas. Tudo gira em torno de contar histórias e convencer as pessoas a acreditarem nelas. No caso dos padres franceses, a história crucial era a da vida e morte de Jesus Cristo tal como relatada pela Igreja católica. De acordo com ela, se um padre católico devidamente paramentado pronunciasse as palavras certas no momento certo, o pão e o vinho se transformavam na carne e no sangue de Deus. O padre exclamava *"Hoc est corpus meum!"* ("Este é o meu corpo!" em latim) e — abracadabra! — o pão se transformava na carne de Jesus Cristo. Desde que o padre cumprisse de forma adequada e assídua todos os procedimentos, milhões de devotos católicos franceses se comportavam como se Deus realmente existisse no pão e no vinho consagrados.

No caso da Peugeot S.A., a história crucial era o código de leis da França tal como redigido pelo Parlamento. Segundo os legisladores franceses, se um advogado qualificado para exercer a profissão seguisse a liturgia e os rituais apropriados, escrevesse todas as palavras mágicas e os juramentos exigidos numa folha de papel decorada e incluísse sua assinatura elaborada ao fim do documento, então — abracadabra! — uma nova companhia era incorporada. Quando, em 1896, Armand Peugeot quis criar sua companhia, contratou um advogado para executar todos esses procedimentos sagrados. Assim que o advogado obedeceu aos rituais corretos e pronunciou as fórmulas mágicas e os juramentos necessários, milhões de cidadãos franceses íntegros se comportaram como se a companhia Peugeot de fato existisse.

Contar histórias eficazes não é fácil. A dificuldade não reside propriamente em contá-las, mas em convencer todo mundo a acreditar nelas. Muito da realidade histórica gira em torno disto: como convencer milhões de pessoas a crer em narrativas específicas sobre deuses, nações ou companhias de responsabilidade limitada? No entanto, quando isso ocorre, o sapiens ganha um imenso poder, porque possibilita que milhões de estranhos cooperem e trabalhem em favor de objetivos comuns. Tente imaginar como teria sido difícil criar Estados, Igrejas ou sistemas jurídicos caso só pudéssemos falar sobre coisas que de fato existem, como rios, árvores e leões.

Ao longo dos anos, as pessoas teceram uma rede incrivelmente complexa de histórias. Dentro dessa rede, ficções como a Peugeot não apenas existem como acumulam enorme poder. Os tipos de coisas que as pessoas criam por meio dessa rede de histórias são conhecidos nos círculos acadêmicos como "ficções", "construtos sociais" ou "realidades imaginadas". Uma realidade imaginada não é uma mentira. Eu minto ao dizer que há um leão perto do rio quando sei perfeitamente que não há nenhum leão lá. As mentiras nada têm de especial. Macacos-verdes e chimpanzés podem mentir. Um macaco-verde, por exemplo, foi observado gritando "Cuidado! Um leão!" quando não havia nenhum leão nas redondezas. Esse alarme convenientemente afugentou um companheiro que acabara de encontrar uma banana, deixando o mentiroso sozinho para pegar a guloseima.

Ao contrário da mentira, uma realidade imaginada é uma coisa em que todos acreditam, e, enquanto essa crença coletiva persistir, a realidade imaginada exerce seu impacto no mundo. O escultor da caverna de Stadel pode ter acreditado de verdade na existência de um espírito guardião na forma de um homem-leão. Alguns feiticeiros são charlatães, mas a maioria crê na existência de deuses e demônios. Grande parte dos milionários de fato acredita na existência do dinheiro e das companhias de responsabilidade limitada. A maioria dos ativistas de direitos humanos crê na existência de direitos humanos. Ninguém estava mentindo quando, em 2011, as Nações Unidas pediram que o governo líbio respeitasse os direitos humanos de seus cidadãos, muito embora as Nações Unidas, a Líbia e os direitos humanos sejam todos produtos de nossa fértil imaginação.

Desde a Revolução Cognitiva, os sapiens têm vivido uma realidade dupla. De um lado, a realidade objetiva de rios, árvores e leões; de outro, a realidade imaginada de deuses, nações e corporações. Com o passar do tempo, a realidade imaginada se tornou cada vez mais poderosa, de tal maneira que hoje a sobrevivência dos rios, das árvores e dos leões depende dos favores de entidades imaginadas como os Estados Unidos e o Google.

CONTORNANDO O GENOMA

A capacidade de criar com palavras uma realidade imaginada permitiu que um grande número de desconhecidos cooperasse de modo eficaz. Mas fez também outra coisa. Como a cooperação humana em larga escala está baseada em mitos, o modo pelo qual as pessoas agem coletivamente pode ser alterado mediante a modificação dos mitos — ou seja, contando-se histórias diferentes. Em dadas circunstâncias, os mitos podem ser modificados bem depressa. No ano de 1789, a população francesa quase da noite para o dia deixou de crer no mito do direito divino dos reis para acreditar no mito da soberania do povo. Dessa forma, desde a Revolução Cognitiva o *Homo sapiens* tem sido capaz de revisar seu comportamento com rapidez, reagindo a necessidades que mudam constantemente. Isso abriu uma via expressa para a evolução cultural, contornando os engarrafamentos da evolução genética. Correndo por essa via, o *Homo sapiens* logo ganhou uma grande vantagem em comparação com todas as outras espécies humanas e animais em sua capacidade de cooperar.

O comportamento dos outros animais sociais é determinado em larga medida por seus genes. O DNA não é um autocrata. O comportamento animal também é afetado por fatores ambientais e caprichos individuais. Contudo, num determinado ambiente, animais da mesma espécie tendem a se comportar de modo semelhante. Em geral, mudanças substanciais no comportamento social não podem ocorrer sem mutações genéticas. Por exemplo, os chimpanzés comuns têm a tendência genética de viver em grupos hierárquicos sob a liderança de um macho alfa. Membros de uma espécie de chimpanzés intimamente relacionada a eles, os bonobos, vivem quase sempre em grupos mais igualitários e dominados por alianças de fêmeas. As fêmeas dos chimpanzés comuns não têm como aprender com suas parentes bonobos e promover uma revolução feminista. Os chimpanzés machos não têm como se reunir numa assembleia constituinte a fim de abolir o posto de macho alfa e proclamar que, dali em diante, todos os chimpanzés serão tratados como iguais. Tais mudanças radicais de comportamento só ocorrem se alguma coisa mudar no DNA dos chimpanzés.

Pelas mesmas razões, os humanos arcaicos não iniciaram nenhuma revolução. Tanto quanto sabemos, as mudanças nos padrões sociais, a invenção de novas tecnologias e a ocupação de hábitats estranhos se devem mais a mutações genéticas e pressões ambientais do que a iniciativas culturais. Por isso os humanos levaram centenas de milhares de anos para dar esses passos. Há 2 milhões de anos, algumas mutações genéticas provocaram o surgimento de uma nova espécie humana chamada *Homo erectus*. Seu aparecimento foi acompanhado de uma nova tecnologia para a produção de ferramentas de pedra, hoje reconhecida como uma característica definidora dessa espécie. Enquanto o *Homo erectus* não sofreu outras mudanças genéticas, suas ferramentas de pedra permaneceram basicamente as mesmas — durante quase 2 milhões de anos!

Em contrapartida, desde a Revolução Cognitiva os sapiens têm sido capazes de alterar depressa seu comportamento, transmitindo novos comportamentos às futuras gerações sem necessidade de qualquer alteração genética ou ambiental. Como exemplo notável, considere o surgimento repetido de elites sem filhos, como os sacerdotes católicos, os monges monásticos budistas e os burocratas eunucos da China. A existência de tais elites contraria os princípios mais fundamentais da seleção natural, uma vez que esses membros dominantes da sociedade abrem mão de procriar por vontade própria. Enquanto os machos alfa dos chimpanzés se valem de seu poder para manter relações sexuais com tantas fêmeas quanto podem — e consequentemente são os pais de uma grande proporção dos membros jovens do grupo —, os machos alfa católicos se abstêm inteiramente de manter relações sexuais e cuidar de crianças. Essa abstinência não decorre de condições ambientais peculiares tais como uma grave falta de comida ou de companheiras em potencial. Nem resulta de alguma mutação genética especial. A Igreja católica vem sobrevivendo há séculos não por transmitir um "gene do celibato" de um papa para outro, mas por transmitir as histórias do Novo Testamento e as leis do direito canônico do catolicismo.

Em outras palavras, ao passo que os padrões de comportamento dos humanos arcaicos permaneceram fixos por dezenas de milhares de anos, os sapiens podem transformar suas estruturas sociais, a natureza das relações interpessoais, as atividades econômicas e uma série de outros comportamentos no curso de uma ou duas décadas. Considere uma residente de Berlim, nascida em 1900 e vivendo até a idade madura de cem anos. Ela passou a infância no Império Hohenzollern de Guilherme II; seus anos como adulta na República de Weimar, no Reich nazista e na Alemanha Oriental comunista; e morreu como cidadã de uma Alemanha democrática e reunificada. Conseguiu fazer parte de cinco sistemas sociopolíticos muito diferentes, embora seu DNA permanecesse exatamente o mesmo.

Essa foi a chave do sucesso dos sapiens. Numa luta corpo a corpo, é provável que um neandertal derrotasse um sapiens. Mas, num conflito envolvendo centenas, os neandertais não teriam a menor chance. Eles podiam trocar informações sobre a localização de leões, porém provavelmente não seriam capazes de contar — e revisar — histórias sobre os espíritos tribais. Sem a capacidade de ficcionalizar, os neandertais não tiveram condições de cooperar de maneira eficaz em grandes números nem de adaptar seus comportamentos sociais em função de desafios que se modificavam rapidamente.

Ainda que não possamos penetrar na mente de um neandertal para entender como ele pensava, temos indicações indiretas dos limites de sua cognição quando comparada com a de seus rivais sapiens. Escavando locais no centro da Europa ocupados por sapiens há 30 mil anos, os arqueólogos vez por outra encontram conchas das costas do Mediterrâneo e do Atlântico. É provável que essas conchas tenham chegado ao interior do continente devido ao comércio de longa distância entre diferentes bandos de sapiens. Os locais ocupados por neandertais não guardam indícios desse tipo de intercâmbio: cada grupo manufaturava suas próprias ferramentas com materiais que já existiam onde eles estavam.[4]

6. *O macho alfa católico se abstém de relações sexuais e procriação, ainda que não tenha razão genética ou ecológica para fazê-lo.*

Outro exemplo vem do Pacífico Sul. Bandos de sapiens que viviam na ilha de Nova Irlanda, ao norte da Nova Guiné, usavam um vidro vulcânico chamado obsidiana para produzir ferramentas particularmente fortes e afiadas. No entanto, a Nova Irlanda não tinha depósitos naturais de obsidiana. Análises de laboratório revelaram que o material utilizado por eles era trazido de depósitos na Nova Bretanha, uma ilha a quatrocentos quilômetros de distância. Alguns dos habitantes dessas ilhas devem ter sido navegantes habilidosos que comercializavam seus produtos em todo o arquipélago, percorrendo grandes distâncias.[5]

O comércio pode parecer uma atividade muito pragmática, que não requer base ficcional. No entanto, o fato é que nenhum outro animal além do sapiens pratica o comércio, e todas as redes de intercâmbio dos sapiens das quais temos evidências detalhadas eram baseadas em ficções. O comércio não existe sem confiança, e é muito difícil confiar em estranhos. A rede global de comércio da atualidade se fundamenta na nossa confiança em entidades fictícias como moedas, bancos e corporações. Numa sociedade tribal, quando dois desconhecidos querem fazer comércio, estabelecem um vínculo de confiança ao apelar para um deus compartilhado, um ancestral mítico ou um animal totêmico.

Se os humanos arcaicos que acreditavam em tais ficções comercializavam conchas e obsidianas, é razoável pensar que podiam também ter trocado informações, criando assim uma rede de conhecimento muito mais densa e ampla que aquela de que se valiam os neandertais e outros humanos arcaicos.

As técnicas de caça fornecem outra ilustração dessas diferenças. Os neandertais em geral caçavam sozinhos ou em pequenos grupos. Os sapiens, por outro lado, desenvolveram técnicas que dependiam da cooperação entre muitas dezenas de indivíduos, talvez mesmo entre bandos diferentes. Um método particularmente efetivo consistia em cercar uma manada inteira de animais, tal como cavalos selvagens, e depois empurrá-los para uma ravina estreita, onde era fácil abatê-los em massa. Se tudo corresse como planejado, os bandos podiam coletar toneladas de carne, gordura e peles animais numa única tarde de esforço coletivo, consumindo tais riquezas numa gigantesca festa ou secando-as, defumando-as e (nas regiões árticas) congelando-as para uso subsequente. Os arqueólogos encontraram sítios em que manadas inteiras eram abatidas anualmente dessa forma. Em alguns deles, cercas e obstáculos foram erguidos a fim de criar armadilhas artificiais e abatedouros.

Podemos presumir que os neandertais não ficaram nada felizes ao ver seus territórios tradicionais de caça transformados em abatedouros controlados pelos sapiens. Contudo, se houve episódios de violência entre as duas espécies, os neandertais não gozaram de condições muito melhores que os cavalos selvagens. Cinquenta neandertais cooperando segundo padrões tradicionais e estáticos não podiam fazer frente a quinhentos sapiens versáteis e inovadores. E mesmo se os sapiens perdessem o primeiro round, iriam rapidamente inventar novos estratagemas que os capacitariam a vencer na vez seguinte.

HISTÓRIA E BIOLOGIA

A imensa diversidade de realidades imaginadas que os sapiens inventaram, assim como a resultante diversidade de padrões de comportamento, são os principais componentes do que chamamos de "culturas". Depois de surgidas, as culturas nunca deixaram de se modificar e se desenvolver — e essas alterações irreprimíveis são o que chamamos de "história".

NOVA HABILIDADE	CONSEQUÊNCIAS MAIS AMPLAS
Capacidade de transmitir maiores volumes de informação sobre o mundo que cercava o *Homo sapiens*	Planejamento e execução de ações complexas, tais como evitar leões e caçar bisões
Capacidade de transmitir grandes volumes de informação sobre as relações sociais dos sapiens	Grupos maiores e mais coesos, com até 150 indivíduos
Capacidade de transmitir grandes volumes de informação sobre coisas que de fato não existem, tais como espíritos tribais, nações, companhias de responsabilidade limitada e direitos humanos	a. Cooperação entre um grande número de desconhecidos b. Rápida inovação em matéria de comportamento social

Por isso, a Revolução Cognitiva marca o ponto em que a história declarou sua independência da biologia. Até então, as atividades de todas as espécies humanas pertenciam ao reino da biologia ou então à pré-história (eu procuro evitar o termo "pré-história" porque implica erroneamente que, mesmo antes da Revolução Cognitiva, os humanos constituíam uma categoria à parte). Depois da Revolução Cognitiva, as narrativas históricas substituem as teorias biológicas como nossa fonte primária para explicar o desenvolvimento do *Homo sapiens*. A fim de compreender a ascensão do cristianismo ou a Revolução Francesa, não basta compreender a interação de genes, hormônios e organismos. É necessário também levar em conta a interação de ideias, imagens e fantasias.

Isso não significa que o *Homo sapiens* e a cultura humana tenham escapado às leis biológicas. Ainda somos animais, e nossas capacidades físicas, emocionais e cognitivas continuam a ser moldadas por nosso DNA. Nossas sociedades são construídas com os mesmos tijolos usados pelas sociedades dos neandertais e chimpanzés, e quanto mais os examinamos — sensações, emoções, laços familiares —, menores são as diferenças que encontramos entre nós e os outros primatas.

Todavia, é um erro buscar essas diferenças no nível do indivíduo ou da família. Comparados um a um, até de dez em dez, somos embaraçosamente similares aos chimpanzés. As diferenças significativas começam a aparecer apenas quando cruzamos o limiar de 150 indivíduos, e, ao atingirmos o nível de mil a 2 mil indivíduos, as diferenças se tornam assombrosas. Se você tentasse reunir milhares de chimpanzés na praça da Paz Celestial, em Wall Street, no Vaticano ou na sede das Nações Unidas, o resultado seria um pandemônio. Em contrapartida, os sapiens se reúnem com frequência aos milhares nesses locais. Juntos, eles criam padrões ordenados — tais como redes de comércio, comemorações populares e instituições políticas — que jamais poderiam criar isoladamente. A real diferença entre nós e os chimpanzés é a cola mítica que une grandes números de indivíduos, famílias e grupos. Essa cola nos fez senhores da criação.

É claro que também necessitamos de outras habilidades, tal como a capacidade de produzir e utilizar ferramentas. No entanto, a confecção de ferramentas tem pouca importância a menos que seja combinada com a capacidade de cooperar com muitas outras pessoas. Como é que agora temos mísseis intercontinentais com ogivas nucleares se 30 mil anos atrás só possuíamos pedaços de pau com pontas de sílex? Fisiologicamente não houve nenhuma melhoria em nossa capacidade de fabricar ferramentas nesses últimos 30 mil anos. Albert Einstein era bem menos habilidoso com as mãos que um antigo caçador-coletor. No entanto, nossa capacidade de cooperar com um grande número de desconhecidos melhorou de forma extraordinária. A antiga ponta de sílex era manufaturada em minutos por uma pessoa que dependia do conselho e da ajuda de alguns amigos íntimos. A produção de armamentos nucleares modernos exige a cooperação de milhões de desconhecidos em todo o mundo — dos trabalhadores que extraem o minério de urânio das entranhas da terra aos físicos teóricos que escrevem longas fórmulas matemáticas para descrever as interações de partículas subatômicas.

Para resumir a relação entre a biologia e a história após a Revolução Cognitiva:

a. A biologia estabelece os parâmetros básicos para o comportamento e as capacidades do *Homo sapiens*. Toda a história acontece dentro dos limites da arena biológica.

b. Contudo, essa arena é extraordinariamente ampla, permitindo aos sapiens participar de uma incrível variedade de jogos. Graças à capacidade de inventar ficções, os sapiens criam jogos cada vez mais complexos, que as sucessivas gerações desenvolvem e elaboram ainda mais.

c. Consequentemente, a fim de entender como os sapiens se comportam, precisamos descrever a evolução histórica de suas ações. Considerar apenas nossas restrições biológicas seria como se um locutor esportivo na Copa do Mundo de futebol oferecesse aos ouvintes uma descrição pormenorizada do gramado em vez de relatar o que os jogadores estão fazendo.

De que jogos participaram nossos ancestrais da Idade da Pedra na arena da história? Tanto quanto sabemos, as pessoas que esculpiram o homem-leão de Stadel há cerca de 30 mil anos tinham as mesmas capacidades físicas, emocionais e intelectuais que nós temos. O que faziam então ao acordar pela manhã? O que comiam nessa hora e no almoço? Como eram as suas sociedades? Será que mantinham relações monogâmicas e famílias nucleares? Realizavam cerimônias, possuíam códigos morais, organizavam competições esportivas e executavam rituais religiosos? Guerreavam? O capítulo seguinte dá uma olhada por trás da cortina dos tempos, examinando como era a vida nos milênios que separam a Revolução Cognitiva da Revolução Agrícola.

3. Um dia na vida de Adão e Eva

Para compreender nossa natureza, nossa história e nossa psicologia, é preciso penetrar na cabeça de nossos ancestrais caçadores-coletores. Ao longo de quase toda a história de nossa espécie, os sapiens viveram catando comida. Os últimos duzentos anos, durante os quais um número crescente de sapiens ganha o pão de cada dia como trabalhadores urbanos em fábricas e escritórios, bem como os 10 mil anos precedentes, durante os quais a maioria deles viveu como camponeses ou pastores, não passam de um piscar de olhos quando comparados com as dezenas de milhares de anos em que nossos antepassados caçavam e coletavam.

O frutífero campo da psicologia evolucionista postula que muitas de nossas atuais características sociais e psicológicas foram moldadas no transcorrer daquela longa era pré-agrícola. Mesmo hoje, segundo os estudiosos do assunto, nosso cérebro e nossa mente estão adaptados a uma vida de caça e coleta. Nossos hábitos alimentares, nossos conflitos e nossa sexualidade são o resultado do modo como nossa mente de caçadores-coletores interage com o meio ambiente pós-industrial em que vivemos, com megalópoles, aviões, telefones e computadores. Esse ambiente nos fornece mais recursos materiais e garante uma vida mais longa do que gozaram as gerações anteriores, porém com frequência faz com que nos sintamos alienados, deprimidos e estressados. Para entender por quê, os psicólogos evolucionistas argumentam que precisamos mergulhar no mundo dos caçadores-coletores que nos moldou, o mundo que ainda habitamos em nosso subconsciente.

Por exemplo, por que as pessoas se entopem de comida altamente calórica que não faz bem a seus corpos? As sociedades abastadas da atualidade estão às voltas com a praga da obesidade, que se espalha muito depressa para os países em desenvolvimento. Para entender o motivo de nos empanturrarmos com os alimentos mais doces e gordurosos possíveis é preciso examinar os hábitos alimentares de nossos ancestrais coletores. Nas savanas e florestas que eles habitaram, os doces altamente calóricos eram muitíssimo raros, e a comida em geral, escassa. Um coletor típico de 30 mil anos atrás tinha acesso a apenas um tipo de comida doce — frutas maduras. Se uma mulher da Idade da Pedra se deparasse com uma figueira carregada de frutos, a coisa mais sensata a fazer era comer tantos quantos pudesse ali mesmo antes que o bando local de babuínos deixasse a árvore nua. O instinto de se fartar com comida altamente calórica está implantado em nossos genes. Podemos viver hoje em prédios altos, com geladeiras abarrotadas, mas nosso DNA ainda acha que estamos na savana. É isso que nos faz devorar um pote inteiro de sorvete enquanto tomamos um copo grande de refrigerante.

Essa teoria do "gene comilão" é bastante aceita. Outras teorias são bem mais polêmicas. Por exemplo, alguns psicólogos evolucionistas afirmam que os antigos bandos de coletores não eram compostos de famílias nucleares centradas em casais monogâmicos. Ao contrário, viviam em comunas nas quais não havia propriedade privada, relações monogâmicas nem mesmo a noção de paternidade. Num bando desse tipo, uma mulher podia manter relações sexuais e formar laços íntimos com diversos homens (e mulheres) ao mesmo tempo, e todos os adultos do grupo cooperavam para cuidar das crianças. Uma vez que nenhum homem sabia ao certo quais eram os seus filhos, todos eles se preocupavam igualmente com as crianças.

Essa estrutura social não é uma utopia típica da Era de Aquário. Está bem documentada entre animais, em especial nossos parentes mais próximos, os chimpanzés e os bonobos. Há inclusive certo número de culturas humanas contemporâneas em que se pratica a paternidade coletiva, como os índios bari. De acordo com as crenças dessas sociedades, uma criança não nasce do esperma de um único homem, mas da acumulação de esperma no útero de uma mulher. Uma boa mãe fará questão de ter relações sexuais com diversos homens, em particular quando está grávida, de modo que seu filho possa contar com as virtudes (e os cuidados paternos) não apenas do melhor caçador, mas também do melhor contador de histórias, do guerreiro mais forte e do amante mais carinhoso. Se isso parece uma tolice, é preciso ter em mente que, antes do desenvolvimento dos estudos modernos de embriologia, ninguém tinha provas seguras de que os bebês são sempre o produto de um único pai e não de muitos.

Os postuladores dessa teoria da "comuna antiga" entendem que as infidelidades frequentes que caracterizam os casamentos modernos, assim como as altas taxas de divórcio (para não falar na cornucópia de complexos psicológicos que acometem crianças e adultos), resultam todas do fato de que os humanos são forçados a viver em famílias nucleares e a manter relações monogâmicas incompatíveis com nossa programação biológica.[1]

Muitos estudiosos rejeitam veementemente essa teoria, insistindo em que tanto a monogamia quanto a formação de famílias nucleares correspondem a comportamentos humanos fundamentais. Esses pesquisadores argumentam que, embora as antigas sociedades de caçadores-coletores tendessem a ser mais comunais e igualitárias que as modernas, elas eram de toda forma compostas de células separadas, cada uma contendo um casal ciumento e os filhos que tinham em comum. É por esse motivo que os relacionamentos monogâmicos e as famílias nucleares são hoje a norma na imensa maioria das culturas, que os homens e as mulheres tendem a ser tão possessivos com relação a seus parceiros e filhos, e que até mesmo em Estados hoje existentes como a Coreia do Norte e a Síria a autoridade política passa de pai para filho.

A fim de resolver essa controvérsia e compreender nossa sexualidade, nossa sociedade e nossa política, precisamos conhecer alguma coisa acerca das condições de vida de nossos ancestrais, examinando como os sapiens viviam entre a Revolução Cognitiva de 70 mil anos atrás e o início da Revolução Agrícola há cerca de 12 mil anos.

Infelizmente, há poucas certezas a respeito da vida de nossos ancestrais coletores. O debate entre as escolas da "antiga comuna" e da "monogamia eterna" se baseia em indícios precários. É claro que não dispomos de registros escritos da era dos coletores, e os indícios arqueológicos consistem sobretudo em ossos fossilizados e ferramentas de pedra. Artefatos feitos de materiais mais perecíveis — tais como madeira, bambu ou couro — só sobreviveram em condições muito especiais. A impressão geral de que os humanos pré-agrícolas dependiam fundamentalmente de pedras é uma falsa concepção baseada nesse viés arqueológico. Seria mais correto chamar a Idade da Pedra de Idade da Madeira, porque a maior parte das ferramentas usadas pelos antigos caçadores-coletores era feita desse material.

Qualquer reconstituição da vida dos antigos caçadores-coletores a partir dos artefatos que sobreviveram é muito problemática. Uma das diferenças mais evidentes entre os antigos coletores e seus descendentes agrícolas e industriais é que os primeiros possuíam pouquíssimos artefatos, que desempenhavam um papel comparativamente modesto em suas vidas. No decorrer de sua existência, um típico membro de uma sociedade moderna abastada possuirá vários milhões de artefatos — de carros a casas, de fraldas descartáveis a embalagens de leite. Quase qualquer atividade, crença ou até mesmo emoção envolve objetos inventados por nós. Nossos hábitos alimentares implicam o uso de uma série assombrosa de objetos, de colheres e copos a laboratórios de engenharia genética e gigantescos transatlânticos. Em matéria de diversão, usamos uma infinidade de brinquedos, de cartas de plástico a estádios com 100 mil lugares. Nossas relações românticas e sexuais envolvem anéis, camas, roupas bonitas, lingerie sensual, camisinhas, restaurantes da moda, motéis baratos, salas de espera de aeroportos, salões de festa e serviços de bufê para casamentos. As religiões trazem o sagrado a nossas vidas com igrejas góticas, mesquitas muçulmanas, *ashrams* indianos, pergaminhos da Torá, rodas de prece tibetanas, batinas de padres, velas, incenso, árvores de Natal, bolinhas de matzá, lápides e imagens de santos.

Mal notamos quão onipresentes são essas coisas até a hora em que precisamos nos mudar de casa. Os coletores se mudavam todos os meses, todas as semanas, às vezes até mesmo todos os dias, carregando nas costas o que tinham. Não havia companhias de mudança, carroças ou mesmo animais de carga para dividir o peso. Em consequência, eles precisavam se arranjar com as posses mais essenciais. Assim, é razoável assumir que a maior parte de sua vida mental, religiosa e emocional fosse conduzida sem a ajuda de artefatos. Daqui a 100 mil anos, um arqueólogo seria capaz de compor uma imagem aceitável da crença e das práticas muçulmanas com base na miríade de objetos que desencavaria das ruínas de uma mesquita. Mas temos pouco que nos ajude a tentar compreender as crenças e os rituais dos antigos caçadores-coletores. Um futuro historiador enfrentaria dilema semelhante caso quisesse descrever o ambiente social dos adolescentes do século XXI apenas com base nas cartas que eles trocam pelo correio — uma vez que não restará nenhum registro de suas conversas telefônicas, e-mails, blogs e mensagens de texto.

Desse modo, a dependência com relação aos artefatos distorcerá o relato sobre a vida do caçador-coletor. Um meio de remediar essa deficiência consiste em investigar as sociedades modernas de coletores. Elas podem ser estudadas diretamente mediante a observação antropológica. No entanto, há boas razões para sermos cuidadosos ao extrapolar o que se vê nas sociedades modernas de coletores para as antigas.

Em primeiro lugar, todas as sociedades de coletores que sobreviveram até a era moderna foram influenciadas pelas sociedades agrícolas e industriais vizinhas. Por isso, é arriscado assumir que aquilo que é verdade no caso delas também o fosse dezenas de milhares de anos atrás.

Em segundo lugar, as sociedades modernas de coletores sobreviveram principalmente em áreas sujeitas a condições climáticas difíceis e terrenos inóspitos, pouco adequados à agricultura. As sociedades que se adaptaram às condições extremas de lugares como o deserto do Kalahari, no sul da África, podem fornecer um modelo muito enganoso para a compreensão das sociedades antigas em áreas férteis como o vale do rio Yangtzé. Em particular, a densidade populacional numa região como o deserto do Kalahari é bem menor do que era nas cercanias do antigo Yangtzé, e isso tem implicações muito relevantes a respeito do tamanho e da estrutura dos bandos de humanos e das relações entre eles.

Em terceiro lugar, a característica mais notável das sociedades de caçadores-coletores é quão diferentes elas eram entre si. Diferiam não somente de uma parte do mundo para outra, mas inclusive na mesma região. Um bom exemplo é a grande variedade que os primeiros colonizadores europeus encontraram entre os aborígenes da Austrália. Pouco antes da conquista britânica, entre 300 mil e 700 mil caçadores-coletores viviam no continente em duzentas a seiscentas tribos, cada qual subdividida em diversos bandos.[2] Cada tribo tinha língua, religião, normas e costumes próprios. Vivendo em torno do que hoje é Adelaide, no sul da Austrália, havia diversos clãs patrilineares que reconheciam a descendência do lado paterno. Esses clãs se uniam em tribos numa base estritamente territorial. Por outro lado, algumas tribos do norte da Austrália davam mais importância à ancestralidade do lado materno, e a identidade tribal do indivíduo dependia de seu totem e não do território.

Logo, deve-se pensar que a variedade étnica e cultural entre os antigos caçadores-coletores era igualmente impressionante, e que os 5 milhões a 8 milhões de coletores que povoavam o mundo nas vésperas da Revolução Agrícola eram divididos em milhares de tribos com milhares de idiomas e culturas diferentes.[3] Afinal de contas, esse foi um dos principais legados da Revolução Cognitiva. Graças ao surgimento da ficção, até mesmo grupos com a mesma composição genética e sujeitos a condições ecológicas similares eram capazes de criar realidades imaginadas bem diversas, que se manifestavam em diferentes normas e valores.

Por exemplo, é muito provável que um bando de coletores que viveu há 30 mil anos no local onde hoje se ergue a Universidade de Oxford teria falado uma língua diferente do grupo que vivia onde hoje se situa a Universidade de Cambridge. Um deles pode ter sido beligerante, o outro, pacífico. Talvez o bando de Cambridge fosse comunal, enquanto o de Oxford se baseasse em famílias nucleares. Os de Cambridge podem ter passado longas horas esculpindo estatuetas de madeira de seus espíritos guardiões, ao passo que os de Oxford talvez tenham usado a dança para expressar sua devoção. Pode ser que os primeiros acreditassem na reencarnação, enquanto os segundos achavam isso uma bobagem. Numa sociedade, as relações homossexuais talvez fossem aceitas, mas proibidas na outra.

Ou seja, ainda que a observação antropológica dos coletores modernos possa nos ajudar a compreender alguns dos possíveis hábitos dos coletores antigos, o horizonte de possibilidades dos arcaicos era muito mais amplo e está quase inteiramente oculto de nossos olhos.* O acalorado debate sobre o

* Um "horizonte de possibilidades" significa a gama total de crenças, práticas e experiências que estão disponíveis a uma sociedade específica à luz de suas limitações ecológicas, tecnológicas e culturais. Cada sociedade e cada indivíduo geralmente explora apenas uma pequena fração de seu horizonte de possibilidades.

"modo natural de vida" do *Homo sapiens* erra no essencial: desde a Revolução Cognitiva, não houve um único modo de vida natural para os sapiens. Existem apenas escolhas culturais num leque extraordinário de possibilidades.

A SOCIEDADE ABUNDANTE ORIGINAL

Sendo assim, que generalizações podem ser feitas sobre a vida no mundo pré-agrícola? Parece seguro dizer que a grande maioria dos indivíduos vivia em pequenos bandos de algumas dezenas ou, no máximo, algumas centenas de membros, e que todos eram humanos. É importante enfatizar esse último ponto porque ele está longe de ser óbvio. A maioria dos integrantes das sociedades agrícolas e industriais é composta de animais domesticados. Claro que eles não têm o mesmo status de seus senhores, mas não deixam de pertencer à coletividade. Nos dias de hoje, a sociedade chamada Nova Zelândia conta com 4,5 milhões de sapiens e 50 milhões de ovelhas.

Há uma única exceção a essa regra geral: os cães. O cachorro foi o primeiro animal domesticado pelo *Homo sapiens*, o que ocorreu *antes* da Revolução Agrícola. Os estudiosos não concordam quanto à data exata, mas temos provas incontroversas de cachorros domesticados há cerca de 15 mil anos. Eles podem ter se unido aos bandos de humanos milhares de anos antes.

Os cães eram usados para caçar e lutar, assim como para alertar sobre a presença de animais selvagens e humanos intrusos. Com o passar das gerações, as duas espécies evoluíram em conjunto para se comunicar de modo eficiente. Os cachorros que se mostravam mais atentos às necessidades e aos sentimentos de seus companheiros humanos ganhavam mais cuidados e comida, tendo assim maior probabilidade de sobreviver. Ao mesmo tempo, os cães aprenderam a manipular as pessoas para que servissem às suas próprias necessidades. Um vínculo de 15 mil anos gerou uma compreensão e uma afeição entre humanos e cachorros muito mais profundas que entre humanos e qualquer outro animal.[4] Em alguns casos, cachorros mortos mereciam um enterro cerimonial semelhante ao dos humanos.

Membros de um bando se conheciam intimamente, estando cercados a vida inteira por amigos e parentes. Solidão e privacidade eram incomuns. É

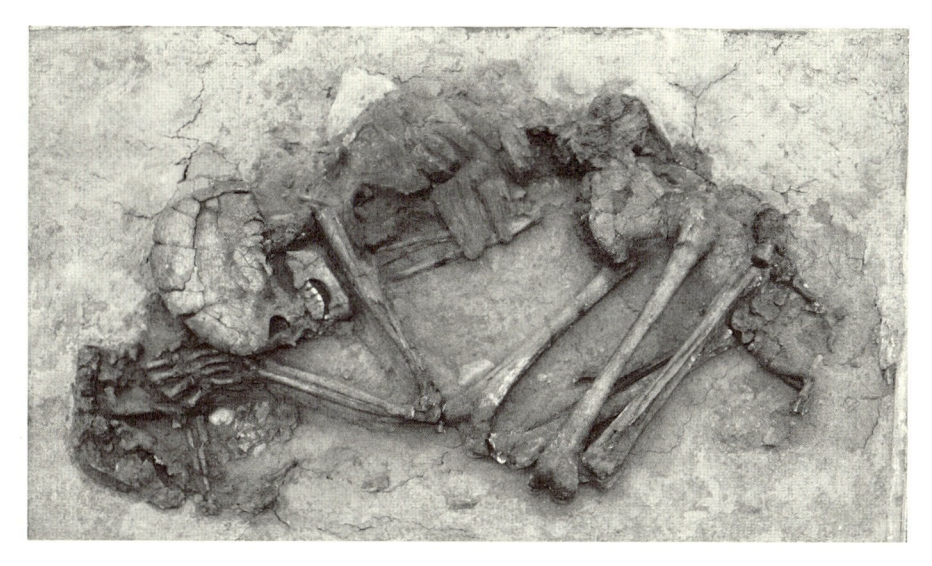

7. *O primeiro animal de estimação? Túmulo de 12 mil anos atrás descoberto no norte de Israel. Contém o esqueleto de uma mulher de cinquenta anos junto ao de um filhote de cachorro (canto inferior esquerdo). O cachorrinho está enterrado junto à cabeça da mulher. Sua mão esquerda está pousada sobre ele, o que pode indicar alguma conexão emocional. Há, obviamente, outras explicações possíveis. Por exemplo, talvez o filhote fosse uma dádiva ao guardião do além-mundo.*

provável que bandos vizinhos competissem por recursos e até lutassem entre si, porém também mantinham contatos amistosos. Intercambiavam membros, caçavam juntos, trocavam alguns itens raros especiais, afirmavam alianças políticas e celebravam festivais religiosos. Essa cooperação foi uma das características fundamentais do *Homo sapiens*, conferindo-lhe uma vantagem crucial sobre outras espécies humanas. Às vezes, as relações com bandos vizinhos eram suficientemente sólidas para que constituíssem uma única tribo, partilhando idioma, mitos, normas e valores comuns.

Contudo, não devemos superestimar a intensidade dessas relações externas. Se em tempos de crise bandos vizinhos ficavam mais próximos, e mesmo se ocasionalmente se juntassem para caçar ou comer, a maioria dos grupos ainda passava quase todo o tempo isolada e independente. O comércio se limitava a itens de prestígio, como conchas, âmbar e pigmentos. Não há indício de que fossem trocados bens essenciais, como frutas e carne, ou de que a existência de um bando dependesse de importar produtos de outro. As relações sociopolíticas também tendiam a ser esporádicas. A tribo não constituía uma estrutura política permanente, e, ainda que houvesse locais destinados a reuniões sazonais, não existiam cidades ou instituições duradouras. O indivíduo comum poderia passar muitos meses sem ver ou ouvir um humano de fora do seu próprio bando e, ao longo da vida, encontrava não mais que alguns milhares de humanos. A população de sapiens estava dispersa por vastos territórios. Antes da Revolução Agrícola, a população humana de todo o planeta era menor que a do Cairo de nossos dias.

A maioria dos bandos de sapiens se deslocava constantemente em busca de comida. Seus movimentos eram influenciados pela mudança das estações, pela migração anual dos animais e pelo ciclo de crescimento das plantas. Em geral, eles circulavam dentro do mesmo território, que constituía sua terra natal, uma área cuja superfície poderia variar de várias dezenas a muitas centenas de quilômetros quadrados.

Vez por outra, certos bandos saíam de suas terras e exploravam novas áreas, seja devido a desastres naturais, conflitos violentos, pressões demográficas ou à iniciativa de algum líder carismático. Essas excursões foram o motor da expansão humana por todo o mundo. Se um bando de coletores se dividisse em dois a cada quarenta anos, e o grupo recém-formado migrasse para um novo território cem quilômetros a leste, a distância entre a África Oriental e a China teria sido coberta em cerca de 10 mil anos.

Em casos excepcionais, quando os recursos alimentícios eram particularmente abundantes, os bandos se instalavam em acampamentos sazonais ou até mesmo permanentes. As técnicas para secar, defumar e congelar alimentos tornaram possível permanecer no mesmo local por períodos mais longos. O que é mais importante: na costa e nas margens de rios, ricas em frutos do mar e aves aquáticas, os humanos estabeleceram povoações permanentes dedicadas à pesca — as primeiras da história, bem anteriores à Revolução Agrícola. As aldeias de pescadores podem ter surgido na costa das ilhas da Indonésia já há 45 mil anos. É possível que tenham sido essas as bases de onde os *Homo sapiens* lançaram sua primeira empreitada transoceânica: a invasão da Austrália.

Na maior parte dos hábitats, os bandos de sapiens se alimentavam de modo flexível e oportunista. Catavam cupins, colhiam frutinhas, desenterravam tubérculos, capturavam coelhos, caçavam bisões e mamutes. Apesar da imagem popular do "homem caçador", a coleta era a principal atividade do sapiens, aquela que lhe fornecia a maior parte das calorias e também as matérias-primas, tal como sílex, madeira e bambu.

Os sapiens não coletavam apenas alimentos e materiais. Também coletavam conhecimento. Para sobreviver, precisavam de um mapa mental detalhado de seu território. A fim de maximizar a eficiência de sua busca diária por comida, necessitavam de informação sobre o padrão de crescimento de cada planta e os hábitos de cada animal. Precisavam saber que alimentos eram nutritivos, quais os fariam doentes, de que forma outros podiam ser usados como remédio. Tinham de conhecer o progresso das quatro estações e os sinais que alertavam sobre uma tempestade ou um período de seca. Estudavam todos os riachos, todas as nogueiras, todas as cavernas de urso e todos os depósitos de sílex nas redondezas. Cada indivíduo era obrigado a aprender como se fabricava uma faca de pedra, como se remendava uma manta rasgada, como se montava uma armadilha para pegar coelhos, como enfrentar avalanches, picadas de cobra ou leões famintos. O domínio de todas essas numerosas habilidades exigia anos de aprendizado e prática. O coletor antigo comum era capaz de transformar uma lasca de sílex numa ponta de lança em minutos. Quando tentamos imitar tal feito, em geral falhamos miseravelmente. A maioria de nós não tem o conhecimento especializado das propriedades do sílex e do basalto, bem como a capacidade motora necessária para trabalhar com precisão esses materiais.

Em outras palavras, o coletor comum possuía um conhecimento mais amplo, mais profundo e mais variado de suas cercanias imediatas que a maioria de seus descendentes modernos. Hoje, para sobreviver, quase nenhuma pessoa na sociedade industrial necessita conhecer o mundo natural com muita profundidade. O que você de fato precisa saber para levar a vida como engenheiro de sistemas, corretor de seguros, professor de história ou operário de fábrica? Tem de conhecer muito bem seu estreito campo de atividade, mas, com relação à maioria avassaladora das necessidades da vida, você depende cegamente da ajuda de outros especialistas, cujo próprio conhecimento está limitado a um pequeno campo de especialização. A coletividade humana sabe muito mais hoje do que os bandos antigos. Porém, em nível individual, os antigos coletores eram as pessoas mais espertas e habilidosas de toda a história.

Há indicações de que o tamanho médio do cérebro dos sapiens de fato *decresceu* desde que deixaram de ser coletores.[5] A sobrevivência naqueles tempos exigia de todos uma incrível capacidade mental. Quando surgiram a agricultura e a indústria, as pessoas puderam passar a depender mais e mais das habilidades de outros para sobreviver, abrindo-se novos "nichos para ignorantes". Você pode sobreviver e transmitir seus genes pouco brilhantes para a próxima geração trabalhando como entregador de água ou operário numa linha de montagem.

Os coletores dominaram não apenas o mundo dos animais, das plantas e dos objetos a seu redor, mas também o mundo interno de seus próprios corpos e sentidos. Escutavam os movimentos mais sutis no mato para saber se uma cobra estava à espreita. Observavam cuidadosamente a copa das árvores para descobrir frutas, colmeias e ninhos de pássaros. Moviam-se com um mínimo de esforço e ruído, sabiam como se sentar, andar e correr da forma mais ágil e eficiente. O uso constante e variado do corpo os fazia tão bem preparados quanto um maratonista. Tinham a destreza física que as pessoas modernas são incapazes de atingir após anos praticando ioga ou tai chi.

O estilo de vida dos caçadores-coletores diferia substancialmente de região para região e de estação para estação, mas, de forma geral, eles parecem ter desfrutado de uma existência mais confortável e gratificante do que a maioria dos camponeses, pastores, trabalhadores e auxiliares administrativos que vieram depois.

Enquanto nas sociedades abastadas atuais as pessoas trabalham uma média de quarenta a 45 horas por semana, contra sessenta a oitenta horas por semana nos países em desenvolvimento, os caçadores-coletores que vivem hoje nos hábitats mais inóspitos — tal como o deserto do Kalahari — trabalham em média de 35 a 45 horas por semana. Caçam apenas uma vez a cada três dias, e a coleta ocupa somente de três a seis horas por dia. Em tempos normais, isso basta para alimentar o bando. É bem possível que os antigos caçadores-coletores, vivendo em áreas mais férteis que o Kalahari, gastassem até menos tempo para obter alimentos e materiais. Além disso, os coletores se beneficiavam de uma carga menor de tarefas domésticas: não tinham pratos para lavar, carpetes para aspirar, assoalhos para encerar, fraldas para trocar e contas para pagar.

A economia da coleta propiciava à maioria dos indivíduos uma vida mais interessante do que a agricultura e a indústria. Hoje, uma operária chinesa sai de casa por volta das sete horas da manhã, circula por ruas poluídas até uma fábrica cujas condições de trabalho são precárias, e lá opera a mesma máquina, da mesma forma, dia após dia, durante dez longas e enfadonhas horas, voltando para casa perto das sete da noite para lavar a louça e as roupas. Trinta mil anos atrás, uma coletora chinesa talvez deixasse o acampamento com suas companheiras às oito da manhã. Percorreriam florestas e campos próximos colhendo cogumelos, desenterrando tubérculos comestíveis, pegando rãs e vez por outra fugindo de tigres. No começo da tarde, estariam de volta ao acampamento para preparar o almoço. Isso lhes dava bastante tempo para fofocar, contar histórias, brincar com as crianças e até ficar à toa. Claro que ocasionalmente os tigres pegavam uma delas ou uma cobra as picava, mas, por outro lado, elas não tinham de enfrentar acidentes de carro e poluição industrial.

Em quase todos os lugares e épocas, a coleta garantia uma nutrição ideal. Isso não chega a ser surpreendente — essa tem sido a dieta humana por centenas de milhares de anos, e nosso corpo estava bem adaptado a ela. Os esqueletos fossilizados indicam que os antigos coletores tinham menos probabilidade de passar fome ou sofrer desnutrição que seus descendentes camponeses, sendo mais saudáveis e altos que estes últimos. A expectativa média de vida era aparentemente de apenas trinta a quarenta anos, porém isso se devia sobretudo à alta incidência de mortalidade infantil. As crianças que superavam os perigosos primeiros anos tinham uma boa chance de chegar aos sessenta anos, em certos casos indo até os oitenta anos. Entre os coletores modernos, mulheres de 45 anos podem esperar viver outros vinte anos, e cerca de 5% a 8% da população tem mais de sessenta anos.[6]

O segredo do sucesso dos coletores, que os protegia da fome e da desnutrição, era sua dieta variada. Os camponeses costumam ter uma dieta muito limitada e desequilibrada. Especialmente nos tempos pré-modernos, a maior parte das calorias consumidas por uma população agrícola vinha de uma única cultura — tal como trigo, batata ou arroz — que carece de algumas vitaminas, minerais e outros elementos nutricionais de que os humanos necessitam. O camponês típico da China tradicional comia arroz no café da manhã, arroz no almoço e arroz no jantar. Se tivesse sorte, podia esperar comer a mesma coisa no dia seguinte. Por outro lado, os antigos coletores dispunham regularmente de dezenas de alimentos diferentes. O antepassado do camponês podia comer frutinhas e cogumelos no café da manhã; frutas, caramujos e tartaruga no almoço; e um bife de carne de coelho com cebolas silvestres no jantar. O cardápio no dia seguinte talvez fosse totalmente diferente. Essa variedade garantia que os antigos coletores ingerissem todos os nutrientes necessários.

Além disso, por não depender de um único tipo de comida, eles eram menos propensos a sofrer quando uma fonte específica de alimento entrava em colapso. As sociedades agrícolas são dizimadas pela fome quando secas, incêndios ou terremotos devastam a colheita anual de arroz ou batata. As sociedades de coletores não eram imunes a desastres naturais, sofrendo períodos de carência e de fome, porém em geral eram capazes de lidar mais facilmente com tais calamidades: se perdiam alguns dos itens básicos de sua alimentação, podiam colher ou caçar outros tipos, ou migrar para uma área menos afetada.

Os antigos coletores também sofriam menos de doenças infecciosas. A maioria dessas doenças que acometeram as sociedades agrícolas e industriais (tais como varíola, sarampo e tuberculose) teve origem em animais domesticados e só foram transferidas para os humanos depois da Revolução Agrícola. Os antigos coletores, que haviam domesticado apenas os cães, ficaram livres desses flagelos. Ademais, a maior parte das pessoas em sociedades agrícolas e industriais vivia em assentamentos permanentes densamente povoados e sem higiene — incubadoras ideais de enfermidades. Os coletores, vagando por toda a parte em pequenos bandos, não sustentavam epidemias.

A dieta saudável e variada, a jornada de trabalho relativamente curta e a baixa incidência de doenças infecciosas levaram muitos estudiosos a definir as sociedades coletoras pré-agrícolas como as "sociedades de abundância originais". Entretanto, seria um erro idealizar a vida desses seres antigos. Embora vivessem em condições melhores que as da maior parte das pessoas nas sociedades agrícolas e industriais, o mundo deles ainda assim era duro e impiedoso. Períodos de privação e dificuldades não eram incomuns, a mortalidade infantil era elevada, um acidente que hoje seria considerado de menor gravidade podia facilmente se transformar numa sentença de morte. É provável que a maior parte dos indivíduos gostasse da intimidade do bando, mas aqueles infelizes que despertavam a hostilidade ou o desprezo dos companheiros deviam sofrer de forma terrível. Os coletores modernos muitas vezes abandonam ou mesmo matam velhos ou aleijados que não têm condições de acompanhar o grupo. Bebês e crianças indesejados podem ser mortos, e há até mesmo casos de sacrifícios humanos por motivo religioso.

Os achés, caçadores-coletores que viveram nas florestas do Paraguai até a década de 1960, oferecem um vislumbre da faceta negativa do regime de coleta. Quando morria um membro importante do bando, eles costumavam matar uma menina e enterravam os dois juntos. Entrevistando os achés, os antropólogos registraram o caso de um grupo que abandonou um homem de meia-idade que adoeceu e foi incapaz de acompanhar os demais. Deixaram-no debaixo de uma árvore, com os urubus empoleirados acima dele à espera de uma boa refeição. Mas o homem se recuperou e, caminhando rapidamente, conseguiu se reunir ao bando. Como seu corpo estava coberto de fezes dos pássaros, ele passou a ser chamado de "Cocô de Urubu".

Quando uma mulher aché idosa se tornava um fardo para o resto do bando, um dos homens mais jovens se esgueirava por trás dela e a matava com um golpe de machadinha na cabeça. Um homem do grupo contou aos antropólogos curiosos histórias de seus anos dourados na floresta. "Eu costumava matar as velhas. Matei minhas tias [...]. As mulheres tinham medo de mim [...]. Agora, aqui com os brancos, fiquei fraco." Bebês nascidos sem cabelo, considerados por isso insuficientemente desenvolvidos, eram mortos de imediato. Uma mulher se recordava de que sua primeira filha foi morta porque os homens não queriam mais uma menina no grupo. Em outra ocasião, um homem matou um garoto porque "estava de mau humor e a criança chorava". Outra criança foi enterrada viva porque "tinha aparência engraçada e fazia as outras crianças rir".[7]

No entanto, devemos ter cuidado para não julgar os achés de modo muito superficial. Os antropólogos que viveram com eles durante anos relatam que a violência entre adultos era muito rara. Homens e mulheres tinham a liberdade de mudar de parceiros à vontade. Eles sorriam e gargalhavam constantemente, não possuíam um líder hierárquico e em geral rejeitavam as pessoas dominadoras. Eram muitíssimo generosos com suas poucas posses e não tinham obsessão por sucesso ou riqueza. As coisas que mais valorizavam na vida eram as boas interações sociais e as amizades íntimas.[8] Viam a eliminação de crianças, doentes e velhos como muitas pessoas hoje em dia veem o aborto e a eutanásia. Vale notar também que os achés foram caçados e mortos sem piedade pelos fazendeiros paraguaios. A necessidade de escapar de seus inimigos provavelmente os levou a adotar uma atitude bastante dura com relação a qualquer um que pudesse representar a fraqueza do bando.

A verdade é que a sociedade aché, como toda sociedade humana, era muito complexa. Devemos evitar sua demonização ou idealização com base num conhecimento superficial. Os achés não eram nem anjos nem demônios — eram humanos. Assim como os antigos caçadores-coletores.

ESPÍRITOS FALANTES

O que podemos dizer sobre a vida espiritual e mental dos antigos caçadores-coletores? Os elementos básicos da economia coletora podem ser reconstruídos com alguma segurança levando-se em conta fatores quantificáveis e objetivos. Por exemplo, podemos calcular quantas calorias por dia uma pessoa necessitava para sobreviver, quantas calorias eram obtidas a partir de um quilo de nozes, quantas nozes podiam ser colhidas num quilômetro quadrado de floresta. Com esses dados, é possível fazer uma estimativa razoável sobre a importância relativa das nozes na dieta deles.

Mas será que eles consideravam as nozes uma iguaria ou um item banal de alimentação? Será que acreditavam que as nogueiras eram habitadas por espíritos? Achavam suas folhas bonitas? Se um rapaz coletor quisesse levar uma moça para um local romântico, será que a sombra de uma nogueira seria satisfatória? O mundo dos pensamentos, das crenças e dos sentimentos é por definição bem mais difícil de decifrar.

É consenso entre a maioria dos estudiosos que as crenças animistas eram comuns entre os antigos coletores. Animismo (de "*anima*", alma ou espírito em latim) é a crença de que quase qualquer lugar, animal, planta e fenômeno natural tem consciência e sentimentos, podendo se comunicar diretamente com os humanos. Assim, os animistas podem acreditar que a grande pedra no topo da colina tem desejos e necessidades. A pedra pode estar zangada por causa de alguma coisa que as pessoas fizeram, e se alegrar com outras ações. A pedra pode censurar as pessoas ou pedir favores. Os humanos, por sua parte, podem se dirigir à pedra para acalmá-la ou ameaçá-la. Não apenas a pedra, mas também o carvalho no sopé da colina é um ser vivo, bem como o riacho que corre abaixo da colina, a nascente na clareira da floresta, os arbustos que crescem a seu redor, o caminho para a clareira, os ratos silvestres, os lobos e os corvos que bebem ali. No mundo animista, os objetos e as coisas vivas não são os únicos seres dotados do sopro vital. Há também entidades imateriais — os espíritos dos mortos, assim como seres amigáveis ou malevolentes do tipo que hoje chamamos de demônios, fadas e anjos.

Os animistas acreditam que não existe nenhuma barreira entre os humanos e outros seres. Todos podem se comunicar diretamente por meio da fala, de canções, da dança e de cerimônias. Um caçador pode se dirigir a um rebanho de cervos e pedir que um deles se sacrifique. Se a caça é exitosa, o caçador pode pedir ao animal morto que o perdoe. Quando alguém adoece, o xamã pode contatar o espírito que causou a doença e tentar pacificá-lo ou afugentá-lo. Se necessário, o xamã pode pedir ajuda a outros espíritos. O que caracteriza todas essas atividades de comunicação é que as entidades que estão sendo invocadas são seres locais. Não se trata de deuses universais, e sim de um cervo em particular, uma árvore em particular, um riacho em particular, um espírito em particular.

Assim como não há barreira entre humanos e outros seres, também não há uma hierarquia estrita. As entidades não humanas não existem apenas para servir às necessidades do homem. Elas também não são deuses todo-poderosos que conduzem o mundo a seu bel-prazer. O mundo não gira em torno dos homens ou de nenhum outro grupo específico de seres.

O animismo não é uma religião em particular, mas o nome genérico de milhares de religiões, cultos e crenças muito diferentes. O que faz de todos "animistas" é essa abordagem comum com relação ao mundo e ao lugar do homem nele. Dizer que os antigos coletores eram provavelmente animistas é como dizer que os agricultores pré-modernos eram em sua maioria teístas. O teísmo (de "*theos*", "deus" em grego) é a visão de que a ordem universal está baseada na relação hierárquica entre humanos e um pequeno grupo de entidades etéreas chamadas de deuses. É sem dúvida verdade que os agricultores pré-modernos tendiam a ser teístas, mas isso não nos diz muito sobre as suas especificidades. A rubrica genérica "teístas" engloba rabinos judeus do século xviii na Polônia, puritanos que queimavam bruxas no século xvii em Massachusetts, sacerdotes astecas do século xv no México, místicos sufistas do século XII no Irã, guerreiros vikings do século X, legionários romanos do século II e burocratas chineses do século I. Todos eles considerariam estranhas e heréticas as crenças e as práticas dos outros. É provável que as diferenças entre as crenças e as práticas dos grupos de coletores "animistas" fossem igualmente significativas. Sua experiência religiosa pode ter sido turbulenta e repleta de controvérsias, reformas e revoluções.

Mas não podemos ir muito além dessas generalizações cautelosas. Qualquer tentativa de descrever os elementos específicos da espiritualidade arcaica é altamente especulativa, uma vez que quase não existe nenhum indício dela, e os poucos de que dispomos — um punhado de artefatos e pinturas rupestres — podem ser interpretados de mil maneiras. As teorias dos estudiosos que dizem saber o que os coletores sentiam lançam muito mais luz sobre a opinião de seus autores do que sobre as religiões da Idade da Pedra.

Em vez de erigir montanhas de teorias em cima de um montículo de relíquias de túmulos, pinturas em cavernas e estatuetas de osso, é melhor sermos honestos e admitir que temos apenas noções vagas sobre as religiões dos antigos coletores. Presumimos que foram animistas, porém isso não diz muito. Não sabemos para quais espíritos rezavam, que festividades celebravam, a que tabus obedeciam. Mais importante ainda, não sabemos que histórias contavam. Essa é uma das maiores lacunas em nossa compreensão da história humana.

O mundo sociopolítico dos coletores é outra área sobre a qual não sabemos praticamente nada. Como já dissemos, os estudiosos não concordam nem mesmo a respeito dos elementos básicos, tais como a existência de propriedade privada, famílias nucleares e relações monogâmicas. É provável que diferentes bandos tivessem estruturas diferentes. Alguns podem ter sido hierárquicos, tensos e violentos como os grupos mais ferozes de chimpanzés, enquanto outros eram descontraídos, pacíficos e lascivos como um grupo de bonobos.

Em Sungir, na Rússia, os arqueólogos descobriram em 1955 um sítio com túmulos de 30 mil anos atrás que pertencia a uma cultura de caçadores de mamutes. Num deles encontraram o esqueleto de um homem de cinquenta anos coberto com colares de contas feitas de marfim de mamute, num total de cerca de 3 mil contas. Na cabeça do homem havia um chapéu decorado com dentes de raposa e, nos punhos, 25 braceletes de marfim. Outros túmulos do mesmo sítio tinham muito menos objetos. Os estudiosos deduziram que os caçadores de mamute de Sungir viviam numa sociedade hierárquica, e que o homem ali enterrado talvez fosse o líder de um bando ou de toda uma tribo composta de vários bandos. É improvável que algumas dezenas de membros de um único bando houvessem produzido tantos adereços funerários.

Os arqueólogos então descobriram um túmulo ainda mais interessante. Continha dois esqueletos, enterrados com as cabeças lado a lado. Um pertencia a um menino de doze ou treze anos, o outro, a uma menina de nove ou dez. O menino estava coberto com 5 mil contas de marfim, usava um chapéu com

8. Uma pintura da caverna de Lascaux, de cerca de 15 mil a 20 mil anos atrás. O que vemos exatamente e qual o significado da pintura? Alguns afirmam que retrata um homem com cabeça de pássaro e pênis ereto sendo morto por um bisão. Abaixo do homem há outro pássaro que pode simbolizar a alma, libertada do corpo no momento da morte. Nesse caso, a pintura não retrata um prosaico acidente de caça, e sim a passagem deste mundo para o próximo. Mas não temos como saber se alguma dessas especulações é verdadeira. Trata-se de um teste de Rorschach, que revela muito sobre os palpites dos estudiosos modernos e pouco sobre as crenças dos antigos coletores.

dentes de raposa e um cinto com 250 dentes de raposa (ao menos sessenta raposas precisaram ter seus dentes arrancados para se obter aquela quantidade). A menina estava enfeitada com 5250 contas de marfim. As duas crianças estavam cercadas de estatuetas e de vários objetos de marfim. Um hábil artesão (ou artesã) provavelmente necessitaria de cerca de 45 minutos para preparar uma única conta de marfim. Em outras palavras, fabricar as 10 mil contas que cobriam as crianças, sem falar dos outros objetos, teria exigido umas 7500 horas de esforço delicado, bem mais de três anos de trabalho de um artesão experiente!

É bastante improvável que, em idade tão tenra, as crianças de Sungir houvessem se firmado como líderes ou caçadoras de mamutes. Somente crenças culturais podem explicar por que receberam um enterro tão extravagante. Uma teoria é que deviam sua posição social aos pais. Talvez fossem filhos do líder numa cultura que acreditava no carisma familiar ou possuía normas estritas de sucessão. De acordo com uma segunda teoria, as crianças haviam sido

9. *Caçadores-coletores deixaram essas impressões de mãos cerca de 9 mil anos atrás na Cueva de las Manos, na Argentina. Parece que essas mãos, mortas há muito tempo, estão saindo de dentro da rocha e tentando nos agarrar. Essa é uma das mais emocionantes relíquias do antigo mundo da coleta — mas ninguém sabe o que significa.*

identificadas ao nascer como encarnações de espíritos mortos havia muito tempo. Uma terceira teoria defende que o enterro das crianças reflete o modo como morreram, e não seu status em vida: tinham sido sacrificadas em um ritual — talvez como parte dos ritos funerários do líder — e então postas no túmulo com toda a pompa.[9]

Qualquer que seja a resposta correta, as crianças de Sungir estão entre as melhores indicações de que, há 30 mil anos, os sapiens inventavam códigos sociopolíticos que iam muito além dos ditames de nosso DNA e dos padrões de comportamento de outras espécies de humanos e de animais.

PAZ OU GUERRA?

Por fim, há o problema espinhoso do papel da guerra em sociedades de coletores. Alguns pesquisadores imaginam as sociedades de caçadores-coletores como paraísos pacíficos, argumentando que a guerra e a violência só surgiram com a Revolução Agrícola, quando as pessoas passaram a acumular propriedade privada. Outros estudiosos sustentam que o mundo dos antigos coletores era excepcionalmente cruel e violento. Ambas as escolas de pensamento são castelos de vento, ligados ao solo pelos tênues fios de restos arqueológicos escassos e de observações antropológicas sobre os coletores modernos.

Os indícios antropológicos são intrigantes, porém muito problemáticos. Os coletores da atualidade vivem sobretudo em áreas isoladas e inóspitas, tais como o Ártico e o Kalahari, onde a densidade populacional é muito baixa e as oportunidades de lutar com outros grupos são limitadas. Além do mais, as gerações recentes de coletores têm sido cada vez mais submetidas à autoridade dos Estados modernos, que impedem a eclosão de conflitos em larga escala. Os estudiosos europeus só tiveram duas oportunidades de observar populações numerosas e relativamente densas de coletores independentes: no noroeste da América do Norte no século XIX e no norte da Austrália durante o século XIX e início do século XX. Tanto a cultura ameríndia quanto a aborígene da Austrália revelaram frequentes conflitos armados. É discutível, contudo, se isso representa uma condição atemporal ou reflete o impacto do imperialismo europeu.

As descobertas arqueológicas são raras e opacas. Que pistas substanciais poderiam restar de uma guerra ocorrida há dezenas de milhares de anos? Não havia fortificações nem muros naquela época, nenhum projétil de artilharia ou mesmo espadas e escudos. A ponta de uma lança antiga pode ter sido usada na guerra, mas também numa caçada. Ossos humanos fossilizados são igualmente difíceis de interpretar. Uma fratura pode indicar um ferimento de guerra ou um acidente. A ausência de fraturas e cortes num esqueleto antigo não serve como prova inquestionável de que a pessoa a quem pertencia a ossada não sofreu uma morte violenta. A morte pode ter sido causada por trauma sofrido em tecidos moles, o que não deixa marca nos ossos. Ainda mais importante: durante as guerras pré-industriais, mais de 90% das vítimas morriam por fome, frio e doenças, e não por armas. Imagine que há 30 mil anos uma tribo derrotasse o grupo vizinho e o expulsasse de seu cobiçado território de caça e coleta. Na batalha decisiva, dez membros da tribo derrotada foram mortos. No ano seguinte, outros cem membros da tribo perdedora morreram de fome, frio e doenças. Os arqueólogos que se deparassem com esses 110 esqueletos poderiam facilmente concluir que a maioria foi vitimada por algum desastre natural. Como afirmar que foram todos vítimas de uma guerra impiedosa?

Devidamente alertados, podemos então examinar os achados arqueológicos. Em Portugal, uma pesquisa feita com quatrocentos esqueletos do período logo anterior à Revolução Agrícola mostrou que apenas dois tinham sinais claros de violência. Uma pesquisa semelhante com quatrocentos esqueletos do mesmo período em Israel mostrou uma única rachadura num único crânio que poderia ser atribuída à violência humana. Uma terceira pesquisa com quatrocentos esqueletos de vários sítios pré-agrícolas no vale do Danúbio apontou provas de violência em dezoito deles. Dezoito em quatrocentos pode não parecer muito, mas é de fato uma percentagem bastante elevada. Se todos os dezoito de fato morreram de modo violento, isso significa que cerca de 4,5% das mortes no antigo vale do Danúbio eram causadas pela violência humana. Hoje, a média global é de apenas 1,5%, englobando guerras e crimes. Durante o século xx, somente 5% das mortes humanas resultaram de violência, e esse foi o século que viu as guerras mais sangrentas e os genocídios mais brutais da história. Se aquela descoberta representar o padrão, o antigo vale do Danúbio foi tão violento quanto o século xx.*

---

* Pode-se argumentar que nem todos os dezoito danubianos antigos de fato morreram da violência cujos sinais são vistos em seus ossos. Alguns podem ter sido apenas feridos. No entanto,

Os tristes achados do vale do Danúbio são reforçados por uma série de descobertas igualmente tristes em outras áreas. Em Jabl Sahaba, no Sudão, foi descoberto um cemitério de 12 mil anos atrás com 59 esqueletos. Em 24 esqueletos foram encontradas pontas de flechas e de lanças alojadas nos ossos ou próximas a eles, isto é, 40% do total. O esqueleto de uma mulher revelou doze ferimentos. Na caverna de Ofnet, na Baviera, os arqueólogos descobriram os restos de 38 coletores, sobretudo mulheres e crianças, que tinham sido jogados em duas valas comuns. Metade dos esqueletos, incluindo os de crianças e bebês, exibia claros sinais de ferimentos por armas humanas, tais como porretes e facas. Os poucos esqueletos de homens adultos mostravam os piores sinais de violência. Muito provavelmente um grupo inteiro de coletores foi massacrado em Ofnet.

O que melhor representa o mundo dos antigos coletores: os esqueletos pacíficos de Israel e Portugal ou os abatedouros de Jabl Sahaba e Ofnet? A resposta é: nenhum dos dois. Assim como os coletores exibiram uma vasta gama de religiões e estruturas sociais, do mesmo modo também devem ter demonstrado uma variedade de taxas de violência. Enquanto algumas áreas e alguns períodos podem ter desfrutado de paz e tranquilidade, outros devem ter sido palco de conflitos violentos.[10]

A CORTINA DE SILÊNCIO

Se já é difícil reconstituir o panorama mais amplo da vida do coletor antigo, os eventos particulares são quase irrecuperáveis. Quando um bando de sapiens penetrou pela primeira vez num vale ocupado por neandertais, os anos seguintes devem ter testemunhado um drama histórico de tirar o fôlego. Infelizmente, nada sobreviveria desse encontro, exceto, na melhor das hipóteses, uns poucos ossos fossilizados e um punhado de ferramentas de pedra que permanecem mudos sob a mais intensa inquisição dos pesquisadores. Podemos extrair desses vestígios informações sobre a anatomia, a tecnologia, a dieta e talvez até mesmo a estrutura social humanas. Porém eles nada revelam acerca

---

isso é provavelmente contrabalançado pelas mortes por traumas nos tecidos moles e pelas privações invisíveis que acompanham a guerra.

da aliança política forjada entre bandos vizinhos de sapiens, dos espíritos dos mortos que abençoavam tal aliança ou das contas de marfim dadas secretamente ao xamã local a fim de garantir a bênção dos espíritos.

Essa cortina de silêncio encobre dezenas de milhares de anos de história. Esses longos milênios podem muito bem haver testemunhado guerras e revoluções, movimentos religiosos transcendentais, teorias filosóficas profundas, obras de arte incomparáveis. Os coletores podem ter tido grandes conquistadores como Napoleão, que comandaram impérios da metade do tamanho de Luxemburgo; talentosos Beethovens que não dispunham de orquestras sinfônicas mas fizeram ouvintes chorar ao som de suas flautas de bambu; e profetas carismáticos que revelavam as palavras do carvalho local em vez daquelas de um deus criador universal. Mas esses são meros palpites. A cortina de silêncio é tão espessa que não podemos nem mesmo ter certeza de que tais coisas aconteceram — muito menos descrevê-las em detalhe.

Os estudiosos tendem a fazer apenas aquelas perguntas que esperam poder responder de maneira satisfatória. Caso não sejam descobertas novas ferramentas de pesquisa, provavelmente nunca saberemos no que acreditavam os antigos coletores ou que dramas políticos eles viveram. No entanto, é vital fazer perguntas para as quais não dispomos ainda de resposta, pois, de outro modo, podemos nos sentir tentados a ignorar 60 mil a 70 mil anos de história humana com a desculpa de que "quem viveu naquela época não fez nada de importante".

A verdade é que fizeram muitas coisas importantes. Em especial, moldaram o mundo à nossa volta de uma forma bem mais significativa do que a maioria das pessoas se dá conta. Pessoas que visitam a tundra siberiana, os desertos da Austrália Central e a Floresta Amazônica acreditam que estão penetrando em áreas virgens, praticamente intocadas por mãos humanas. Porém isso é uma ilusão. Os coletores estiveram lá antes de nós e provocaram mudanças notáveis mesmo nas florestas mais cerradas e nos desertos mais desolados. O próximo capítulo explica como os coletores transformaram por completo a ecologia de nosso planeta muito antes que a primeira povoação agrícola fosse erguida. As perambulações dos bandos de sapiens que contavam histórias foram a força mais relevante e destrutiva que o reino animal tinha produzido até então.

4. O dilúvio

Antes da Revolução Cognitiva, os humanos de todas as espécies viviam exclusivamente na massa continental que compreendia África e Ásia. É verdade que haviam povoado algumas ilhas nadando pequenas distâncias ou utilizando jangadas improvisadas. Flores, por exemplo, já havia sido colonizada 850 mil anos atrás. No entanto, eles eram incapazes de se aventurar no mar aberto, e nenhum tinha chegado à América, à Austrália ou a ilhas remotas como Madagascar, Nova Zelândia e Havaí.

A barreira marítima impedia não apenas humanos, mas também muitos outros animais e plantas afro-asiáticos de alcançar o "mundo de fora". Como consequência, organismos de terras longínquas como a Austrália e Madagascar evoluíram isolados por vários milhões de anos, tomando formas e aparências bastante diferentes daquelas de seus distantes parentes afro-asiáticos. O planeta Terra era dividido em muitos ecossistemas distintos, cada qual composto de um conjunto único de animais e plantas. O *Homo sapiens* estava prestes a acabar com essa exuberância biológica.

Graças à Revolução Cognitiva, os sapiens adquiriram a tecnologia, as habilidades organizacionais e talvez até mesmo a visão necessárias para vencer os limites da massa continental afro-asiática e ocupar o "mundo de fora". A primeira conquista foi a colonização da Austrália há cerca de 45 mil anos. Os especialistas têm dificuldade em explicar esse feito. A fim de alcançar a Austrália, os humanos tiveram de atravessar diversos canais marítimos, alguns com mais de cem quilômetros de largura, e ao chegar precisaram se adaptar quase da noite para o dia a um ecossistema totalmente novo.

A teoria mais razoável sugere que, por volta de 45 mil anos atrás, os sapiens que viviam no arquipélago indonésio (um grupo de ilhas separadas da Ásia e umas das outras por estreitos) desenvolveram as primeiras sociedades de marinheiros. Aprenderam a construir e a conduzir embarcações capazes de navegar oceanos, tornando-se pescadores, comerciantes e exploradores de longas distâncias. Isso causou uma transformação sem precedente nas capacidades e no estilo de vida dos humanos. Todos os outros mamíferos que foram para o mar — focas, peixes-boi, golfinhos — precisaram evoluir por uma eternidade a fim de desenvolver órgãos especializados e um corpo hidrodinâmico. Os sapiens na Indonésia, descendentes de primatas que viviam nas savanas africanas, se transformaram em marinheiros no Pacífico sem criar nadadeiras e sem ter de esperar que suas narinas migrassem para cima da cabeça, como fizeram as baleias. Em vez disso, construíram barcos e aprenderam a manobrá-los. E essas habilidades permitiram que alcançassem e povoassem a Austrália.

É verdade que os arqueólogos ainda não desencavaram jangadas, remos ou aldeias de pescadores que datem de 45 mil anos atrás (eles seriam difíceis de encontrar porque o aumento do nível dos oceanos cobriu em cem metros a antiga costa da Indonésia). Não obstante, fortes evidências circunstanciais confirmam essa teoria, sobretudo porque, nos milhares de anos que se seguiram ao povoamento da Austrália, os sapiens colonizaram muitas ilhas pequenas e isoladas ao norte. Algumas, como Buka e Manus, estão separadas da terra mais próxima por duzentos quilômetros de mar aberto. É difícil acreditar que alguém houvesse alcançado e colonizado Manus sem embarcações e habilidades náuticas sofisticadas. Como mencionado anteriormente, há também sólidos indícios de comércio marítimo regular entre essas ilhas, tais como Nova Irlanda e Nova Bretanha.[1]

A travessia dos primeiros humanos rumo à Austrália é um dos eventos mais importantes da história, no mínimo tão importante quanto a viagem de Colombo à América ou a expedição Apollo 11 à Lua. Foi a primeira vez que qualquer ser humano conseguiu sair do ecossistema afro-asiático — na verdade, a primeira vez que qualquer grande mamífero terrestre conseguiu ir da

África ou da Ásia para a Austrália. Mais importante ainda foi o que esses humanos pioneiros fizeram naquele novo mundo. O momento em que o primeiro caçador-coletor pôs os pés numa praia australiana foi quando o *Homo sapiens* atingiu o topo da cadeia alimentar, tornando-se a espécie mais letal na história do planeta Terra.

Até então, os humanos haviam manifestado algumas adaptações e alguns comportamentos inovadores, mas seu efeito sobre o meio ambiente tinha sido insignificante. Demonstraram notável sucesso em se deslocar para diversos hábitats e se ajustar às condições locais, porém o fizeram sem alterar drasticamente esses lugares. Os colonizadores da Austrália — ou, para ser mais exato, seus conquistadores — não apenas se adaptaram: eles transformaram o ecossistema australiano de forma a torná-lo irreconhecível.

A primeira pegada humana nas areias de uma praia australiana foi imediatamente apagada pelas ondas. Contudo, ao avançarem para o interior da ilha, os invasores deixaram atrás de si um rastro diferente, que jamais seria eliminado. Seguindo adiante, encontraram um universo estranho, com criaturas desconhecidas que incluíam um canguru de duzentos quilos e dois metros de altura e um leão-marsupial, tão grande quanto um tigre moderno, que era o maior predador do continente. Coalas pesados demais para serem postos no colo e acariciados eram vistos nas árvores, e aves que não voavam, com o dobro do tamanho de avestruzes, corriam pelas planícies. Lagartos com a aparência de dragões e cobras com cinco metros de comprimento rastejavam pelo mato. O gigantesco diprotodonte, um vombate de 2,5 toneladas, vagava pelas florestas. Exceto pelos pássaros e pelos répteis, todos esses animais eram marsupiais — como os cangurus, davam à luz filhotes diminutos e indefesos, semelhantes a fetos, que eram então alimentados com leite dentro das bolsas abdominais. Os mamíferos marsupiais, quase desconhecidos na África e na Ásia, eram soberanos na Austrália.

No curso de alguns milhares de anos, praticamente todos esses gigantes se foram. Das 24 espécies de animais australianos que pesavam cinquenta quilos ou mais, 23 foram extintas.[2] Muitas espécies menores também desapareceram. As cadeias alimentares em todo o ecossistema australiano foram rompidas e rearranjadas. Foi a transformação mais importante do ecossistema australiano em milhões de anos. O *Homo sapiens* foi o culpado?

Alguns estudiosos tentam exonerar nossa espécie, pondo a culpa nos caprichos do clima (o bode expiatório de costume nesses casos.) Entretanto, é difícil acreditar que o *Homo sapiens* foi completamente inocente. Há três indícios que enfraquecem o álibi do clima, implicando nossos ancestrais na extinção da megafauna australiana.

Em primeiro lugar, embora o clima australiano tenha se alterado há cerca de 45 mil anos, não se tratou de uma mudança muito radical. Custa crer que os novos padrões climáticos, por si sós, pudessem causar uma extinção tão devastadora. Hoje é comum explicar qualquer coisa como resultado de uma mudança climática, mas a verdade é que o clima da Terra nunca descansa, está sempre em constante fluxo. Todos os eventos históricos ocorreram com alguma mudança climática de plano de fundo.

Em particular, nosso planeta viveu numerosos ciclos de resfriamento e aquecimento. Durante os últimos milhões de anos, ocorreu, em média, uma era glacial a cada 100 mil anos. A última durou de 75 mil a 15 mil anos atrás. Não foi mais severa que o normal para uma era glacial e registrou dois picos idênticos: o primeiro há cerca de 70 mil anos e o segundo há cerca de 20 mil anos. Como o gigantesco diprodonte apareceu na Austrália mais de 1,5 milhão de anos atrás, isso significa que ele resistiu com sucesso a pelo menos dez idades do gelo anteriores. Também sobreviveu ao primeiro pico da última era glacial, cerca de 70 mil anos atrás. Por que, então, desapareceu há 45 mil anos? Obviamente, se os diprotodontes houvessem sido os únicos grandes animais a desaparecer nessa época, poderia ter sido apenas coincidência. No entanto, mais de 90% da megafauna australiana desapareceu junto com ele. A prova é circunstancial, mas é difícil imaginar que os sapiens, por mero acaso, chegaram à Austrália no momento exato em que todos aqueles animais caíam mortos de frio.[3]

Em segundo lugar, quando uma mudança climática provoca extinções em massa, as criaturas marinhas em geral são atingidas de modo tão duro quanto as terrestres. Mas não há indício de nenhum desaparecimento substancial na fauna oceânica ocorrido 45 mil anos atrás. O envolvimento humano pode explicar com facilidade por que a onda de extinção eliminou a megafauna terrestre da Austrália ao passo que poupava os oceanos próximos. Apesar de suas florescentes habilidades náuticas, o *Homo sapiens* ainda era majoritariamente uma ameaça terrestre.

Em terceiro lugar, extinções em massa similares à arquetípica dizimação australiana ocorreram repetidas vezes nos milênios seguintes — sempre que sapiens povoaram outras partes do "mundo de fora". Nesses casos, a culpa dos sapiens é indubitável. Por exemplo, a megafauna da Nova Zelândia — que havia sobrevivido à suposta "mudança climática" de 45 mil anos atrás sem um arranhão — sofreu golpes devastadores logo depois que os humanos pisaram naquelas ilhas. Os maoris, os primeiros colonizadores sapiens da Nova Zelândia, desembarcaram nas ilhas há cerca de oitocentos anos. Dois séculos depois, a maior parte da megafauna local estava extinta, ao lado de 60% de todas as espécies de pássaros.

Destino semelhante acometeu a população de mamutes da ilha de Wrangel, no oceano Ártico (duzentos quilômetros ao norte da costa da Sibéria). Os mamutes haviam prosperado por milhões de anos em quase todo o hemisfério Norte, mas, à medida que o *Homo sapiens* se espalhou — primeiro pela Eurásia e depois pela América do Norte —, eles recuaram. Há 10 mil anos não havia um só mamute no mundo, exceto em poucas ilhas remotas do Ártico, em especial na de Wrangel. Os mamutes de Wrangel continuaram a prosperar por mais alguns milênios, mas de repente desapareceram há 4 mil anos, exatamente quando os primeiros humanos chegaram à ilha.

Se a extinção australiana tivesse sido um evento isolado, poderíamos conceder aos humanos o benefício da dúvida. Mas o registro histórico faz com que o *Homo sapiens* pareça um assassino ecológico em série.

Tudo o que os povoadores da Austrália tinham à sua disposição era a tecnologia da Idade da Pedra. Como poderiam causar um desastre ecológico? Há três explicações que se complementam perfeitamente.

Animais grandes — as principais vítimas da extinção australiana — se reproduzem devagar. A gestação é longa, com poucos filhotes por vez, e os intervalos entre uma e outra são grandes. Dessa forma, se os humanos liquidassem um diprotodonte a cada poucos meses, isso poderia ser suficiente para fazer com que as mortes desse animal superassem os nascimentos. Dentro de poucos milênios, o último diprotodonte solitário morreria, e com ele toda a sua espécie.[4]

De fato, apesar de seu tamanho, é provável que os diprotodontes e outros gigantes australianos fossem presas fáceis, porque foram apanhados totalmente de surpresa por seus caçadores bípedes. Havia 2 milhões de anos que várias espécies humanas vagavam e evoluíam na África e na Ásia. Aperfeiçoaram devagar suas habilidades de caça, passando a atacar animais de maior porte há cerca de 400 mil anos. Os grandes animais daqueles continentes tinham aprendido a evitar os humanos, então, quando o novo megapredador — o *Homo sapiens* — surgiu na cena afro-asiática, já sabiam como se manter distantes de criaturas como ele. Em contrapartida, os gigantes da Austrália não tiveram tempo para aprender a escapar. Os humanos não parecem ser particularmente perigosos: não têm dentes compridos e afiados ou corpos musculosos e ágeis. Por isso, quando um diprotodonte, o maior marsupial a andar sobre a Terra, avistou pela primeira vez aquele macaco de aparência frágil, é provável que tenha lhe dado uma olhadela e voltado a mastigar suas folhas. Esses animais precisavam desenvolver o medo da espécie humana, mas se foram antes de conseguir fazê-lo.

A segunda explicação é que, na época em que chegaram à Austrália, os sapiens já haviam dominado a técnica das queimadas. Expostos a um meio ambiente estranho e ameaçador, eles queimaram deliberadamente vastas áreas de matagais intransponíveis e florestas densas a fim de criar campos abertos, que atraíam animais mais fáceis de caçar e eram mais bem adaptados a suas necessidades. Desse modo, alteraram por completo a ecologia de grandes partes da Austrália ao longo de poucos milênios.

Um conjunto de indícios que sustenta essa tese vem do registro fóssil das plantas. Os eucaliptos eram raros na Austrália há 45 mil anos, mas a chegada do *Homo sapiens* inaugurou uma era dourada para essa espécie. Por serem particularmente resistentes ao fogo, os eucaliptos se espalharam por toda parte, ao passo que outras árvores desapareceram.

Essas mudanças na vegetação influenciaram os animais que comiam essas plantas e os carnívoros que comiam os herbívoros. Coalas, que subsistem apenas à base de folhas de eucaliptos, foram mastigando felizes rumo a novos territórios. A maioria dos animais sofreu terrivelmente. Muitas cadeias alimentares australianas entraram em colapso, levando seus elos mais fracos à extinção.[5]

Uma terceira explicação aponta que a caça e o fogo desempenharam um papel relevante na extinção, porém enfatiza que não podemos ignorar por completo o fator climático. As mudanças que afetaram o clima da Austrália há cerca de 45 mil anos desestabilizaram o ecossistema e o deixaram especialmente vulnerável. Em condições normais, é provável que o sistema tivesse se recuperado, como acontecera muitas vezes no passado. Contudo, os humanos entraram em cena naquele exato momento crítico e empurraram o ecossistema fragilizado rumo ao abismo. A combinação de mudança climática e caça humana é particularmente devastadora para os animais grandes, uma vez que os ataca de ângulos diferentes. É difícil encontrar uma boa estratégia de sobrevivência que dê conta de múltiplas ameaças ao mesmo tempo.

Sem evidências adicionais, não há como decidir entre os três cenários. Mas sem dúvida existem boas razões para crer que, se o *Homo sapiens* nunca tivesse chegado lá, a Austrália ainda seria o hábitat de leões-marsupiais, diprotodontes e cangurus gigantes.

O FIM DA PREGUIÇA

A extinção da megafauna australiana foi provavelmente a primeira marca significativa que o *Homo sapiens* deixou no nosso planeta. Foi seguida de um desastre ecológico ainda maior, dessa vez na América. O *Homo sapiens* foi a primeira e única espécie humana a atingir a massa continental do hemisfério ocidental, há cerca de 16 mil anos, isto é, por volta de 14 mil a.C. Os primeiros americanos vieram a pé, coisa que podia ser feita porque, à época, o nível do mar estava suficientemente baixo, criando uma ponte de terra entre o nordeste da Sibéria e o noroeste do Alasca. Não que fosse fácil — era uma empreitada árdua, talvez mais difícil que a travessia de barco para a Austrália. A fim de empreendê-la, os sapiens tiveram antes de aprender a suportar as condições árticas extremas do norte da Sibéria, uma área em que o sol nunca brilha no inverno e onde a temperatura pode cair para cinquenta graus centígrados negativos.

Nenhuma espécie humana anterior tinha conseguido penetrar lugares como a Sibéria setentrional. Mesmo os neandertais, acostumados ao frio, se restringiam a regiões localizadas ao Sul, portanto relativamente mais quentes. Mas o *Homo sapiens*, cujo corpo estava adaptado à vida nas savanas africanas e não em terras cobertas de neve e de gelo, concebeu soluções engenhosas. Quando alcançaram regiões de clima mais frio, os bandos migratórios de sapiens aprenderam a fazer sapatos de neve e roupas térmicas eficientes, compostas de camadas de pele e de couro bem costuradas com a ajuda de agulhas. Desenvolveram novas armas e técnicas sofisticadas de caça que lhes possibilitaram perseguir e matar mamutes e outros grandes animais no extremo Norte. À medida que suas roupas térmicas e técnicas de caça foram sendo aperfeiçoadas, os sapiens ousaram se aventurar mais para dentro das regiões glaciais. Movendo-se para o Norte, suas roupas, estratégias de caça e outras habilidades de sobrevivência continuaram a se aprimorar.

Mas por que se deram a esse trabalho? Por que escolheram se exilar na Sibéria? Talvez guerras, pressões demográficas ou desastres naturais tenham empurrado alguns bandos para o Norte. Outros podem ter sido atraídos por razões mais positivas — busca de proteína animal, por exemplo. As terras árticas estavam repletas de animais grandes e suculentos, como renas e mamutes. Cada mamute proporcionava uma grande quantidade de carne (que, dadas as baixíssimas temperaturas, podia ser congelada para consumo posterior), gordura saborosa, peles quentes e marfim valioso. Como demonstram os achados de Sungir, os caçadores de mamutes não apenas sobreviviam no gélido Norte — eles prosperavam. Com o passar do tempo, os bandos se espalharam bastante ao perseguir mamutes, mastodontes, rinocerontes e renas. Por volta de 14 mil a.C., a caçada levou alguns deles do nordeste da Sibéria ao Alasca. Obviamente eles não sabiam que estavam descobrindo um novo mundo. Tanto para os mamutes quanto para os homens, o Alasca era uma simples extensão da Sibéria.

De início, geleiras bloquearam o caminho entre o Alasca e o resto da América, embora alguns pioneiros possam ter vencido esses obstáculos navegando ao longo da costa. Por volta de 12 mil a.C., o aquecimento global havia derretido o gelo, abrindo uma passagem terrestre mais fácil. Utilizando o novo corredor, as pessoas se deslocaram em massa para o Sul, alastrando-se por todo o continente. Apesar de originalmente adaptados à caça de grandes animais no Ártico, logo se ajustaram a uma extraordinária variedade de climas e ecossistemas. Os descendentes dos siberianos povoaram as densas florestas do leste dos Estados Unidos, os pântanos do delta do Mississippi, os desertos do México e a selva úmida e quente da América Central. Alguns se instalaram no mundo fluvial da Bacia Amazônica, outros lançaram raízes nos vales montanhosos dos Andes ou nos pampas abertos da Argentina. E tudo isso ocorreu em apenas um ou dois milênios! Por volta de 10 mil a.C., os humanos já habitavam o ponto mais ao sul da América, a ilha da Terra do Fogo, na extremidade austral do continente. A blitzkrieg humana na América é testemunho da engenhosidade incomparável e da adaptabilidade insuperável do *Homo sapiens*. Nenhum outro animal até então havia ocupado tamanha variedade de hábitats diferentes em tão pouco tempo, fazendo uso, em toda parte, de praticamente os mesmos genes.[6]

A ocupação do continente americano não transcorreu sem derramamento de sangue. Deixou em sua esteira um longo rastro de vítimas. A fauna americana de 14 mil anos atrás era bem mais rica do que hoje. Quando os primeiros americanos caminharam para o Sul vindos do Alasca e chegaram às planícies do Canadá e da parte ocidental dos Estados Unidos, encontraram mamutes e mastodontes, roedores do tamanho de ursos, manadas de cavalos e camelos, leões enormes e dezenas de espécies animais grandes cuja aparência hoje desconhecemos por completo, entre eles os assustadores tigres-dentes-de-sabre e as preguiças-gigantes, que mediam até seis metros de altura e chegavam a pesar oito toneladas. A América do Sul abrigava uma diversidade ainda mais exótica de grandes mamíferos, répteis e pássaros. O continente era um grande laboratório de experimentos evolucionários, um lugar onde animais e plantas desconhecidos na África e na Ásia tinham se desenvolvido e prosperado.

Mas durou pouco. Dois mil anos após a chegada dos sapiens, a maior parte dessas espécies singulares havia desaparecido. Segundo estimativas atuais, nesse curto intervalo a América do Norte perdeu 34 de seus 47 gêneros de grandes mamíferos. A América do Sul perdeu cinquenta de sessenta gêneros desses animais. Os tigres-dentes-de-sabre, depois de prosperar por 30 milhões de anos, desapareceram, assim como as preguiças-gigantes, os leões-americanos, os cavalos e os camelos nativos do continente, os roedores gigantes e os mamutes. Milhares de espécies de mamíferos menores, répteis, pássaros e até mesmo insetos e parasitas foram extintos (quando os mamutes morreram, todas as espécies de carrapatos de mamutes se foram junto com eles).

Há décadas, os paleontólogos e os zooarqueólogos — que buscam e estudam os restos de animais — vêm varrendo as planícies e as montanhas do continente americano à procura de ossos fossilizados de camelos arcaicos e de fezes petrificadas de preguiças-gigantes. Quando são encontrados, tais tesouros são embalados com extremo cuidado e enviados para laboratórios onde cada osso e cada coprólito (nome técnico dado aos excrementos fossilizados) é meticulosamente examinado e datado. Repetidas vezes essas análises produzem os mesmos resultados: as fezes e os ossos de camelo mais recentes datam do período em que os humanos inundaram a América, isto é, por volta de 12 mil a.C. a 9 mil a.C. Apenas numa área os cientistas descobriram coprólitos mais recentes: em várias ilhas do Caribe, sobretudo em Cuba e Hispaniola, acharam fezes petrificadas da preguiça-gigante datando de cerca de 5 mil a.C. Essa foi a época exata em que os primeiros humanos conseguiram atravessar o mar do Caribe e povoar as duas grandes ilhas.

Mais uma vez, alguns estudiosos tentam eximir o *Homo sapiens* e culpar as mudanças climáticas (o que exige sustentar que, por algum motivo misterioso, o clima nas ilhas caribenhas permaneceu inalterado por 7 mil anos enquanto o resto do hemisfério ocidental se aquecia). Mas, na América, os excrementos nos denunciam: nós somos os culpados. Não há como ocultar a verdade. Mesmo que as mudanças climáticas tenham ajudado, a contribuição humana foi decisiva.[7]

A ARCA DE NOÉ

Se combinarmos as extinções em massa da Austrália e da América, acrescentando as de menor escala que ocorreram quando o *Homo sapiens* se espalhou pelo território afro-asiático — tal como a extinção de todas as outras espécies humanas —, além das observadas quando os antigos coletores povoaram ilhas remotas como Cuba, a conclusão inevitável é que a primeira onda de colonização dos sapiens foi um dos maiores e mais rápidos desastres ecológicos a se abater sobre o reino animal. As criaturas grandes e peludas foram particularmente afetadas. Na época da Revolução Cognitiva, viviam no planeta cerca de duzentos gêneros de grandes mamíferos terrestres que pesavam mais de cinquenta quilos. Quando a Revolução Agrícola começou, só restavam cerca de cem. O *Homo sapiens* levou à extinção quase metade das grandes espécies animais do planeta muito antes que fossem inventadas a roda, a escrita ou ferramentas de ferro.

Essa tragédia ecológica foi reencenada em miniatura incontáveis vezes depois da Revolução Agrícola. O registro arqueológico de uma ilha após a outra conta a mesma e triste história. A tragédia começa com uma cena em que se vê uma população numerosa e variada de grandes animais sem nenhum sinal dos humanos. Na segunda cena, aparecem os sapiens, tal como comprovado por um osso humano, a ponta de uma lança ou talvez um fragmento de cerâmica. Passa-se depressa para a terceira cena, na qual homens e mulheres ocupam o centro do palco e quase todos os grandes animais e muitos dos pequenos desaparecem.

A extensa ilha de Madagascar, situada cerca de quatrocentos quilômetros a leste do continente africano, oferece um exemplo notável. Durante milhões de anos de isolamento, ali evoluiu uma coleção singular de animais, incluindo a ave-elefante, uma criatura de três metros de altura e quase meia tonelada que não voava — a maior ave do mundo —, e os lêmures-gigantes, os maiores primatas do globo. Os pássaros-elefantes e os lêmures-gigantes, ao lado da maioria dos outros animais de grande porte de Madagascar, desapareceram subitamente há cerca de 1500 anos — justo quando os primeiros humanos desembarcaram na ilha.

10. *Reconstrução de duas preguiças-gigantes* (Megatherium) *e, atrás, dois tatus-gigantes* (Glyptodon). *Agora extintos, os tatus-gigantes mediam mais de três metros de comprimento e pesavam até duas toneladas, enquanto preguiças-gigantes podiam chegar a seis metros de altura e pesavam até oito toneladas.*

No oceano Pacífico, a principal onda de extinção começou por volta de 1500 a.C., quando os agricultores polinésios povoaram as ilhas Salomão, Fiji e Nova Caledônia. Direta ou indiretamente, eles liquidaram centenas de espécies de pássaros, insetos, caramujos e outros habitantes locais. De lá, a onda de extinção seguiu aos poucos para o Leste, o Sul e o Norte, atingindo o seio do oceano Pacífico e eliminando, no caminho, a fauna única de Samoa e Tonga (1200 a.C.), das ilhas Marquesas (1 d.C.), da ilha da Páscoa, das ilhas Cook e do Havaí (500 d.C.), e por fim da Nova Zelândia (1200 d.C.).

Desastres ecológicos similares ocorreram em quase todos os milhares de ilhas que pontilham os oceanos Atlântico, Índico e Ártico, bem como o mar Mediterrâneo. Os arqueólogos descobriram até mesmo na menor das ilhas indícios da existência de pássaros, insetos e caramujos que viveram ali por incontáveis gerações até a chegada dos primeiros agricultores humanos. Apenas algumas poucas ilhas extremamente remotas escaparam à atenção do homem até os tempos modernos, e nelas a fauna permaneceu intacta. É o caso das famosas ilhas Galápagos, que só foram habitadas por humanos no século XIX, preservando por isso sua extraordinária variedade de animais, incluindo as tartarugas-gigantes, que, como os antigos diprotodontes, não demonstram o menor sinal de medo dos humanos.

A Primeira Onda de Extinção, que acompanhou a dispersão dos coletores, foi seguida pela Segunda Onda, que se movimentou junto com os agricultores e nos oferece uma importante perspectiva sobre a Terceira Onda de Extinção, que está sendo causada hoje pela atividade industrial. Não acredite em quem proclama que nossos ancestrais viviam em harmonia com a natureza. Muito antes da Revolução Industrial, o *Homo sapiens*, em disputa com todos os demais organismos, já havia batido o recorde por ter levado o maior número de espécies de plantas e de animais à extinção. Temos a dúbia honraria de ser a espécie mais letal nos anais da biologia.

Se mais pessoas tivessem consciência da Primeira e da Segunda Ondas de Extinção, talvez fossem menos indiferentes em relação à Terceira Onda, da qual participam. Se soubéssemos quantas espécies já eliminamos, quem sabe estaríamos mais motivados a proteger as que ainda estão vivas. Isso é especialmente importante para os grandes animais dos oceanos. Ao contrário de seus pares terrestres, os grandes animais marinhos sofreram relativamente pouco com as

Revoluções Cognitiva e Agrícola. Mas muitos deles estão agora à beira da extinção devido à poluição industrial e ao excessivo uso humano dos recursos oceânicos. Se as coisas continuarem no ritmo atual, é provável que baleias, tubarões, atuns e golfinhos se juntem aos diprotodontes, às preguiças-gigantes e aos mamutes rumo ao aniquilamento. Entre todas as grandes criaturas do mundo, os únicos sobreviventes do dilúvio humano serão os próprios humanos e os animais domesticados que servem como escravos remando a Arca de Noé.

PARTE II

A Revolução Agrícola

11. *Pintura num túmulo egípcio,*
datada de cerca de 3500 anos atrás,
retratando cenas agrícolas típicas.

5. A maior fraude da história

Durante 2,5 milhões de anos, os humanos se alimentaram coletando plantas e caçando animais que viviam e se reproduziam sem que eles interviessem. O *Homo erectus*, o *Homo ergaster* e os neandertais colhiam figos silvestres e caçavam carneiros selvagens sem decidir onde as figueiras lançariam raízes, em que campina um rebanho de ovelhas pastaria ou qual bode inseminaria qual cabra. O *Homo sapiens* se espalhou da África Oriental para o Oriente Médio, a Europa e a Ásia, chegando por fim à Austrália e à América — mas, aonde quer que tenham ido, os sapiens continuaram a viver da coleta de plantas silvestres e da caça de animais selvagens. Por que fazer qualquer outra coisa quando seu estilo de vida provê alimentação suficiente e dá sustentação a um mundo abundante de estruturas sociais, crenças religiosas e dinâmicas políticas?

Tudo isso mudou há cerca de 10 mil anos, quando os sapiens começaram a dedicar quase todo o seu tempo e os seus esforços à manipulação das vidas de umas poucas espécies de animais e plantas. Do nascer ao pôr do sol, os humanos plantavam sementes, regavam plantas, arrancavam ervas daninhas do solo e conduziam ovelhas a pastos verdejantes. Esse trabalho, pensaram eles, lhes garantiria mais frutas, grãos e carne. Foi uma revolução no modo como os humanos viviam — a Revolução Agrícola.

A transição para a agricultura começou por volta de 9500 a.C. a 8500 a.C. nas regiões montanhosas que abrangem o sudeste da Turquia, o oeste do Irã e o Levante. Teve início lento e numa área geográfica restrita. Trigo e cabras foram domesticados aproximadamente em 9 mil a.C.; ervilhas e lentilhas em 8 mil a.C.; oliveiras em 5 mil a.C.; cavalos em 4 mil a.C.; e videiras em 3500 a.C. Alguns animais e plantas, tais como camelos e castanhas-de-caju, foram domesticados ainda mais tarde. Mas, por volta de 3500 a.C., a principal onda de domesticação estava concluída. Mesmo hoje, com todas as nossas tecnologias avançadas, mais de 90% das calorias que alimentam a humanidade vêm das poucas plantas que nossos ancestrais domesticaram entre 9500 a.C. e 3500 a.C. — trigo, arroz, milho, batatas, painço e cevada. Nenhuma planta ou animal digno de nota foi domesticado nos últimos 2 mil anos. Se nossa mente é a dos coletores-caçadores, nossa culinária é a dos agricultores antigos.

No passado, os estudiosos acreditavam que a agricultura se disseminou a partir de um único ponto no Oriente Médio para os quatro cantos do mundo. Atualmente, é consenso que a agricultura surgiu em outras regiões de forma independente, e não porque os camponeses do Oriente Médio exportaram a sua revolução. Os povos da América Central domesticaram o milho e o feijão sem saber nada sobre o cultivo de trigo e ervilhas no Oriente Médio. Os habitantes da América do Sul aprenderam a cultivar batatas e a criar lhamas sem ter ideia do que estava acontecendo no México ou no Levante. Os primeiros revolucionários na China domesticaram o arroz, o painço e os porcos. Os primeiros agricultores da América do Norte foram aqueles que, cansados de catar cabaças comestíveis em meio à vegetação baixa, decidiram cultivar abóboras. Os povoadores da Nova Guiné domesticaram a cana-de-açúcar e as bananas, ao passo que os primeiros camponeses da África Ocidental produziam o painço africano, o arroz africano, sorgo e trigo de acordo com suas necessidades. A partir desses focos iniciais, a agricultura avançou por toda parte. Por volta do primeiro século da era cristã, os seres humanos em quase todo o mundo eram em sua maioria agricultores.

Por que as revoluções agrícolas irromperam no Oriente Médio, na China e na América Central, mas não na Austrália, no Alasca ou no sul da África? A razão é simples: a maioria das espécies de plantas e animais não pode ser domesticada. Os sapiens podiam desenterrar trufas deliciosas e caçar mamutes peludos, mas domesticar qualquer uma dessas espécies estava fora de cogitação: os fungos eram temperamentais demais; os animais gigantescos, ferozes demais. Dos milhares de espécies que nossos ancestrais coletavam e caçavam, apenas algumas eram candidatas adequadas ao cultivo e ao pastoreio. Essas poucas espécies vicejavam em lugares determinados, e foi neles que as revoluções agrícolas ocorreram.

Os pesquisadores costumavam dizer que a Revolução Agrícola tinha sido um grande salto da humanidade. Contavam uma história de progressos potencializados pela capacidade cerebral humana: a evolução aos poucos havia produzido pessoas cada vez mais inteligentes. Com o passar do tempo, elas ficaram tão engenhosas que foram capazes de decifrar os segredos da natureza, possibilitando a domesticação de ovelhas e o cultivo do trigo. Tão logo isso aconteceu, elas alegremente abandonaram a vida duríssima, perigosa e muitas vezes espartana dos caçadores-coletores, fixando-se em locais onde podiam desfrutar de uma existência farta e agradável como camponeses.

Essa história é uma fantasia. Não há provas de que as pessoas ficaram mais inteligentes com o passar do tempo. Os coletores conheciam os segredos

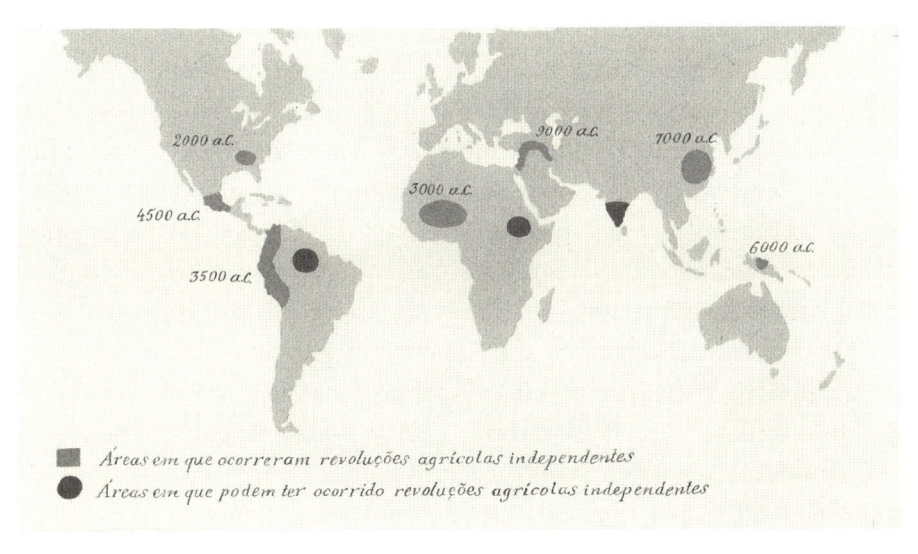

Mapa 2. *Locais e datas das revoluções agrícolas. As datas são controversas, e o mapa está sendo constantemente redesenhado a fim de incorporar as últimas descobertas arqueológicas.*[1]

da natureza muito antes da Revolução Agrícola, uma vez que sua sobrevivência dependia de um conhecimento íntimo dos animais que caçavam e das plantas que colhiam. Em vez de anunciar uma nova era de vida fácil, a Revolução Agrícola obrigou os agricultores a adotar hábitos mais difíceis e menos satisfatórios que os dos caçadores-coletores. Estes últimos se dedicavam a atividades mais estimulantes e variadas, correndo menos risco de passar fome e ficar doentes. A Revolução Agrícola certamente aumentou o volume total de comida disponível para a humanidade, porém essa quantidade adicional não se traduziu numa dieta melhor ou em mais lazer. Pelo contrário, gerou explosões populacionais e elites mimadas. Em média, o camponês trabalhava mais que o coletor, obtendo em troca uma dieta inferior. A Revolução Agrícola foi a maior fraude da história.[2]

Quem era o responsável? Nem reis, nem sacerdotes, nem comerciantes. Os culpados foram um punhado de espécies de plantas, inclusive o trigo, o arroz e as batatas. Essas plantas domesticaram o *Homo sapiens*, e não o contrário.

Pensemos por um momento na Revolução Agrícola a partir da perspectiva do trigo. Há 10 mil anos o trigo era apenas uma dentre muitas gramíneas silvestres, confinada a uma pequena região do Oriente Médio. De repente, transcorridos poucos milênios, passou a crescer em todo o mundo. De acordo com os critérios básicos da evolução em matéria de sobrevivência e reprodução, o trigo se tornou uma das plantas mais exitosas na história do planeta. Em áreas como as Grandes Planícies da América do Norte, onde não crescia um único pé de trigo há 10 mil anos, hoje se pode caminhar por centenas e centenas de quilômetros sem encontrar nenhuma outra planta. O trigo cobre atualmente 2,25 milhões de quilômetros quadrados da superfície do globo, quase dez vezes o tamanho da Grã-Bretanha. Como é que essa gramínea passou de insignificante a onipresente?

O trigo fez isso manipulando o *Homo sapiens* para seu próprio bem. Aquele primata vinha levando uma vida razoavelmente confortável como caçador e coletor até cerca de 10 mil anos atrás, até que começou a investir cada vez mais esforços no cultivo do trigo. Em dois milênios, humanos de várias partes do mundo, do nascer ao pôr do sol, quase não faziam outra coisa senão cuidar das plantações de trigo. Não foi fácil. O trigo exigia muito deles. O trigo não gostava de pedras e pedregulhos, por isso os sapiens davam duro para limpar os campos. O trigo não gostava de partilhar o espaço, a água e os nutrientes com outras plantas, por isso homens e mulheres labutavam por longos dias arrancando ervas daninhas sob o sol escaldante. O trigo adoecia, por isso os sapiens precisavam se precaver contra vermes e pragas. O trigo era atacado por coelhos e nuvens de gafanhotos, por isso os camponeses construíam cercas e vigiavam os campos. O trigo tinha muita sede, por isso os humanos abriam canais de irrigação ou carregavam pesados baldes de água dos poços para regá-lo. Os sapiens até coletavam fezes de animais para enriquecer o solo em que o trigo crescia.

O corpo do *Homo sapiens* não havia evoluído para executar essas tarefas. Estava adaptado para trepar em macieiras e correr atrás de gazelas, não para remover pedras e carregar baldes de água. Coluna vertebral, joelhos, pescoço e arcos dos pés humanos pagaram o preço. Estudos de esqueletos antigos indicam que a transição para a agricultura gerou uma série de problemas físicos, tais como artrite e várias hérnias, inclusive de disco. Além disso, as novas tarefas agrícolas exigiam tanto tempo que as pessoas foram forçadas a se instalar permanentemente junto aos trigais. Isso alterou por completo seu modo de vida. Nós não domesticamos o trigo: ele nos domesticou. A palavra "domesticar" vem do latim *domus*, que significa "casa". Quem está vivendo em casas? Não é o trigo, são os sapiens.

Como o trigo convenceu o *Homo sapiens* a trocar uma vida bastante boa por uma existência mais miserável? O que ofereceu em troca? Não foi uma dieta melhor. Vale lembrar que os humanos eram primatas onívoros que desfrutavam de uma grande variedade de alimentos. Antes da Revolução Agrícola, os grãos representavam uma pequena parte da dieta humana. Uma alimentação baseada em cereais é pobre em minerais e vitaminas, difícil de digerir e muito ruim para os dentes e as gengivas.

O trigo não trouxe segurança econômica para quem o cultivava. A vida de um camponês era menos segura que a de um caçador-coletor, que dependia de dezenas de espécies para sobreviver e, portanto, podia atravessar anos difíceis mesmo sem estoques de alimentos. Caso a disponibilidade de uma espécie diminuísse, havia outras que ele podia coletar e caçar. Nas sociedades agrícolas, até recentemente, a maior parte da ingestão de calorias dependia de uma pequena variedade de plantas domesticadas. Em muitas áreas, estava sujeita a um único item básico, como trigo, batatas ou arroz. Se as chuvas não viessem, se nuvens de gafanhotos chegassem ou se um fungo infectasse aquela cultura, os camponeses morriam aos milhares e aos milhões.

O trigo tampouco podia oferecer segurança contra a violência humana. Os primeiros camponeses eram tão violentos quanto seus antepassados coletores, se não mais. Os homens do campo tinham mais posses e precisavam de terra para plantar. A perda de um pasto para vizinhos invasores podia significar a diferença entre a subsistência e a fome, havendo portanto muito menos margem para negociações. Quando um bando de coletores era acossado por um rival mais forte, em geral podia se deslocar. Era difícil e perigoso, mas viável. Quando um inimigo poderoso ameaçava uma aldeia agrícola, a retirada significava ceder campos, casas e celeiros. Em muitos casos, isso condenava os retirantes a morrer de fome. Por isso, os camponeses tendiam a lutar até o amargo fim.

Muitos estudos antropológicos e arqueológicos indicam que em sociedades agrícolas simples, sem estruturas políticas que iam além da aldeia e da tribo, a violência humana foi responsável por cerca de 15% das mortes, incluindo

12. *Guerra tribal na Nova Guiné entre duas comunidades agrícolas (1960). Essas cenas provavelmente foram comuns nos milhares de anos após a Revolução Agrícola.*

25% das mortes masculinas. Na Nova Guiné contemporânea, a violência é responsável por 30% das mortes de homens numa sociedade agrícola tribal, os danis, e 35% em outra, os engas. No Equador, cerca de 50% dos waoranis adultos morrem de modo violento pelas mãos de outro ser humano![3] Com o passar dos anos, a violência humana foi controlada em razão do desenvolvimento de estruturas sociais mais amplas — cidades, reinos e Estados. Mas foram necessários milhares de anos para que estruturas políticas tão grandes e eficazes fossem erguidas.

A vida numa aldeia sem dúvida propiciou aos primeiros camponeses alguns benefícios imediatos, tais como uma melhor proteção contra os animais selvagens, a chuva e o frio. No entanto, para o indivíduo comum, talvez houvesse mais desvantagens que vantagens. Para quem atualmente vive em sociedades prósperas, é difícil admitir isso. Desfrutamos de fartura e segurança, e como isso foi construído sobre os alicerces fincados na Revolução Agrícola, presumimos que ela tenha representado uma melhoria excepcional. Entretanto, é errado julgar milhares de anos de história a partir da perspectiva atual. Um ponto de vista muito mais representativo é o de uma menina de três anos padecendo de desnutrição na China do século I porque as lavouras do pai não vingaram. Será que ela poderia dizer: "Estou morrendo de fome, mas, em 2 mil anos, as pessoas terão comida abundante e viverão em grandes casas com ar-condicionado, por isso meu sofrimento é um sacrifício válido"?

O que então o trigo ofereceu aos agricultores, inclusive à menina chinesa subnutrida? Não ofereceu nada para as pessoas como indivíduos. Todavia, concedeu alguma coisa ao *Homo sapiens* como espécie. O cultivo do trigo propiciou mais comida por unidade de terra e, desse modo, permitiu ao *Homo sapiens* se multiplicar de modo exponencial. Por volta de 13 mil a.C., quando as pessoas se alimentavam colhendo plantas silvestres e caçando animais selvagens, a área em torno do oásis de Jericó, na Palestina, sustentava no máximo um bando nômade de cem pessoas relativamente saudáveis e bem nutridas. Por volta de 8500 a.C., quando as plantas silvestres deram lugar aos campos de trigo, o oásis sustentava uma grande porém apinhada aldeia de mil pessoas, que sofriam muito mais de enfermidades e má nutrição.

A moeda da evolução não é a fome ou a dor, e sim as cópias da dupla hélice do DNA. Assim como o sucesso econômico de uma empresa é medido apenas pelo número de dólares em sua conta bancária, e não pela felicidade de seus empregados, do mesmo modo o sucesso evolucionário de uma espécie é medido pelo número de cópias de seu DNA. Se não existem mais cópias do DNA, a espécie se encontra extinta, tal como uma empresa sem dinheiro está falida. Se uma espécie exibe muitas cópias do DNA, ela é um sucesso — e a espécie prospera. Visto por esse ângulo, mil cópias é sempre melhor que cem cópias. Essa é a essência da Revolução Agrícola: a capacidade de manter mais gente viva em condições piores.

Contudo, por que os indivíduos deveriam se importar com esse cálculo evolucionário? Por que qualquer pessoa mentalmente sã reduziria seu padrão de vida apenas para multiplicar o número de cópias do genoma do *Homo sapiens*? Ninguém concordou com esse negócio: a Revolução Agrícola foi uma armadilha.

A ARMADILHA DE LUXO

A ascensão da agricultura aconteceu de modo muito gradual, ao longo de séculos e milênios. Um bando de *Homo sapiens* que colhia cogumelos e nozes e caçava veados e coelhos não se instalou de repente numa povoação permanente, arando campos, semeando trigo, buscando água no rio. A mudança foi feita em etapas que envolviam uma pequena alteração na vida cotidiana.

O *Homo sapiens* chegou ao Oriente Médio por volta de 70 mil anos atrás. Durante os 50 mil anos seguintes, nossos antepassados lá prosperaram sem a agricultura. Os recursos naturais da região eram suficientes para sustentar a população humana. Em épocas de fartura, as pessoas tinham mais filhos e, nas de adversidade, um pouco menos. Os humanos, como muitos mamíferos, possuem mecanismos hormonais e genéticos que ajudam a controlar a procriação. Em tempos favoráveis, as fêmeas atingem mais cedo a puberdade, e suas chances de engravidar são um pouco maiores. Nas fases ruins, a puberdade é tardia e a fertilidade decresce.

A esses controles demográficos naturais se somavam mecanismos culturais. Os bebês e as crianças pequenas, que se movem devagar e exigem muita atenção, constituíam um fardo para os coletores nômades. As pessoas tentavam espaçar os filhos, tendo um a cada três ou quatro anos. As mulheres faziam isso amamentando o dia todo e por mais tempo (o aleitamento por períodos mais longos diminui significativamente as chances de uma nova gravidez). Outros métodos incluíam a abstinência sexual, parcial ou total (reforçada talvez por tabus culturais), abortos e infanticídios ocasionais.[4]

Durante esses longos milênios, as pessoas vez por outra comiam grãos de trigo, mas essa era uma parte pouco representativa da dieta. Há cerca de 18 mil anos, a última era glacial deu lugar a um período de aquecimento global. À medida que se elevavam as temperaturas, as chuvas aumentaram. O novo clima era ideal para o cultivo de trigo e outros cereais do Oriente Médio, os quais se multiplicaram e se espalharam. As pessoas começaram a comer mais trigo e, como consequência, disseminaram suas sementes sem perceber. Como era impossível comer grãos silvestres sem antes separá-los do joio, moê-los e cozinhá-los, as pessoas que os colhiam passaram a levá-los de volta para seus acampamentos temporários a fim de processá-los. Os grãos de trigo são pequenos e numerosos, então inevitavelmente alguns caíam pelo caminho e se perdiam. Com o tempo, pés de trigo foram nascendo ao longo das trilhas humanas mais usadas e nas cercanias dos acampamentos.

Quando os humanos queimavam florestas e matagais, isso também ajudava o trigo. O fogo eliminava árvores e arbustos, permitindo que o trigo e outras gramíneas monopolizassem a luz do sol, a água e os nutrientes. Onde o trigo se tornava especialmente abundante e os animais de caça e outras fontes de alimentos eram também numerosos, os bandos humanos puderam aos poucos abandonar o estilo de vida nômade e se instalar em acampamentos sazonais ou mesmo permanentes.

De início, devem ter acampado por quatro semanas durante a colheita. Uma geração depois, devido à multiplicação e à expansão dos trigais, o acampamento de colheita pode ter durado cinco semanas, mais tarde seis, até por fim se tornar uma povoação permanente. Restos dessas povoações foram descobertos por todo o Oriente Médio, em particular no Levante, onde a cultura natufiana prosperou entre 12 500 a.C. e 9500 a.C. Os natufianos eram caçadores-coletores que subsistiam consumindo dezenas de espécies silvestres, mas viviam em aldeias permanentes e dedicavam muito do seu tempo à coleta e ao processamento intensivo de cereais. Eles construíram casas e celeiros de pedra, guardando grãos para os tempos de necessidade. Inventaram novas ferramentas, como foices de pedra para colher o trigo silvestre e pilões de pedra para moê-lo.

Depois de 9500 a.C., os descendentes dos natufianos continuaram a coletar e a processar cereais, mas passaram também a cultivá-los de formas cada vez mais elaboradas. Ao colher grãos silvestres, tomavam cuidado para separar uma parte a fim de semear os campos na estação seguinte. Descobriram que podiam obter resultados bem melhores enterrando os grãos no solo em vez de apenas espalhá-los ao acaso na superfície. Por isso, começaram a usar enxadas e arados. Gradualmente, também passaram a limpar os campos de ervas daninhas, evitando assim os parasitas, bem como a regá-los e fertilizá-los. Quanto maior era o esforço aplicado no cultivo do cereal, menos tempo sobrava para colher e caçar espécies silvestres. Os coletores haviam se transformado em camponeses.

Não houve nenhuma etapa que separasse a mulher que coletava trigo silvestre da que cultivava o trigo domesticado, então é difícil dizer exatamente quando ocorreu a transição definitiva para a agricultura. No entanto, por volta de 8500 a.C., o Oriente Médio estava apinhado de aldeias permanentes, como Jericó, cujos habitantes dedicavam a maior parte de seu tempo ao cultivo de algumas poucas espécies domesticadas.

Com a transição para povoações permanentes e o aumento nos suprimentos de comida, a população começou a crescer. Ao abandonar o estilo de vida nômade, as mulheres puderam passar a ter um filho por ano. Os bebês eram desmamados mais cedo — podiam ser alimentados com mingaus e papas. Os braços adicionais eram urgentemente necessários no campo, mas as bocas extras consumiam os estoques de comida, exigindo que mais campos fossem cultivados. A mortalidade infantil cresceu depressa à medida que as pessoas passaram a viver em povoações infestadas de doenças, que as crianças trocaram o leite materno por mais cereais, e que cada uma delas teve de competir por seu mingau com um número maior de irmãos e irmãs. Na maioria das sociedades agrícolas, pelo menos um em cada três membros morria antes de completar vinte anos.[5] No entanto, o aumento no número de nascimentos ainda superava o de mortes: os humanos continuavam a ter proles cada vez maiores.

Com o tempo, a "barganha com o trigo" foi ficando mais onerosa. As crianças morriam aos montes, os adultos comiam pão com o suor de seus rostos. O indivíduo comum na Jericó de 8500 a.C. levava uma vida mais dura do que quem viveu entre 9500 a.C. e 13 mil a.C. Mas ninguém se dava conta do que estava acontecendo. Cada geração vivia como a precedente, fazendo apenas ligeiros aperfeiçoamentos aqui e ali no modo como as coisas eram feitas. Paradoxalmente, uma série de "melhorias", cada qual com o objetivo de tornar a vida mais fácil, aumentava o fardo sobre aqueles camponeses.

Por que eles cometeram um equívoco tão desastroso? Pela mesma razão por que ao longo da história as pessoas os cometem: elas são incapazes de avaliar todas as consequências de suas decisões. Sempre que resolviam trabalhar um pouquinho mais — digamos, enterrar as sementes em vez de espalhá-las pela superfície —, as pessoas pensavam: "Sim, vamos ter que trabalhar mais duro, mas a colheita vai ser muito abundante! Não teremos mais que nos preocupar com os anos ruins. Nossos filhos nunca mais irão para a cama com fome". Fazia sentido. Se trabalhassem mais duro, teriam uma vida melhor. Esse era o plano.

A primeira parte do plano correu às mil maravilhas. As pessoas de fato passaram a trabalhar mais. Porém não haviam previsto que o número de filhos cresceria, implicando a necessidade de repartir o trigo adicional com um número maior de crianças. E os camponeses arcaicos também não compreenderam que alimentar as crianças com mais mingau e menos leite materno enfraqueceria o sistema imunológico delas, transformando as povoações permanentes em criadouros de doenças infecciosas. Nem perceberam que, ao aumentar a dependência de uma única fonte de nutrição, estavam na verdade se expondo ainda mais às devastações da seca. Por fim, aqueles camponeses não previram que, nos anos de fartura, seus celeiros abarrotados seriam uma tentação para ladrões e inimigos, obrigando-os a erguer muros e instalar sentinelas.

Então por que os humanos não abandonaram a agricultura quando o plano deu errado? Em parte porque foi preciso que muitas gerações se sucedessem para que pequenas mudanças fossem se acumulando e transformando a sociedade, até que ninguém mais se lembrasse que tinha vivido de forma diferente. E em parte porque o crescimento populacional era um caminho sem volta. Se a adoção do arado elevou a população de uma aldeia de cem para 110 pessoas, quais seriam as dez que se voluntariariam a morrer de fome a fim de que as coisas voltassem ao que eram? Não havia como voltar atrás: a armadilha tinha funcionado.

A busca por uma vida mais fácil resultou em muitas dificuldades — e não seria a última vez. Ainda hoje isso acontece. Quantos jovens universitários não aceitam empregos exigentes em grandes empresas, jurando que vão economizar o suficiente para se aposentar aos 35 anos e se dedicar a seus verdadeiros interesses? Contudo, chegam a essa idade com hipotecas para pagar, filhos na escola, casas em bairros afastados que exigem ao menos dois carros por família, e a sensação de que a vida só vale a pena com bons vinhos e férias no exterior. O que podem fazer? Voltar a desencavar tubérculos? Não, redobram seus esforços e seguem trabalhando como escravos.

Uma das poucas regras de ouro da história é que os luxos tendem a se transformar em necessidades, gerando novas obrigações. Uma vez que as pessoas se acostumam com determinado luxo, passam a tomá-lo como algo certo e começam a contar com ele. Por fim, chegam ao ponto em que não podem viver sem ele. Tomemos outro exemplo bem conhecido de nosso próprio tempo. No decorrer das últimas décadas, inventamos inúmeras coisas que poupam tempo e supostamente tornariam nossas vidas mais agradáveis — máquinas de lavar roupa, aspiradores de pó, lava-louças, telefones, celulares, computadores, e-mail. Antes, era bastante trabalhoso escrever uma carta, endereçar e selar o envelope e levá-lo até o correio. Eram necessários dias ou semanas, talvez meses, para receber uma resposta. Hoje, posso disparar um e-mail, enviá-lo para o outro lado do mundo e (se meu destinatário estiver on-line) receber uma resposta um minuto depois. Poupei todo aquele tempo e trabalho, mas será que levo uma vida mais tranquila?

Infelizmente, não. Na época do correio comum, as pessoas em geral só escreviam cartas quando tinham algo importante a relatar. Em vez de escrever a primeira coisa que lhes viesse à mente, consideravam com cuidado o que desejavam dizer e como fazê-lo. Esperavam receber uma resposta igualmente ponderada. A maioria das pessoas escrevia e recebia não mais que um punhado de cartas por mês, e raras vezes se sentia compelida a responder de imediato. Hoje, recebo dezenas de mensagens por dia, todas de gente que espera uma resposta rápida. Pensávamos estar poupando tempo: em vez disso, aceleramos em dez vezes a correria da vida, tornando nossos dias mais ansiosos e agitados.

Aqui e ali um resistente luddista se recusa a ter uma conta de e-mail, assim como milhares de anos atrás alguns bandos de humanos se recusaram a virar camponeses, escapando à armadilha do luxo. Mas a Revolução Agrícola não precisava que todos os bandos aderissem em determinada região. Bastava um. Depois que um bando se instalava permanentemente e começava a plantar, seja no Oriente Médio ou na América Central, a agricultura se tornava irresistível. Uma vez criadas as condições para o rápido crescimento da população, os camponeses em geral conseguiam dominar os coletores pela simples força dos números. Os coletores podiam fugir, abandonando seus territórios de caça, que seriam transformados em campos e pastos, ou eles próprios adotavam o arado. De todo modo, o padrão de vida antigo estava com os dias contados.

A história da armadilha do luxo contém uma lição importante. A busca da humanidade por uma vida mais fácil liberou imensas forças de mudança, que transformaram o mundo de formas que ninguém imaginava ou desejava. Ninguém planejou a Revolução Agrícola ou promoveu a dependência humana do cultivo de cereais. Uma série de decisões triviais, destinadas principalmente a encher alguns poucos estômagos e a ganhar alguma segurança, teve o efeito cumulativo de forçar os antigos coletores a passar seus dias carregando baldes de água sob um sol escaldante.

A INTERVENÇÃO DIVINA

O cenário descrito acima explica a Revolução Agrícola como um equívoco. É bem plausível. A história está repleta de erros ainda mais tolos. Mas há outra possibilidade. Será que foi mesmo a busca por uma vida mais fácil que gerou a transformação? Ou será que os sapiens tinham outras aspirações e estavam conscientemente prontos a tornar suas vidas mais difíceis a fim de realizá-las?

Os cientistas em geral procuram atribuir os eventos históricos a fatores econômicos e demográficos. É o que melhor se ajusta a seus métodos racionais e matemáticos. No caso da história moderna, os estudiosos não podem deixar de levar em conta fatores não materiais, como ideologia e cultura. As evidências escritas os obrigam a fazer isso. Temos um número significativo de documentos, cartas e memórias para provar que a Segunda Guerra Mundial não foi causada por falta de comida ou por pressões demográficas. Porém, não possuímos documentos da cultura natufiana, portanto quando lidamos com períodos antigos a escola materialista reina absoluta. É difícil comprovar que povos pré-literários fossem motivados pela fé e não pela necessidade econômica.

Todavia, em alguns casos raros, temos a sorte de encontrar pistas reveladoras. Em 1995, os arqueólogos começaram a escavar um sítio no sudeste da

Turquia chamado Göbekli Tepe. No estrato mais antigo, não descobriram nenhum sinal de povoação, casas ou atividades do dia a dia. No entanto, acharam estruturas monumentais de pilares de pedra decoradas com gravações espetaculares. Cada pilar pesava até sete toneladas e chegava a cinco metros de altura. Numa pedreira próxima encontraram um pilar parcialmente esculpido que pesava cinquenta toneladas. Ao todo, desencavaram mais de dez estruturas monumentais, a maior delas com quase trinta metros de largura.

Os arqueólogos estão acostumados a ver essas estruturas monumentais em sítios espalhados por todo o mundo — o melhor exemplo é Stonehenge, na Grã-Bretanha. Contudo, ao estudar Göbekli Tepe, descobriram um fato assombroso. Stonehenge data de 2500 a.C. e foi construído por uma sociedade agrícola avançada. As estruturas de Göbekli Tepe datam de cerca de 9500 a.C., e todas as evidências disponíveis indicam que foram construídas por caçadores-coletores. A comunidade arqueológica inicialmente teve dificuldade em dar crédito a esses dados, mas todos os testes confirmaram tanto a data remota das estruturas quanto o tipo de sociedade pré-agrícola de seus construtores. As habilidades dos antigos coletores, bem como a complexidade de suas culturas, parecem ter sido muito mais impressionantes do que se suspeitava até então.

Por que uma sociedade coletora erigiria essas estruturas? Elas não serviam a nenhum propósito prático. Não eram matadouros de mamutes nem locais para se proteger da chuva ou se esconder de leões. Resta a teoria de que foram erguidas com algum objetivo cultural misterioso que os arqueólogos têm dificuldade para decifrar. O que quer que fosse, os coletores consideraram que valia muito tempo e esforço. Só seria possível construir Göbekli Tepe se milhares de coletores pertencentes a bandos e tribos diferentes houvessem cooperado por um longo período. Apenas um sofisticado sistema religioso ou ideológico poderia garantir tais esforços.

Göbekli Tepe guardava outro segredo sensacional. Há muitos anos, os geneticistas vêm traçando as origens do trigo domesticado. Descobertas recentes indicam que pelo menos uma variante domesticada — o trigo einkorn — se originou nas colinas do monte Karaca Gağ, a cerca de trinta quilômetros de Göbekli Tepe.[6]

Isso não pode ser mera coincidência. É provável que o centro cultural de Göbekli Tepe estivesse de algum modo conectado à domesticação inicial do trigo pela humanidade e da humanidade pelo trigo. Foi necessário um volume particularmente grande de alimentos para garantir sustento às pessoas que

13. *À dir.: Um dos pilares de pedra deco-rados (com cerca de cinco metros de altu-ra). Na página seguinte: Os restos de uma estrutura monumental de Göbekli Tepe.*

construíram e utilizaram aquelas estruturas monumentais. Pode ser que os coletores tenham trocado a coleta de trigo silvestre pelo cultivo intensivo do trigo não para aumentar seu suprimento normal de alimento, mas para garantir a construção e o funcionamento de um templo. Segundo o cenário convencional, os pioneiros construíam uma povoação e, quando ela prosperava, erigiam um templo em seu centro. Mas Göbekli Tepe sugere que o templo pode ter sido erguido primeiro, com a aldeia crescendo depois a seu redor.

VÍTIMAS DA REVOLUÇÃO

A barganha faustiana entre humanos e grãos não foi a única feita por nossa espécie. Outra negociação tratou do destino de animais como ovelhas, cabras, porcos e galinhas. Os bandos nômades que perseguiam carneiros selvagens gradualmente alteraram a composição dos rebanhos que atacavam. É provável que esse processo tenha começado com uma caçada seletiva. Os hu-

manos aprenderam que era vantajoso caçar apenas carneiros adultos e ovelhas idosas ou enfermas. Poupavam as fêmeas férteis e os cordeiros a fim de garantir a vitalidade de longo prazo do rebanho local. O segundo passo pode ter sido defender ativamente o rebanho de predadores, afugentando leões, lobos e grupos humanos rivais. A seguir, o bando talvez tenha forçado o rebanho a entrar numa ravina estreita para controlá-lo e defendê-lo melhor. Por fim, começaram a fazer uma seleção de carneiros mais cuidadosa para adaptá-los às necessidades humanas. Os animais mais agressivos, aqueles que mostravam maior resistência ao controle humano, eram abatidos primeiro. O mesmo ocorria com as fêmeas mais magras e curiosas. (Os pastores não gostam de ovelhas cuja curiosidade as leva para longe do rebanho.) A cada geração, as ovelhas foram ficando mais gordas, mais submissas e menos inquietas. *Voilà!* Maria tinha um carneirinho, e onde quer que Maria fosse o carneirinho ia atrás.*

* "Mary Had a Little Lamb" é uma canção norte-americana para crianças, composta no século xix. (N. T.)

Outra possibilidade seria os caçadores terem capturado e "adotado" um cordeiro, engordando-o durante os meses de fartura e abatendo-o num período de escassez. Em algum momento, começaram a manter um número maior desses animais. Alguns deles chegaram à puberdade e começaram a procriar. Os mais agressivos e indisciplinados foram os primeiros a ser abatidos. Os mais submissos e atrativos puderam viver mais e procriar. O resultado foi um rebanho de ovelhas domesticadas e submissas.

Esses animais domesticados — ovelhas, galinhas, burros e outros — forneciam alimento (carne, leite, ovos), matéria-prima (couros, lã) e tração. O transporte, a aração, a moagem e outras tarefas, até então executados com o emprego dos músculos humanos, cabiam agora cada vez mais aos animais. Na maioria das sociedades agrícolas, dava-se prioridade ao cultivo de espécies vegetais, ao passo que a criação de animais era uma atividade secundária. Mas um novo tipo de sociedade baseada na exploração de animais também surgia em alguns lugares: as tribos de pastores.

À medida que os humanos se espalharam pelo mundo, o mesmo se deu com os animais domesticados. Há 10 mil anos, não mais que alguns milhões de ovelhas, vacas, cabras, javalis e galinhas viviam em pequenos refúgios afro--asiáticos. Hoje, há no mundo cerca de 1 bilhão de ovelhas, 1 bilhão de porcos, mais de 1 bilhão de cabeças de gado e mais de 25 bilhões de galinhas. E eles estão por toda parte. A galinha domesticada é a ave mais numerosa de todos os tempos. Depois do *Homo sapiens*, gado, porcos e ovelhas domesticados são, nessa ordem, os grandes mamíferos mais presentes no planeta. De uma perspectiva evolucionista estreita, que mede o sucesso pelo número de cópias de DNA, a Revolução Agrícola foi uma dádiva maravilhosa para galinhas, bois, vacas, porcos e ovelhas.

Infelizmente, a perspectiva evolucionista é uma medida de êxito incompleta. Julga tudo pelos critérios da sobrevivência e da reprodução, sem levar em conta o sofrimento e a felicidade individuais. Galinhas e vacas domesticadas podem ser uma história de sucesso evolutivo, mas estão também entre as criaturas mais infelizes que já viveram. A domesticação de animais se baseou numa série de práticas cruéis que só se tornaram mais brutais com o passar dos séculos.

Uma galinha selvagem pode viver de sete a doze anos, e uma vaca, de vinte a 25 anos. Na natureza, a maior parte desses animais morreria bem antes de alcançar essas idades, mas ainda assim teriam uma boa chance de viver uma quantidade respeitável de anos. Em contrapartida, a imensa maioria das galinhas e das vacas domesticadas é abatida com algumas semanas de vida ou no máximo alguns meses, porque do ponto de vista econômico essa sempre foi considerada a idade ideal para o abate. (Por que continuar a alimentar um galo por três anos se ele já atingiu seu peso máximo aos três meses?)

Galinhas poedeiras, vacas leiteiras e animais de carga às vezes podem viver por muitos anos. Mas o preço é a sujeição a um modo de vida completamente alheio a seus instintos e suas vontades. Por exemplo, é razoável presumir que os bois prefiram passar os dias vagando pelas pradarias na companhia de outros animais como eles a puxar carroças e arados e ser chicoteados por um primata.

Para transformar bois, cavalos, burros e camelos em bestas de carga obedientes, é preciso romper seus instintos naturais e laços sociais, restringir sua agressividade e sexualidade, limitar sua liberdade de movimento. Os camponeses desenvolveram técnicas para isso, como prender os animais em jaulas e currais, colocar arreios e coleiras, treiná-los com chicotes e bastões elétricos, mutilá-los. Domar um animal é um processo que quase sempre envolve a castração dos machos, pois isso reduz sua agressividade e permite que os humanos selecionem a procriação da manada.

Em diversas sociedades da Nova Guiné, a riqueza de uma pessoa é tradicionalmente determinada pelo número de porcos que ela possui. De modo a assegurar que não fujam, os camponeses do norte da Nova Guiné cortam um pedaço do focinho do animal, o que provoca muita dor a cada vez que ele tenta farejar. Como os porcos não podem encontrar comida ou mesmo se deslocar sem usar o olfato, essa mutilação os torna inteiramente dependentes dos donos. Em outra região da Nova Guiné, costuma-se arrancar os olhos dos porcos para que nem mesmo possam ver aonde estão indo.[7]

A indústria de laticínios tem métodos próprios para forçar os animais a servir a seus propósitos. Vacas, cabras e ovelhas só produzem leite depois de dar à luz bezerros, cabritos e cordeiros, e apenas durante o aleitamento. Para manter o suprimento de leite, o camponês precisa de filhotes para serem amamentados, porém deve impedir que monopolizem o leite. Um método comum ao longo da história consistiu em simplesmente matar os filhotes recém-nascidos, tirar todo o leite possível da mãe e depois fazer com que ficassem prenhas

14. *Pintura em túmulo egípcio de cerca de 1200 a.C., que mostra uma dupla de bois arando um campo. Na natureza, o gado se deslocava livremente em manadas com uma estrutura social complexa. Os bois castrados e domesticados passavam a vida sendo chicoteados e confinados em currais estreitos, trabalhando sozinhos ou em duplas, de uma forma que não era adequada a seus corpos ou a suas necessidades sociais e emocionais. Quando se tornava incapaz de puxar o arado, o boi era abatido. (Repare na posição encurvada do camponês egípcio, que, tanto quanto o boi, passava a vida num trabalho que oprimia seu corpo, sua mente e seus relacionamentos sociais.)*

de novo. Essa ainda é uma técnica bastante utilizada. Em muitas fazendas modernas de laticínios, uma vaca leiteira vive em geral cerca de cinco anos antes de ser abatida. Durante esses cinco anos, ela fica prenhe quase todo o tempo, sendo fertilizada de sessenta a 120 dias depois de parir a fim de preservar ao máximo a produção de leite. Seus bezerros são separados dela logo após o nascimento. As fêmeas são criadas para formar a nova geração de vacas leiteiras, enquanto os machos são entregues aos cuidados da indústria de carne.[8]

Outro método consiste em manter os bezerros e os cabritos perto de suas mães, mas usando de vários estratagemas para evitar que mamem muito. O meio mais simples é permitir que o filhote comece a mamar e afastá-lo assim que o leite passa a fluir. Esse método em geral encontra resistência por parte tanto da cria quanto da mãe. Algumas tribos de pastores costumavam matar o filhote, comer sua carne e depois empalhá-lo. O filhote empalhado era então apresentado à mãe para que sua presença a estimulasse a produzir leite. A tribo dos nueres, no Sudão, chegava a esfregar a urina da mãe no corpo dos animais empalhados, dando ao falso filhote um cheiro forte e familiar. Outra técnica dos nueres era colocar um anel de espinhos em torno da boca do bezerro, para que espetasse a mãe e a fizesse resistir ao aleitamento.[9] Os criadores de camelo tuaregues, no Saara, costumavam perfurar ou cortar partes do focinho e do lábio superior dos filhotes para que a amamentação se tornasse dolorosa, desencorajando-os a consumir muito leite.[10]

Nem todas as sociedades agrícolas foram tão cruéis com seus animais domesticados. A vida de alguns deles podia ser muito boa. As ovelhas criadas para produzir lã, cachorros e gatos de estimação, cavalos de guerra e de corrida muitas vezes desfrutavam de condições confortáveis. Diz-se que o imperador romano Calígula planejava nomear cônsul seu cavalo predileto, Incitatus. Ao longo da história, pastores e camponeses mostraram afeição por seus animais e cuidaram muito bem deles, assim como muitos senhores sentiam afeto e preocupação pelos escravos que possuíam. Não é coincidência que reis e profetas se intitularam pastores, comparando o modo como eles e os deuses cuidavam de sua gente com a forma como um pastor tratava seu rebanho.

No entanto, partindo da perspectiva do rebanho, e não do pastor, é difícil não ter a impressão de que, para a imensa maioria dos animais domesticados, a Revolução Agrícola foi uma catástrofe terrível. Seu "sucesso" evolucionário não quer dizer nada. Um raro rinoceronte selvagem à beira da extinção é provavelmente mais feliz que um bezerro condenado a passar sua curta vida aprisionado num cubículo, engordando para produzir bifes suculentos. O alegre rinoceronte não é menos feliz por ser um dos últimos de sua espécie. O sucesso numérico da espécie do bezerro não serve de consolo para o sofrimento a que o indivíduo está submetido.

Essa discrepância entre o sucesso evolutivo e o sofrimento individual talvez seja a lição mais importante que podemos extrair da Revolução Agrícola. Ao estudarmos a narrativa sobre plantas como o trigo e o milho, pode ser que a perspectiva puramente evolucionária faça sentido. Entretanto, no caso de animais como vacas, ovelhas e os próprios sapiens, cada qual com um mundo

15. *Um bezerro moderno numa fazenda de produção de carne. Imediatamente após o nascimento, o bezerro é separado da mãe e confinado num cubículo pouco maior que seu tamanho, onde passará toda a sua vida — cerca de quatro meses em média. Nunca sai desse espaço, não lhe é permitido brincar com outros bezerros ou mesmo andar de um lado para outro — tudo isso para que seus músculos não se fortaleçam. Músculos fracos significam um bife macio e suculento. A primeira vez que o bezerro pode andar, exercitar seus músculos e tocar outros bezerros é no caminho para o matadouro. Em termos evolucionários, o gado representa uma das espécies animais mais bem-sucedidas. Ao mesmo tempo, são alguns dos animais mais infelizes do planeta.*

complexo de sensações e emoções, precisamos considerar como o sucesso evolucionário se traduz em experiência individual. Nos capítulos seguintes, veremos repetidas vezes como um aumento extraordinário no poder coletivo e o sucesso ostensivo de nossa espécie caminharam de mãos dadas com muito sofrimento pessoal.

6. Construindo pirâmides

A Revolução Agrícola é um dos eventos mais controversos da história. Alguns pensadores declaram que ela pôs a humanidade no caminho da prosperidade e do progresso. Outros insistem em que nos conduziu à perdição. Para estes, foi o momento decisivo em que os sapiens abandonaram sua simbiose com a natureza e aceleraram rumo à ganância e à alienação. Qualquer que tenha sido o caminho, não havia como voltar. A agricultura e o pastoreio possibilitaram um crescimento populacional tão rápido e radical que nenhuma sociedade agrícola complexa teria condições de se sustentar caso retornasse à caça e à coleta. Por volta de 10 mil a.C., antes da transição para a agricultura, o planeta abrigava aproximadamente de 5 milhões a 8 milhões de coletores nômades. Já no primeiro século da era cristã, só restavam entre 1 milhão e 2 milhões de caçadores-coletores (sobretudo na Austrália, na América e na África), mas esse número era insignificante quando comparado aos 250 milhões de camponeses.[1]

A grande maioria dos camponeses vivia em povoações permanentes — poucos eram pastores nômades. Estabelecer-se em determinado lugar fazia com que a área de circulação diminuísse drasticamente. Os antigos caçadores-coletores em geral ocupavam territórios de muitas dezenas e até mesmo centenas de quilômetros quadrados. "Lar" era toda aquela área, com seus morros, rios, bosques e o céu aberto. Por outro lado, os camponeses passavam quase o dia inteiro trabalhando num pequeno campo ou pomar, e suas vidas domésticas estavam vinculadas a uma modesta estrutura de madeira, pedra ou barro que media não mais que algumas dezenas de metros — a casa. O camponês comum tinha uma ligação muito forte com essa estrutura. Isso significou uma revolução de grande alcance, cujo impacto foi tanto psicológico quanto arquitetônico. Dali em diante, o vínculo com a "minha casa" e a separação dos vizinhos se tornaram uma característica psicológica crucial de uma criatura muito mais centrada em si mesma.

Os novos territórios agrícolas não eram apenas muito menores que os dos antigos coletores, eram também mais artificiais. Exceto pelo uso do fogo, os caçadores-coletores tinham feito poucas mudanças deliberadas nas regiões por onde perambulavam. Os camponeses, por outro lado, viviam em ilhas humanas artificiais laboriosamente separadas das terras virgens que os cercavam. Derrubavam florestas, cavavam canais, limpavam campos, construíam casas, faziam sulcos com o arado, plantavam árvores frutíferas em fileiras bem alinhadas. O hábitat artificial resultante era destinado apenas aos humanos e a "suas" plantas e animais, sendo em geral circundado por muros ou cercas. As famílias de camponeses faziam todo o possível para manter do lado de fora as ervas daninhas transgressoras e os animais selvagens. Caso um desses intrusos penetrasse na área cercada, era expulso de imediato. Se insistisse, seus adversários humanos buscavam um meio de exterminá-lo. Defesas especialmente fortes eram erigidas em torno da casa. Desde a aurora da agricultura até os dias atuais, bilhões de pessoas armadas de galhos, mata-moscas, sapatos e sprays venenosos travam uma guerra sem trégua contra formigas diligentes, baratas furtivas, aranhas audaciosas e besouros desorientados que se infiltram nas moradias humanas.

Durante a maior parte da história, esses enclaves feitos pelo homem permaneceram muito pequenos, cercados por grandes extensões de natureza virgem. A superfície do planeta tem 510 milhões de quilômetros quadrados, dos quais 155 milhões correspondem à terra. Até 1400 a.C., a imensa maioria dos camponeses, junto com suas plantas e animais, habitava uma área de apenas 11 milhões de quilômetros quadrados, isto é, 2% da superfície terrestre.[2] As demais regiões eram frias demais, quentes demais, secas demais, úmidas demais ou de alguma forma inadequadas para o plantio. Esses minúsculos 2% da superfície do globo constituíram o palco onde a história foi encenada.

As pessoas tinham dificuldade de sair daquelas ilhas artificiais. Não podiam abandonar suas casas, seus campos e seus celeiros sem correr o risco de perder tudo. Ademais, com o passar do tempo foram acumulando cada vez mais coisas — objetos que não eram tão fáceis de transportar e os deixavam presos ao lugar onde estavam. Para nós, os antigos camponeses podem parecer pobres, mas uma família comum possuía mais artefatos que toda uma tribo de caçadores-coletores.

A CHEGADA DO FUTURO

Enquanto o espaço agrícola diminuía, o tempo agrícola se expandia. Os coletores em geral não gastavam muito tempo pensando sobre o mês ou o verão seguintes. Através da imaginação, os camponeses viajavam por anos e décadas no futuro.

Os caçadores-coletores não ligavam para o futuro porque viviam um dia de cada vez, tendo dificuldade em conservar comida ou acumular posses. É claro que faziam algum tipo de plano. Os criadores das artes rupestres de Chauvet, Lascaux e Altamira com quase toda certeza queriam que suas pinturas durassem por gerações. Alianças sociais e rivalidades políticas eram questões de longo prazo. Muitas vezes eram necessários anos para que um favor fosse retribuído ou uma desfeita fosse vingada. Não obstante, na economia de subsistência da caça e da coleta, havia um limite óbvio para o planejamento de longo prazo. Paradoxalmente, isso poupava os coletores de muitas angústias. Não havia motivo para se preocupar com coisas que escapavam a seu controle.

A Revolução Agrícola transformou o futuro em algo muito mais importante do que havia sido até então. Os camponeses precisavam ter sempre em mente o amanhã, trabalhando em função dele. A economia agrícola era baseada num ciclo sazonal de produção, composto de longos meses de cultivo e um curto período de colheita. Na noite seguinte ao final de uma colheita abundante, os camponeses podiam comemorar o quanto desejassem, porém em mais ou menos uma semana estariam outra vez acordando ao nascer do sol para uma longa jornada no campo. Apesar de haver comida suficiente para aquele dia, para a próxima semana ou mesmo para o próximo mês, eles tinham de se preocupar com os anos seguintes.

A preocupação com o futuro decorria não apenas dos ciclos sazonais de produção como também da incerteza fundamental que cerca a agricultura. Como a maior parte das povoações dependia de uma variedade muito limitada de plantas e animais domesticados, elas estavam à mercê de secas, inundações e pragas. Os camponeses eram obrigados a produzir mais do que consumiam a fim de acumular reservas. Sem grãos no celeiro, jarros de azeite no porão, queijos na despensa e linguiças penduradas nas vigas do teto, eles passariam fome em anos ruins. E os anos ruins viriam inevitavelmente, cedo ou tarde. Um camponês que se baseasse na premissa de que não haveria anos ruins teria vida curta.

Como consequência, desde o surgimento da agricultura, as preocupações com o futuro passaram a ter protagonismo no teatro da mente humana. Nos locais em que os camponeses dependiam das chuvas para irrigar seus campos, o início da estação chuvosa significava que, a cada manhã, eles contemplavam o horizonte, farejando o vento e forçando a vista. Aquilo é uma nuvem? As chuvas virão a tempo? Serão em volume suficiente? Será que tempestades violentas vão varrer as sementes dos campos ou derrubar as mudas? Enquanto isso, nos vales do Eufrates, do Indo e do Amarelo, outros camponeses observavam, com a mesma ansiedade, o nível dos rios. Precisavam que eles subissem, espalhando a terra fértil trazida dos planaltos e abastecendo os vastos sistemas de irrigação. Porém, se as cheias fossem maiores do que o esperado ou atrasassem, podiam destruir seus campos tanto quanto uma seca.

Os camponeses se preocupavam com o futuro não apenas porque tinham motivo, mas também porque podiam fazer alguma coisa quanto a isso: era possível limpar outro campo, cavar outro canal de irrigação, semear mais grãos. O camponês ansioso — tão frenético e dedicado às suas tarefas quanto uma formiga-cortadeira no verão — suava para plantar oliveiras cujo óleo seria extraído apenas por seus filhos e netos, e adiava até o inverno ou o ano seguinte o consumo de alimentos que desejava naquele momento.

As tensões provocadas pela agricultura tiveram enormes consequências, dando origem a complexos sistemas políticos e sociais. Infelizmente, os diligentes camponeses quase nunca alcançaram a segurança econômica futura que buscavam trabalhando tanto. Por toda parte, governantes e elites se apropriaram do suprimento extra de comida produzido por eles, deixando-os apenas com o suficiente para subsistirem.

Esses suprimentos de comida confiscados alimentaram a política, as guerras, as artes e a filosofia. Construíram palácios, fortes, monumentos e templos. Até bem perto do fim da idade moderna, mais de 90% dos seres humanos eram camponeses que se levantavam todas as manhãs para arar a terra com o suor de seus rostos. O que produziam a mais sustentava a pequena minoria das elites — reis, funcionários públicos, soldados, sacerdotes, artistas e pensadores — de que tratam os livros de história. A história foi feita por pouquíssimas pessoas enquanto o resto da humanidade labutava nos campos e carregava baldes de água.

UMA ORDEM IMAGINADA

Os excedentes de alimentos produzidos pelos camponeses, somados às novas tecnologias de transporte, com o tempo possibilitaram que mais e mais pessoas se concentrassem em grandes aldeias, depois em vilas, e por fim em cidades, todas ligadas por novos reinos e por redes comerciais.

No entanto, para se beneficiar dessas novas oportunidades, os excedentes de alimentos e as melhorias no transporte não bastavam. O simples fato de se poder alimentar mil moradores de uma mesma vila ou 1 milhão de súditos do mesmo reino não garantia que haveria consenso sobre a divisão das terras e da água, a resolução de disputas e conflitos e a postura diante de tempos de seca ou de guerra. E, sem chegar a um acordo, os embates cresceriam mesmo com os celeiros abarrotados. Não foi a escassez de comida que causou a maior parte das guerras e das revoluções da história. A Revolução Francesa foi liderada por advogados abastados, não por camponeses esfomeados. A República romana alcançou seu apogeu no primeiro século da era cristã, quando frotas traziam tesouros de todo o Mediterrâneo e enriqueciam os romanos muito além dos sonhos mais ousados de seus antepassados. No entanto, apesar do momento de abundância, guerras civis terríveis levaram a ordem política ao colapso. Em 1991, a Iugoslávia tinha recursos mais do que suficientes para alimentar todos os seus habitantes, e mesmo assim se desintegrou em meio a um banho de sangue horrível.

O problema na origem de tais calamidades é que os humanos evoluíram por milhões de anos em pequenos bandos de algumas dezenas de indivíduos. Os poucos milênios que separam a Revolução Agrícola do aparecimento de cidades, reinos e impérios não foram suficientes para que um instinto de cooperação em massa evoluísse.

Apesar da falta desses instintos biológicos, durante a era da coleta, centenas de desconhecidos foram capazes de cooperar graças a seus mitos compartilhados. Contudo, essa cooperação era frouxa e limitada. Cada bando de sapiens continuava a levar a vida de maneira independente e a prover a maior parte de suas necessidades. Se um sociólogo arcaico tivesse vivido há 20 mil anos, sem conhecer os eventos que se seguiram à Revolução Agrícola, poderia muito bem concluir que a mitologia tinha um alcance bastante reduzido. As histórias sobre espíritos ancestrais e totens tribais eram suficientemente fortes para permitir que quinhentos indivíduos comercializassem conchas, celebrassem um ou outro festival e se unissem para exterminar um grupo de neandertais, mas nada além disso. A mitologia, pensaria o sociólogo arcaico, não seria capaz de fazer com que milhões de estranhos cooperassem no dia a dia.

Mas ele estava errado. Os mitos, como se verificou, *são* mais fortes do que qualquer um poderia haver imaginado. Quando a Revolução Agrícola criou oportunidades para o surgimento de cidades densamente habitadas e impérios poderosos, as pessoas inventaram histórias sobre grandes deuses, pátrias e sociedades anônimas para fornecer os vínculos sociais necessários. Enquanto a evolução humana seguia como sempre a passo de tartaruga, a imaginação humana erigia redes assombrosas de cooperação em massa, diferentes de tudo que tinha sido visto até então.

Por volta de 8500 a.C., as maiores povoações no mundo eram aldeias como Jericó, com algumas centenas de habitantes. Por volta de 7 mil a.C., a cidade de Çatal Hüyük, na Anatólia, tinha entre 5 mil e 10 mil moradores, sendo talvez a maior povoação do mundo na época. Durante o quinto e quarto milênios antes de Cristo, cidades com dezenas de milhares de habitantes brotaram no Crescente Fértil, cada uma delas dominando muitas aldeias próximas. Em 3100 a.C., todo o vale do baixo Nilo foi unido no primeiro reino egípcio. Seus faraós controlavam milhares de quilômetros quadrados e centenas de milhares de pessoas. Por volta de 2250 a.C., Sargão, o Grande, forjou o primeiro império, o Acadiano, contando com mais de 1 milhão de súditos e um exército permanente de 5400 soldados. Entre 1000 a.C. e 500 a.C., surgiram os primeiros megaimpérios no Oriente Médio: o Neoassírio, o Babilônico e o Persa. Eles governaram muitos milhões de súditos e comandaram dezenas de milhares de soldados.

Em 221 a.C., a dinastia Qin unificou a China, e logo depois Roma fez o mesmo com a bacia do Mediterrâneo. Os impostos cobrados dos 40 milhões de súditos da dinastia Qin sustentavam um exército permanente de centenas de milhares de soldados e uma complexa burocracia com mais de 100 mil funcionários. O Império Romano, no auge de seu poder, arrecadava impostos de cerca de 100 milhões de súditos. Essa receita financiava um exército permanente de 250 mil a 500 mil soldados e um sistema de estradas ainda em uso 1500 anos depois, bem como teatros e anfiteatros onde se realizam espetáculos até hoje.

Impressionante, sem dúvida, mas não devemos alimentar doces ilusões sobre as "redes de cooperação em massa" no Egito faraônico ou no Império Romano. "Cooperação" soa muito altruísta, porém nem sempre é voluntária e raramente é igualitária. A maioria das redes de cooperação humana tem como objetivo a opressão e a exploração. Os camponeses pagavam pelas crescentes redes de cooperação com seus preciosos excedentes de alimentos, desesperando-se quando os cobradores de impostos abocanhavam um ano inteiro de trabalho árduo com uma canetada imperial. Os famosos anfiteatros romanos eram com frequência construídos por escravos para que romanos ricos e ociosos pudessem ver outros escravos se enfrentar em cruéis combates de gladiadores. Até mesmo prisões e campos de concentração são redes de cooperação, e só funcionam porque milhares de desconhecidos de algum modo conseguem coordenar suas ações.

Todas essas redes de cooperação — das cidades da antiga Mesopotâmia aos impérios Romano e Qin — foram "ordens imaginadas". As normas sociais que as sustentavam não tinham como fundamento instintos enraizados ou relacionamentos pessoais, mas a crença em mitos compartilhados.

Como os mitos podem sustentar impérios inteiros? Já vimos um exemplo: a Peugeot. Examinemos agora dois dos mitos mais conhecidos da história: o Código de Hamurábi, de cerca de 1776 a.C., que serviu como manual de

16. *Uma estela de pedra inscrita com o Código de Hamurábi, c. 1776 a.C.*

cooperação para centenas de milhares de babilônios antigos; e a Declaração de Independência dos Estados Unidos, de 1776 d.C., que ainda hoje serve como manual de cooperação para centenas de milhões de norte-americanos modernos.

Em 1776 a.C., a Babilônia era a maior cidade do mundo. O Império Babilônico era provavelmente o maior do planeta, com mais de 1 milhão de súditos. Dominava a maior parte da Mesopotâmia, incluindo quase todo o atual Iraque e partes do que hoje são a Síria e o Irã. O mais famoso rei da Babilônia foi Hamurábi, cuja fama se deve sobretudo ao texto que traz seu nome, o Código de Hamurábi. Trata-se de uma coleção de leis e decisões judiciais destinadas a apresentar Hamurábi como modelo de um rei justo, servindo como base

17. *A Declaração de Independência dos Estados Unidos, assinada em 4 de julho de 1776.*

para um sistema legal mais uniforme em todo o Império Babilônico, além de ensinar às futuras gerações o que é a justiça e como age um rei justo.

As gerações futuras prestaram atenção. A elite intelectual e burocrática da antiga Mesopotâmia canonizou o texto, e aprendizes de escriba continuaram a copiá-lo muito tempo depois que Hamurábi morreu e seu império ruiu. Assim, o Código de Hamurábi é uma boa fonte para se compreender o ideal mesopotâmico de ordem social.[3]

O texto começa dizendo que os deuses Anu, Enlil e Marduk — as principais divindades do panteão mesopotâmico — designaram Hamurábi como o responsável "por implantar a justiça em toda a terra, por acabar com os maus e a maldade, por impedir que os fortes oprimam os fracos".[4] Depois, lista trezentos julgamentos, formulados deste modo: "Se tal coisa acontece, esse é o julgamento". Por exemplo, os julgamentos 196-9 e 209-14 são os seguintes:

196. Se um homem de classe superior cegar o olho de outro homem de classe superior, seu olho deve ser cegado.
197. Se ele quebrar um osso de outro homem de classe superior, seu osso deve ser quebrado.
198. Se ele cegar o olho de um homem comum ou quebrar o osso de um homem comum, deve pesar e pagar sessenta siclos de prata.
199. Se ele cegar o olho de um escravo de um homem de classe superior ou quebrar o osso de um escravo de um homem de classe superior, deve pesar e pagar metade do valor do escravo [em prata].[5]
209. Se um homem de classe superior bater numa mulher de classe superior e fizer com que ela aborte, deve pesar e pagar dez siclos de prata por seu feto.
210. Se essa mulher morrer, a filha dele deve ser morta.
211. Se ele provocar o aborto numa mulher da classe comum por bater nela, deve pesar e pagar cinco siclos de prata.
212. Se essa mulher morrer, ele deve pesar e pagar trinta siclos de prata.
213. Se ele bater numa escrava de um homem de classe superior e com isso fizer com que ela aborte, deve pesar e pagar dois siclos de prata.
214. Se essa escrava morrer, ele deve pesar e pagar vinte siclos de prata.[6]

Depois de relacionar seus julgamentos, Hamurábi declara:

Essas são as decisões justas que Hamurábi, o rei sábio, estabeleceu, e por isso determina que sejam aplicadas em toda parte para garantir a verdade e o modo correto de viver. [...] Eu sou Hamurábi, nobre rei. Não fui descuidado nem negligente com os homens entregues a meus cuidados pelo deus Enlil, e dos quais o deus Marduk me fez pastor.[7]

O Código de Hamurábi afirma que a ordem social da Babilônia é baseada em princípios universais e eternos de justiça ditados pelos deuses. O princípio da hierarquia é de fundamental importância. Segundo o código, as pessoas são divididas em dois gêneros e três classes: indivíduos superiores, comuns e escravos. Os membros de cada gênero e classe têm valores diferentes: a vida de uma mulher comum vale trinta siclos de prata e a de uma escrava, vinte siclos, enquanto o olho de um homem comum vale sessenta siclos de prata.

O código também estipula uma rígida hierarquia familiar, na qual os filhos não são pessoas independentes, e sim propriedade dos pais. Nessas condições, se um homem da classe superior matar a filha de outro homem da classe superior, a filha do assassino é executada como punição. Para nós pode soar estranho que o assassino permaneça incólume enquanto sua filha inocente é morta, mas para Hamurábi e os babilônios isso parecia perfeitamente justo. O código é baseado na premissa de que, se todos os súditos do rei aceitam suas posições na hierarquia e agem em conformidade com ela, o milhão de habitantes do império seria capaz de cooperar de forma eficaz. Sua sociedade poderia então produzir comida suficiente para seus membros e distribuí-la com eficiência, proteger-se contra os inimigos e expandir seu território de modo a obter mais riqueza e segurança.

Cerca de 3500 anos após a morte de Hamurábi, os habitantes de treze colônias britânicas na América do Norte entenderam que o rei da Inglaterra os tratava de forma injusta. Representantes dessas colônias se reuniram na cidade da Filadélfia e, em 4 de julho de 1776, declararam que os que ali moravam não eram mais súditos da Coroa britânica. Essa Declaração de Independência proclamou princípios de justiça universais e eternos que, como os de Hamurábi, eram inspirados por um poder divino. No entanto, o mais importante princípio ditado pelo deus norte-americano era um pouco diferente do princípio ditado pelos deuses da Babilônia. A Declaração de Independência dos Estados Unidos afirma o seguinte: "Consideramos estas verdades como evidentes por si mesmas, que todos os homens são criados iguais, que são dotados pelo Criador de certos direitos inalienáveis, que entre esses estão a vida, a liberdade e a busca da felicidade".

Tal como o Código de Hamurábi, o documento de fundação dos Estados Unidos promete que, se os seres humanos agirem de acordo com seus princípios sagrados, milhões deles serão capazes de cooperar de forma eficiente, vivendo em segurança e de maneira pacífica numa sociedade justa e próspera. Tal como o Código de Hamurábi, a Declaração de Independência norte-americana não foi apenas um documento de seu tempo e lugar: as gerações futuras também o aceitaram. Durante mais de duzentos anos, crianças em idade escolar a copiam e a memorizam.

Os dois textos nos confrontam com um claro dilema. Tanto o Código de Hamurábi quanto a Declaração de Independência dos Estados Unidos afirmam postular princípios universais e eternos de justiça. No entanto, de acordo com os norte-americanos, todas as pessoas são iguais, enquanto para os babilônios as pessoas são decididamente desiguais. Os norte-americanos, é claro, diriam que têm razão, e que Hamurábi estava errado. Hamurábi sem dúvida retrucaria que tem razão e que os norte-americanos estão errados. Na verdade, ambos estão errados. Hamurábi e os Pais Fundadores dos Estados Unidos imaginaram uma realidade governada por princípios de justiça universais e imutáveis, tais como a igualdade ou a hierarquia. Contudo, o único lugar onde tais princípios universais existem é na fértil imaginação dos sapiens, assim como nos mitos que eles inventam e contam uns aos outros. Esses princípios não têm a menor validade objetiva.

É fácil para nós aceitar que a divisão das pessoas em "superiores" e "comuns" é um produto da imaginação. Entretanto, a ideia de que todos os humanos são iguais também é um mito. Em que sentido todos os humanos são iguais uns aos outros? Há alguma realidade objetiva, fora da imaginação humana, em que eles sejam de fato iguais? Todos os humanos são iguais biologicamente? Tratemos de tentar traduzir a mais famosa linha da Declaração de Independência norte-americana em termos biológicos: "Consideramos estas verdades como evidentes por si mesmas, que todos os homens *são criados iguais*, que são *dotados pelo Criador* de certos *direitos inalienáveis*, que entre esses estão a vida, a *liberdade* e a busca da *felicidade*".

De acordo com a ciência da biologia, as pessoas não foram "criadas": elas evoluíram. E certamente não evoluíram para serem "iguais". A ideia de igualdade está ligada de maneira indissolúvel à ideia da criação. Os norte-americanos buscaram a ideia da igualdade no cristianismo, que sustenta que todas as pessoas têm uma alma criada por força divina e que todas as almas são iguais perante Deus. No entanto, se não acreditamos nos mitos cristãos sobre Deus, a criação e as almas, o que significa afirmar que todas as pessoas são "iguais"? A evolução é baseada na diferença, não na igualdade. Toda pessoa carrega um código genético diferente, além de estar exposta desde o nascimento a influências ambientais diversas. Isso leva ao desenvolvimento de qualidades distintas que trazem consigo diferentes probabilidades de sobrevivência. "São criados iguais" deveria por isso ser traduzido como "evoluíram de forma distinta".

Assim como as pessoas nunca foram criadas, também não existe, segundo a biologia, um "Criador" que as "dota" de qualquer coisa. Existe apenas um processo evolutivo cego, destituído de propósito, que conduz ao nascimento de indivíduos. "Dotados pelo Criador" deveria ser traduzido simplesmente como "nascidos".

De modo similar, não há nada que se pareça com direitos na biologia. Só há órgãos, capacidades e características. Os pássaros voam não porque têm o direito de voar, mas porque têm asas. E não é verdade que esses órgãos, essas capacidades e essas características sejam "inalienáveis". Muitos deles sofrem mutações constantes, podendo se perder por completo com o tempo. O avestruz é uma ave que perdeu a capacidade de voar. Por isso, "direitos inalienáveis" deveria ser traduzido como "características mutáveis".

E quais são as características que evoluíram nos seres humanos? Certamente a "vida". Mas e a "liberdade"? Não existe isso na biologia. Assim como igualdade, direitos e companhias de responsabilidade limitada, a liberdade também é algo que as pessoas inventaram e que só existe na imaginação. A partir de uma perspectiva biológica, não significa nada dizer que os humanos de uma democracia são livres, enquanto os de uma ditadura não são. E quanto à "felicidade"? Até hoje a pesquisa biológica não formulou uma definição clara da felicidade ou um meio objetivo de medi-la. A maior parte dos estudos biológicos só reconhece a existência do prazer, que é mais facilmente definido e medido. Por isso, "a vida, a liberdade e a busca da felicidade" deveria ser traduzido como "a vida e a busca do prazer".

Sendo assim, eis aqui a linha da Declaração de Independência dos Estados Unidos traduzida em termos biológicos: "Consideramos estas verdades como evidentes por si mesmas, que todos os homens evoluíram de forma diferente, que nasceram com certas características mutáveis e que entre elas estão a vida e a busca do prazer".

Os defensores da igualdade e dos direitos humanos podem ficar horrorizados com essa linha de raciocínio. É provável que a reação deles seja a seguinte: "Sabemos que as pessoas não são iguais em termos biológicos! Mas se acreditarmos que somos todos iguais na essência, isso permitirá que criemos uma sociedade estável e próspera". Não questiono essa afirmação. Isso é exatamente o que quero dizer com "ordem imaginada". Acreditamos em determinada ordem não porque ela seja objetivamente verdadeira, e sim porque acreditar nela nos permite cooperar com eficiência e forjar uma sociedade melhor. As ordens imaginadas não constituem conspirações malignas ou miragens inúteis: pelo contrário, são a única maneira de grandes números de humanos cooperarem de maneira eficaz. Vale ter em mente, no entanto, que Hamurábi poderia defender seu princípio de hierarquia usando a mesma lógica: "Eu sei que indivíduos superiores, comuns e escravos não são tipos inerentemente diferentes de pessoas. Mas, se acreditarmos que são, isso possibilitará que criemos uma sociedade estável e próspera".

VERDADEIROS FIÉIS

É provável que um bom número de leitores tenha se contorcido na cadeira ao ler os parágrafos anteriores. Quase todos nós fomos educados para reagir dessa forma. É fácil aceitar que o Código de Hamurábi era um mito, porém não desejamos ouvir que direitos humanos também o são. Se as pessoas se derem conta de que os direitos humanos só existem em sua imaginação, não há perigo de que nossa sociedade entre em colapso? Voltaire disse que "Deus não existe, mas não conte isso a meu criado, senão ele vai me matar durante a noite". Hamurábi teria dito o mesmo acerca de seu princípio da hierarquia, e Thomas Jefferson sobre os direitos humanos. O *Homo sapiens* não tem direitos naturais, assim como aranhas, hienas e chimpanzés não os têm. Mas não conte isso a nossos criados, senão eles nos matam durante a noite.

Esses medos são bem justificáveis. Uma ordem natural é uma ordem estável. Não há a menor chance de que a gravidade deixe de funcionar amanhã ainda que as pessoas parem de acreditar nela. Em contrapartida, uma ordem imaginada corre sempre o risco de desmoronar porque depende de mitos, e os mitos desaparecem tão logo as pessoas param de acreditar neles. Para proteger uma ordem imaginada, é preciso despender esforços árduos e contínuos. Alguns deles tomam a forma de violência e coerção. Exércitos, forças policiais, tribunais e presídios funcionam incessantemente a fim de obrigar as pessoas a agir de acordo com a ordem imaginada. Se um antigo babilônio cegasse seu vizinho, certa violência era em geral necessária para aplicar a lei do "olho por olho". Quando, em 1860, a maioria dos cidadãos norte-americanos concluiu que os escravos africanos eram seres humanos e, por isso, deviam gozar do direito à liberdade, foi preciso uma sangrenta guerra civil para fazer com que os estados sulistas concordassem.

Todavia, uma ordem imaginada não pode ser mantida apenas mediante a violência. Ela também exige alguns verdadeiros fiéis. O príncipe Talleyrand — que iniciou sua carreira camaleônica sob Luís XVI, serviu depois aos regimes revolucionário e napoleônico e reviu suas lealdades a tempo de terminar a vida trabalhando para a monarquia restaurada — resumiu décadas de experiência governamental ao dizer: "Pode-se fazer muitas coisas com as baionetas, mas é bastante desconfortável sentar nelas". Muitas vezes um único sacerdote faz o trabalho de cem soldados — de forma muito mais barata e eficiente. Além disso, por mais eficazes que sejam as baionetas, alguém precisa empunhá-las. Por que soldados, carcereiros, juízes e policiais deveriam manter uma ordem imaginada em que não acreditam? De todas as atividades humanas coletivas, a mais difícil de organizar é a violência. Afirmar que uma ordem social é mantida pela força militar imediatamente suscita a pergunta: e o que mantém a ordem militar? É impossível organizar um exército apenas pela coerção. Pelo menos alguns dos comandantes e soldados precisam acreditar de verdade em alguma coisa, seja ela Deus, a honra, a pátria, a virilidade ou o dinheiro.

Uma questão ainda mais interessante tem a ver com aqueles que estão no topo da pirâmide social. Por que desejariam manter uma ordem imaginada se eles próprios não acreditam nela? É bastante comum se argumentar que a elite pode fazer isso por uma ganância cínica. Entretanto, um cínico que não acredita em nada provavelmente não é ganancioso. Não é preciso muita coisa para satisfazer as necessidades biológicas objetivas do *Homo sapiens*. Uma vez satisfeitas essas necessidades, mais dinheiro pode ser usado para construir pirâmides, viajar pelo mundo, financiar campanhas eleitorais, apoiar sua organização terrorista predileta ou investir no mercado de ações a fim de ganhar ainda mais dinheiro — tarefas essas que um verdadeiro cínico acharia totalmente sem sentido. Diógenes, o filósofo grego que fundou a escola cínica, vivia num barril. Alexandre, o Grande, visitando certa vez Diógenes quando este descansava sob o sol, perguntou se podia fazer alguma coisa por ele; o cínico respondeu ao todo-poderoso conquistador: "Sim, há uma coisa que pode fazer por mim. Por favor, chegue um pouquinho para o lado, está tapando o sol".

É por isso que os cínicos não criam impérios e que uma ordem imaginada só pode ser mantida se grandes segmentos da população — e em especial grandes segmentos da elite e das forças de segurança — acreditarem de verdade nela. O cristianismo não teria durado 2 mil anos se a maioria dos bispos e padres deixasse de acreditar em Jesus Cristo. A democracia norte-americana não teria durado 250 anos caso a maioria dos presidentes e congressistas não acreditasse em direitos humanos. O sistema econômico moderno não teria durado um só dia se a maioria dos investidores não acreditasse no capitalismo.

OS MUROS DA PRISÃO

Como é possível fazer com que as pessoas acreditem numa ordem imaginada como o cristianismo, a democracia ou o capitalismo? Primeiro, nunca admitindo que a ordem é imaginada. Vale sempre insistir em que a ordem que sustenta a sociedade é uma realidade objetiva criada por grandes deuses ou pelas leis da natureza. As pessoas são desiguais não porque Hamurábi o disse, mas porque Enlil e Marduk assim decretaram. As pessoas são iguais não porque Thomas Jefferson o disse, mas porque Deus assim as criou. Os mercados livres são o melhor sistema econômico não porque Adam Smith o disse, mas porque essas são as leis imutáveis da natureza.

Também é necessário educar as pessoas de forma exaustiva. Desde o seu nascimento, devem ser sempre relembradas dos princípios da ordem imaginada, que estão incorporados em todas as coisas. Estão presentes em contos de fadas, peças de teatro, pinturas, canções, normas de etiqueta, propaganda política, arquitetura, receitas e na moda. Por exemplo, hoje as pessoas acreditam na igualdade, então está na moda que jovens da classe alta usem calça jeans, originalmente parte do vestuário dos trabalhadores. Na Idade Média, como as pessoas acreditavam nas divisões de classe, nenhum jovem nobre usaria uma bata camponesa. Naquela época, ser chamado de "senhor" ou "senhora" era um privilégio raro, reservado à nobreza e com frequência adquirido à custa de sangue. Hoje, toda correspondência cortês, não importa quem seja o destinatário, começa com "prezado senhor" ou "prezada senhora".

As humanidades e as ciências sociais devotam a maior parte de sua energia a explicar exatamente de que maneira a ordem imaginada está entrelaçada no tecido da vida. Só podemos arranhar a superfície do limitado espaço que temos à nossa disposição. Três fatores principais impedem as pessoas de perceber que a ordem que organiza suas vidas só existe na imaginação:

a) A ordem imaginada está enraizada no mundo material. Embora só exista em nossa mente, a ordem imaginada está infiltrada na realidade material que nos cerca, está até mesmo literalmente gravada em pedra. A maior parte dos ocidentais hoje acredita no individualismo. Creem que todo ser humano é um indivíduo cujo valor não depende do que as outras pessoas pensam dele ou dela. Cada um de nós tem dentro de si um raio de luz brilhante que confere valor e significado a nossas vidas. Nas escolas ocidentais modernas, pais e professores dizem às crianças que, se os colegas zombarem delas, devem ignorá-los. Só elas próprias, e não os outros, conhecem seu verdadeiro valor.

Na arquitetura moderna, esse mito sai da imaginação e toma forma em pedra e argamassa. A casa moderna ideal está dividida em muitos aposentos pequenos para que cada criança possa ter um espaço privado, longe da vista de todos, propiciando máxima autonomia. Esse quarto quase sempre tem uma porta e, em muitas famílias, é permitido que a criança a feche ou mesmo a tranque. Até os pais são proibidos de entrar sem pedir permissão. O quarto é decorado de acordo com os desejos da criança, com pôsteres de astros do rock e meias sujas pelo chão. Alguém que cresce nesse espaço não pode deixar de se imaginar um "indivíduo", com seu verdadeiro valor vindo de dentro, e não de fora.

Os nobres medievais não acreditavam no individualismo. O valor de alguém era determinado por seu lugar na hierarquia social e pelo que os outros diziam dele. Ser objeto de zombaria era uma indignidade horrível. Os nobres ensinavam os filhos a proteger o bom nome da família a qualquer preço. Assim como o individualismo moderno, o sistema medieval de valor ultrapassou a imaginação e se manifestou fisicamente nas pedras dos castelos. Era muito raro que um castelo medieval tivesse aposentos privados para as crianças (ou para qualquer um, na verdade). O filho adolescente de um barão não tinha um quarto próprio no segundo andar do castelo com pôsteres de Ricardo Coração de Leão e do rei Arthur, ou uma porta trancada que seus pais não tinham autorização para abrir. Ele dormia com muitos outros jovens num salão. Estava sempre à vista, e era obrigado a considerar o que os outros viam e diziam. Alguém que crescia nessas circunstâncias naturalmente concluía que o verdadeiro valor de um homem era determinado por seu lugar na hierarquia social e pelo que os outros diziam a seu respeito.[8]

b) *A ordem imaginada molda nossos desejos.* A maioria das pessoas não gosta de admitir que a ordem que governa suas vidas é imaginária, mas de fato todos nascem numa ordem imaginada preexistente e seus desejos são moldados desde o nascimento por mitos dominantes. Assim, nossos desejos pessoais se tornam as defesas mais importantes da ordem imaginada.

Por exemplo, os desejos mais estimados dos cidadãos ocidentais de hoje são moldados por mitos românticos, nacionalistas, capitalistas e humanistas que circulam há séculos por aí. Muitas vezes, amigos dizem ao dar conselhos: "Siga o seu coração!". Mas o coração é um agente duplo que em geral segue as instruções dos mitos dominantes da época, e a própria recomendação de seguir o coração foi implantada em nossa mente por uma combinação dos mitos românticos do século XIX e dos mitos consumistas do século XX. A Coca-Cola Company, por exemplo, comercializou a Coca-Cola diet em todo o mundo com o slogan: "Faça o que te faz bem".

Mesmo aquilo que as pessoas julgam ser o seu desejo mais íntimo foi em geral programado pela ordem imaginada. Consideremos, por exemplo, o popular desejo de passar férias no exterior. Não há nada de natural ou óbvio nisso. Um chimpanzé macho alfa jamais pensaria em usar seu poder para passar uns tempos no território de outro grupo. A elite do Egito antigo gastava sua fortuna erigindo pirâmides e mumificando corpos, mas ninguém ali pensou em fazer compras na Babilônia ou esquiar na Fenícia. As pessoas hoje gastam bastante dinheiro em férias no exterior porque acreditam fielmente nos mitos do consumismo romântico.

O romantismo nos diz que, para otimizarmos nosso potencial humano, devemos ter tantas experiências quanto possível. Precisamos nos abrir a uma grande amplitude de emoções; testar vários tipos de relacionamento; experimentar gastronomias diferentes; aprender a gostar de estilos musicais diversos. Uma das melhores maneiras de fazer tudo isso é escapar da rotina, abandonar o ambiente familiar e viajar para terras distantes, onde poderemos "sentir" a

18. *A Grande Pirâmide de Gizé. O tipo de coisa que as pessoas ricas do Egito antigo faziam com o seu dinheiro.*

cultura, os aromas, os sabores e as regras de outros povos. Ouvimos diversas vezes os mitos românticos sobre como "uma nova experiência abriu meus olhos e mudou minha vida".

O consumismo nos diz que, para sermos felizes, precisamos desfrutar do maior número possível de produtos e serviços. Se achamos que alguma coisa está faltando ou não está bem, então necessitamos comprar um produto (um carro, roupas novas, comida orgânica) ou um serviço (limpeza doméstica, terapia de casal, aulas de ioga). Todo comercial de televisão é outra pequena lenda sobre como o fato de consumir certo produto ou serviço deixará a vida melhor.

O romantismo, que encoraja a variedade, combina perfeitamente com o consumismo. O casamento dos dois deu origem a um "mercado de experiências" infinito, no qual a moderna indústria do turismo está baseada. Essa indústria não vende passagens aéreas e quartos de hotel: ela vende experiências. Paris não é uma cidade nem a Índia é um país — ambos são experiências cujo consumo supostamente aumentará nossos horizontes, nos ajudará a alcançar nosso potencial humano e nos fará mais felizes. Como consequência, quando a relação entre um milionário e sua esposa está atravessando uma fase conturbada, ele a leva numa viagem cara de férias a Paris. A viagem não é o reflexo de algum desejo independente, e sim de uma firme crença nos mitos do consumismo romântico. Um homem rico no Egito antigo nunca sonharia em resolver uma crise conjugal levando a esposa de férias para a Babilônia. Em vez disso, poderia ter lhe dado de presente o suntuoso túmulo que ela sempre desejou.

Tal como a elite do Egito antigo, a maioria das pessoas em quase todas as culturas dedica a vida a construir pirâmides. O que muda de uma cultura para a outra é só o nome, o formato e o tamanho dessas pirâmides. Por exemplo, elas podem tomar a forma de uma casa num condomínio de luxo com piscina e um belo gramado, ou de uma linda cobertura com uma vista deslumbrante. Poucos questionam os mitos que, para começo de conversa, nos fazem desejar a pirâmide.

c) A ordem imaginada é intersubjetiva. Mesmo se, graças a um esforço sobre-humano, eu conseguisse libertar meus desejos pessoais do domínio da ordem imaginada, eu seria apenas uma pessoa. A fim de mudar a ordem imaginada, eu precisaria convencer milhões de desconhecidos a cooperar comigo. Isso porque a ordem imaginada não é uma ordem subjetiva que existe na minha imaginação — é antes uma ordem intersubjetiva, que existe na imaginação compartilhada de milhões de pessoas.

Para compreender isso, precisamos entender a diferença entre "objetivo", "subjetivo" e "intersubjetivo".

Um fenômeno *objetivo* existe independentemente da consciência e das crenças humanas. A radioatividade, por exemplo, não é um mito. As emissões radioativas ocorriam muito antes de serem descobertas, e são perigosas mesmo quando as pessoas não acreditam nelas. Marie Curie, uma das descobridoras da radioatividade, não sabia, durante os longos anos em que estudou materiais radioativos, que eles poderiam fazer mal a seu corpo. Embora não acreditasse que a radioatividade pudesse matá-la, morreu de anemia aplásica, uma doença causada pela superexposição a materiais radioativos.

Alguma coisa que depende da consciência e das crenças de um único indivíduo é *subjetiva*. Ela desaparece ou se altera se esse determinado indivíduo modifica suas crenças. Muitas crianças acreditam na existência de um amigo imaginário que é invisível e inaudível para o resto do mundo. O amigo imaginário existe apenas na consciência subjetiva da criança, e, quando ela cresce e deixa de acreditar naquilo, o amigo imaginário desaparece.

É chamado *intersubjetivo* o que existe dentro da rede de comunicação que liga a consciência subjetiva de muitos indivíduos. Se um único indivíduo modifica suas crenças ou mesmo morre, isso tem pouca importância. Entretanto, se a maioria dos indivíduos que pertencem àquela rede morre ou altera suas crenças, o fenômeno intersubjetivo sofrerá uma mutação ou desaparecerá. Fenômenos intersubjetivos não são fraudes malévolas nem farsas insignificantes. Eles existem de uma forma diferente de fenômenos físicos como a radioatividade, mas seu impacto no mundo pode ser enorme. Muitos dos mais importantes fatores que impulsionaram a história são intersubjetivos: as leis, o dinheiro, os deuses, as nações.

A Peugeot, por exemplo, não é um amigo imaginário do CEO da Peugeot. A companhia existe na imaginação compartilhada de milhões de pessoas. O CEO acredita na existência da empresa porque o conselho de diretores também acredita, assim como os advogados da companhia, o pessoal administrativo na sala ao lado, os caixas no banco, os corretores na bolsa de valores e os revendedores de carros da França à Austrália. Se apenas o CEO parar de acreditar de repente na existência da Peugeot, ele será rapidamente internado no hospício mais próximo e outro executivo tomará seu lugar.

Do mesmo modo, o dólar, os direitos humanos e os Estados Unidos existem na imaginação compartilhada de bilhões de pessoas, e ninguém sozinho pode ameaçar sua existência. Se eu parar de acreditar no dólar, nos direitos humanos ou nos Estados Unidos, isso não faria a menor diferença. Como essas ordens imaginadas são intersubjetivas, para modificá-las deve-se mudar simultaneamente a consciência de bilhões de pessoas, o que não é fácil. Uma mudança dessa magnitude só pode ser realizada com a ajuda de uma organização complexa, como um partido político, um movimento ideológico ou um culto religioso. Entretanto, para criar tais organizações complexas, é necessário convencer muitos desconhecidos a cooperar entre si. E isso só pode acontecer se esses desconhecidos acreditarem em alguns mitos compartilhados. Disso se conclui que, para modificar uma ordem imaginada existente, devemos antes acreditar numa ordem imaginada alternativa.

Para desmantelar a Peugeot, por exemplo, precisamos imaginar algo mais poderoso, tal como o sistema jurídico francês. Para desmantelar o sistema jurídico francês, precisamos imaginar algo ainda mais poderoso, tal como o Estado francês. E, se quisermos desmantelar isso também, teremos de imaginar algo ainda mais poderoso.

Não há como escapar à ordem imaginada. Quando derrubamos os muros da prisão e corremos para a liberdade, estamos na verdade correndo para o pátio amplo de um presídio maior.

7. Sobrecarga da memória

A evolução não dotou os humanos com a capacidade de jogar futebol. É verdade que produziu pernas para chutar, cotovelos para fazer faltas e boca para xingar, mas tudo que isso nos permite fazer é talvez treinar pênaltis sozinhos. Para jogar uma partida com desconhecidos numa tarde no pátio da escola, temos não apenas de trabalhar em conjunto com dez companheiros de equipe que possivelmente nunca vimos antes, mas também precisamos saber que os onze jogadores do time adversário seguem as mesmas regras. Outros animais que se envolvem em agressões ritualizadas com desconhecidos o fazem quase sempre por instinto — filhotes de cachorro em todo o mundo carregam em seus genes as normas para as suas brincadeiras turbulentas. Mas os adolescentes humanos não têm genes de futebol. No entanto, conseguem competir com desconhecidos porque todos aprenderam um mesmo conjunto de ideias sobre o jogo. Essas ideias são completamente imaginárias. Porém, se todos compartilham delas, a partida pode ser jogada.

O mesmo se aplica, em maior escala, a reinos, igrejas e redes comerciais — com uma diferença importante. As regras do futebol são de certa forma simples e concisas, bem parecidas com aquelas necessárias para a cooperação num bando de coletores ou num pequeno povoado. Cada jogador pode memorizá-las com facilidade e ainda ter no cérebro espaço de sobra para canções, imagens e listas de compras. Mas grandes sistemas de cooperação, que envolvem não 22 mas milhares ou até mesmo milhões de seres humanos, exigem que se saiba manejar e conservar imensos volumes de informação, muito maiores do que qualquer cérebro humano pode guardar e processar individualmente.

As grandes sociedades encontradas em outras espécies, tais como formigas e abelhas, são estáveis e resilientes porque a maior parte da informação necessária para mantê-las está codificada no genoma. A larva de uma abelha pode, por exemplo, crescer para ser uma rainha ou uma operária, dependendo daquilo que lhe é dado para comer. Seu DNA programa os comportamentos exigidos por qualquer papel que ela desempenhe na vida. As colmeias podem ser estruturas sociais muito complexas, contendo diversos tipos de operárias, como campeiras, nutrizes e faxineiras. Mas, até o momento, os pesquisadores não conseguiram encontrar abelhas advogadas. As abelhas não precisam de advogados porque não há perigo de que esqueçam ou violem a constituição da colmeia. A rainha não rouba comida das abelhas faxineiras, e essas nunca fazem greve exigindo salários melhores.

Mas os humanos fazem coisas assim o tempo todo. Como a ordem social dos sapiens é imaginada, eles são incapazes de preservar a informação crucial para gerenciar tal ordem simplesmente fazendo cópias de seu DNA e as transmitindo à sua prole. É necessário fazer um esforço consciente para manter vivos as leis, os costumes, os procedimentos e as formas de comportamento porque, de outro modo, a ordem social se desfaz depressa. Por exemplo, o rei Hamurábi decretou que as pessoas eram divididas em superiores, comuns e escravos. Diferentemente do sistema de classes da colmeia, essa não é uma divisão natural — não há indício dela no genoma humano. Se os babilônios não tivessem essa "verdade" em mente, sua sociedade deixaria de funcionar. Do mesmo modo, quando Hamurábi transmitiu seu DNA para os filhos, não codificou a decisão de que um homem da classe superior que matasse uma mulher comum deveria pagar trinta siclos de prata. Hamurábi precisou instruir deliberadamente os filhos acerca das leis do império, e seus filhos e netos precisaram fazer o mesmo.

Os impérios geram enormes volumes de informação. Além das leis, precisam manter registro de transações e impostos, de inventários de suprimentos militares e navios mercantes, de calendários de festivais e de vitórias. Durante milhões de anos, as pessoas armazenaram a informação num único lugar — o cérebro. Infelizmente, o cérebro humano não é um bom depósito para bancos de dados de tamanho imperial, e isso por três razões principais.

Primeiro, sua capacidade é limitada. É verdade que algumas pessoas têm uma memória fantástica, e no passado havia profissionais capazes de armazenar em seu cérebro a topografia de províncias inteiras e os códigos jurídicos de Estados. Todavia, há um limite que até os maiores mnemonistas não conseguem ultrapassar. Um advogado pode conhecer de cor o código de leis do estado de Massachusetts, mas não os detalhes de todos os processos judiciais que ocorreram nesse estado desde os julgamentos das bruxas de Salem.

Segundo, os humanos morrem, e seu cérebro morre com eles. Qualquer informação armazenada num cérebro será apagada em menos de um século. Claro que é possível passar informações de um cérebro para outro, mas, após algumas poucas transmissões, a informação tende a ficar truncada ou se perder.

Terceiro e mais importante, o cérebro humano foi adaptado para armazenar e processar apenas certos tipos de informação. A fim de sobreviver, os antigos caçadores-coletores tinham de se lembrar dos formatos, das características e dos padrões de comportamento de milhares de espécies de plantas e animais. Precisavam recordar que um cogumelo amarelo e enrugado que nascia no outono debaixo de um olmo era provavelmente venenoso, enquanto um cogumelo de aspecto semelhante crescendo no inverno debaixo de um carvalho era um bom remédio para dor de barriga. Os caçadores-coletores precisavam também ter em mente as opiniões e os relacionamentos de várias dezenas de membros do bando. Se Lúcia necessitava da ajuda de um membro do bando para fazer com que João parasse de molestá-la, era importante lembrar que João havia brigado na semana anterior com Maria, que por isso talvez se tornasse uma aliada entusiástica. Em consequência, as pressões evolucionárias adaptaram o cérebro humano para armazenar imensos volumes de informação botânica, zoológica, topográfica e social.

No entanto, quando na esteira da Revolução Agrícola começaram a aparecer sociedades muito complexas, um tipo totalmente novo de informação se tornou vital — os números. Os caçadores-coletores nunca tinham sido obrigados a lidar com grandes quantidades de informações numéricas. Nenhum deles precisava se lembrar, por exemplo, da quantidade de frutas em cada árvore da floresta. Por isso, o cérebro humano não se adaptou para armazenar e processar números. Contudo, para manter um vasto reino, os dados matemáticos eram vitais. Não bastava apenas promulgar leis e contar histórias sobre deuses guardiões. Também era preciso arrecadar impostos. Para cobrar impostos de centenas de milhares de pessoas, era necessário coletar dados sobre suas rendas e posses; sobre pagamentos feitos e atrasados; sobre dívidas e multas; sobre descontos e isenções. Isso representava um total de milhões de unidades de informação, que tinham de ser armazenadas e processadas. Sem tal capacidade, o Estado jamais saberia de que recursos dispunha e a que recursos adicionais poderia recorrer. Quando confrontado com a necessidade de memorizar, lembrar e manipular todos esses números, o cérebro humano em geral entra em pane ou adormece.

Essa limitação mental restringiu com severidade o tamanho e a complexidade das coletividades humanas. Quando o número de pessoas e propriedades em determinada sociedade ultrapassava o limite crítico, era necessário armazenar e processar enormes volumes de dados matemáticos. Como o cérebro humano era incapaz de fazê-lo, o sistema entrou em colapso. Durante milhares de anos após a Revolução Agrícola, as redes sociais humanas permaneceram relativamente pequenas e simples.

Os primeiros a superar o problema foram os antigos sumérios, que viviam no sul da Mesopotâmia. Lá, o sol escaldante que banhava as planícies lodosas e férteis produziu safras abundantes e povoações prósperas. O crescimento no número de habitantes foi acompanhado pelo aumento no volume de informações exigido para coordenar suas atividades. Entre os anos 3500 a.C. e 3 mil a.C., alguns gênios sumérios desconhecidos inventaram um sistema para armazenar e processar informações fora de seus cérebros feito sob medida para lidar com grandes volumes de dados numéricos. Desse modo, os sumérios libertaram sua ordem social das limitações do cérebro humano, abrindo caminho para a eclosão de cidades, reinos e impérios. O sistema de processamento de dados inventado pelos sumérios é chamado de "escrita".

ASSINADO, KUSHIM

A escrita é um método de armazenar informações mediante o uso de símbolos materiais. O sistema de escrita sumério fazia isso combinando dois tipos de símbolos gravados em tabletes de argila. Um tipo de símbolos representava números. Havia símbolos para um, dez, sessenta, seiscentos, 3600 e 36 mil. (Os sumérios empregavam uma combinação de sistemas numéricos de base seis e de base dez. O sistema de base seis nos deixou heranças importantes, como a divisão do dia em 24 horas e do círculo em 360 graus.) O outro tipo de símbolos representava pessoas, animais, mercadorias, territórios, datas e assim por diante. Combinando os dois tipos de símbolos, os sumérios foram capazes de preservar muito mais informações do que qualquer cérebro humano tinha condições de lembrar ou qualquer cadeia de DNA podia codificar.

Naquele estágio embrionário, a escrita estava limitada a fatos e cifras. O grande romance sumério, se é que houve algum, nunca foi gravado em tabletes de argila. Como a escrita tomava muito tempo e o público leitor era pequeno, ninguém viu razão para usá-la com outro objetivo que não o de registrar informações essenciais. Se buscarmos as primeiras palavras sábias vindas de nossos ancestrais de 5 mil anos atrás, sofreremos uma grande decepção. As primeiras mensagens que esses antepassados nos deixaram foram, por exemplo, "29 086 medidas cevada 37 meses Kushim". A leitura mais provável dessa frase é: "Um total de 29 086 medidas de cevada foi recebido ao longo de 37 meses. Assinado, Kushim". Infelizmente, os textos iniciais da história não contêm pérolas filosóficas, poemas, lendas, leis ou mesmo relatos de triunfos dos reis. São documentos econômicos triviais, anotando o pagamento de impostos, a acumulação de dívidas e a propriedade de bens.

Apenas um outro tipo de texto sobreviveu desses tempos remotos, e é ainda menos instigante: listas de palavras copiadas inúmeras vezes como exercício por aprendizes de escriba. Mesmo se um aluno entediado desejasse escrever algum de seus poemas em vez de copiar uma fatura, não poderia fazê-lo. As primeiras escritas sumérias eram parciais, e não completas. Uma escrita completa é um sistema de símbolos materiais que pode representar de forma quase integral a linguagem falada. Nessas condições, é capaz de expressar tudo que as pessoas podem dizer, inclusive a poesia. Por outro lado, a escrita parcial é um sistema de símbolos materiais que só consegue representar determinados tipos de informação, pertencentes a um campo limitado de atividade. A escrita latina, os hieróglifos do Egito antigo e o braile são sistemas de escrita completos. É possível usá-los para redigir registros de impostos, poemas de amor, livros de

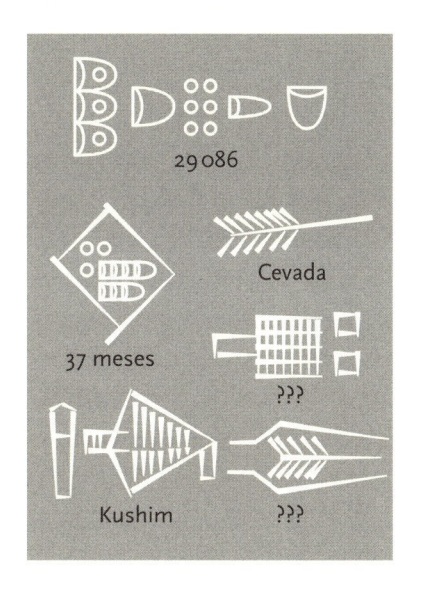

19. *Tablete de argila com um texto administrativo da cidade de Uruk, de cerca de 3400 a.C.- -3 mil a.C. "Kushim" pode ser o título genérico de um funcionário administrativo ou o nome de algum indivíduo. Se de fato Kushim foi uma pessoa, talvez seja o primeiro indivíduo na história cujo nome chegou até nós! Todos os nomes usados anteriormente na história — neandertais, natufianos, caverna de Chauvet, Göbekli Tepe — são invenções modernas. Não temos a menor ideia de como os construtores de Göbekli Tepe denominavam de fato aquele lugar. Com o surgimento da escrita, começamos a ouvir a história através do ouvido de seus protagonistas. Quando os vizinhos de Kushim o chamavam, podem efetivamente ter gritado: "Kushim!". É significativo que o primeiro nome registrado na história pertença a um contador, e não a um profeta, um poeta ou um grande conquistador.*[1]

história, receitas culinárias e leis comerciais. Por outro lado, a escrita inicial dos sumérios, assim como os símbolos matemáticos modernos e as notações musicais, são sistemas de escrita parcial. Pode-se utilizar a escrita matemática para fazer cálculos, mas não para escrever poemas românticos.

Os sumérios não se incomodaram com o fato de que sua escrita não servia para escrever poesia. Não a inventaram com o objetivo de copiar a linguagem falada, e sim para fazer coisas que a linguagem falada não conseguia fazer bem. Houve algumas culturas, como as pré-colombianas dos Andes, que usaram somente escritas parciais ao longo de toda a sua história, sem se preocupar com suas limitações e sem sentir necessidade alguma de uma versão completa.

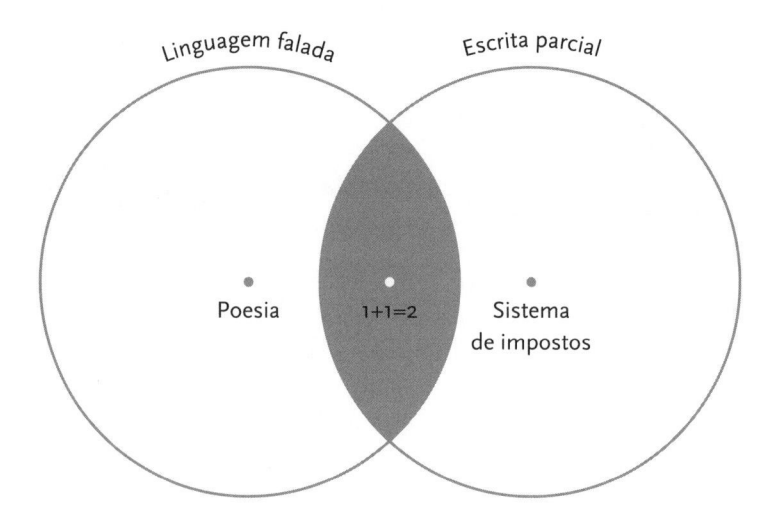

A escrita parcial não é capaz de abarcar toda a gama da linguagem falada, embora possa expressar coisas que se situam fora do âmbito da linguagem falada. Escritas parciais, como a dos sumérios e a da matemática, não podem ser usadas para escrever poesia, mas servem para manter registros de impostos de modo muito eficiente.

A escrita andina era muito diferente da suméria. Na verdade, tão diferente que muitos entendem não se tratar efetivamente de uma escrita. Não era registrada em tabletes de argila ou em pedaços de papel. Consistia em nós de cordões coloridos chamados quipos. Cada quipo era composto de muitos cordões de diferentes cores, feitos de lã ou algodão. Em cada cordão, vários nós eram dados em lugares diferentes. Um único quipo podia conter centenas de cordões e milhares de nós. Combinando diferentes nós em diferentes cordões com cores diferentes, era possível registrar grandes volumes de dados numéricos relacionados, por exemplo, com a coleta de impostos e a propriedade de bens.[2]

Por centenas e talvez milhares de anos, os quipos foram essenciais para o funcionamento de cidades, reinos e impérios.[3] Atingiram seu potencial máximo sob o Império Inca, que governou entre 10 milhões e 12 milhões de pessoas e abrangeu o território hoje ocupado por Peru, Equador e Bolívia, além de partes do Chile, da Argentina e da Colômbia. Graças aos quipos, os incas puderam armazenar e processar vastas quantidades de dados, sem os quais não

20. *Homem segurando um quipo, retratado em um manuscrito espanhol do fim do Império Inca.*

teriam sido capazes de manter a complexa máquina administrativa que um império daquele tamanho requer.

Na verdade, os quipos eram tão eficientes e precisos que, nos primeiros anos após a conquista da América do Sul, até mesmo os espanhóis os empregaram na administração de seu novo império. O problema era que os espanhóis não sabiam como registrar dados nos quipos ou lê-los, ficando dependentes de profissionais locais. Os novos governantes do continente se deram conta de que isso os deixava numa posição delicada: os peritos nativos em quipos poderiam ludibriá-los com facilidade. Por isso, tão logo a dominação espanhola se firmou, os quipos foram gradualmente deixados de lado e os registros do novo império foram mantidos na escrita latina e com numerais. Pouquíssimos quipos sobreviveram à ocupação espanhola, sendo a maioria deles indecifrável porque, infelizmente, a arte de lê-los se perdeu.

Com o tempo, os mesopotâmios começaram a querer escrever outras coisas além dos monótonos dados numéricos. Entre 3 mil a.C. e 2500 a.C., um número crescente de símbolos foi sendo somado ao sistema sumério, transformando-o cada vez mais na escrita completa que hoje chamamos de cuneiforme. Por volta de 2500 a.C., reis usavam a escrita cuneiforme para editar decretos, sacerdotes a usavam para registrar oráculos, cidadãos de menor status a usavam para escrever cartas pessoais. Mais ou menos nessa época, os egípcios desenvolveram outra escrita completa utilizando hieróglifos. Mais escritas completas foram criadas na China por volta de 1200 a.C. e na América Central por volta de 1000 a.C.-500 a.C.

A partir desses centros, as escritas completas se espalharam por toda parte, assumindo várias formas e executando novas tarefas. As pessoas começaram a escrever poemas, livros de história, romances, peças de teatro, profecias e livros de receita. No entanto, a tarefa mais importante da escrita continuava a ser o armazenamento de montanhas de dados numéricos, e essa tarefa continuou a ser prerrogativa da escrita parcial. A Bíblia hebraica, a *Ilíada* grega, o Mahabharata hindu e a Tipitika budista começaram, sem exceção, como obras orais. Durante muitas gerações eram transmitidas de forma oral, e teriam sobrevivido assim caso a escrita nunca houvesse sido inventada. Mas os registros contábeis e as burocracias complexas nasceram junto com a escrita parcial e permaneceram inexoravelmente ligadas até hoje, como gêmeos siameses — basta pensar nas entradas enigmáticas em bancos de dados e planilhas computadorizadas.

À medida que mais e mais coisas eram escritas, em especial à medida que os arquivos administrativos atingiam enormes proporções, novos problemas surgiram. A informação armazenada no cérebro de uma pessoa é recuperada com facilidade. Meu cérebro guarda bilhões de unidades de informação e, apesar disso, posso rapidamente, quase no mesmo instante, recordar o nome da capital da Itália e logo depois lembrar o que fiz no dia 11 de setembro de 2001, para em seguida reconstruir o trajeto entre minha casa e a Universidade Hebraica em Jerusalém. A forma exata como o cérebro faz isso ainda é um mistério, mas todos sabemos que o sistema de recuperação de informação cerebral é muitíssimo eficiente, exceto quando tentamos lembrar onde pusemos as chaves do carro.

Mas como encontrar e recuperar informações armazenadas nos cordões de um quipo ou em tabletes de argila? Se tivermos somente dez ou cem tabletes, não é um problema. No entanto, e se acumularmos milhares deles, como o fez um dos contemporâneos de Hamurábi, o rei Zimrilim de Mari?

Imagine por um momento que estamos em 1776 a.C. Dois habitantes de Mari discutem sobre a posse de um campo de trigo. Jacó insiste em que comprou o campo de Esaú há trinta anos. Esaú retruca que de fato arrendou o campo a Jacó por trinta anos e que agora, terminado aquele prazo, quer a terra de volta. Eles gritam, discutem e começam a se empurrar até lembrarem que a disputa pode ser resolvida com uma visita ao arquivo real, onde estão guardadas as escrituras e as faturas de venda relativas a todos os imóveis do reino. Lá chegando, são passados de um funcionário a outro. Depois de várias pausas para um chazinho de ervas e de serem instruídos a voltar no dia seguinte, por fim são levados por um funcionário resmungão para procurar o tablete de argila pertinente. O funcionário abre uma porta e os faz entrar num vasto aposento repleto, do chão ao teto, de milhares de tabletes de argila. Não surpreende que o homenzinho esteja de cara amarrada. Como se espera que ele possa localizar a escritura referente ao campo em disputa quando ela foi escrita trinta anos antes? Mesmo se a encontrar, como poderá verificar se esse documento de trinta anos atrás é o último referente àquele campo? E, se não puder encontrá-la, isso prova que Esaú nunca vendeu ou arrendou o campo? Ou apenas que o documento se perdeu ou virou lama quando a água da chuva se infiltrou no arquivo?

Claramente, o mero ato de gravar um documento na argila não basta para garantir que a informação seja processada de maneira eficaz, precisa e conveniente. Isso exige métodos de organização como catálogos, métodos de reprodução como máquinas de fotocópia e métodos de recuperação rápida e precisa como algoritmos de computador, além de bibliotecários pedantes (porém, com sorte, alegres) que saibam usar tais ferramentas.

A invenção desses métodos provou ser bem mais difícil que a invenção da escrita. Muitos sistemas de escrita se desenvolveram de maneira independente em culturas distantes no tempo e no espaço. A cada década os arqueólogos descobrem alguma escrita esquecida. Algumas podem ser até mais antigas que os traços sumérios na argila. Mas a maioria não passa de curiosidade, porque quem as inventou foi incapaz de criar meios eficientes de catalogar e recuperar dados. O que a Suméria, o Egito faraônico, a China antiga e o Império Inca têm de especial é que essas culturas desenvolveram boas técnicas para arquivar, catalogar e recuperar os registros escritos. Elas também investiram em escolas para escribas, funcionários, arquivistas e contadores.

O exercício de escrita de uma escola da antiga Mesopotâmia, descoberto por arqueólogos modernos, nos permite vislumbrar a vida desses alunos, há cerca de 4 mil anos:

Entrei e me sentei; meu professor leu meu tablete e disse: "Está faltando alguma coisa!".
E me bateu com a vara.
Um dos bedéis disse: "Por que você abriu a boca sem minha permissão?".
E me bateu com a vara.
O homem responsável pelas regras disse: "Por que você se levantou sem minha permissão?".
E me bateu com a vara.
O porteiro disse: "Por que você está saindo sem minha permissão?".
E me bateu com a vara.
O homem que toma conta da jarra de cerveja disse: "Por que você bebeu sem minha permissão?".
E me bateu com a vara.
O professor sumério disse: "Por que você falou em acadiano?".*
E me bateu com a vara.
Meu professor disse: "Sua caligrafia não é nada boa!".
E me bateu com a vara.[4]

Os antigos escribas aprendiam não apenas a ler e a escrever, mas também a usar catálogos, dicionários, calendários, formulários e tabelas. Eles estudavam e internalizavam técnicas de catalogação, recuperação e processamento de informações muito diferentes das usadas pelo cérebro. No cérebro, toda informação é associada livremente. Quando vou com minha esposa assinar a hipo-

---

* Mesmo depois que o acadiano se tornou a linguagem falada, o sumério permaneceu sendo a linguagem da administração e, por isso, a registrada por escrito. Dessa forma, os candidatos a escriba tinham de falar sumério.

teca de nossa nova casa, lembro o primeiro lugar em que vivemos juntos, o que me faz recordar de nossa lua de mel em New Orleans, o que me faz me lembrar de crocodilos, o que me remete a dragões, o que me recorda *O anel do Nibelungo* e, de repente, antes que me dê conta, lá estou eu entoando o tema de *Siegfried* diante de um bancário perplexo. Na burocracia, as coisas precisam permanecer separadas. Há uma gaveta para hipotecas residenciais, outra para certidões de casamento, uma terceira para registros de impostos, uma quarta para processos judiciais. De outro modo, como seria possível achar qualquer coisa? Coisas que pertencem a mais de uma gaveta, como as óperas de Wagner (devemos arquivá-las como "música", "teatro" ou quem sabe inventar uma categoria totalmente nova?), são uma tremenda dor de cabeça. Por isso estamos sempre adicionando, eliminando e reorganizando as gavetas.

Para isso funcionar, as pessoas que operam tal sistema de gavetas precisam ser reprogramadas a fim de parar de pensar como humanos e começar a pensar como arquivistas e contadores. Como sabemos desde a Antiguidade, os arquivistas e contadores pensam de modo não humano: pensam como um armário para arquivos. Não é culpa deles. Se não pensarem assim, suas gavetas ficarão todas misturadas e eles não serão capazes de prestar os serviços exigidos por seu governo, sua empresa ou sua organização. O impacto mais importante da escrita na história humana foi exatamente este: ela aos poucos modificou a forma como os seres humanos pensam e veem o mundo. A livre associação e o pensamento holístico cederam lugar à compartimentalização e à burocracia.

A LINGUAGEM DOS NÚMEROS

Com o decorrer dos séculos, os métodos burocráticos de processamento de dados se tornaram cada vez mais distintos da maneira como os humanos pensam naturalmente — e cada vez mais importantes. Um passo importante foi dado antes do século IX, quando se inventou uma nova escrita parcial capaz de armazenar e processar dados matemáticos com uma eficiência sem precedente. Essa escrita parcial era composta de dez símbolos, representando os números de zero a nove. De modo confuso, esses símbolos são conhecidos como algarismos arábicos, muito embora tenham sido inventados pelos hindus (e, o

$$\ddot{r}_i = \sum_{j \neq i} \frac{\mu_j (r_j - r_i)}{r_{ij}^3} \left\{ 1 - \frac{2(\beta - \gamma)}{c^2} \sum_{l \neq i} \frac{\mu_l}{r_{il}} - \frac{2\beta - 1}{c^2} \sum_{k \neq j} \frac{\mu_k}{r_{jk}} + \gamma \left(\frac{s_i}{c} \right)^2 \right.$$

$$+ (1 - \gamma) \left(\frac{s_j}{c} \right)^2 - \frac{2(1+\gamma)}{c^2} \dot{r}_i \cdot \dot{r}_j - \frac{3}{2c^2} \left[\frac{(r_i - r_j) \cdot r_j}{r_{ij}} \right]^2$$

$$\left. + \frac{1}{2c^2} (r_j - r_i) \cdot \ddot{r}_j \right\}$$

$$+ \frac{1}{c^2} \sum_{j \neq i} \frac{\mu_i}{r_{ij}^3} \left\{ [r_i - r_j] \cdot [(2 + 2\gamma) \dot{r}_i - (1 + 2\gamma) \dot{r}_j] \right\} (\dot{r}_i - \dot{r}_j)$$

$$+ \frac{3 + 4\gamma}{2c^2} \sum_{j \neq i} \frac{\mu_j \ddot{r}_j}{r_{ij}}$$

Equação para calcular a aceleração de uma massa i sob a influência da gravidade de acordo com a teoria da relatividade. Quando veem uma equação desse tipo, os leigos em sua maioria entram em pânico e ficam paralisados, como um veado surpreendido pelos faróis de um carro em alta velocidade. A reação é bastante natural e não denota falta de inteligência ou curiosidade. Com raras exceções, o cérebro humano é simplesmente incapaz de apreender conceitos tais como a relatividade e a mecânica quântica. Não obstante, os físicos conseguem fazê-lo porque põem de lado a maneira tradicional de pensar dos humanos, aprendendo a pensar de novo com a ajuda de sistemas externos de processamento de dados. Partes cruciais de seus processos de pensamento não ocorrem na cabeça, mas dentro de computadores ou nos quadros-negros das salas de aula.

que é ainda mais confuso, os árabes atualmente usam um conjunto de dígitos bem diferentes dos usados no Ocidente). Mas os árabes ganharam a fama porque, quando invadiram a Índia, encontraram o sistema, reconheceram sua utilidade e o aperfeiçoaram, espalhando-o pelo Oriente Médio e, mais tarde, pela Europa. Quando diversos outros símbolos foram acrescentados aos algarismos arábicos (tais como os sinais de adição, subtração e multiplicação), estava criada a base da notação matemática moderna.

Embora esse sistema de escrita continue a ser parcial, ele se tornou a linguagem dominante no mundo. Quase todos os Estados, empresas, organizações e instituições — quer falem árabe, híndi, inglês ou norueguês — usam a escrita matemática para registrar e processar informações. Cada unidade de informação que pode ser traduzida em escrita matemática é armazenada, distribuída e processada com velocidade e eficiência alucinantes.

Alguém que deseja influenciar as decisões de governos, organizações e empresas deve, para isso, aprender a falar usando números. Especialistas fazem o possível para traduzir em números até mesmo ideias como "pobreza", "felicidade" e "honestidade" ("a linha de pobreza", "níveis subjetivos de bem-estar", "avaliação de crédito"). Campos inteiros de conhecimento, como a física e a engenharia, quase perderam por completo o contato com a linguagem falada pelos humanos, funcionando apenas graças à escrita matemática.

Recentemente, a notação matemática deu origem a um sistema de escrita ainda mais revolucionário, uma escrita binária computadorizada que consiste apenas em dois sinais: zero e um. As palavras que estou digitando agora em meu teclado são escritas dentro do computador por diferentes combinações desses números.

A escrita nasceu como uma funcionária da consciência humana, porém está se tornando cada vez mais sua chefe. Nossos computadores têm dificuldade em compreender como o *Homo sapiens* fala, sente e sonha. Por isso, estamos ensinando o *Homo sapiens* a falar, sentir e sonhar na linguagem dos números, que pode ser entendida pelos computadores.

Mas a história não acaba aí. O campo da inteligência artificial está procurando criar novos tipos de inteligência baseados exclusivamente na escrita binária dos computadores. Filmes de ficção científica, como *Matrix* e *O vingador do futuro*, falam de um dia em que a escrita binária domina a humanidade. Quando os humanos tentam recuperar o controle da tecnologia rebelde, ela responde tentando destruir a raça humana.

8. Não há justiça na história

Entender a história humana nos milênios seguintes à Revolução Agrícola se resume a uma pergunta: como os seres humanos se organizaram em redes de cooperação em massa quando não tinham os instintos biológicos necessários para mantê-las? A resposta sucinta é que os humanos criaram ordens imaginadas e sistemas de escrita. Essas duas invenções preencheram os vazios deixados por nossa herança biológica.

Entretanto, o surgimento dessas redes foi, para muitos, uma bênção duvidosa. As ordens imaginadas que sustentavam tais redes não eram neutras nem justas: elas dividiam as pessoas em grupos artificiais dispostos de modo hierárquico. As camadas superiores gozavam de privilégios e de poder, enquanto as mais baixas sofriam com a discriminação e a opressão. O Código de Hamurábi, por exemplo, estabelecia a classificação entre superiores, comuns e escravos. Os membros da classe superior tinham tudo do bom e do melhor. Os comuns ficavam com o que sobrava. Os escravos apanhavam se reclamassem.

Apesar de proclamar a igualdade entre todos os homens, a ordem imaginada fundada pelos norte-americanos em 1776 também criava uma hierarquia. Essa hierarquia separava os homens, que dela se beneficiavam, das mulheres, que continuavam sem poder. Criava uma hierarquia entre brancos, que gozavam da liberdade, e negros e indígenas, que, por serem considerados seres humanos inferiores, não compartilhavam dos mesmos direitos dos homens. Muitos dos que assinaram a Declaração de Independência eram escravocratas: não libertaram seus escravos ao assinar a Declaração nem viam a si mesmos como hipócritas. Na opinião deles, os direitos dos *homens* nada tinham a ver com os negros.

A ordem norte-americana também consagrava a hierarquia entre ricos e pobres. A maioria dos norte-americanos à época não se preocupava com a desigualdade causada pelo fato de pais ricos passarem seu dinheiro e seus negócios para os filhos. Para eles, a igualdade significava apenas que as mesmas leis deviam ser aplicadas a ricos e pobres. Nada que correspondesse a auxílio a desempregados, acesso universal à educação ou seguro-saúde. A liberdade também tinha conotações muito diferentes das que tem hoje. Em 1776, não significava que os desprivilegiados (certamente não os negros, os indígenas e — Deus nos livre! — as mulheres) tinham o direito de alcançar o poder e exercê-lo. Significava apenas que o Estado não podia, exceto em circunstâncias extraordinárias, confiscar a propriedade privada de um cidadão ou lhe dizer o que fazer com ela. Desse modo, a ordem norte-americana sustentava a hierarquia da riqueza, que alguns entendiam ser determinada por Deus, e outros viam como uma representação das leis imutáveis da natureza. A natureza, assim se afirmava, recompensava o mérito com a riqueza, enquanto punia a indolência.

Todas as distinções mencionadas acima — entre pessoas livres e escravos, entre brancos e negros, entre ricos e pobres — estão enraizadas em ficções. (A hierarquia entre homens e mulheres será analisada posteriormente.) Contudo, é uma regra de ouro da história que toda hierarquia imaginada negue suas origens ficcionais e se proclame natural e inevitável. Por exemplo, muitas pessoas que viam a hierarquia entre indivíduos livres e escravos como natural e correta argumentavam que a escravidão não é algo inventado pela humanidade. Hamurábi entendeu que era determinada pelos deuses. Aristóteles afirmava que os escravos têm uma "natureza servil" enquanto os homens livres têm uma "natureza emancipada". A posição deles na sociedade é apenas um reflexo de sua natureza inata.

Pergunte aos supremacistas brancos sobre a hierarquia racial e receberá uma lição pseudocientífica acerca das diferenças biológicas entre as raças. Pro-

21. *Placa em uma praia da África do Sul do período do apartheid, onde se lê: "Praia & mar apenas para brancos". Pessoas com cor de pele mais clara em geral correm mais risco de queimaduras solares do que as de pele mais escura. No entanto, não havia lógica biológica por trás da divisão das praias sul-africanas. Praias reservadas para pessoas com pele mais clara não eram caracterizadas por níveis mais baixos de radiação ultravioleta.*

vavelmente lhe dirão que há alguma coisa no sangue ou nos genes caucasianos que faz os brancos serem por natureza mais inteligentes, mais trabalhadores e mais virtuosos. Pergunte a um ferrenho capitalista sobre a hierarquia da riqueza e é provável que ele lhe diga que é o resultado inevitável das diferenças objetivas de capacidade. Segundo essa visão de mundo, os ricos têm mais dinheiro porque são mais capazes e diligentes. Assim, ninguém deveria se incomodar pelo fato de os ricos terem atendimento médico, educação e nutrição melhores: eles merecem todas as vantagens de que desfrutam.

Os hindus que aderem ao sistema de castas creem que forças cósmicas tornaram uma casta superior a outra. De acordo com um famoso mito de criação hindu, os deuses fizeram o mundo a partir do corpo de um ser primevo, o Purusha. O Sol foi criado do olho de Purusha; a Lua, do cérebro; os brâmanes (sacerdotes), de sua boca; os xátrias (guerreiros), de seus braços; os vaixás (camponeses e mercadores), de suas coxas; e os sudras (criados), de suas pernas. Uma vez aceita essa explicação, as diferenças sociopolíticas entre brâmanes e sudras são tão naturais e eternas quanto as diferenças entre o Sol e a Lua.[1] Os antigos chineses acreditavam que, ao usar a terra para criar os humanos, a deusa Nu Kua moldou os aristocratas com uma fina argila amarela, enquanto os comuns foram formados com um barro marrom.[2]

Contudo, tanto quanto sabemos, todas essas hierarquias são produto da imaginação humana. Brâmanes e sudras não foram de fato criados pelos deuses a partir de partes diferentes de um ser primevo. Pelo contrário, a distinção entre as duas castas foi estabelecida por leis e normas inventadas por seres humanos no norte da Índia cerca de 3 mil anos atrás. Ao contrário do que disse Aristóteles, não se conhece nenhuma diferença biológica entre escravos e homens livres. Leis e normas humanas transformaram alguns indivíduos em escravos e outros, em seus senhores. Entre negros e brancos há algumas diferenças biológicas objetivas, como a cor da pele e o tipo de cabelo, mas nenhuma evidência de que as diferenças se estendam à inteligência ou à integridade moral.

A maioria das pessoas afirma que sua hierarquia social é justa e natural, enquanto a de outras sociedades se baseia em critérios falsos e ridículos. Os ocidentais nos dias de hoje aprendem a zombar da ideia de uma hierarquia racial. Ficam chocados com leis que proíbem os negros de morar em bairros de brancos, de estudar em escolas de brancos ou de serem atendidos em hospitais de brancos. Mas a hierarquia entre ricos e pobres, determinando que os ricos residam em bairros separados e mais luxuosos, estudem em escolas separadas e mais prestigiosas e recebam tratamento médico em hospitais separados e mais bem equipados — isso parece perfeitamente sensato para muitos europeus e norte-americanos. No entanto, é um fato comprovado que a maioria dos ricos o é pela simples razão de que nasceu numa família rica, enquanto a maioria dos pobres permanecerá pobre a vida inteira apenas porque nasceu numa família pobre.

Infelizmente, as sociedades humanas complexas parecem demandar hierarquias imaginadas e uma discriminação injusta. É óbvio que nem todas as hierarquias são moralmente idênticas, e algumas sociedades padeceram de tipos de discriminação mais extremos que outras, porém os estudiosos não conhecem nenhuma grande sociedade que tenha sido capaz de evitar de todo a discriminação. As pessoas muitas vezes ordenaram suas sociedades classificando a população em categorias imaginadas, tais como superiores, comuns e escravos; brancos e negros; patrícios e plebeus; brâmanes e sudras; ricos e pobres. Essas categorias regeram as relações entre milhões de humanos ao tornar certos indivíduos superiores a outros em termos jurídicos, políticos e sociais.

As hierarquias exercem uma função importante. Permitem que completos desconhecidos saibam como tratar uns aos outros sem perder o tempo e a energia necessários para se conhecerem pessoalmente. Na peça *Pigmaleão*, de George Bernard Shaw, Henry Higgins não precisa conhecer intimamente Eliza Doolittle para entender como deve se relacionar com ela. Escutar a maneira como ela fala já lhe indica que ela pertence à classe mais baixa, e que portanto pode tratá-la como quiser — por exemplo, usá-la em sua aposta, na qual pretende fazer uma florista se passar por uma duquesa. A Eliza moderna que trabalha numa floricultura deve saber quanto esforço dispensar para vender rosas ou gladíolos para dezenas de pessoas que entram em sua loja todos os dias. Ela não pode fazer perguntas detalhadas sobre os gostos e a situação financeira de cada indivíduo. Em vez disso, se utiliza de pistas sociais — como a pessoa se veste, sua idade e, se não for politicamente correta, a cor da pele. É assim que a florista distingue o empresário que talvez faça uma grande compra de rosas caras do office-boy que só pode comprar algumas margaridas.

Sem dúvida, a diferença entre as capacidades naturais desempenha um papel na formação das distinções sociais. Mas tais diversidades de aptidão e temperamento são em geral condicionadas pelas hierarquias imaginadas. Isso acontece de duas maneiras importantes. Primeiro, e em especial, a maior parte das capacidades precisa ser cultivada e desenvolvida. Mesmo se alguém nasce com determinado talento, esse dom geralmente permanecerá em estado latente caso não seja reforçado, aprimorado e exercitado. Nem todos têm a mesma chance de desenvolver e refinar suas capacidades. Ter ou não essa oportunidade depende em geral do lugar que o indivíduo ocupa na hierarquia imaginada de sua sociedade. Harry Potter é um bom exemplo. Retirado de sua distinta família bruxa e criado por uma família ignorante de trouxas, chega a Hogwarts sem nenhuma experiência com magia. Só depois de sete livros conseguiu adquirir o controle de seus poderes e algum conhecimento de suas habilidades únicas.

Em segundo lugar, ainda que pessoas pertencentes a classes diferentes desenvolvam capacidades idênticas, é pouco provável que desfrutem do mesmo sucesso, pois terão de jogar de acordo com regras distintas. Se na Índia dominada pelos britânicos um intocável, um brâmane, um irlandês católico e um inglês protestante tivessem de algum modo desenvolvido o mesmo tino para os negócios, ainda assim eles não teriam as mesmas oportunidades de enriquecer. O jogo econômico era distorcido por restrições legais e limitações não oficiais.

O CÍRCULO VICIOSO

Todas as sociedades são baseadas em hierarquias imaginadas, porém não necessariamente nas mesmas hierarquias. O que explica as diferenças? Por que a sociedade indiana tradicional classificava as pessoas segundo castas, a otomana segundo a religião e a norte-americana segundo a raça? Quase sempre a hierarquia teve origem em um conjunto de circunstâncias históricas acidentais, sendo depois perpetuada e refinada ao longo de muitas gerações à medida que diferentes grupos passaram a se interessar pela questão.

Por exemplo, muitos pesquisadores entendem que o sistema de castas hindu se formou quando os indo-arianos invadiram o subcontinente há cerca de 3 mil anos, subjugando a população local. Os invasores estabeleceram uma sociedade estratificada em que — obviamente — eles ocupavam as posições superiores (sacerdotes e guerreiros), impondo aos nativos viver como criados e escravos. Sendo pouco numerosos, os invasores temiam perder seu status privilegiado e sua identidade única. Para afastar esse perigo, dividiram a população em castas, cada qual destinada a seguir determinada ocupação ou a desempenhar um papel específico na sociedade. Cada uma gozava de um status jurídico, privilégios e deveres diferentes. A mistura de castas — interação social, casamentos, e até compartilhar uma refeição — era proibida. E as distinções não eram apenas justificadas legalmente — haviam se tornado parte inerente da mitologia e da prática religiosa.

Os governantes proclamavam que o sistema de castas refletia uma realidade cósmica eterna, e não um desenvolvimento histórico acidental. Como conceitos de pureza e impureza eram elementos essenciais no hinduísmo, eles foram usados para fortalecer a pirâmide social. Hindus devotos foram ensinados que o contato com membros de uma casta diferente podia poluí-los não apenas como indivíduos, mas também toda a sociedade, devendo por isso ser abolido. Ideias desse tipo não são exclusividade dos hindus. Ao longo da história, e em quase todas as sociedades, conceitos de contaminação e pureza desempenham um papel crucial na manutenção das divisões sociais e políticas, sendo exploradas por inúmeras classes dominantes para manter seus privilégios. No entanto, o medo da contaminação não é uma invenção completamente artificial de sacerdotes e príncipes. É provável que tenha origem em mecanismos biológicos de sobrevivência que fazem os humanos sentirem uma repugnância instintiva de portadores de doenças em potencial, tais como pessoas enfermas e cadáveres. Se alguém deseja manter qualquer grupo humano isolado — mulheres, judeus, ciganos, homossexuais, negros —, a melhor maneira de fazê-lo é convencer todo mundo de que eles são uma fonte de contaminação.

O sistema de castas hindu e as respectivas leis de pureza estavam arraigados de forma profunda na cultura indiana. Muito tempo depois de esquecida a invasão indo-ariana, os indianos continuaram a crer no sistema e a abominar a contaminação causada pela mistura de castas. As castas não são imunes a mudanças. Na verdade, com o passar do tempo, grandes castas se dividiram em subcastas. No final, as quatro castas originais geraram 3 mil agrupamentos diferentes, chamados *jati* (literalmente "nascimento"). Mas essa proliferação de castas não alterou o princípio básico do sistema segundo o qual cada pessoa nasce em determinado nível, e qualquer transgressão a suas regras contamina a pessoa e a sociedade como um todo. O *jati* de alguém determina a sua profissão, o que ela pode comer, seu local de residência e os possíveis parceiros para casamento. Em geral, a pessoa só pode se casar dentro de sua casta, e seus filhos herdam esse status.

Sempre que uma nova profissão surgia ou um novo grupo de pessoas entrava em cena, elas precisavam ser reconhecidas como uma casta a fim de receber um lugar legítimo na sociedade hindu. Grupos que não conseguiam ganhar reconhecimento como casta eram, literalmente, párias — naquela sociedade estratificada, não ocupavam nem a posição mais baixa. Eram conhecidos como "intocáveis". Precisavam viver isolados e se sustentar de formas humilhantes e repulsivas, como catando sucata em lixões. Até mesmo os membros da casta mais baixa evitavam se misturar com eles, comer com eles, tocá-los e decerto se casar com eles. Na Índia de hoje, questões ligadas ao casamento e ao trabalho ainda são fortemente influenciadas pelo sistema de castas, apesar de todos os esforços do governo democrático do país para acabar com tais distinções e convencer os hindus de que misturar castas não gera contaminação.[3]

A PUREZA NA AMÉRICA

Um círculo vicioso semelhante perpetuou a hierarquia racial no continente americano, que dura até hoje. Do século XVI ao século XVIII, os conquistadores europeus importaram milhões de africanos escravizados para trabalhar nas minas e nas plantações da América. Preferiram importar pessoas escravizadas da África, e não da Europa ou do leste da Ásia, devido a três fatores circunstanciais. Em primeiro lugar, como a África estava mais próxima, era mais barato trazer escravos do Senegal que do Vietnã.

Em segundo lugar, já existia na África um comércio de escravos bem desenvolvido (exportando-os sobretudo para o Oriente Médio), enquanto a escravidão na Europa era muito rara. Obviamente, seria bem mais fácil comprar escravos num mercado já existente do que criar um do zero.

Em terceiro lugar, e mais importante, lugares como a Virgínia, o Haiti e o Brasil, onde predominavam as plantations, eram assolados pela malária e pela febre amarela, originárias da África. No curso de muitas gerações, os africanos tinham adquirido uma imunidade genética parcial a essas doenças, enquanto os europeus eram totalmente indefesos e morriam aos montes. Assim, era mais aconselhável para o dono de uma plantation investir seu dinheiro num africano escravizado do que num europeu escravizado ou num trabalhador contratado. De maneira paradoxal, a superioridade genética (em termos de imunidade) se traduziu em inferioridade social: exatamente por serem mais adaptados a climas tropicais, os africanos acabaram como escravos de senhores europeus! Devido a esses fatores circunstanciais, as nascentes sociedades do continente americano foram divididas numa classe governante formada por europeus brancos e uma casta subjugada de negros africanos.

Mas as pessoas não gostam de dizer que mantêm escravos de determinada raça ou origem simplesmente porque isso é conveniente em termos econômicos. Como os conquistadores arianos da Índia, os brancos europeus na América queriam ser vistos não apenas como economicamente exitosos, mas também como piedosos, justos e objetivos. Os mitos religiosos e científicos foram acionados para justificar essa divisão. Teólogos argumentavam que os africanos descendiam de Cam, filho de Noé, condenado pelo pai a que seus filhos fossem escravos. Biólogos afirmavam que os negros eram menos inteligentes que os brancos, além de terem um senso moral menos desenvolvido. Médicos alegavam que os negros viviam na imundície e disseminavam doenças — em outras palavras, eram uma fonte de contaminação.

Esses mitos tiveram boa acolhida na cultura da América e, em geral, em todo o Ocidente. Continuaram a exercer influência muito depois de as condições que geraram a escravidão terem desaparecido. No início do século XIX, a Grã-Bretanha imperial tornou ilegal a escravidão, fazendo cessar o tráfego de escravos no oceano Atlântico. Com isso, nas décadas seguintes, o regime escravagista foi gradualmente abolido em todo o continente americano. Vale observar que essa foi a primeira e única vez na história em que sociedades escravocratas aboliram a escravidão de maneira voluntária. No entanto, embora os escravos fossem libertados, os mitos racistas utilizados para justificar a escravidão persistiram. A separação das raças foi mantida por leis e costumes sociais racistas.

O resultado foi um processo de causa e efeito que se retroalimentava, um círculo vicioso. Consideremos, por exemplo, o Sul dos Estados Unidos imediatamente após a Guerra Civil. Em 1865, a 13ª emenda à Constituição norte--americana aboliu a escravidão, e a 14ª emenda estabeleceu que a cidadania e a proteção igualitária, inscritas nas leis, não podiam ser negadas em função da raça. Todavia, dois séculos de escravidão significavam que a maioria das famílias negras era muito mais pobre e muito menos instruída que praticamente todas as famílias brancas. Uma pessoa negra nascida no Alabama em 1865 tinha assim muito menos chance de obter uma boa educação e um emprego bem pago do que seus vizinhos brancos. Os filhos dela, nascidos nas décadas de 1880 e 1890, começavam a vida com a mesma desvantagem — eles também nasciam numa família pobre e com pouca instrução.

Mas a desvantagem econômica não era tudo. O estado do Alabama era também a terra natal de muitos brancos pobres que não dispunham das mesmas oportunidades que seus irmãos e irmãs de raça mais privilegiados. Além disso, a Revolução Industrial e as ondas de imigrantes transformaram os Estados Unidos numa sociedade bastante fluida, na qual pobretões rapidamente podiam ficar ricos. Se o dinheiro era tudo que contava, a nítida divisão entre as raças deveria ser em breve diluída, inclusive através de casamentos entre pessoas de raças diferentes.

Porém, não foi isso que aconteceu. Por volta de 1865, muitos acreditavam ser apenas um fato que os negros eram menos inteligentes, mais violentos e mais sexualmente devassos, mais preguiçosos e menos preocupados com a higiene pessoal que os brancos. Por isso, eram agentes de violência, roubos, estupros e doenças — em outras palavras, contaminação. Se um residente negro do Alabama em 1895 conseguisse por um milagre ter uma boa educação e buscasse um emprego respeitável como bancário, suas chances de obtê-lo eram bem menores que as de um candidato branco com as mesmas qualificações. Contra ele conspirava o estigma segundo o qual os negros eram, por natureza, pouco confiáveis, preguiçosos e menos inteligentes.

É de imaginar que as pessoas pouco a pouco entenderiam que esses estigmas representavam mitos e não fatos, e que os negros, com o tempo, se provariam tão competentes, honestos e limpos quanto os brancos. Porém, ocorreu o oposto — aqueles preconceitos se tornaram cada vez mais arraigados. Como todos os melhores empregos eram ocupados por brancos, era mais fácil acreditar que os negros eram de fato inferiores. "Veja", dizia o cidadão branco comum, "os negros estão livres há gerações e, mesmo assim, quase não se veem professores, advogados, médicos ou mesmo bancários negros. Isso não prova que os negros são simplesmente menos inteligentes e menos trabalhadores?" Presas nesse círculo vicioso, pessoas negras não eram contratadas para os melhores empregos por serem consideradas menos inteligentes, e a prova de sua inferioridade era a falta de negros nesses empregos.

O círculo vicioso não parou por aí. À medida que se fortaleciam, os estigmas contra os negros foram traduzidos num sistema de leis e de normas, chamado "Jim Crow", dedicado a defender a ordem racial. Os negros foram proibidos de votar nas eleições, estudar em escolas de brancos, comprar em lojas de brancos, comer em restaurantes de brancos, dormir em hotéis de brancos. Tudo isso se justificava porque os negros eram sujos, preguiçosos e malvados, exigindo assim que os brancos fossem protegidos deles. Os brancos não queriam dormir no mesmo hotel que os negros ou comer no mesmo restaurante que eles pois poderiam pegar doenças. Não queriam que seus filhos estudassem na mesma escola que as crianças negras com medo da brutalidade e das más influências. Não queriam que os negros votassem nas eleições porque eram ignorantes e imorais. Tais temores eram endossados por estudos científicos que "provavam" que os negros eram de fato menos instruídos, que várias doenças eram mais comuns entre eles e que seus índices de criminalidade eram bem mais elevados (os estudos ignoravam que esses "fatos" *resultavam* da discriminação contra negros).

Em meados do século xx, a segregação nos antigos estados confederados dos Estados Unidos era provavelmente pior que no século anterior. Clennon King, um estudante negro que tentou entrar na Universidade do Mississippi em 1958, foi internado à força num hospício. Em sua sentença, o juiz que cuidou do caso declarou que um negro deveria estar louco para achar que poderia ser admitido na Universidade do Mississippi.

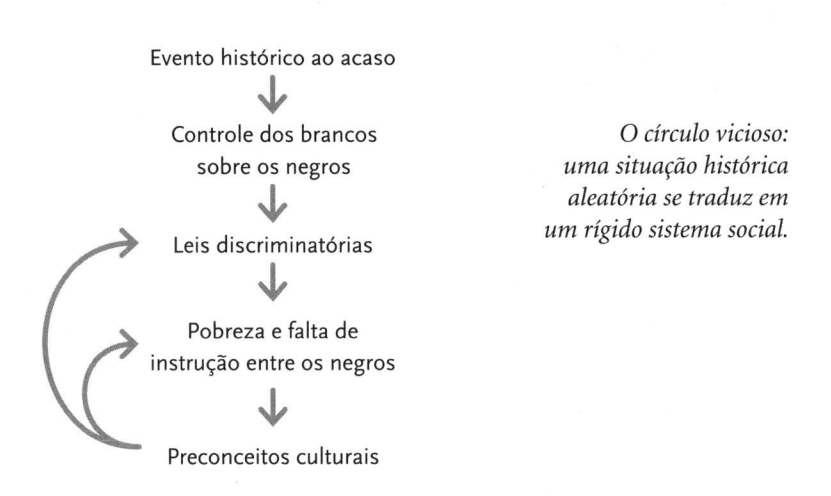

Evento histórico ao acaso

Controle dos brancos
sobre os negros

Leis discriminatórias

Pobreza e falta de
instrução entre os negros

Preconceitos culturais

*O círculo vicioso:
uma situação histórica
aleatória se traduz em
um rígido sistema social.*

Nada era mais revoltante para os sulistas norte-americanos (e para muitos nortistas) que as relações sexuais e o casamento entre homens negros e mulheres brancas. O sexo entre as duas raças se tornou um grande tabu, e qualquer violação, ou suspeita de violação, era vista como merecedora de uma punição imediata e sumária sob a forma de linchamento. A Ku Klux Klan, uma sociedade secreta de supremacistas brancos, cometeu muitos desses assassinatos. Eles poderiam ensinar uma ou duas coisinhas aos brâmanes hindus sobre leis de pureza.

Com o tempo, o racismo se espalhou para cada vez mais campos culturais. A cultura estética norte-americana foi construída em torno dos padrões de beleza brancos. Os atributos físicos da raça branca — por exemplo, a pele clara, os cabelos louros e lisos, o nariz pequeno e arrebitado — passaram a ser identificados como bonitos. Características típicas dos negros — a pele escura, os cabelos pretos e crespos, o nariz achatado — eram consideradas feias. Esses preconceitos impregnaram a hierarquia imaginada num nível ainda mais profundo da consciência humana.

Tais círculos viciosos podem durar séculos e até mesmo milênios, perpetuando uma hierarquia imaginada que se originou de alguma ocorrência histórica ocasional. Em vez de melhorar, a discriminação injusta muitas vezes se agrava com o tempo. Dinheiro leva a mais dinheiro, e pobreza, a mais pobreza. Educação leva a mais educação, e ignorância, a mais ignorância. Quem foi vitimado pela história costuma ser vitimado de novo. E quem a história privilegiou tem mais chance de voltar a ser privilegiado.

As hierarquias sociopolíticas, em sua maioria, carecem de base lógica ou biológica — não passam da perpetuação de eventos acidentais sustentados por mitos. Essa é uma boa razão para se estudar história. Se a divisão entre negros e brancos, ou entre brâmanes e sudras, fosse fundamentada em realidades biológicas — isto é, se os brâmanes efetivamente possuíssem cérebros melhores que os sudras —, a biologia seria suficiente para entendermos a sociedade humana. Como as distinções biológicas entre diferentes grupos de *Homo sapiens* são de fato insignificantes, a biologia é incapaz de explicar as complexidades da sociedade indiana ou a dinâmica racial norte-americana. Só podemos compreender esses fenômenos estudando os acontecimentos, as circunstâncias e as relações de poder que transformaram produtos da imaginação em estruturas sociais cruéis — e muito reais.

ELE E ELA

Sociedades diferentes adotam tipos diferentes de hierarquias imaginadas. A raça é muito importante para os norte-americanos modernos, mas era de certa forma irrelevante para os muçulmanos medievais. A casta era uma questão de vida e morte na Índia medieval, enquanto na Europa moderna é praticamente inexistente. Uma hierarquia, contudo, tem sido de suprema importância em todas as sociedades humanas conhecidas: o gênero. Por toda parte as pessoas têm sido divididas entre homens e mulheres. E quase em toda parte, pelo menos desde a Revolução Agrícola, os homens se saíram melhor.

Alguns dos textos mais antigos da China são ossos oraculares, que datam de 1200 a.C. e eram usados para adivinhar o futuro. Num deles está gravada a pergunta: "A gravidez da sra. Hao será bem-afortunada?". A resposta foi a seguinte: "Se a criança nascer num dia *ding*, será bem-afortunada; se nascer num dia *geng*, será muitíssimo auspiciosa". Entretanto, a sra. Hao deu à luz num dia *jiayin*. O texto termina com a observação pesarosa: "Três semanas e um dia depois, num dia *jiayin*, a criança nasceu. Acontecimento desafortunado. Era uma menina".[4] Mais de 3 mil anos depois, quando a China comunista decretou a política do "filho único", muitas famílias chinesas continuaram a considerar o nascimento de uma menina um infortúnio. Vez por outra os pais abandonavam ou matavam meninas recém-nascidas a fim de tentar de novo um menino.

Em muitas sociedades, as mulheres eram simplesmente propriedade dos homens, com mais frequência de seus pais, maridos ou irmãos. Em inúmeros sistemas jurídicos, o estupro era um crime contra a propriedade — em outras palavras, a vítima não era a mulher que sofreu a violência, mas o homem a quem ela pertencia. Sendo assim, a solução jurídica era a transferência de propriedade — o estuprador se via obrigado a pagar o preço de uma noiva para o pai ou irmão, após o que ela se transformava em sua propriedade. A Bíblia determina que "se um homem se encontrar com uma moça sem compromisso de casamento e a possuir, e eles forem descobertos, então o homem pagará ao pai da moça cinquenta siclos de prata, e ela será sua esposa" (Deuteronômio 22:28-9). Os antigos hebreus consideravam isso um acerto razoável.

Estuprar uma mulher que não pertencia a homem nenhum não era considerado crime, assim como apanhar no chão uma moeda perdida numa rua movimentada não é considerado roubo. E se o marido violentasse a própria esposa, ele não teria cometido nenhum crime. Na verdade, a ideia de que um marido pudesse violentar a esposa constituía um oximoro. Ser marido significava ter controle absoluto sobre a sexualidade da esposa. Dizer que um marido "violentou" a esposa era tão ilógico quanto dizer que um homem roubou sua própria carteira. Essa maneira de pensar não estava restrita ao antigo Oriente Médio. Ainda em 2006, 53 países não permitiam que um marido fosse processado por estuprar a esposa. Mesmo na Alemanha, a legislação sobre o assunto só foi emendada em 1997, quando criou a categoria "estupro conjugal".[5]

Será que a divisão entre homens e mulheres é um produto da imaginação como o sistema de castas na Índia e o sistema racial nos Estados Unidos, ou representa uma divisão natural com raízes biológicas profundas? E se é de fato uma divisão natural, existem também explicações biológicas para a primazia dada aos homens sobre as mulheres?

Algumas das disparidades culturais, jurídicas e políticas entre homens e mulheres refletem as óbvias diferenças biológicas entre os sexos. A gravidez foi sempre uma função das mulheres porque os homens não possuem útero. No entanto, em torno desse núcleo duro universal, todas as sociedades acumularam camadas e mais camadas de ideias e normas culturais que pouco têm a ver com a biologia. As sociedades associam à masculinidade e à feminilidade uma série de atributos que, em sua maioria, carecem de base biológica.

Por exemplo, na Atenas democrática do século V a.C., o indivíduo que possuísse um útero não tinha um status jurídico independente e era proibido de participar das assembleias populares ou de ser juiz. Com poucas exceções, esse indivíduo não podia se beneficiar de uma boa educação, fazer negócios ou se engajar em debates filosóficos. Nenhum líder político de Atenas, nenhum de seus grandes filósofos, oradores, artistas ou comerciantes tinha um útero. Será que não ter um útero torna uma pessoa biologicamente incapaz de exercer aquelas profissões? Os antigos atenienses achavam que sim. Os atenienses modernos discordam. Na Atenas atual, as mulheres votam, são eleitas para cargos públicos, fazem discursos, desenham desde joias até prédios, programam softwares, frequentam as universidades. O útero não as impede de fazer nenhuma dessas coisas tão bem quanto os homens. É verdade que ainda estão pouco representadas na política e nos negócios — apenas cerca de 12% dos membros do Parlamento grego são mulheres. Porém não existem obstáculos legais à participação delas na política, e a maioria dos gregos modernos vê como perfeitamente normal que uma mulher desempenhe funções públicas.

Muitos gregos modernos também acham que uma parte integral de ser homem significa só sentir atração sexual por mulheres e manter relações apenas com o sexo oposto. Não veem isso como um preconceito cultural, e sim como uma realidade biológica: relações entre duas pessoas do sexo oposto são naturais, e entre duas pessoas do mesmo sexo não o são. Na verdade, a Mãe Natureza não se importa se os homens se sentem sexualmente atraídos por outros homens. Apenas as mães humanas, imersas em determinadas culturas, fazem uma cena se o filho delas tiver um caso com o rapaz da casa ao lado. Os acessos maternos de cólera não constituem um imperativo biológico. Um número significativo de culturas humanas considerou as relações homossexuais não apenas legítimas, mas até socialmente construtivas, sendo a Grécia antiga o exemplo mais notável. A *Ilíada* não menciona qualquer objeção de Tétis às relações de seu filho Aquiles com Pátroclo. A rainha Olímpia da Macedônia foi uma das mulheres mais temperamentais e enérgicas do mundo Antigo, tendo inclusive mandado matar o próprio marido, o rei Filipe. No entanto, não deu um chilique quando seu filho, Alexandre, o Grande, levou o amante Heféstio para jantar em casa.

Como podemos distinguir o que é determinado biologicamente do que as pessoas apenas tentam justificar valendo-se de mitos biológicos? Uma regra boa e simples é a seguinte: "A biologia capacita, a cultura proíbe". A biologia está pronta para tolerar um espectro muito amplo de possibilidades. É a cultura que obriga as pessoas a se beneficiarem de algumas dessas possibilidades enquanto proíbe outras. A biologia capacita as mulheres a terem filhos — algumas culturas as obrigam a concretizar essa possibilidade. A biologia capacita os homens a sentir prazer sexual com outros homens — algumas culturas os proíbem de concretizar essa possibilidade.

A cultura tende a argumentar que só proíbe o que é antinatural. Contudo, de uma perspectiva biológica, não há nada que seja antinatural. O que quer que seja possível é, por definição, também natural. Um comportamento que seja de fato antinatural, que vá de encontro às leis da natureza, simplesmente não pode existir e, portanto, não precisaria ser proibido. Nenhuma cultura jamais se deu ao trabalho de impedir os homens de fazerem fotossíntese, as mulheres de correrem mais rápido que a velocidade da luz, ou os elétrons de carga negativa de se atraírem mutuamente.

Na verdade, nossos conceitos de "natural" e "antinatural" derivam não da biologia, mas da teologia cristã. O significado teológico de "natural" é "de acordo com as intenções de Deus, que criou a natureza". Os teólogos cristãos argumentam que Deus criou o corpo humano com a intenção de que cada membro e órgão servissem a determinado propósito. Se usamos nossos membros e órgãos para os fins visados por Deus, então essa é uma atividade natural. Usá-los de forma diferente do que Deus queria é antinatural. Mas a evolução não tem nenhum propósito. Os órgãos não evoluíram por alguma razão determinada, e a forma como são usados está em constante fluxo. Não há um único órgão no corpo humano que só faça aquilo que seu protótipo fez ao aparecer centenas de milhões de anos atrás. Os órgãos evoluem para executar uma função especial, mas, depois que passam a existir, podem ser adaptados para outros usos. A boca, por exemplo, surgiu porque os organismos multicelulares mais antigos precisavam fazer os nutrientes entrarem em seus corpos. Ainda usamos a boca com esse propósito, mas também para beijar, falar e, no caso do Rambo, para arrancar os pinos das granadas de mão. Algum desses usos é antinatural simplesmente porque nossos ancestrais, que se assemelhavam a vermes, não faziam essas coisas com suas bocas há 600 milhões de anos?

Do mesmo modo, as asas não surgiram de repente em toda sua glória aerodinâmica. Desenvolveram-se a partir de órgãos que serviam a outros propósitos. De acordo com uma teoria, as asas dos insetos evoluíram milhões de anos atrás de saliências nos corpos de insetos não voadores. Esses insetos tinham uma superfície corporal maior do que aqueles sem tais protuberâncias, o que lhes permitia absorver mais luz do sol e, assim, permanecer mais aquecidos. Num lento processo evolutivo, esses aquecedores solares ficaram maiores. A mesma estrutura que era boa para absorver o máximo de luz solar — bastante superfície corporal, pouco peso — também, por coincidência, dava certa sustentação no ar aos insetos quando eles saltavam. Aqueles que tinham saliências maiores podiam saltar mais longe. Alguns insetos começaram a usar aquelas coisas para planar e, daí, foi um pequeno passo para chegar às asas que podiam fazê-los voar de verdade. Na próxima vez que um mosquito zumbir perto do seu ouvido, acuse-o de estar tendo um comportamento antinatural. Se ele fosse bem-comportado e estivesse satisfeito com o que Deus lhe deu, só usaria as asas como painéis solares.

O mesmo tipo de aplicação múltipla se aplica a nossos órgãos e comportamentos sexuais. O sexo evoluiu inicialmente para garantir a procriação, e os rituais de acasalamento evoluíram como uma forma de avaliar a capacidade física de um companheiro em potencial. Mas muitos animais agora usam ambos para diversos propósitos sociais que pouco têm a ver com a criação de pequenas cópias de si mesmos. Por exemplo, os chimpanzés usam o sexo para cimentar alianças políticas, estabelecer laços íntimos e aliviar tensões. Será que isso é antinatural?

SEXO E GÊNERO

Assim, faz pouco sentido argumentar que a função natural das mulheres é parir ou que a homossexualidade é antinatural. A maior parte das leis, das normas, dos direitos e dos deveres que definem a masculinidade e a feminilidade reflete mais a imaginação humana que a realidade biológica.

Biologicamente, os humanos são divididos em membros do sexo masculino e do sexo feminino. O *Homo sapiens* do sexo masculino tem um cromossomo X e um cromossomo Y, a *Homo sapiens* do sexo feminino tem dois cromossomos X. Mas "homem" e "mulher" são categorias sociais, e não biológicas. Embora na maioria dos casos, e em quase todas as sociedades humanas, os homens sejam do sexo masculino e as mulheres do feminino, os termos sociais guardam apenas uma relação tênue, se tanto, com os termos biológicos. Um homem não é um sapiens com determinadas qualidades biológicas como cromossomos XY, testículos e uma boa dose de testosterona. Ele, em vez disso, se enquadra num nicho específico da ordem humana imaginada de sua sociedade. Os mitos de sua cultura lhe conferem certos papéis masculinos (por exemplo, participar da vida política), direitos (por exemplo, votar) e deveres (por exemplo, o serviço militar). Da mesma forma, uma mulher não é um sapiens com dois cromossomos X, um útero e uma boa dose de estrogênio. Ela é um membro feminino de uma ordem humana imaginada. Os mitos de sua sociedade lhe conferem papéis exclusivamente femininos (criar filhos), direitos (proteção contra a violência) e deveres (obediência ao marido). Como são os mitos, e não a biologia, que definem os papéis, os direitos e os deveres dos homens e das mulheres, o significado de "masculinidade" e "feminilidade" varia bastante de uma sociedade para outra.

INDIVÍDUO DO SEXO FEMININO = UMA CATEGORIA BIOLÓGICA		MULHER = UMA CATEGORIA CULTURAL	
ATENAS ANTIGA	ATENAS MODERNA	ATENAS ANTIGA	ATENAS MODERNA
Cromossomos xx	Cromossomos xx	Não pode votar	Pode votar
Útero	Útero	Não pode ser juíza	Pode ser juíza
Ovários	Ovários	Não pode ter função pública	Pode ter função pública
Pouca testosterona	Pouca testosterona	Não pode decidir com quem se casar	Pode decidir com quem se casar
Muito estrogênio	Muito estrogênio	Em geral analfabeta	Em geral alfabetizada
Pode produzir leite	Pode produzir leite	Pertence legalmente ao pai ou ao marido	Legalmente independente

Exatamente a mesma coisa		*Coisas muito diferentes*	

Para tornar as coisas menos confusas, os estudiosos costumam distinguir entre "sexo", que é uma categoria biológica, e "gênero", uma categoria cultural. O sexo é dividido entre masculino e feminino, e as qualidades que determinam essa divisão são objetivas e permaneceram constantes no decorrer da história. O gênero é dividido entre homens e mulheres (e algumas culturas reconhecem outras categorias). As chamadas características "masculinas" e "femininas" são intersubjetivas e sofrem constantes mudanças. Por exemplo, há grandes diferenças no comportamento, nos desejos, no vestuário e até na postura corporal esperados das mulheres na Atenas clássica e na Atenas moderna.[6]

Sexo é brincadeira de criança, mas gênero é um negócio sério. Ser um membro do sexo masculino é a coisa mais simples do mundo: basta nascer com um cromossomo X e um Y. Ser membro do sexo feminino é tão simples quanto: basta um par de cromossomos X. No entanto, se tornar homem ou mulher é uma empreitada muito complexa e exigente. Como a maioria das qualidades masculinas e femininas é cultural e não biológica, nenhuma sociedade consagra automaticamente todo indivíduo do sexo masculino como homem e todo indivíduo do sexo feminino como mulher. Esses títulos não são nem mesmo garantidos para sempre depois de concedidos. Os indivíduos do sexo masculino precisam provar sua masculinidade constantemente e durante toda a vida, do berço ao túmulo, numa interminável série de ritos e ações. E o trabalho de uma mulher nunca termina: ela precisa convencer a si mesma e aos outros a todo momento que é feminina o bastante.

O sucesso não é certo. Os indivíduos do sexo masculino, em particular, vivem com o receio permanente de perder seu direito à masculinidade. No curso da história, eles se mostraram prontos a arriscar e até mesmo sacrificar a vida apenas para que as pessoas dissessem: "Ele é um homem de verdade!".

O QUE OS HOMENS TÊM DE TÃO BOM?

Pelo menos desde a Revolução Agrícola, a maior parte das sociedades humanas é patriarcal e valoriza mais o homem que a mulher. Não importa como cada sociedade define "homem" e "mulher", ser homem sempre foi melhor. As sociedades patriarcais ensinam os homens a pensar e a agir de forma masculina, e as mulheres a pensar e a agir de forma feminina, punindo quem ousa cruzar essas fronteiras. No entanto, não premiam da mesma forma quem obedece a isso. As qualidades consideradas masculinas são mais valorizadas que as femininas, e membros de uma sociedade que personificam o ideal feminino recebem menos que aqueles que exemplificam o ideal masculino. Recursos menores são investidos na saúde e na educação das mulheres; elas têm menos oportunidades econômicas, menos poder político e menos liberdade de movimento. O gênero é uma corrida em que alguns competidores só podem ganhar a medalha de bronze.

Sem dúvida, algumas mulheres alcançaram a posição de alfa, como Cleópatra no Egito, a imperatriz Wu Zetian na China (*c.* 700 a.C.) e Elizabeth I na Inglaterra. Contudo, elas são as exceções que confirmam a regra. Ao longo do reinado de 45 anos de Elizabeth, todos os membros do Parlamento eram homens, todos os oficiais da Marinha e do Exército real eram homens, todos os juízes e advogados eram homens, todos os bispos e arcebispos eram homens, todos os teólogos e sacerdotes eram homens, todos os médicos e cirurgiões eram homens, todos os alunos e professores em todas as universidades e faculdades eram homens, todos os prefeitos e representantes da Coroa nos condados eram homens, e quase todos os escritores, arquitetos, poetas, filósofos, pintores, músicos e cientistas eram homens.

O patriarcado tem sido a regra em quase todas as sociedades agrícolas e industriais. Vem resistindo com firmeza a reviravoltas políticas, revoluções sociais e transformações econômicas. O Egito, por exemplo, foi conquistado numerosas vezes no decorrer dos séculos. Assírios, persas, macedônios, romanos, árabes, mamelucos, turcos e ingleses o ocuparam — e sua sociedade sempre permaneceu patriarcal. O Egito foi governado por leis faraônicas, gregas, romanas, muçulmanas, otomanas e britânicas — e todas elas discriminaram as pessoas que não eram "homens de verdade".

Por ser tão universal, o patriarcado não pode ser produto de algum círculo vicioso que teve súbito início numa ocorrência acidental. É especialmente digno de nota que, mesmo antes de 1492, a maior parte das sociedades na América, na África e na Ásia era patriarcal, muito embora não tivesse tido nenhum contato durante milhares de anos. Se o patriarcado afro-asiático era resultado de algum evento fortuito, por que os astecas e incas eram patriarcais? É muito mais provável que, apesar de a definição exata de "homem" e "mulher" variar de uma cultura para a outra, haja alguma razão biológica universal para que quase todas as culturas deem mais valor à masculinidade que à feminilidade. Não sabemos qual é essa razão. Existem muitas teorias, nenhuma delas convincente.

PODER MUSCULAR

A teoria mais comum aponta para o fato de que os homens são mais fortes que as mulheres, e eles teriam usado seu maior poder físico para obrigar as mulheres a se submeterem. Uma versão mais sutil postula que a força dos homens lhes permite monopolizar tarefas que exigem trabalho braçal pesado,

22. *Masculinidade no século XVIII: um retrato oficial do rei Luís XIV da França. Note a peruca comprida, a meia-calça, o sapato de salto alto, a postura de bailarina — além de uma grande espada. Na Europa contemporânea, todos esses sinais externos (com exceção da espada) o fariam ser considerado efeminado. Mas, em sua época, Luís era um modelo europeu de masculinidade e virilidade.*

23. *Masculinidade no século XXI: retrato oficial do presidente Barack Obama. O que aconteceu com a peruca, a meia-calça, o salto alto — e a espada? Os homens dominantes nunca tiveram uma aparência tão insípida e sem graça como atualmente. Durante a maior parte da história, eles foram espalhafatosos e exuberantes, como os chefes das tribos nativas dos Estados Unidos com seus cocares de penas e os marajás hindus cobertos de sedas e diamantes. Em todo o reino animal, os machos tendem a ser mais vistosos e enfeitados que as fêmeas — como demonstram a cauda dos pavões e a juba dos leões.*

como arar e fazer a colheita. Isso lhes confere o controle da produção de alimentos, que por sua vez se traduz em influência política.

Há dois problemas com essa ênfase no poder muscular. Primeiro, a afirmação de que "os homens são mais fortes que as mulheres" só é verdadeira na média, e apenas em relação a certos tipos de força. As mulheres são em geral mais resistentes que os homens à fome, às doenças e à fadiga. Há também muitas mulheres que podem correr mais rápido e levantar mais peso que muitos homens. Além disso, e mais problemático para essa teoria, as mulheres, ao longo da história, têm sido excluídas sobretudo de ocupações que exigem pouco esforço físico (tais como o sacerdócio, o direito e a política), enquanto executam trabalhos braçais pesados nos campos, no artesanato e dentro de casa. Se o poder social fosse dividido em proporção direta à força física e à resistência, as mulheres deveriam ter uma parcela muito maior.

Mas ainda mais importante que isso é que simplesmente não há nenhuma relação direta entre força física e poder social em grupos humanos. Sexagenários em geral exercem poder sobre pessoas de vinte anos, embora os mais jovens sejam muito mais fortes. O típico dono de uma plantation no Alabama de meados do século XIX poderia ser derrotado em segundos se lutasse com qualquer um dos escravos que cultivavam seus campos de algodão. Não se utilizavam combates de pugilismo para escolher os faraós egípcios ou papas católicos. Nas sociedades de caçadores-coletores, o domínio político em geral pertence ao indivíduo que possui as melhores habilidades sociais, e não ao que exibe a musculatura mais desenvolvida. No crime organizado, o chefão não é necessariamente o homem mais forte. Muitas vezes é alguém mais velho, que raras vezes usa seus próprios punhos: ele deixa que homens mais jovens e em melhor forma física façam o trabalho sujo por ele. Se algum gângster achar que a melhor maneira de tomar a frente da organização é dar uma surra no "padrinho", é provável que não viva o suficiente para perceber seu erro. Mesmo entre os chimpanzés, o macho alfa conquista sua posição construindo uma coalizão estável com outros machos e fêmeas, não por meio da violência impensada.

Na verdade, a história humana mostra que em geral há uma relação inversa entre a capacidade física e o poder social. Na maior parte das sociedades, cabe às classes inferiores o trabalho braçal. Isso pode refletir a posição do *Homo sapiens* na cadeia alimentar. Se contassem apenas com a capacidade física, os sapiens se veriam na metade da escada. Mas suas habilidades mentais e sociais os puseram no topo. Por isso, é natural que a cadeia de poder dentro da espécie também seja determinada mais por habilidades mentais e sociais que pela força bruta. Em consequência, parece improvável que a hierarquia social mais influente e estável da história se baseie na capacidade dos homens de coagir fisicamente as mulheres.

A RALÉ

Outra teoria explica que o domínio masculino resulta não da força, mas da agressão. Milhões de anos de evolução tornaram os homens muito mais violentos que as mulheres. As mulheres são páreo para os homens em matéria de ódio, ganância e ofensas verbais, porém, segundo essa teoria, na hora H os homens estão mais inclinados a empregar a violência física pura. É por isso que, no curso da história, as guerras têm sido uma prerrogativa masculina.

Em tempos de guerra, o controle das Forças Armadas pelos homens também os tornou senhores da sociedade civil. Eles então usaram esse domínio para deflagrar mais e mais guerras, e quanto maior o número de guerras, maior era o controle masculino sobre a sociedade. Esse processo circular explica a onipresença tanto das guerras quanto do patriarcado.

Estudos recentes dos sistemas hormonais e cognitivos masculinos e femininos fortalecem a premissa de que os homens efetivamente possuem tendências mais agressivas e violentas, sendo por isso, em média, mais aptos a servir como soldados. Entretanto, mesmo considerando que todos os soldados rasos são homens, é possível concluir que quem conduz a guerra e dela se beneficia também deve ser homem? Isso não faz sentido. É como assumir que, se todos os escravos que cultivavam algodão são negros, os donos das plantations também deviam ser negros. Se uma força de trabalho composta apenas de negros pode ser controlada exclusivamente por brancos, por que um exército masculino não poderia ser controlado por um governo composto total ou ao menos parcialmente de mulheres? Na verdade, em muitas sociedades ao longo da história, os comandantes não galgaram sua posição a partir do posto de soldado. Os aristocratas, os ricos e os mais instruídos eram designados de forma automática como oficiais, sem nunca terem servido como soldados rasos.

Quando o duque de Wellington, rival de Napoleão, se alistou no Exército britânico aos dezoito anos, foi conduzido de imediato ao posto de oficial. Ele não dava muito valor aos plebeus sob seu comando. "Temos em nosso serviço a ralé como soldados", ele escreveu para outro aristocrata durante as guerras contra a França. Esses soldados rasos costumavam ser recrutados entre os mais pobres ou entre as minorias étnicas (como os católicos irlandeses). Suas chances de ascender na carreira militar eram irrisórias. Os postos superiores estavam reservados para duques, príncipes e reis. Mas por que apenas para duques, e não para duquesas?

O império francês na África foi estabelecido e defendido com o suor e o sangue de senegaleses, argelinos e franceses da classe trabalhadora. A percentagem de franceses bem-nascidos nas fileiras era insignificante. Contudo, havia uma percentagem muito alta de franceses de berço dentro da pequena elite que comandava o Exército, governava o império e se beneficiava de seus frutos. Por que apenas homens franceses, e não mulheres francesas?

Na China, como havia uma longa tradição de subordinar o Exército à burocracia civil, muitas vezes quem conduzia as guerras eram mandarins que jamais tinham empunhado uma espada. "Não se gasta ferro bom para fazer pregos", dizia um popular ditado chinês, que significava que as pessoas realmente talentosas entravam para a burocracia civil, não para o Exército. Por que, então, todos aqueles mandarins eram homens?

Não é razoável argumentar que a debilidade física ou os baixos níveis de testosterona impediram as mulheres de terem êxito como mandarins, generais e políticos. Para conduzir uma guerra, sem dúvida é necessário ter resistência, mas não é preciso muita força física ou agressividade. As guerras não são brigas de bar. São empreitadas muito complexas, que demandam um grau extraordinário de organização, cooperação e espírito de conciliação. A capacidade de manter a paz interna, adquirir aliados no exterior e entender o que se passa na cabeça de outras pessoas (em especial seus inimigos) é em geral a chave para a vitória. Nessas condições, um bronco agressivo é com frequência a pior escolha para comandar uma guerra. É bem melhor uma pessoa cooperativa que saiba como apaziguar, manipular e enxergar as coisas de perspectivas diferentes. É disso que os construtores de impérios são feitos. Augusto, apesar de militarmente incompetente, conseguiu estabelecer um regime imperial estável, fazendo aquilo que escapou tanto a Júlio César quanto a Alexandre, o Grande, que eram generais muito melhores. Tanto seus admiradores contemporâneos quanto os historiadores modernos atribuem tal feito à sua virtude de *clementia* — moderação e compaixão.

As mulheres costumam ser estereotipadas como melhores manipuladoras e apaziguadoras que os homens, famosas por sua capacidade superior de ver as coisas a partir da perspectiva dos outros. Se existe alguma verdade nesses estereótipos, então as mulheres seriam excelentes políticas e construtoras de impérios, deixando o trabalho sujo nos campos de batalha para machos transbordando testosterona e ideias simplistas. Apesar dos mitos populares, isso raramente aconteceu no mundo real. A razão para isso não está clara.

GENES PATRIARCAIS

Um terceiro tipo de explicação biológica atribui menos importância à força bruta e à violência, sugerindo que, ao longo de milhões de anos, homens e mulheres seguiram caminhos evolutivos diferentes no que tange às estratégias de sobrevivência e reprodução. Como os homens competiam entre si pela oportunidade de engravidar mulheres férteis, as chances de reprodução de um indivíduo dependiam acima de tudo de sua capacidade de superar e derrotar outros homens. Com o passar do tempo, os genes masculinos transmitidos à geração seguinte foram aqueles pertencentes aos homens mais ambiciosos, agressivos e competitivos.

Uma mulher, por outro lado, não tinha problema em encontrar homens que desejavam engravidá-la. No entanto, caso quisesse que seus filhos lhe dessem netos, precisava carregá-los no útero por nove árduos meses e depois cuidar deles durante anos. Nesse tempo, ela tinha menos oportunidades de obter comida, precisando de muita ajuda. Precisava de um homem. Para garantir sua própria sobrevivência e a de seus filhos, a mulher não tinha outra escolha senão concordar com quaisquer condições estipuladas pelo homem para que ele não se afastasse e, assim, dividisse com ela parte das responsabilidades. A longo prazo, os genes femininos transferidos à geração seguinte pertenciam a mulheres que cuidavam da prole e eram submissas. Mulheres que passavam muito tempo lutando por poder não deixavam nenhum desses genes poderosos para as gerações futuras.

Segundo essa teoria, o resultado dessas estratégias de sobrevivência distintas é que os homens foram programados para ser ambiciosos e competitivos, destacando-se na política e nos negócios, enquanto as mulheres tenderam a sair do caminho e dedicarem suas vidas à criação dos filhos.

Mas essa abordagem também parece ser desmentida pelos indícios empíricos. Em especial, é problemática a premissa de que a dependência feminina de ajuda externa as fez depender de homens, e não de outras mulheres, e de que a competitividade masculina tornou os homens socialmente dominantes. Há muitas espécies de animais, como elefantes e bonobos, em que a dinâmica entre fêmeas dependentes e machos competitivos resulta numa sociedade *matriarcal*. Como necessitam de ajuda, as fêmeas são obrigadas a desenvolver suas habilidades sociais, aprendendo a cooperar e a apaziguar. Elas constroem redes sociais compostas exclusivamente de fêmeas que ajudam cada integrante a criar seus filhos. Enquanto isso, como os machos passam o tempo lutando e competindo, suas habilidades e laços sociais permanecem subdesenvolvidos. As sociedades de bonobos e de elefantes são controladas por uma forte rede de cooperação entre fêmeas, enquanto os machos, egocêntricos e não participativos, são excluídos. Embora as fêmeas de bonobos sejam em média mais fracas, elas com frequência se juntam para bater nos machos que não respeitam seus limites.

Se isso é possível com bonobos e elefantes, por que não com o *Homo sapiens*? Os sapiens são animais relativamente fracos, cuja vantagem reside em sua capacidade de cooperar em grande escala. Nessas condições, era de esperar que as mulheres dependentes, mesmo que de homens, usariam suas habilidades sociais superiores para cooperar entre si, contornando e manipulando homens agressivos, autônomos e egocêntricos.

Por que será que, numa espécie cujo sucesso depende acima de tudo da cooperação, os membros que são supostamente menos cooperativos (homens) controlam os que são supostamente mais cooperativos (mulheres)? Até agora não temos uma boa resposta para isso. Talvez as premissas comuns estejam apenas erradas. E se as principais características dos machos da espécie *Homo sapiens* não forem força física, agressividade e competitividade, mas habilidades sociais superiores e uma maior tendência a cooperar? O fato é que não sabemos.

Todavia, o que sabemos é que, durante o último século, os papéis de gênero sofreram uma modificação radical. Cada vez mais sociedades hoje não apenas concedem a homens e mulheres os mesmos status jurídico, direitos políticos e oportunidades econômicas, mas também estão repensando totalmente suas concepções mais básicas de gênero e sexualidade. Embora o abismo de gênero ainda seja substancial, as coisas estão se movendo com uma velocidade de tirar o fôlego. No começo do século xx, a ideia de conceder o direito de voto às mulheres era em geral vista nos Estados Unidos como absurda; a possibilidade de uma mulher chegar a ser ministra de Estado ou juíza da Suprema Corte, simplesmente ridícula. Por outro lado, a homossexualidade era um tabu tão grande que não poderia nem mesmo ser discutida abertamente. No começo do século xxi, o direito de voto das mulheres é visto como algo banal; ninguém mais comenta quando uma mulher torna-se ministra de Estado; e, em 2013, cinco juízes da Suprema Corte dos Estados Unidos, três deles mulheres, decidiram em favor de legalizar os casamentos entre pessoas do mesmo sexo (derrotando a opinião de quatro juízes homens).

Essas mudanças radicais são exatamente aquilo que faz a história do gênero tão desconcertante. Se, como hoje está sendo demonstrado com toda clareza, o sistema patriarcal tem se baseado em mitos infundados e não em fatos biológicos, o que explica a universalidade e a estabilidade desse sistema?

PARTE III

A unificação da humanidade

24. *Peregrinos dando voltas na Caaba em Meca.*

9. A seta da história

Depois da Revolução Agrícola, as sociedades humanas ficaram ainda maiores e mais complexas, enquanto os conceitos imaginários que sustentavam a ordem social também se tornavam mais elaborados. Praticamente desde o nascimento, mitos e ficções acostumaram as pessoas a pensar de determinadas maneiras, a se comportar de acordo com certos padrões, a desejar certas coisas, a obedecer a determinadas regras. Desse modo, elas criaram instintos artificiais que permitiram que milhões de desconhecidos cooperassem de maneira eficaz. Essa rede de instintos artificiais é o que chamamos de "cultura".

Durante a primeira metade do século XX, pesquisadores ensinavam que toda cultura era plena e harmoniosa, e que havia nelas uma essência imutável que as definia eternamente. Cada grupo humano tinha sua própria visão de mundo e um sistema de ordenação social, jurídica e política que funcionava de maneira tão perfeita quanto os planetas orbitavam em volta do Sol. Segundo essa perspectiva, as culturas não mudavam por conta própria. Elas seguiam sempre na mesma velocidade e na mesma direção. Apenas uma força externa era capaz de alterá-las. Assim, antropólogos, historiadores e políticos podiam se referir à "cultura de Samoa" ou à "cultura da Tasmânia", como se as mesmas crenças, normas e valores houvessem caracterizado esses povos desde tempos imemoriais.

Hoje, a maioria dos estudiosos da cultura concluiu que o oposto é verdadeiro. Cada cultura tem crenças, normas e valores, mas tudo está em constante fluxo. A cultura pode se transformar em resposta a modificações no meio ambiente ou pela interação com culturas vizinhas, porém pode também ser alterada devido à sua própria dinâmica interna. Mesmo uma cultura completamente isolada num meio ambiente ecologicamente estável não pode escapar às mudanças. Diferente das leis da física, que estão livres de inconsistências, toda ordem feita pelo homem está repleta de contradições internas. As culturas estão sempre tentando conciliar tais contradições — e esse processo alimenta as mudanças.

Por exemplo, na Europa medieval, a nobreza acreditava tanto no cristianismo quanto no código da cavalaria. Um típico nobre ia à igreja pela manhã e ouvia o padre discorrer sobre a vida dos santos. "Vaidade das vaidades", dizia o sacerdote, "tudo é vaidade. Riquezas, luxúria e honra são tentações perigosas. É necessário elevar-se acima delas e seguir os passos de Jesus Cristo. Sejam cordatos como Ele, evitem a violência e a extravagância; se atacados, ofereçam a outra face." Ao chegar em casa num estado de espírito tranquilo e pensativo, o nobre vestia suas melhores roupas de seda para ir a um banquete no castelo do senhor feudal. Lá, o vinho era servido como água, o menestrel cantava sobre Lancelot e Guinevere, os convivas contavam piadas indecentes e histórias sangrentas de guerra. "É melhor morrer", declaravam os barões, "do que viver na vergonha. Se alguém põe em dúvida sua honra, só o sangue pode limpar tal insulto. E existe algo melhor do que ver seus inimigos fugirem de você, e suas belas filhas tremerem a seus pés?"

A contradição nunca foi de todo resolvida. No entanto, enquanto a nobreza, o clero e os plebeus lutavam com isso, a cultura europeia mudou. Uma tentativa de resolvê-la deu nas Cruzadas, quando os cavaleiros podiam a um só tempo demonstrar suas proezas militares e sua devoção religiosa. A mesma contradição deu origem a ordens militares como os Templários e os Cavaleiros Hospitaleiros, que procuraram mesclar os ideais cristãos e da cavalaria de modo ainda mais íntimo. Ela também é responsável por boa parte da arte e da literatura medievais, como se observa nas histórias do rei Artur e do Santo Graal. O que é Camelot senão uma tentativa de provar que um bom cavaleiro pode e deve ser um bom cristão, e que os bons cristãos são os melhores cavaleiros?

Outro exemplo é dado pela ordem política moderna. Desde a Revolução Francesa, as pessoas em todo o mundo passaram cada vez mais a entender a igualdade social e a liberdade individual como valores fundamentais. No entanto, esses dois valores se contradizem. A igualdade só pode ser assegurada se as liberdades dos privilegiados forem limitadas. Garantir que todos os indivíduos sejam livres para fazer o que bem quiserem inevitavelmente restringe a igualdade. Toda a história política do mundo desde 1789 pode ser vista como uma série de tentativas de superar essa contradição.

Qualquer um que tenha lido um romance de Charles Dickens sabe que os regimes liberais do século XIX na Europa deram prioridade à liberdade individual, mesmo que isso significasse jogar na cadeia famílias pobres e endividadas e que órfãos não tivessem outra opção além de aprender a viver do furto. Qualquer um que tenha lido um romance de Alexander Soljenítsin sabe que o ideal igualitário comunista resultou em tiranias brutais que tentaram controlar todos os aspectos da vida cotidiana.

Os debates políticos atuais nos Estados Unidos também giram em torno dessa contradição. Os apoiadores do Partido Democrata querem uma sociedade mais igualitária, mesmo que isso signifique aumentar os impostos para financiar programas de auxílio a pobres, idosos e enfermos. Porém isso infringe a liberdade dos indivíduos de gastar seu dinheiro como bem entenderem. Por que o governo deveria me forçar a comprar um seguro-saúde se eu prefiro usar meu dinheiro para pagar a universidade dos meus filhos? Os apoiadores do Partido Republicano, por sua vez, querem maximizar a liberdade individual, mesmo que isso signifique aumentar o abismo de renda entre ricos e pobres, impedindo que muitos cidadãos norte-americanos tenham condições de pagar por cuidados médicos.

Assim como a cultura medieval não conseguiu unir o código da cavalaria com o cristianismo, o mundo moderno também não consegue conciliar liberdade e igualdade. Mas isso não é um defeito. Essas contradições são parte inseparável de todas as culturas humanas. Na verdade, são os motores do desenvolvimento cultural, responsáveis pela criatividade e pelo dinamismo da nossa espécie. Assim como quando duas notas musicais dissonantes tocadas juntas forçam uma música a avançar, pensamentos, ideias e valores discordantes nos fazem pensar, reavaliar e criticar. A consistência é o lugar das mentes sem-graça.

Se tensões, conflitos e dilemas insolúveis são o fermento de todas as culturas, um ser humano que pertence a determinada cultura deve ter, ele próprio, crenças contraditórias e valores incompatíveis. Isso é uma característica tão essencial de qualquer cultura que até mereceu um nome: dissonância cognitiva. A dissonância cognitiva é com frequência considerada uma falha da psique humana: na verdade, constitui um ativo vital. Se as pessoas fossem incapazes de manter crenças e valores contraditórios, provavelmente seria impossível construir e manter qualquer cultura humana.

Se, digamos, um cristão de fato quiser entender os muçulmanos que frequentam a mesquita de seu bairro, ele não deveria procurar um conjunto intocável de valores que são importantes para todos os muçulmanos. Pelo contrário, deveria pesquisar os dilemas da cultura islâmica, aqueles pontos em que existem um conflito de regras e um choque de padrões. É exatamente ali, onde os muçulmanos hesitam entre dois imperativos, que se pode compreendê-los melhor.

O SATÉLITE-ESPIÃO

As culturas humanas estão em fluxo constante. Será que esse fluxo é completamente aleatório ou obedece a um padrão geral? Em outras palavras, a história segue alguma direção específica?

A resposta é sim. Ao longo dos milênios, culturas pequenas e simples aos poucos se combinaram para formar civilizações maiores e mais complexas, fazendo com que o mundo tivesse um número cada vez menor de megaculturas ainda maiores e mais complexas. Essa é, sem dúvida, uma generalização bastante simplista, verdadeira apenas em nível macro. No nível micro, o que se vê é que, para cada grupo de culturas que se consolida numa megacultura, há uma megacultura que se desintegra. O Império Mogol se expandiu até dominar uma grande extensão da Ásia e até mesmo partes da Europa, e então se fragmentou. O cristianismo converteu centenas de milhões de pessoas ao mesmo tempo que se dividia em inumeráveis seitas. A língua latina se espalhou pela Europa Ocidental e Central gerando dialetos locais que, com o tempo, se tornaram idiomas nacionais. Mas essas fragmentações são reveses temporários de uma tendência inexorável em direção à unidade.

A percepção do sentido da história depende da posição estratégica em que se situa o observador. Quando adotamos uma visão da história que examina sua evolução em termos de décadas ou séculos, é difícil dizer se ela se move em direção à unidade ou à diversidade. No entanto, para compreender os processos de longo prazo, essa visão é bastante míope. Seria melhor adotar, em vez disso, o ponto de vista de um satélite-espião cósmico, que enxerga milênios, e não séculos. Dessa perspectiva, fica bastante claro que a história se move inexoravelmente em direção à unidade. A fragmentação do cristianismo e o colapso do Império Mogol não passam de quebra-molas na via expressa da história.

A melhor maneira de reconhecer a direção geral da história é contar o número de mundos distintos de seres humanos que coexistiram na Terra em determinados momentos. Hoje, nos acostumamos a pensar em todo o planeta como uma unidade, mas, durante a maior parte da história, a Terra era de fato uma galáxia de mundos humanos isolados.

Consideremos a Tasmânia, uma ilha de tamanho médio ao sul da Austrália. Ela foi separada da massa continental australiana aproximadamente em 10 000 a.C., quando o fim da era glacial causou uma elevação no nível do mar. Alguns milhares de caçadores-coletores foram deixados na ilha, sem contato com nenhum outro ser humano até a chegada dos europeus no século XIX. Durante 12 mil anos, ninguém sabia que os tasmanianos estavam lá, e eles não sabiam que havia mais gente no mundo. Tiveram suas guerras, lutas políticas, oscilações sociais e evoluções culturais. No entanto, para os imperadores da China ou para os governantes da Mesopotâmia, a Tasmânia podia perfeitamente estar localizada em uma das luas de Júpiter. Os tasmanianos viviam num mundo só deles.

A América e a Europa também foram mundos distintos durante a maior parte de suas histórias. Em 378 d.C., o imperador romano Valente foi derrotado e morto pelos godos na batalha de Adrianópolis. No mesmo ano, o rei Chak Tok Ich'aak, de Tikal, foi derrotado e morto pelo exército de Teotihuacán. (Tikal era uma importante cidade-Estado maia, enquanto Teotihuacán era na época a maior cidade da América, com cerca de 250 mil habitantes — da mesma ordem de magnitude de sua contemporânea europeia, Roma.) Não houve absolutamente nenhuma ligação entre a derrota de Roma e a ascensão de Teotihuacán. Roma poderia muito bem estar situada em Marte e Teotihuacán em Vênus.

Quantos mundos humanos diferentes coexistiram na Terra? Por volta de 10 000 a.C., nosso planeta tinha muitos milhares deles. Por volta de 2000 a.C., o número havia baixado para centenas, no máximo alguns milhares. Em 1450 d.C., o número tinha sido reduzido de forma ainda mais drástica. Nessa época, pouco antes da era das grandes navegações europeias, havia ainda na Terra um número significativo de mundos pequenos, como a Tasmânia. Todavia, cerca de 90% dos humanos viviam num único megamundo: a Afro-Ásia. A maior parte da Ásia, a maior parte da Europa e a maior parte da África (incluindo parcelas substanciais da África subsaariana) já eram conectadas por laços culturais, políticos e econômicos importantes.

A maior parte dos 10% restantes da população humana estava dividida entre quatro mundos de tamanho e complexidade consideráveis:

1. O Mundo Mesoamericano, que englobava a maior parte da América Central e partes da América do Norte;

2. O Mundo Andino, que englobava a maior parte do oeste da América do Sul;

3. O Mundo Australiano, que englobava o continente da Austrália;

4. O Mundo Oceânico, que englobava a maior parte das ilhas do sudoeste do oceano Pacífico, do Havaí à Nova Zelândia.

Nos trezentos anos seguintes, o gigante afro-asiático engoliu todos os outros mundos. Consumiu o Mundo Mesoamericano em 1521, quando os espanhóis conquistaram o Império Asteca. Na mesma época deu a primeira mordida no Mundo Oceânico, durante a circum-navegação do globo por Fernão de Magalhães, completando sua conquista logo depois. O Mundo Andino caiu em 1532, quando os conquistadores espanhóis esmagaram o Império Inca. Os primeiros europeus desembarcaram no continente australiano em 1606, e aquele mundo virgem chegou ao fim quando a colonização britânica teve início para valer em 1788. Quinze anos depois, os ingleses estabeleceram o primeiro assentamento na Tasmânia, trazendo assim o último mundo humano autônomo para a esfera de influência afro-asiática.

O gigante afro-asiático levou vários séculos para digerir tudo que havia engolido, mas o processo era irreversível. Hoje, quase todos os humanos compartilham o mesmo sistema geopolítico (todo o planeta está dividido em Estados internacionalmente reconhecidos); o mesmo sistema econômico (as for-

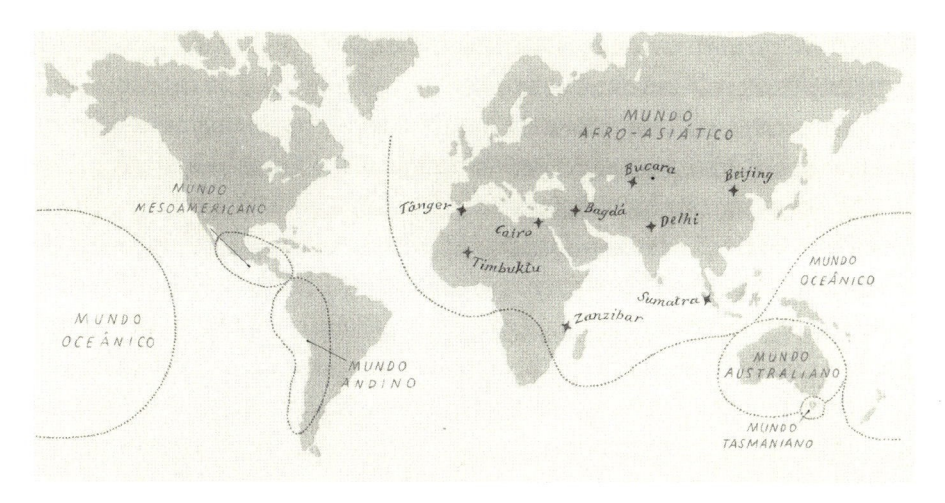

Mapa 3. *A Terra em 1450. Os lugares assinalados no mundo afro-asiático foram visitados pelo viajante muçulmano Ibn Battuta, no século XIV. Nascido em Tânger, no Marrocos, Ibn Battuta esteve em Timbuktu, em Zanzibar, no sul da Rússia, na Ásia Central, na Índia, na China e na Indonésia. Suas viagens demonstram a unidade da Afro-Ásia às vésperas da era moderna.*

ças capitalistas de mercado são sentidas nos cantos mais remotos do globo); o mesmo sistema jurídico (direitos humanos e leis internacionais são válidas em toda parte, ao menos na teoria); e o mesmo sistema científico (especialistas no Irã, em Israel, na Austrália e na Argentina têm exatamente as mesmas opiniões sobre a estrutura dos átomos ou o tratamento da tuberculose).

A cultura global única não é homogênea. Assim como um corpo orgânico tem muitos tipos diferentes de órgãos e células, nossa cultura global também tem muitos tipos diferentes de estilos de vida e de pessoas, dos corretores de ações de Nova York aos pastores do Afeganistão. Entretanto, todos estão intimamente ligados e se influenciam mutuamente de mil maneiras. Ainda discutem e lutam, mas o fazem usando os mesmos conceitos e usando as mesmas armas. Um verdadeiro "choque de civilizações" é como o proverbial diálogo de surdos: ninguém entende o que o outro está dizendo. Hoje, quando o Irã e os Estados Unidos mostram os dentes, ambos conversam no idioma dos Estados-nações, das economias capitalistas, do direito internacional e da física nuclear.

Ainda falamos bastante de culturas "autênticas", mas, se por "autênticas" queremos nos referir a alguma coisa que se desenvolveu de maneira independente e que consiste em antigas tradições locais livres de influências externas, então não existe mais nenhuma cultura assim na Terra. No decorrer dos últimos séculos, todas as culturas foram modificadas por um tsunami de influências globais, a ponto de se tornarem praticamente irreconhecíveis.

Um dos exemplos mais interessantes dessa globalização é a culinária "étnica". Num restaurante italiano, esperamos encontrar espaguete com molho de tomate; em restaurantes poloneses e irlandeses, muitas batatas; num restaurante argentino, podemos escolher entre dezenas de cortes de carne; num restaurante indiano, a pimenta entra em quase todos os pratos; e a especialidade num café suíço é um copo de chocolate quente bem encorpado sob uma montanha de chantilly. Mas nenhuma dessas comidas é originária das nações mencionadas. O tomate, a pimenta e o chocolate vieram todos do México e chegaram à Europa e à Ásia apenas depois da conquista espanhola. Júlio César e Dante Alighieri nunca enrolaram um espaguete banhado em molho de tomate nos seus garfos (que, por sinal, nem tinham sido inventados quando eles estavam vivos), Guilherme Tell nunca provou um chocolate, e Buda nunca colocou pimenta em sua comida. As batatas chegaram à Polônia e à Irlanda há não mais de quatrocentos anos. O único bife que se podia encontrar na Argentina em 1492 era de lhama.

Os filmes de Hollywood perpetuaram a imagem dos índios das planícies como cavaleiros destemidos, atacando com bravura as carroças dos pioneiros europeus para proteger os costumes de seus ancestrais. No entanto, esses cavaleiros nativos da América do Norte não defendiam uma cultura antiga e autêntica. Em vez disso, eram o produto de uma grande revolução militar e política que varreu as planícies do Oeste norte-americano nos séculos XVII e XVIII como consequência da chegada dos cavalos europeus. Em 1492, não havia um só cavalo na América. A cultura dos sioux e dos apaches do século XIX tem muitas características atrativas, mas era uma cultura moderna — resultado de forças globais —, muito mais que "autêntica".

A VISÃO GLOBAL

Do ponto de vista prático, o estágio mais importante no processo de unificação global ocorreu nos últimos séculos, com o crescimento dos impérios e a

25. *Chefes sioux (1905). Nem os sioux nem qualquer outra grande tribo das planícies norte-americanas tinham cavalos antes de 1492.*

intensificação do comércio. Laços cada vez mais estreitos se formaram entre os povos afro-asiáticos, americanos, australianos e da Oceania. Assim, a pimenta mexicana apareceu na culinária indiana e bois e vacas espanhóis começaram a pastar na Argentina. Contudo, de uma perspectiva ideológica, o primeiro milênio antes de Cristo foi ainda mais relevante, quando a ideia de uma ordem universal criou raízes. Durante milhares de anos a história vinha se movendo devagar na direção da unidade global, mas a ideia de uma ordem universal que governasse todo o mundo ainda era estranha para a maioria das pessoas.

O *Homo sapiens* evoluiu para pensar que as pessoas estão divididas entre nós e eles. "Nós" era o grupo que estava ao redor de você, seja lá quem você fosse, e "eles" eram todos os outros. Na verdade, nenhum animal social é guiado pelos interesses de toda a espécie à qual pertence. Nenhum chimpanzé se importa com os interesses da espécie de chimpanzés, nenhuma lesma vai erguer um tentáculo para defender a comunidade global de lesmas, nenhum leão alfa pensa em se tornar o rei de todos os leões, e na entrada de nenhuma colmeia se lê o slogan: "Abelhas-operárias de todo o mundo, uni-vos!".

Todavia, começando com a Revolução Cognitiva, o *Homo sapiens* se tornou cada vez mais excepcional a esse respeito. As pessoas começaram a cooperar regularmente com completos desconhecidos, que imaginavam ser "irmãos" ou "amigos". Mas essa irmandade não era universal. Em algum lugar do vale vizinho, ou do outro lado da cadeia de montanhas, ainda se podia sentir a presença "deles". Quando o primeiro faraó, Menés, unificou o Egito por volta de 3000 a.C., ficou claro para os egípcios que o lugar onde viviam tinha uma fronteira e que, para além dela, os "bárbaros" estavam à espreita. Os bárbaros eram diferentes e ameaçadores, e só despertavam interesse por terem terras ou recursos naturais que os egípcios desejavam. Todas as ordens imaginadas criadas pelas pessoas tendiam a ignorar uma parcela substancial da humanidade.

O primeiro milênio antes de Cristo testemunhou o surgimento de três ordens universais em potencial, cujos devotos puderam pela primeira vez imaginar o mundo todo e toda a raça humana como uma unidade governada por um único conjunto de leis. Todos eram "nós", ao menos em potencial. Não havia mais "eles". A primeira ordem universal a surgir foi econômica: a ordem monetária. A segunda foi política: a ordem imperial. A terceira foi religiosa: a ordem das religiões universais como o budismo, o cristianismo e o islamismo.

Comerciantes, conquistadores e profetas foram os primeiros que conseguiram transcender a divisão evolutiva binária do "nós versus eles", antevendo a unidade potencial da humanidade. Para os comerciantes, o mundo inteiro era um único mercado, e todos os humanos eram fregueses em potencial. Eles tentaram estabelecer uma ordem econômica que se aplicasse a todos e em toda parte. Para os conquistadores, o mundo inteiro era um único império, e todos os humanos eram súditos em potencial. E, para os profetas, o mundo inteiro tinha uma única verdade, e todos os humanos eram fiéis em potencial. Eles também tentaram estabelecer uma ordem que poderia ser aplicada a todos e em toda parte.

Durante os últimos três milênios, as pessoas fizeram tentativas cada vez mais ambiciosas para transformar em realidade essa visão global. Os três próximos capítulos examinam como o dinheiro, os impérios e as religiões universais se espalharam, e como lançaram as bases para o mundo unificado que temos hoje. Começaremos com a história do maior conquistador de todos os tempos, dotado de extrema tolerância e adaptabilidade, e que, assim, conseguiu transformar as pessoas em discípulos ardorosos. Esse conquistador é o dinheiro. Pessoas que não creem no mesmo deus nem obedecem ao mesmo rei ficam bastante contentes em usar o mesmo dinheiro. Osama bin Laden, apesar de todo o seu ódio pela cultura, pela religião e pela política dos Estados Unidos, gostava muito dos dólares norte-americanos. Como o dinheiro teve sucesso onde deuses e reis fracassaram?

10. O cheiro do dinheiro

Em 1519, Hernán Cortés e seus conquistadores invadiram o México, até então um mundo humano isolado. Os astecas, como o povo que lá vivia se autodenominava, rapidamente notaram que os estrangeiros demonstravam um extraordinário interesse por certo metal amarelo. Na verdade, os estrangeiros só falavam naquilo. Os nativos estavam familiarizados com o ouro — por ser bonito e fácil de trabalhar, era usado para fazer joias e estátuas, e vez por outra faziam-se trocas usando o pó de ouro. Mas quando um asteca queria comprar alguma coisa, em geral pagava com favas de cacau ou peças de tecido. A obsessão dos espanhóis pelo ouro parecia, portanto, inexplicável. O que era tão importante em um metal que não podia ser comido, bebido ou tecido, além de ser maleável demais para ser usado em ferramentas ou armas? Quando os locais perguntaram a Cortés por que os espanhóis tinham tamanha paixão pelo ouro, o conquistador respondeu: "Porque eu e meus companheiros sofremos de uma doença do coração que só pode ser curada com ele".[1]

No mundo afro-asiático, de onde vinham os espanhóis, a obsessão pelo ouro era de fato epidêmica. Até os inimigos mais amargos ansiavam pelo mesmo metal amarelo e inútil. Três séculos antes da conquista do México, os antepassados de Cortés e seus exércitos tinham travado uma sangrenta guerra religiosa contra os reinos muçulmanos na península Ibérica e no Norte da África. Os seguidores de Jesus Cristo e os seguidores de Alá se mataram aos milhares, devastaram plantações e pomares, transformaram cidades prósperas em ruínas fumegantes — tudo pela glória de Jesus Cristo ou Alá.

À medida que foram ganhando a supremacia, os cristãos marcaram sua vitória não apenas destruindo mesquitas e construindo igrejas, como também lançando novas moedas de ouro e prata com o símbolo da cruz e agradecimentos a Deus por Sua ajuda no combate aos infiéis. Entretanto, junto com essas novas peças, os vencedores cunharam outro tipo de moeda, chamada *millares*, que trazia uma mensagem um pouco diferente. Essas moedas quadradas feitas pelos conquistadores cristãos eram enfeitadas por graciosas inscrições em árabe que declaravam: "Não há outra divindade além de Alá, e Maomé é seu mensageiro". Até mesmo os bispos católicos de Melgueil e Agde emitiram essas cópias fiéis dessas populares moedas muçulmanas, e os cristãos tementes a Deus as utilizavam de muito bom grado.[2]

A tolerância floresceu também no outro lado da montanha. Os mercadores muçulmanos no norte da África faziam negócios usando moedas cristãs como o florim florentino, o ducado veneziano e o gigliato napolitano. Até os governantes muçulmanos, que convocavam uma jihad contra os cristãos infiéis, ficavam felizes em receber os impostos em moedas que invocavam Jesus Cristo e a Virgem Maria.[3]

QUANTO CUSTA ISSO?

Os caçadores-coletores não tinham dinheiro. Cada bando caçava, coletava e produzia quase tudo de que precisava, da carne aos remédios, dos sapatos à bruxaria. Diferentes membros do bando podem ter se especializado em tarefas distintas, porém dividiam seus bens e serviços numa economia de favores e deveres. Um pedaço de carne dado gratuitamente levava consigo a presunção de reciprocidade — digamos, ajuda médica gratuita. O bando era economicamente independente, apenas alguns poucos itens que não podiam ser encontrados no local — conchas, pigmentos, obsidianas e coisas do gênero — precisavam ser obtidos com estranhos. Isso em geral podia ser feito por meio de um simples escambo: "Nós lhe damos umas conchas do mar bonitas, e vocês nos dão uma pedra de boa qualidade".

Isso mudou pouco com a chegada da Revolução Agrícola. A maioria das pessoas continuou a viver em comunidades pequenas e familiares. Como um bando de caçadores-coletores, cada aldeia era uma unidade econômica autossuficiente, mantida por meio de favores e obrigações mútuas, além de algum escambo com forasteiros. Um habitante podia ser especialmente adepto da fabricação de sapatos, outro da prestação de cuidados medicinais, e por isso os aldeões sabiam a quem recorrer quando estavam descalços ou doentes. Mas como eram agrupamentos pequenos e com economias limitadas, não era possível ter sapateiros e médicos em tempo integral.

O surgimento de cidades e reinos e a melhoria na infraestrutura de transporte propiciaram novas oportunidades de especialização. Cidades densamente povoadas asseguravam emprego em tempo integral não apenas para sapateiros e médicos profissionais, mas também para carpinteiros, sacerdotes, soldados e advogados. As aldeias que ganhavam reputação por produzir vinho, azeite ou objetos de cerâmica muito bons descobriam que valia a pena se especializar quase exclusivamente naquele produto e negociá-lo com outras povoações em troca dos demais itens de que careciam. Isso fazia muito sentido. Como os climas e os solos são diferentes, por que beber um vinho medíocre de seu quintal se é possível comprar uma variedade refinada de um lugar cujo solo e clima se revelam bem mais adequados às videiras? Se a argila em seu quintal produz jarros mais fortes e bonitos, então você pode fazer uma troca. Além disso, viticultores e oleiros especializados e empregados em tempo integral, isso sem falar de médicos e advogados, podem se aperfeiçoar para o bem de todos. No entanto, a especialização gerava um problema: como se pode trocar bens entre especialistas?

Uma economia de favores e obrigações não funciona quando um grande número de desconhecidos tenta cooperar. Uma coisa é ajudar de graça uma irmã ou um vizinho, outra bem diferente é cuidar de pessoas de fora que talvez nunca retribuam o favor. Pode-se recorrer ao escambo, porém ele só é eficaz para uma variedade limitada de produtos. Não pode servir como base de uma economia complexa.[4]

Para compreender as limitações do escambo, imagine que você tem um pomar numa região montanhosa que produz as maçãs mais doces e crocantes de toda a província. Você trabalha tão duro que seus sapatos se desgastaram. Então, você prepara a carroça e segue em direção ao mercado que fica na beira do rio. Seu vizinho lhe disse que um sapateiro na extremidade sul da praça fez para ele um par de botas muito resistentes que durou cinco anos. Você encontra a barraca e oferece algumas maçãs pelos sapatos de que precisa.

O sapateiro hesita. Quantas maçãs deveria pedir como pagamento? Todos os dias, ele encontra dezenas de fregueses, alguns trazendo sacos de maçãs, outros trazem trigo, cabras ou tecido — tudo isso de qualidade muito variável. Outros ainda oferecem em troca seu conhecimento em fazer petições ao rei ou curar dores na coluna. A última vez que o sapateiro trocou sapatos por maçãs foi há três meses, quando pediu três sacos. Ou foram quatro? Mas, pensando bem, aquelas maçãs eram do vale e eram ácidas, e não essas de primeira qualidade vindas das montanhas. Por outro lado, daquela vez as maçãs haviam sido trocadas por sapatos pequenos de mulher. Esse sujeito quer botas para homem. Além disso, nas últimas semanas uma doença dizimou os rebanhos no entorno da cidade, e as peles estão cada vez mais escassas. Os donos dos curtumes estão começando a cobrar o dobro do valor de sapatos prontos pela mesma quantidade de couro. Será que tudo isso não deve ser levado em conta?

Numa economia de escambo, o sapateiro e o produtor de maçãs tinham de reaprender todos os dias os preços relativos de dezenas de mercadorias. Se cem produtos distintos são comercializados no mercado, então vendedores e compradores teriam de conhecer 4950 taxas de câmbio diferentes. E se mil produtos são comercializados, vendedores e compradores devem fazer malabarismos com 499 500 taxas de câmbio diversas![5] Como calcular algo assim?

E fica ainda pior. Mesmo se você conseguir calcular quantas maçãs equivalem a um par de botas, o escambo nem sempre é possível. Afinal, uma transação exige que ambas as partes queiram o que a outra tem a oferecer. O que ocorre se o sapateiro não gostar de maçãs e se, naquele exato momento, o que ele de fato deseja é um divórcio? É verdade que o fazendeiro poderia procurar um advogado que goste de maçãs e fazer uma negociação triangular. Mas, e se o advogado estiver cheio de maçãs e o que de fato precisa é cortar o cabelo?

Algumas sociedades tentaram resolver o problema estabelecendo um sistema central de escambo que reunia artigos de produtores especializados para distribuí-los a quem necessitava. O maior e mais famoso desses experimentos foi realizado na União Soviética, porém foi um grande fracasso. "Cada um trabalha de acordo com as suas capacidades e recebe de acordo com as suas necessidades" se revelou na prática "cada um trabalha o mínimo possível e recebe o máximo que puder pegar". Experimentos mais moderados e exitosos foram realizados em outras ocasiões, como no Império Inca. Entretanto, a maioria das sociedades descobriu uma forma mais fácil de conectar grandes números de especialistas — criaram o dinheiro.

CONCHAS E CIGARROS

O dinheiro foi criado muitas vezes em diversos lugares. Seu desenvolvimento não demandou nenhum avanço tecnológico — foi apenas uma revolução mental. Envolveu a criação de uma nova realidade intersubjetiva que existe apenas na imaginação compartilhada das pessoas.

Dinheiro não se resume a moedas e cédulas. É qualquer coisa que as pessoas estão dispostas a usar que represente sistematicamente o valor de outra coisa para intercambiar bens e serviços. O dinheiro permite que se compare de maneira rápida e simples o valor de mercadorias diferentes (como maçãs, sapatos e divórcios), que se troque sem dificuldades uma coisa por outra, e que se armazene riqueza de forma conveniente. Houve muitos tipos de dinheiro. O mais conhecido é a moeda, uma peça padrão de metal gravado. Todavia, o dinheiro já existia muito antes da invenção da cunhagem, e várias culturas prosperaram usando outras coisas, como conchas, cabeças de gado, pele, sal, grãos, contas e notas promissórias. Na África, no sul e no leste da Ásia e na Oceania, os búzios foram usados como dinheiro por cerca de 4 mil anos. Na Uganda britânica, os impostos podiam ser pagos com búzios até o começo do século xx.

Nas prisões e nos campos de prisioneiros de guerra modernos, os cigarros com frequência servem como dinheiro. Mesmo prisioneiros que não fumam se dispõem a aceitar cigarros como pagamento, calculando o valor de outros bens e serviços nesses termos. Um sobrevivente de Auschwitz descreveu a moeda usada no campo:

> Nós tínhamos nossa própria moeda no campo cujo valor ninguém discutia: o cigarro. O preço de todos os artigos era calculado em cigarros [...]. Em tempos "normais", isto é, quando os candidatos às câmaras de gás chegavam com frequência, um pão custava doze cigarros; um pacote de trezentos gramas de margarina, trinta; um relógio, de oitenta a duzentos; um litro de álcool, quatrocentos cigarros![6]

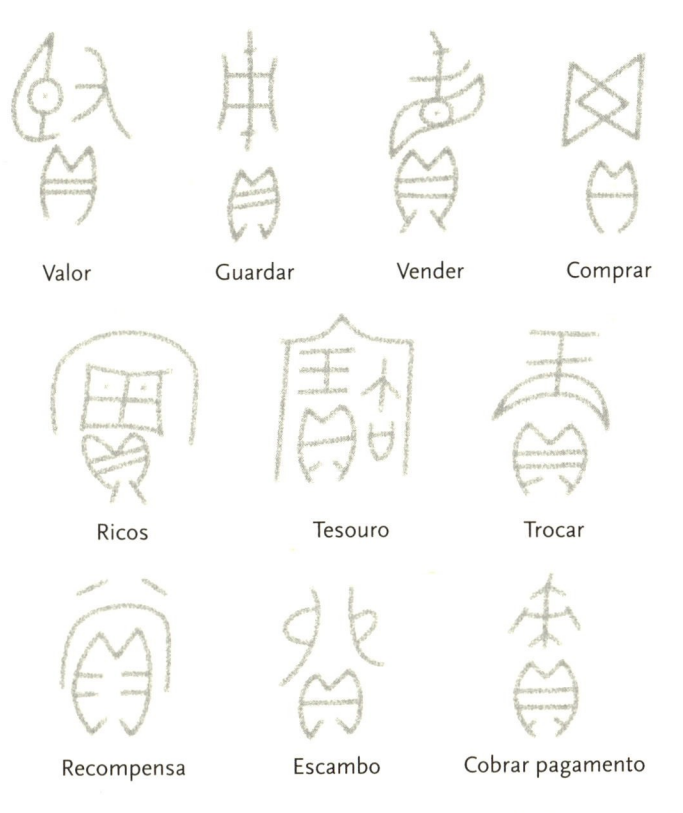

Valor	Guardar	Vender	Comprar
Ricos	Tesouro	Trocar	
Recompensa	Escambo	Cobrar pagamento	

26. *Na escrita chinesa antiga, o sinal de búzios representava dinheiro, em palavras como "vender" ou "recompensa".*

Na verdade, mesmo hoje moedas e cédulas são uma forma pouco comum de dinheiro. Embora a soma total do dinheiro disponível no mundo seja de cerca de 60 trilhões de dólares, a soma total de moedas e cédulas é inferior a 6 trilhões de dólares.[7] Mais de 90% de todo o dinheiro — mais de 50 trilhões de dólares que aparecem em nossas contas bancárias — só existe nos servidores dos computadores. Assim, a maior parte das transações é realizada transferindo-se informações de um arquivo eletrônico para outro, sem nenhuma troca de dinheiro físico. Só um criminoso compra uma casa, por exemplo, com uma mala cheia de notas de dinheiro. Enquanto as pessoas estiverem dispostas a trocar bens e serviços por dados eletrônicos, é melhor do que moedas reluzentes e notas ainda estalando — mais leve, menos volumoso e mais fácil de monitorar.

Para que sistemas comerciais complexos funcionem, algum tipo de dinheiro é indispensável. Um sapateiro numa economia monetária precisa saber apenas os preços de vários tipos de sapatos — não é necessário memorizar as taxas de câmbio entre sapatos e maçãs ou cabras. O dinheiro também deixa os produtores de maçã livres de procurar sapateiros que gostem dessa fruta, porque todo mundo sempre quer dinheiro. Essa é talvez sua qualidade mais básica. Todo mundo quer dinheiro porque todos os outros também o querem, o que significa que você pode trocar dinheiro por qualquer coisa que deseje ou precise. O sapateiro sempre ficará feliz em receber seu dinheiro porque, não importa o que ele de fato queira — maçãs, cabras ou um divórcio —, ele pode obter em troca disso.

Assim, o dinheiro é um meio universal de troca que permite que quase qualquer coisa se transforme em praticamente qualquer outra coisa. Força física é convertida em cérebro quando um soldado dispensado do Exército financia seus estudos universitários com os benefícios militares. Terra se converte em lealdade quando um barão vende parte de sua propriedade para sustentar seus criados. Saúde é convertida em justiça quando um médico usa seus honorários para pagar um advogado — ou subornar um juiz. É possível até mesmo converter sexo em salvação, como costumavam fazer as prostitutas do século xv, quando dormiam com homens por dinheiro e então usavam o valor para comprar indulgências da Igreja católica.

Tipos ideais de dinheiro possibilitam às pessoas não somente transformar uma coisa em outra, mas também armazenar riqueza. Muitas coisas de valor não podem ser guardadas — como o tempo e a beleza. Algumas coisas só podem ser guardadas por pouco tempo, como morangos. Outras são mais duráveis, porém ocupam bastante espaço e exigem instalações caras e cuidados especiais. Os grãos, por exemplo, podem ser armazenados por anos, mas, para isso, é necessário construir grandes depósitos e protegê-los de ratos, mofo, água, fogo e ladrões. O dinheiro, seja em papel, em dados de computador ou em búzios, resolve esses problemas. Os búzios não apodrecem, são intragáveis para os ratos, podem sobreviver ao fogo e são suficientemente compactos para caber num cofre.

Para usar a riqueza, não basta guardá-la. Com frequência é preciso transportá-la de um lugar para outro. Algumas formas de riqueza, como imóveis, não podem ser transportadas de jeito nenhum. Produtos como trigo e arroz são difíceis de transportar. Imagine um fazendeiro rico que vive numa terra sem dinheiro e que se muda para uma província distante. Sua riqueza consiste sobretudo em sua casa e nos arrozais. Ele não pode levar nenhuma dessas coisas consigo. Pode trocá-las por toneladas de arroz, mas seria muito penoso e caro transportar um volume tão grande desse produto. O dinheiro resolve esses problemas. O fazendeiro pode vender sua propriedade por um saco de búzios, que pode ser carregado com facilidade para onde ele for.

Porque o dinheiro pode converter, armazenar e transportar riqueza de modo simples e barato, ele foi uma contribuição vital para o surgimento de mercados dinâmicos e redes comerciais complexas. Sem dinheiro, mercados e redes comerciais estariam condenados a permanecer muito limitados em seu tamanho, sua complexidade e seu dinamismo.

COMO O DINHEIRO FUNCIONA?

Búzios e dólares só têm valor em nossa imaginação coletiva. Seu valor não é inerente à estrutura química, à cor ou ao formato das conchas ou do papel. Em outras palavras, o dinheiro não é uma realidade material — é uma construção psicológica. Funciona ao converter matéria em pensamento. Mas por que consegue fazer isso? Por que alguém estaria disposto a trocar um arrozal fértil por um punhado de búzios inúteis? Por que você fritaria hambúrgueres, venderia seguros-saúde ou tomaria conta de três crianças travessas quando tudo que receberia pelo esforço são alguns pedaços de papel colorido?

As pessoas estão dispostas a fazer tais coisas quando confiam nos produtos da imaginação coletiva. A confiança é a matéria-prima com a qual todos os tipos de dinheiro são cunhados. Ao vender suas posses por um saco de búzios e levá-los para outra província, o fazendeiro rico confiou que, chegando lá, outras pessoas estariam dispostas a lhe vender arroz, casas e campos em troca daquelas conchas. Assim, o dinheiro é um sistema de confiança mútua, mas não um sistema qualquer: *o dinheiro é o sistema de confiança mútua mais universal e mais eficiente que já existiu.*

O que criou essa confiança foi uma longa e complexa rede de relações políticas, sociais e econômicas. Por que eu acredito no búzio, na moeda de ouro ou na nota de um dólar? Porque meus vizinhos acreditam neles. E meus vizinhos acreditam neles porque eu também acredito. E todos nós acreditamos neles porque nosso rei acredita e os exige na forma de impostos, e porque nosso sacerdote acredita e os exige na forma de dízimos. Se examinamos com cuidado uma nota de um dólar, veremos que é apenas um pedaço de papel colorido com a assinatura do secretário do Tesouro dos Estados Unidos de um lado e, do outro, o slogan "*In God we trust*" [Em Deus nós confiamos]. Aceitamos a nota de dólar como pagamento porque confiamos em Deus e no secretário do Tesouro dos Estados Unidos. O papel crucial assumido pela confiança explica por que nossos sistemas financeiros se encontram tão intimamente ligados a nossos sistemas políticos, sociais e ideológicos, por que as crises financeiras são muitas vezes desencadeadas por eventos políticos e por que o mercado de ações pode subir ou cair dependendo de como os corretores de ações estão se sentindo numa determinada manhã.

De início, quando as primeiras versões do dinheiro foram criadas, as pessoas não tinham esse tipo de confiança, e por isso foi preciso definir como "dinheiro" coisas que tinham valor intrínseco real. A primeira versão conhecida na história — os grãos de cevada — é um bom exemplo. Apareceu na Suméria por volta de 3000 a.C., na mesma época e no mesmo lugar em que surgiu a escrita, e em circunstâncias bem parecidas. Assim como a escrita se desenvolveu como resposta à necessidade de intensificar as atividades administrativas, o dinheiro de cevada entrou em cena para atender à necessidade de intensificar as atividades econômicas.

Aquele dinheiro era apenas cevada — volumes determinados de grãos de cevada usados como uma medida geral para avaliar e trocar por todos os outros bens e serviços. A medida mais comum era a *sila*, equivalente a aproximadamente um litro. Tigelas padronizadas com a capacidade de uma sila foram produzidas em massa a fim de que, quando alguém precisasse comprar ou vender alguma coisa, fosse fácil medir o volume adequado de cevada. Os salários também eram fixados e pagos em silas de cevada. Um trabalhador ganhava sessenta silas por mês, uma trabalhadora recebia trinta silas. Um capataz podia ganhar entre 1200 e 5 mil silas. Nem o mais esfomeado capataz podia comer 5 mil litros de cevada num mês, mas podia utilizar as silas que não comia para adquirir todo tipo de produtos — azeite, cabras, escravos ou outra comida que não fosse cevada.[8]

Muito embora a cevada tivesse valor intrínseco, não era fácil convencer as pessoas a usá-la como *dinheiro* e não apenas como outra mercadoria qualquer. Para entender por quê, basta pensar no que aconteceria se você levasse um saco cheio de cevada para seu shopping center predileto e tentasse comprar uma camisa ou uma pizza. Os vendedores provavelmente chamariam o segurança. No entanto, era de algum modo mais fácil gerar confiança na cevada como o primeiro tipo de dinheiro porque ela tinha um valor biológico inerente. Os seres humanos podem comê-la. Por outro lado, era difícil armazenar e transportar cevada. A verdadeira inovação na história monetária ocorreu quando as pessoas ganharam confiança em um dinheiro que não tinha valor intrínseco, porém era mais fácil de armazenar e transportar. Esse dinheiro apareceu na antiga Mesopotâmia em meados do terceiro milênio antes de Cristo. Foi o siclo de prata.

O siclo de prata não era uma moeda, mas 8,33 gramas de prata. Quando o Código de Hamurábi declarou que um homem da classe superior que matava uma escrava devia pagar ao dono dela vinte siclos de prata, isso significava que ele devia pagar 166 gramas de prata, não vinte moedas. Os termos monetários no Antigo Testamento são quase sempre expressos em termos de prata, e não de moedas. Os irmãos de José o venderam aos ismaelitas por vinte siclos ou 166 gramas de prata (o mesmo preço de uma escrava — afinal, ele ainda era um rapaz).

Ao contrário da sila de cevada, o siclo de prata não tinha valor intrínseco. Não podemos comer, beber ou tecer prata, e ela é maleável demais para fazer ferramentas úteis — arados ou espadas de prata se amassariam quase tão rápido quanto se feitos de folha de alumínio. Quando usados para alguma coisa, a prata e o ouro são transformados em joias, coroas e outros símbolos de status — bens suntuários que os membros de determinadas culturas identificam como indicação de posição social elevada. O valor deles é puramente cultural.

Certas medidas de metais preciosos com o tempo deram origem às moedas. As primeiras na história foram cunhadas por volta de 640 a.C. pelo rei Aliates da Lídia, no oeste da Anatólia. Essas moedas tinham um peso padronizado de ouro ou de prata e eram gravadas com uma marca de identificação. A marca atestava duas coisas. Primeiro, quanto do metal precioso a moeda trazia. Segundo, qual a autoridade que a emitira e que garantia seu conteúdo. Quase todas as moedas em uso atualmente são descendentes das moedas da Lídia.

As moedas possuíam duas importantes vantagens sobre as barras de metal não marcadas. Primeiro, as barras precisavam ser pesadas a cada transação. Segundo, não bastava pesar a barra. Como o sapateiro pode saber se a barra de prata que eu entrego em troca de minhas botas é realmente feita de prata pura, e não de chumbo com uma fina camada de prata por fora? As moedas resolvem esses problemas. A marca gravada nelas confirma seu valor exato, de modo que o sapateiro não necessita ter uma balança junto à caixa registradora. Mais importante, a marca na moeda é a assinatura de alguma autoridade política que garante seu valor.

Ao longo da história, o formato e o tamanho da marca variaram muito, mas a mensagem nunca mudou: "Eu, o grande rei Fulano de Tal, dou minha palavra de honra de que este disco de metal contém exatamente cinco gramas de ouro. Se alguém ousar falsificar esta moeda, estará imitando minha assinatura, o que seria uma mancha em minha reputação. Punirei tal crime com a máxima severidade". É por isso que falsificar dinheiro sempre foi considerado um crime muito mais grave que outros tipos de fraude. Falsificar dinheiro não é apenas um engodo — é uma ofensa à soberania, um ato de subversão contra o poder, os privilégios e a pessoa do rei. A expressão jurídica era lesa-majestade, sendo tipicamente punida com tortura e morte. Desde que as pessoas confiassem no poder e na integridade do rei, elas acreditavam em suas moedas. Desconhecidos podiam facilmente concordar quanto ao valor de um denário romano porque confiavam no poder e na integridade do imperador de Roma, cujo nome e efígie adornavam aquela moeda.

Por outro lado, o poder do imperador dependia do denário. Como seria difícil manter o Império Romano sem moedas — caso o imperador tivesse de cobrar impostos e pagar salários em cevada e trigo! Seria impossível coletar impostos sob a forma de cevada na Síria, transportá-la para o Tesouro central em Roma e depois enviá-la à Britânia a fim de pagar as legiões que lá estavam. Seria igualmente difícil manter o império se os habitantes de Roma acreditassem em moedas de ouro, mas as populações dominadas rejeitassem tal crença, depositando sua confiança em búzios, contas de marfim ou peças de tecido.

27. *Uma das primeiras moedas da história, da Lídia, do século VII a.C.*

O EVANGELHO DO OURO

A confiança nas moedas de Roma era tão grande que, mesmo para além das fronteiras do império, as pessoas ficavam felizes em receber pagamento em denários. No século I, as moedas romanas eram aceitas nos mercados da Índia, embora a legião romana mais próxima estivesse a milhares de quilômetros de distância. Os indianos confiavam tanto no denário e na efígie do imperador que, quando os governantes locais cunharam suas próprias moedas, copiaram o denário, incluindo até mesmo a imagem do imperador romano! O nome "denário" se tornou uma designação genérica para moeda. Os califas muçulmanos arabizaram o termo e lançaram os "dinares". Dinar é ainda hoje o nome oficial da moeda da Jordânia, do Iraque, da Sérvia, da Macedônia, da Tunísia e de diversos países.

Enquanto a cunhagem de moedas no estilo lídio avançava do Mediterrâneo para o oceano Índico, a China desenvolvia um sistema monetário um pouco distinto, baseado em moedas de bronze e barras de prata e de ouro não marcadas. No entanto, os dois sistemas monetários tinham tantas coisas em comum (em especial a dependência do ouro e da prata), que as zonas chinesa e lídia estabeleceram relações comerciais estreitas. Aos poucos, mercadores e conquistadores muçulmanos e europeus foram levando o sistema lídio e o evangelho do ouro para os rincões mais remotos do planeta. No final da era moderna, o mundo inteiro constituía uma única zona monetária, baseada inicialmente no ouro e na prata e, mais tarde, em algumas poucas moedas dignas de confiança, como a libra esterlina e o dólar norte-americano.

O surgimento de uma única zona monetária transnacional e transcultural assentou a base para a unificação da Afro-Ásia, e mais tarde de todo o globo terrestre, em apenas uma esfera econômica e política. As pessoas continuaram a falar idiomas incompreensíveis, a obedecer a governantes diferentes e a adorar diversos deuses, mas todos acreditavam no ouro e na prata, nas moedas de ouro e de prata. Sem essa crença compartilhada, as redes globais de comércio teriam sido praticamente impossíveis. O ouro e a prata que os conquistadores do século XVI encontraram na América permitiram aos mercadores europeus comprar seda, porcelana e especiarias no leste da Ásia, movendo assim as engrenagens do crescimento econômico europeu e do Leste Asiático. A maior parte do ouro e da prata extraída do México e dos Andes escapou dos europeus e encontrou abrigo nas bolsas dos produtores chineses de seda e porcelana. O que teria acontecido à economia global se os chineses não sofressem da mesma "doença do coração" que Cortés e seus companheiros — e tivessem se recusado a aceitar pagamentos em ouro e prata?

No entanto, por que chineses, indianos, muçulmanos e espanhóis — que pertenciam a culturas muito diferentes e eram incapazes de concordar em quase qualquer coisa — ainda assim compartilhavam a crença no ouro? Por que os espanhóis não acreditavam no ouro, enquanto os muçulmanos acreditavam em cevada, os indianos em búzios e os chineses em peças de seda? Os economistas têm uma resposta na ponta da língua: como o comércio conecta duas áreas, as forças da oferta e da demanda tendem a equalizar os preços dos bens transportáveis. Para entender isso, vamos tomar um caso hipotético. Digamos que, quando se abriram canais frequentes de comércio entre a Índia e o Mediterrâneo, os indianos não tivessem interesse pelo ouro, então o metal não tinha praticamente nenhum valor. No Mediterrâneo, entretanto, o ouro era um símbolo de status cobiçado, tendo assim um valor elevado. O que aconteceria então?

Os mercadores que viajavam entre a Índia e o Mediterrâneo notariam a diferença de valor do ouro. Buscando o lucro, comprariam o ouro barato na Índia e o venderiam a um bom preço no Mediterrâneo. Consequentemente, a demanda por ouro na Índia cresceria de maneira substancial, elevando o seu valor. Ao mesmo tempo, o Mediterrâneo veria um grande influxo de ouro, cujo valor tenderia assim a cair. Em pouco tempo, o valor do ouro na Índia e no Mediterrâneo seria bastante parecido. O simples fato de as pessoas no Mediterrâneo acreditarem no ouro levaria os indianos a acreditarem nele também. Mesmo que na Índia ainda não existisse um uso efetivo para esse metal, só de os povos do Mediterrâneo o desejarem já seria suficiente para induzir os indianos a valorizá-lo.

Do mesmo modo, o fato de outra pessoa acreditar em búzios, dólares ou dados eletrônicos é suficiente para fortalecer nossa crença neles, mesmo se a odiamos, desprezamos ou ridicularizamos. Cristãos e muçulmanos, que não conseguiam concordar em suas crenças religiosas, eram contudo capazes de concordar em suas crenças monetárias porque, enquanto a religião exige que acreditemos em alguma coisa, o dinheiro exige que acreditemos que *outras pessoas acreditem em alguma coisa*.

Durante milhares de anos, filósofos, pensadores e profetas têm vilipendiado o dinheiro, considerando-o a raiz de todos os males. Seja isso verdade ou não, o dinheiro é também o apogeu da tolerância humana. O dinheiro é mais compreensivo que a linguagem, as leis governamentais, os códigos culturais, as crenças religiosas e os hábitos sociais. O dinheiro é o único sistema de confiança criado por humanos capaz de superar praticamente qualquer abismo cultural, além de não discriminar religião, gênero, raça, idade ou orientação sexual. Graças ao dinheiro, até pessoas que não se conhecem podem cooperar de maneira eficiente.

O PREÇO DO DINHEIRO

O dinheiro é baseado em dois princípios universais:

a. Conversibilidade universal: com o dinheiro como alquimista, podemos transformar terras em lealdade, justiça em saúde e violência em conhecimento.
b. Confiança universal: com o dinheiro como intermediário, duas pessoas quaisquer podem cooperar em qualquer projeto.

Esses princípios possibilitaram a milhões de desconhecidos cooperar de maneira eficiente no comércio e na indústria. Mas, apesar de aparentemente benignos, tais princípios têm uma faceta sombria. Quando tudo é conversível, e quando a confiança depende de moedas e de búzios anônimos, as tradições locais, as relações íntimas e os valores humanos são corroídos e substituídos pelas leis frias da oferta e da demanda.

As comunidades e as famílias humanas sempre se basearam na crença em coisas "sem preço", como honra, lealdade, moralidade e amor. Essas coisas estão fora do domínio do mercado e não deveriam ser compradas ou vendidas por dinheiro nenhum. Mesmo que o mercado ofereça um bom preço, certas coisas simplesmente não devem ser feitas. Os pais não devem vender seus filhos como escravos; um cristão devoto não deve cometer um pecado mortal; um cavaleiro leal não deve jamais trair seu senhor; e terras tribais ancestrais não devem ser vendidas a estrangeiros.

O dinheiro sempre tentou romper essas barreiras, como a água se infiltrando nas rachaduras de uma barragem. Pais se viram forçados a vender alguns de seus filhos como escravos para comprar comida para os demais. Cristãos devotos mataram, roubaram e trapacearam, usando depois o butim para comprar o perdão da Igreja. Cavaleiros ambiciosos leiloaram sua lealdade e a entregaram a quem oferecesse mais, enquanto asseguravam a lealdade de seus próprios seguidores com pagamentos em dinheiro vivo. Terras tribais foram vendidas a estrangeiros vindos do outro lado do mundo para comprar um bilhete de entrada na economia global.

O dinheiro tem uma faceta ainda mais perversa. Embora crie uma confiança universal entre desconhecidos, essa confiança é investida não em seres humanos, comunidades ou valores sagrados, mas no próprio dinheiro e nos sistemas impessoais que o sustentam. Não confiamos no desconhecido ou em nosso vizinho — confiamos na moeda que eles carregam. Se suas moedas acabarem, acaba também a nossa confiança. Enquanto o dinheiro destrói as barragens da comunidade, da religião e do Estado, o mundo corre o risco de se transformar num grande mercado impiedoso.

Por isso, a história econômica da humanidade é uma dança delicada. As pessoas dependem do dinheiro para facilitar a cooperação entre desconhecidos, mas temem que ele corrompa os valores humanos e as relações íntimas. Com uma das mãos, as pessoas deliberadamente destroem as barragens comunitárias que por algum tempo impediram o movimento do dinheiro e do comércio. Entretanto, com a outra, constroem novas, que protegem a sociedade, a religião e o meio ambiente de se tornarem escravos das forças do mercado.

Nos dias de hoje, é comum acreditar que o mercado sempre prevalece, e que as barragens erigidas por reis, sacerdotes e comunidades não são capazes de conter por muito tempo as marés do dinheiro. Essa é uma visão ingênua. Guerreiros brutais, fanáticos religiosos e cidadãos preocupados têm repetidas vezes conseguido derrotar mercadores frios e inclusive remodelar a economia. Assim, é impossível entender a unificação da humanidade como um processo puramente econômico. A fim de compreender como milhares de culturas isoladas se fundiram com o tempo para formar a atual aldeia global, precisamos considerar o papel do ouro e da prata, mas não podemos ignorar o papel igualmente crucial do aço.

11. Visões imperiais

Os antigos romanos estavam acostumados a ser derrotados. Como os governantes de quase todos os grandes impérios da história, podiam perder uma batalha após a outra e ainda assim vencer a guerra. Um império que não consegue sofrer um choque e continuar de pé não é de fato um império. Contudo, até os romanos tiveram dificuldade em digerir as notícias vindas do norte da península Ibérica em meados do século II a.C. Uma insignificante cidadezinha montanhosa chamada Numância, habitada por celtiberos, tinha ousado se libertar do jugo romano. Na época, Roma era a dona inquestionável de toda a bacia do Mediterrâneo, tendo derrotado os impérios Macedônico e Selêucida, subjugado as orgulhosas cidades-Estados da Grécia e transformado Cartago numa ruína fumegante. Os numantinos nada tinham a seu favor a não ser um grande amor pela liberdade e um terreno inóspito. No entanto, haviam forçado uma legião depois da outra a se render ou a recuar vergonhosamente.

Por fim, em 134 a.C., a paciência romana se esgotou. O Senado decidiu enviar Cipião Emiliano, o maior general romano, homem responsável por arrasar Cartago, para cuidar dos numantinos. Deram-lhe um exército substancial de mais de 30 mil soldados. Cipião, que respeitava o espírito de luta e as habilidades marciais dos numantinos, preferiu não desperdiçar a vida de seus soldados num combate desnecessário. Em vez disso, cercou a Numância com uma linha de fortificações, bloqueando o contato da cidade com o mundo exterior. A fome fez o trabalho por ele. Após mais de um ano, o suprimento de comida se exauriu. Quando os numantinos se deram conta de que já não havia esperança, atearam fogo à própria cidade. Segundo os relatos dos vencedores, a maioria dos habitantes se suicidou para não se tornar escravos dos romanos.

A Numância mais tarde se transformou em símbolo da independência e da coragem espanholas. Miguel de Cervantes, autor de *Dom Quixote*, escreveu uma tragédia intitulada *O cerco de Numância* que termina com a destruição da cidade, mas também com uma visão da grandeza futura da Espanha. Poetas cantaram loas aos bravos defensores, e pintores levaram às telas majestosas imagens do cerco. Em 1882, as ruínas foram declaradas "monumento nacional" e se tornaram local de peregrinação para os patriotas espanhóis. Nas décadas de 1950 e 1960, as revistas em quadrinhos mais populares na Espanha não traziam histórias do Super-Homem ou do Homem-Aranha — contavam as aventuras de El Jabato, um herói fictício da antiga Ibéria, que lutava contra os opressores romanos. Os numantinos são até hoje um exemplo de heroísmo e patriotismo para os espanhóis, apresentados como modelo para os jovens do país.

Entretanto, os patriotas espanhóis exaltam os numantinos em *espanhol* — uma língua românica nascida do latim de Cipião. Os numantinos falavam uma língua celta já morta e perdida. Cervantes escreveu *O cerco de Numância* usando o alfabeto latino, e a peça segue modelos artísticos greco-romanos. Na Numância não havia teatros. Os patriotas espanhóis que admiram o heroísmo numantino tendem também a ser seguidores leais da Igreja católica romana — atenção para a última palavra —, uma Igreja cujo líder ainda está em Roma e cujo Deus prefere que se dirijam a Ele em latim. Do mesmo modo, a legislação espanhola moderna deriva do direito romano; a política espanhola se fundamenta em bases romanas; a culinária e a arquitetura espanholas têm uma dívida muito maior para com os romanos do que para com os celtas da Ibéria. Não sobrou de fato nada da Numância além das ruínas. Mesmo sua história chegou até nós apenas graças às obras dos historiadores romanos, escritas para agradar aos leitores romanos, que se compraziam com relatos de bárbaros amantes da liberdade. A vitória de Roma sobre a Numância foi tão completa que os vencedores cooptaram até mesmo a memória dos vencidos.

Não é o tipo de história que queremos ouvir. Gostamos de ver os oprimidos ganharem. Mas não há justiça na história. A maioria das culturas antigas em algum momento caiu vítima do exército de algum império cruel, que as relegou ao esquecimento. Os impérios também caem, mas costumam deixar para trás legados ricos e duradouros. Quase todos os habitantes do mundo no século XXI são descendentes de um ou outro império.

O QUE É UM IMPÉRIO?

Um império é uma ordem política com duas características importantes. Primeiro, para receber essa designação, é preciso dominar um número significativo de povos distintos, cada um com seu próprio território e sua própria identidade cultural. Exatamente quantos povos? Dois ou três não bastam. Vinte ou trinta é mais que suficiente. O limite está em algum ponto entre esses números.

Segundo, os impérios são caracterizados por fronteiras flexíveis e um apetite potencialmente ilimitado. Podem engolir e digerir cada vez mais nações e territórios sem alterar sua estrutura ou identidade básicas. A Grã-Bretanha tem hoje fronteiras bastante claras que não podem ser ultrapassadas sem alterar sua estrutura e sua identidade fundamentais. Há um século, quase qualquer lugar na Terra podia ser parte do Império Britânico.

A diversidade cultural e a flexibilidade territorial conferem aos impérios não apenas seu caráter singular, mas também seu papel central na história. É graças a essas duas características que os impérios foram capazes de unir diversos grupos étnicos e diferentes zonas ecológicas sob um único guarda-chuva político, integrando desse modo segmentos cada vez maiores da espécie humana e do planeta Terra.

Vale enfatizar que um império é definido apenas por sua diversidade cultural e suas fronteiras flexíveis, e não por sua origem, forma de governo, extensão territorial ou tamanho da população. Um império não precisa surgir de uma conquista militar. O Império Ateniense começou como uma liga voluntária, e o Império dos Habsburgo nasceu de uma série de argutas alianças matrimoniais. Também não é necessário que um império seja governado por um autocrata. O Império Britânico, o maior da história, era governado por uma democracia. Outros impérios democráticos (ou ao menos republicanos) incluíram os modernos impérios holandês, francês, belga e norte-americano, bem como os impérios pré-modernos de Novgorod, Roma, Cartago e Atenas.

O tamanho de fato também não importa: os impérios podem ser pequenos. O Império Ateniense em seu apogeu era muito menor em tamanho e população que a Grécia de hoje. O Império Asteca era menor que o atual México. Não obstante, ambos eram impérios, enquanto a Grécia e o México modernos não são — e isso porque os primeiros subjugaram gradualmente dezenas e mesmo centenas de diferentes unidades políticas, enquanto os últimos não o fizeram. Atenas dominou mais de cem cidades-Estados que antes eram independentes, enquanto o Império Asteca, se podemos confiar nos registros de impostos, governava 371 tribos e povos distintos.[1]

Como foi possível comprimir uma variedade humana tão grande no território de um modesto Estado moderno? Era possível porque no passado havia mais povos distintos no mundo, cada um com uma população menor e ocupando menos espaço que um povo típico atual. As terras entre o Mediterrâneo e o rio Jordão, que hoje lutam para satisfazer as ambições de apenas dois povos, nos tempos bíblicos acomodavam facilmente dezenas de nações, tribos, minúsculos reinos e cidades-Estados.

Os impérios foram uma das principais razões para a drástica redução na diversidade humana. O rolo compressor imperial aos poucos eliminou as características singulares de numerosos povos (como os numantinos), forjando agrupamentos novos e muito maiores.

IMPÉRIOS DO MAL?

Em nossos dias, a palavra "imperialista" só fica atrás de "fascista" no vocabulário dos xingamentos políticos. A crítica contemporânea dos impérios em geral toma duas formas:

1. Os impérios não funcionam. No longo prazo, não é possível governar de maneira eficiente um grande número de povos conquistados.
2. Mesmo se isso for possível, não deveria acontecer, porque os impérios são instrumentos malignos de destruição e exploração. Todos os povos têm direito à autodeterminação e nunca deveriam ser submetidos ao domínio de outro.

De uma perspectiva histórica, a primeira afirmação é um absurdo, e a segunda é extremamente problemática.

A verdade é que o império foi a forma mais comum de organização política no mundo durante os últimos 2500 anos. A maioria dos humanos ao longo desses dois milênios e meio viveu em impérios. O império também é uma forma muito estável de governo. A maior parte deles entendeu que era assustadoramente fácil sufocar rebeliões. Em geral, eles só foram derrubados por invasões externas ou cisões na elite dirigente. Por sua vez, os povos conquistados não foram muito bons em se livrar de seus senhores imperiais. Na maioria dos casos, permaneceram subjugados por centenas de anos, sendo aos poucos digeridos pelo império, até que suas culturas se desmancharam.

Por exemplo, quando o Império Romano do Ocidente por fim sucumbiu diante das tribos germânicas invasoras no ano 476, numantinos, arvernos, helvécios, samnitas, lusitanos, umbrianos e etruscos, bem como centenas de outros povos esquecidos que os romanos haviam conquistado séculos antes, não emergiram da carcaça aberta do império como Jonas da barriga do peixe gigante. Não restava nenhum deles. Os descendentes biológicos de quem tinha se identificado como membro daquelas nações, falado sua língua, adorado seus deuses e contado seus mitos e suas lendas agora pensavam, falavam e oravam como os romanos.

Em muitos casos, a destruição de um império praticamente não significava independência para os povos subjugados. Pelo contrário, um novo império ocupava o lugar deixado quando o antigo ruía ou recuava. Em nenhum lugar isso foi tão claro quanto no Oriente Médio. A constelação política atual dessa região — um equilíbrio de poder entre muitas entidades políticas com fronteiras mais ou menos estáveis — quase não tem paralelo nos últimos milênios. A última vez que o Oriente Médio viveu isso foi no século VIII a.C. — há quase 3 mil anos! Da ascensão do Império Neoassírio, no século VIII a.C., até o colapso dos impérios britânico e francês em meados do século XX, o Oriente Médio passou das mãos de um império às de outro como um bastão numa corrida de revezamento. E quando os britânicos e os franceses finalmente deixaram o bastão cair, arameus, amonitas, fenícios, filisteus, moabitas, edomitas e outros povos conquistados pelos assírios haviam desaparecido fazia muito tempo.

É verdade que os judeus, os armênios e os georgianos de hoje afirmam, com alguma justiça, que descendem dos antigos povos do Oriente Médio.

Contudo, são apenas as exceções que confirmam a regra, e mesmo essas reivindicações são exageradas até certo ponto. É evidente, por exemplo, que as práticas políticas, econômicas e sociais dos judeus modernos devem muito mais aos impérios sob os quais viveram durante os dois últimos milênios do que às tradições do antigo reino de Judá. Se o rei Davi aparecesse numa sinagoga ultraortodoxa na Jerusalém de nossos dias, ficaria totalmente perplexo ao ver as pessoas vestindo roupas do Leste Europeu, falando um dialeto germânico (iídiche) e tendo discussões intermináveis sobre o significado de um texto babilônico (o Talmude). Não havia sinagogas, exemplares do Talmude, nem mesmo rolos da Torá na antiga Judá.

Construir e manter um império em geral exigia o massacre impiedoso de grandes populações e a opressão brutal de todos os que sobravam. As ferramentas básicas dos impérios incluíam guerras, escravidão, deportação e genocídio. Quando os romanos invadiram a Escócia em 83 d.C., encontraram uma resistência feroz das tribos caledônias locais e reagiram arrasando o país. Em resposta às ofertas de paz dos romanos, o chefe Cálgaco os chamou de "rufiões do mundo", dizendo que "eles dão o nome mentiroso de império ao saque, à carnificina e ao roubo; eles criam um deserto e o chamam de paz".[2]

Entretanto, isso não significa que os impérios não deixavam nada de valor atrás de si. Falar mal de todos eles e negar as heranças imperiais implica rejeitar a maior parte da cultura humana. As elites imperiais usavam os lucros da conquista para financiar não apenas fortificações e exércitos, mas também filosofia, arte, justiça e caridade. Uma proporção substancial das conquistas culturais da humanidade deve sua existência à exploração dos povos conquistados. A prosperidade propiciada pelo imperialismo romano forneceu a Cícero, Sêneca e Santo Agostinho o lazer e os recursos necessários para pensar e escrever; o Taj Mahal não poderia ter sido erguido sem a riqueza acumulada pela exploração mogol de seus súditos indianos; e o lucro obtido pelo domínio do Império dos Habsburgo sobre as províncias de línguas eslava, húngara e romena pagou os salários de Haydn e as comissões de Mozart. Nenhum escritor caledônio preservou as palavras de Cálgaco para a posteridade. Sabemos delas graças ao historiador romano Tácito, que, na verdade, provavelmente as inventou. A maioria dos estudiosos hoje concorda que Tácito não apenas falsificou a fala

como inventou o personagem Cálgaco, o chefe caledônio, para servir de porta-
-voz daquilo que, como outros romanos da classe superior, ele achava de seu
próprio país.

Mesmo se olharmos para além da cultura e das artes refinadas da elite,
concentrando-nos no mundo das pessoas comuns, encontraremos legados
imperiais na maioria das culturas modernas. Quase todos nós hoje falamos,
pensamos e sonhamos nas línguas imperiais que foram impostas a nossos antepassados pela espada. A maioria dos asiáticos do Leste fala e sonha na língua
do Império Han. Independente de sua origem, quase todos os habitantes da
América, da península de Barrow no Alasca ao estreito de Magalhães, se comu-
nicam em alguma das quatro línguas imperiais: espanhol, português, francês
ou inglês. Os egípcios hoje falam árabe, se veem como árabes e se identificam
completamente com o Império Árabe que conquistou a região no século VII,
esmagando, com punho de ferro, as várias revoltas que se levantaram contra os
invasores. Cerca de 10 milhões de zulus na África do Sul admiram o período
de glória do Império Zulu no século XIX, embora a maioria deles descenda de
tribos que lutaram *contra* o império e que só foram incorporadas a ele após
sangrentas campanhas militares.

É PARA SEU PRÓPRIO BEM

O primeiro império sobre o qual temos informação definitiva é o Império
Acádio, de Sargão, o Grande (cerca de 2250 a.C.). Sargão começou sua carreira
como rei de Kish, uma pequena cidade-Estado na Mesopotâmia. Dentro de
poucas décadas, conseguiu conquistar não apenas todas as outras cidades-Estados mesopotâmicas, mas também grandes territórios fora daquela região.
Sargão se vangloriava de haver conquistado o mundo todo. Na verdade, seus
domínios se estendiam do Golfo Pérsico ao Mediterrâneo, incluindo a maior
parte do que hoje são o Iraque e a Síria, bem como algumas áreas do Irã e da
Turquia.

O Império Acádio não durou muito depois da morte de seu fundador,
mas Sargão deixou para trás um manto imperial que raramente ficou sem uso.
Nos 1700 anos seguintes, reis assírios, babilônios e hititas adotaram Sargão
como modelo, vangloriando-se de também haver conquistado o mundo inteiro.

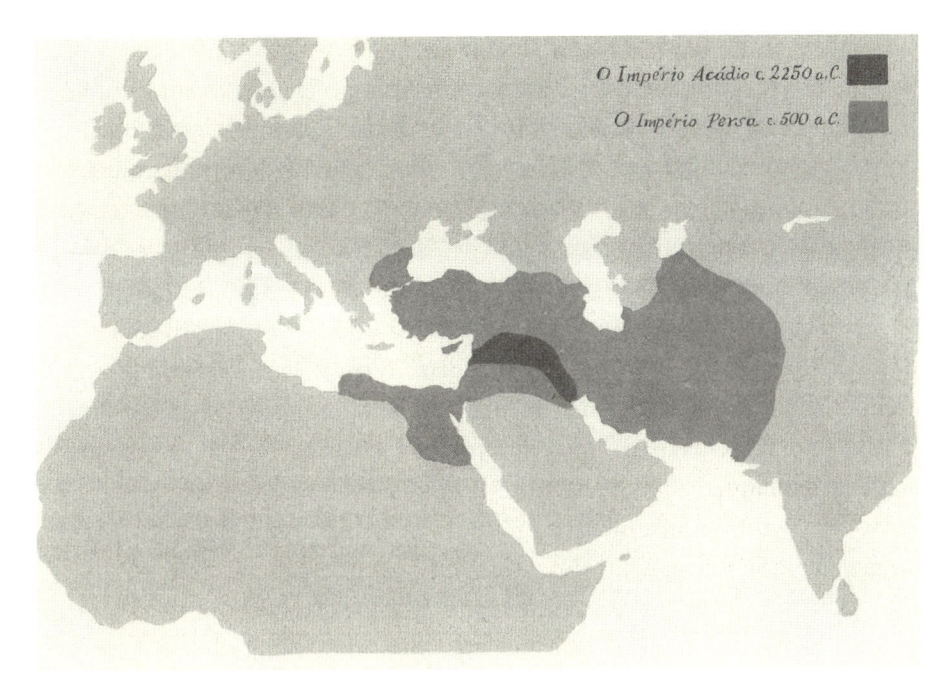

Mapa 4. *O Império Acádio e o Império Persa.*

Então, por volta de 550 a.C., Ciro, o Grande, da Pérsia, surgiu com uma vanglória ainda mais impressionante.

Os reis da Assíria sempre continuaram a ser reis da Assíria. Mesmo ao declarar que governavam o mundo inteiro, era óbvio que o faziam pela glória da Assíria, e não se sentiam culpados por isso. Ciro, no entanto, afirmava não apenas que governava o mundo inteiro, mas que fazia isso para benefício de todos os povos. "Nós os conquistamos para seu próprio bem", diziam os persas. Ciro desejava que todos os povos que subjugava o amassem e se considerassem felizes por serem vassalos persas. O exemplo mais famoso dos esforços inovadores de Ciro para obter a aprovação de uma nação que vivia sob seu domínio foi a ordem de que os judeus exilados na Babilônia tivessem permissão de voltar à sua terra natal em Judá e reconstruíssem seu templo. Ele até mesmo lhes ofereceu ajuda financeira. Ciro não se via como um rei persa governando judeus — ele também era rei dos judeus, e por isso era responsável pelo bem-estar deles.

A presunção de governar o mundo inteiro para o bem de todos os seus habitantes era surpreendente. A evolução tornara o *Homo sapiens*, como outros mamíferos sociais, uma criatura xenofóbica. Os sapiens instintivamente dividem a humanidade em dois: "nós" e "eles". "Nós" são as pessoas que compartilham a mesma língua, a mesma religião e os mesmos costumes. São responsáveis uns pelos outros, mas não por "eles". Sempre são diferentes deles, e não devem nada a eles. Não querem ver nenhum deles em seu território, e não se importam com o que acontece no território deles. Praticamente nem são humanos. Na língua dos dinkas, do Sudão, "dinka" significa apenas "gente". Quem não é dinka não é gente. Os maiores inimigos dos dinkas são os nuers. O que significa a palavra "nuer" na língua dos nuers? Significa "a primeira gente". A milhares de quilômetros dos desertos do Sudão, nas terras geladas do Alasca e do nordeste da Sibéria, vivem os iupiks. O que significa "iupik" na língua deles? Significa "gente de verdade".[3]

Em contraste com essa exclusividade étnica, a ideologia imperial a partir de Ciro tendeu a ser inclusiva e abrangente. Muito embora enfatizasse com frequência as diferenças raciais e culturais entre governantes e governados, ela ainda assim reconhecia a unidade básica do mundo inteiro, a existência de um único conjunto de princípios aplicáveis a todos os lugares e a todos os tempos, bem como as responsabilidades mútuas de todos os seres humanos. A humanidade é vista como uma grande família: os privilégios dos pais têm como contrapartida a responsabilidade pelo bem-estar dos filhos.

Essa nova visão imperial de Ciro e dos persas foi transmitida para Alexandre, o Grande, e dele para os reis helenísticos, os imperadores romanos, os califas muçulmanos, os dinastas indianos e, com o tempo, até mesmo para os primeiros-ministros soviéticos e os presidentes norte-americanos. Essa visão imperial benevolente, além de justificar a existência dos impérios, negou não apenas as tentativas dos povos subjugados de se rebelar como também as tentativas de povos independentes de resistir à expansão imperial.

Visões imperiais similares evoluíram independentemente do modelo persa em outras partes do mundo, em especial na América Central, na região andina e na China. De acordo com a teoria política chinesa tradicional, o Céu (*Tian*) é a fonte de toda a autoridade legítima na Terra. O Céu escolhe a pessoa ou a família mais merecedora e lhe confere o Mandato do Céu. Essa pessoa ou família então governa Tudo sob o Céu (*Tianxia*) para o bem de todos os seus habitantes. Desse modo, uma autoridade legítima é, por definição, universal. Se um governante não possui o Mandato do Céu, então lhe falta legitimidade para governar até mesmo uma única cidade. Se possui tal mandato, o governante está obrigado a levar a justiça e a harmonia ao mundo inteiro. Como o Mandato do Céu não podia ser dado a vários candidatos ao mesmo tempo, era impossível legitimar a existência de mais de um Estado independente.

O primeiro imperador da China unificada, Qin Shi Huang Di, se vangloriava de que "nas seis direções [do universo], tudo pertence ao imperador [...] onde quer que haja uma pegada humana, não há quem não seja um súdito [do imperador] [...] sua bondade atinge até o gado e os cavalos. Não há ninguém que não se beneficie. Todos estão seguros sob seu teto".[4] No pensamento político chinês, assim como na memória histórica chinesa, os períodos imperiais foram a partir de então vistos como eras douradas da ordem e da justiça. Diferentemente do entendimento ocidental moderno de que um mundo justo é composto de nações separadas, na China os períodos de fragmentação política foram vistos como épocas sombrias de caos e injustiça. Essa percepção teve importantes implicações para a história chinesa. Toda vez que um império ruía, a teoria política dominante estimulava os poderosos a não se satisfazer com débeis principados independentes, e sim a tentarem a reunificação. Cedo ou tarde, tais tentativas sempre tiveram êxito.

QUANDO ELES SE TORNAM NÓS

Os impérios desempenharam um papel decisivo ao fundir muitas culturas pequenas num número menor de grandes culturas. Ideias, pessoas, bens e tecnologia se espalhavam com mais facilidade dentro das fronteiras de um império do que numa região politicamente fragmentada. Com frequência, eram os próprios impérios que de maneira deliberada disseminavam ideias, instituições, costumes e normas. Um motivo para isso consistia em facilitar a vida deles próprios. É difícil governar um império em que cada pequeno distrito tem seu próprio conjunto de leis, sua própria escrita, sua própria língua e seu próprio dinheiro. A padronização era uma dádiva para os imperadores.

Uma segunda razão, e tão importante quanto, para os impérios promoverem ativamente uma cultura comum era ganhar legitimidade. Pelo menos desde os dias de Ciro e Qin Shi Huang Di, os impérios justificaram suas ações — da construção de estradas a massacres — como necessárias para disseminar uma cultura superior da qual os conquistados se beneficiavam até mais que os conquistadores.

Os ganhos eram por vezes evidentes — manutenção da ordem, planejamento urbano, padronização de pesos e medidas — e por vezes questionáveis — impostos, recrutamento militar, adoração ao imperador. Mas a maioria das elites imperiais acreditava de verdade que estava trabalhando em prol do bem geral dos habitantes do império. A classe governante chinesa tratava os vizinhos do país e seus súditos estrangeiros como bárbaros miseráveis para quem o império deveria levar os benefícios da cultura. O Mandato do Céu era conferido ao imperador não para que explorasse o mundo, mas para que educasse a humanidade. Os romanos também justificavam seu domínio afirmando que ele dotava os bárbaros de paz, justiça e refinamento. Os germanos ferozes e os gauleses pintados viviam na imundície e na ignorância até que os romanos os domesticaram através das leis, os limparam com a instalação de banhos públicos e os aprimoraram por meio da filosofia. O Império Máuria, no século III a.C., assumiu como missão disseminar os ensinamentos de Buda a um mundo ignorante. Os califas muçulmanos receberam uma ordem divina para divulgar a revelação do profeta, se possível de maneira pacífica, mas pela espada se necessário. Os impérios espanhol e português proclamaram que não buscavam riquezas nas Índias e na América, e sim a conversão do gentio à verdadeira fé. O sol nunca se punha para os britânicos enquanto cumpriam sua missão de propagar os indissociáveis evangelhos do liberalismo e do livre-comércio. Para os soviéticos, seu dever sagrado era facilitar a inexorável marcha histórica do capitalismo rumo à utópica ditadura do proletariado. Muitos norte-americanos hoje defendem que seu governo tem o imperativo moral de levar aos países do Terceiro Mundo os benefícios da democracia e dos direitos humanos, mesmo que tais benesses sejam entregues por mísseis de cruzeiro e caças F-16.

As ideias culturais disseminadas pelo império raramente eram uma criação exclusiva da elite governante. Como a visão imperial tende a ser universal e inclusiva, de certa forma era fácil para as elites adotar ideias, normas e tradições de onde quer que viessem, em vez de se aferrar com fanatismo a uma única tradição arraigada. Embora alguns imperadores tenham procurado purificar suas culturas e retornar ao que entendiam ser suas raízes, os impérios em geral deram origem a civilizações híbridas que absorveram muitos elementos dos povos subjugados. A cultura imperial de Roma era quase tão grega quanto romana. A cultura imperial abássida era em parte persa, em parte grega e em parte árabe. A cultura imperial mongol era uma cópia da chinesa. Nos Estados Unidos imperial, um presidente americano com sangue queniano podia saborear uma pizza italiana enquanto assistia a seu filme predileto, *Lawrence da Arábia* — um épico britânico sobre a rebelião árabe contra os turcos.

Não que esse caldeirão cultural tenha tornado o processo de assimilação da cultura mais fácil para os conquistados. A civilização imperial pode muito bem ter absorvido numerosas contribuições dos povos derrotados, mas o resultado híbrido permanecia de toda forma estranho para a grande maioria das pessoas. O processo de assimilação era com frequência doloroso e traumático. Não é fácil abrir mão de uma tradição local conhecida e adorada, assim como é difícil e angustiante compreender e adotar uma nova cultura. Pior ainda, mesmo quando os povos subjugados tinham êxito em adotar a cultura do império, muitas vezes demorava décadas, senão séculos, até que a elite imperial os aceitasse como parte do "nós". As gerações entre a conquista e a aceitação viviam num limbo desconfortável: já haviam perdido sua querida cultura local, mas não lhes era permitido ocupar uma posição igualitária no mundo imperial. Pelo contrário, a cultura que tinham adotado continuava a vê-los como bárbaros.

Imaginemos um ibérico de boa linhagem vivendo um século depois da queda da Numância. Ele fala seu dialeto celta local com os pais, mas adquiriu um latim impecável, apenas com um leve sotaque, pois precisa tocar seus negócios e lidar com as autoridades. Satisfaz a predileção da esposa por penduricalhos exageradamente vistosos, embora se sinta um pouco sem jeito porque ela, como as outras mulheres locais, mantém esse resquício do gosto celta — preferiria vê-la adotar a simplicidade das joias usadas pela esposa do governador romano. Ele próprio usa túnicas romanas e, graças ao sucesso como comerciante de gado (em boa parte devido a seu profundo conhecimento das intrincadas leis comerciais romanas), foi capaz de erguer uma bela *villa* em estilo romano. No entanto, apesar de poder recitar de cor o livro III das *Geórgicas* de Virgílio, os romanos ainda o tratam como um semibárbaro. Frustrado, ele se dá conta de que jamais ocupará um cargo no governo ou um dos assentos realmente seletos no anfiteatro.

No final do século xix, muitos indianos dotados de boa instrução aprenderam a mesma lição com seus senhores britânicos. Uma história famosa é a de um indiano ambicioso que dominou as complexidades da língua inglesa, tomou aulas de dança no estilo ocidental e até se acostumou a comer com garfo e faca. Equipado com essas novas maneiras, viajou à Inglaterra, estudou direito no University College de Londres e se formou em advocacia. Entretanto, esse jovem homem das leis, bem-vestido com terno e gravata, foi jogado para fora de um trem na colônia britânica da África do Sul por insistir em viajar na primeira classe, e não na terceira, onde gente "de cor" como ele devia ficar. Seu nome era Mohandas Karamchand Gandhi.

Em alguns casos, os processos de aculturação e assimilação chegaram a derrubar as barreiras entre os recém-chegados e a antiga elite. Os conquistados já não consideravam o império um sistema de ocupação estrangeira, e os conquistadores passaram a enxergar os súditos como iguais. Tanto governantes quanto governados terminaram por ver "eles" como "nós". Depois de séculos de domínio imperial, todos os súditos de Roma receberam a cidadania romana. Não romanos ascenderam a ponto de comandar legiões e ser designados para o Senado. No ano de 48 d.C., o imperador Cláudio fez entrar para o Senado vários figurões gauleses que, conforme mencionou num discurso, "haviam se fundido conosco graças aos costumes, à cultura e aos laços de matrimônio". Senadores arrogantes protestaram contra a entrada desses antigos inimigos no âmago do sistema político romano. Cláudio os fez lembrar de uma verdade inconveniente: a maioria das famílias senatoriais descendia de tribos italianas que, no passado, haviam lutado contra Roma, sendo agraciadas mais tarde com a cidadania romana. Na verdade, recordou-os também, sua própria família era descendente de sabinos.[5]

Durante o século ii, Roma foi governada por uma série de imperadores nascidos na Ibéria, em cujas veias provavelmente corriam ao menos algumas gotas do sangue ibérico local. Os reinados de Trajano, Adriano, Antonino Pio e Marco Aurélio são com frequência vistos como a era dourada do império. Depois disso, todas as barreiras étnicas se romperam. O imperador Sétimo Severo (193-211) era descendente de uma família púnica da Líbia. Heliogábalo (218-22) era sírio. O imperador Filipe (244-9) era conhecido coloquialmente como "Filipe, o Árabe". Os novos cidadãos do império adotaram a cultura imperial romana com tal entusiasmo que, por séculos e até milênios depois que o império se desfez, continuaram a falar sua língua, a crer no Deus cristão que Roma havia adotado de uma de suas províncias levantinas e a obedecer a suas leis.

Processo semelhante ocorreu no Império Árabe. Ao ser estabelecido, em meados do século VII, baseava-se na clara divisão entre a elite governante árabe-muçulmana e os egípcios, sírios, iranianos e berberes subjugados, que não eram nem árabes nem muçulmanos. Muitos dos súditos do império aos poucos adotaram a fé muçulmana, a língua árabe e a cultura imperial híbrida. A velha elite árabe enxergava esses arrivistas com tremenda hostilidade, temendo perder seu status especial e sua identidade. Frustrados, os convertidos exigiam uma participação igualitária no império e no mundo islâmico. Com o passar do tempo, conseguiram o que desejavam. Egípcios, sírios e mesopotâmios foram sendo cada vez mais vistos como "árabes". Os árabes, por seu turno — fossem eles "autênticos" árabes da Arábia ou recém-cunhados árabes do Egito e da Síria —, passaram a ser cada vez mais dominados por muçulmanos não árabes, em particular iranianos, turcos e berberes. O grande sucesso do projeto imperial árabe foi que a cultura imperial criada por ele terminou sendo adotada de bom grado por diversos povos não árabes, que continuaram a sustentá-la, desenvolvê-la e disseminá-la mesmo depois que o império original entrou em colapso e os árabes, como grupo étnico, perderam seu domínio.

Na China, o sucesso do projeto imperial foi até mais completo. Durante mais de 2 mil anos, um grande número de grupos étnicos e culturais, inicialmente caracterizados como bárbaros, foram integrados com sucesso à cultura imperial chinesa e se tornaram chineses han (assim chamados devido ao Império Han que governou a China de 206 a.C. a 220 d.C.). A conquista máxima do império chinês é o fato de ainda estar vivo e ativo, embora seja difícil visualizá-lo como um império, exceto em áreas fronteiriças como o Tibete e Xinjiang. Mais de 90% dos habitantes da China se veem e são vistos como han.

O processo de descolonização das últimas décadas pode ser compreendido de forma similar. Ao longo da era moderna, os europeus conquistaram grande parte do globo sob o pretexto de disseminar uma cultura ocidental proclamada como superior. Tiveram tanto sucesso que bilhões de pessoas aos poucos adotaram partes substanciais dessa cultura. Indianos, africanos, árabes, chineses e maoris aprenderam francês, inglês e espanhol. Começaram a acreditar em direitos humanos e no princípio da autodeterminação, adotando ideologias ocidentais como o liberalismo, o capitalismo, o comunismo, o feminismo e o nacionalismo.

Ao longo do século xx, grupos locais que haviam adotado os valores ocidentais exigiram igualdade com seus conquistadores europeus em nome desses mesmos valores. Muitas lutas anticoloniais foram conduzidas sob as bandeiras da autodeterminação, do socialismo e dos direitos humanos, todos eles legados do Ocidente. Assim como os egípcios, os iranianos e os turcos adotaram e adaptaram a cultura imperial herdada dos conquistadores árabes, hoje indianos, africanos e chineses adotaram boa parte da cultura imperial de seus antigos dominadores ocidentais, ao mesmo tempo que buscam moldá-la a suas necessidades e tradições.

MOCINHOS E BANDIDOS NA HISTÓRIA

É tentador dividir a história entre mocinhos e bandidos, deixando todos os impérios no lado dos bandidos. Afinal, quase sempre esses impérios foram erigidos com derramamento de sangue e mantiveram seu poder por meio de opressão e guerras. No entanto, a maioria das culturas de hoje deriva de heranças imperiais. Se os impérios foram ruins por definição, o que isso diz sobre nós?

Há escolas de pensamento e movimentos políticos que buscam expurgar a cultura humana do imperialismo, a fim de obter aquilo que afirmam ser uma civilização pura e autêntica, não conspurcada pelo pecado. Essas ideologias são, na melhor das hipóteses, ingênuas, e, na pior, servem como fachada para ocultar intolerância e um nacionalismo fanático. Talvez seja possível argumentar que algumas das inúmeras culturas surgidas na aurora da história escrita fossem puras, intocadas pelo pecado e não adulteradas por outras sociedades. Mas desde então nenhuma cultura pode reivindicar com sensatez essa condição, certamente nenhuma que exista ainda hoje. Todas as culturas humanas são ao menos em parte o legado de impérios e civilizações imperiais, e nenhuma cirurgia acadêmica ou política pode extrair as heranças imperiais sem matar o paciente.

Pensemos, por exemplo, na relação de amor e ódio entre a república indiana independente de hoje e o Raj britânico. A conquista e a ocupação da

O CICLO IMPERIAL

FASE	ROMA	ISLÃ	IMPERIALISMO EUROPEU
Um pequeno grupo estabelece um grande império.	Os romanos estabelecem o Império Romano.	Os árabes estabelecem o Califado Árabe.	Os europeus estabelecem os impérios europeus.
Uma cultura imperial é criada.	Cultura greco-romana.	Cultura árabe-muçulmana.	Cultura ocidental.
A cultura imperial é adotada pelos povos subjugados.	Os povos subjugados adotam o latim, o direito romano, as ideias políticas romanas etc.	Os povos subjugados adotam a língua árabe, o islamismo etc.	Os povos subjugados adotam o inglês e o francês, o socialismo, o nacionalismo, os direitos humanos etc.
Os povos subjugados demandam o mesmo status em nome de valores imperiais compartilhados.	Ilírios, gauleses e púnicos demandam o mesmo status dos romanos em nome de valores romanos compartilhados.	Egípcios, iranianos e berberes demandam o mesmo status dos árabes em nome de valores muçulmanos compartilhados.	Indianos, chineses e africanos demandam o mesmo status dos europeus em nome de valores ocidentais compartilhados, como o nacionalismo, o socialismo e os direitos humanos.
Os fundadores do império perdem o domínio.	Os romanos deixam de existir como grupo étnico singular. O controle do império passa para uma nova elite multiétnica.	Os árabes perdem controle do mundo islâmico em favor de uma elite muçulmana multiétnica.	Os europeus perdem controle do mundo globalizado em favor de uma elite multiétnica em grande parte comprometida com os valores e os modos de pensamento ocidentais.
A cultura imperial continua a prosperar e a se desenvolver.	Os ilírios, os gauleses e os púnicos continuam a desenvolver a cultura romana adotada.	Os egípcios, os iranianos e os berberes continuam a desenvolver a cultura muçulmana adotada.	Os indianos, os chineses e os africanos continuam a desenvolver a cultura ocidental adotada.

Índia pelos ingleses custou a vida de milhões de indianos, sendo responsável pela contínua humilhação e exploração de outras centenas de milhões de pessoas. No entanto, muitos indianos adotaram, com o entusiasmo dos convertidos, ideias ocidentais como a autodeterminação e os direitos humanos, e se decepcionaram quando os britânicos se recusaram a honrar seus próprios valores e lhes conceder direitos iguais como súditos da Coroa ou mesmo a independência.

O Estado indiano moderno, porém, é filho do Império Britânico. Os ingleses mataram, feriram e perseguiram os habitantes do subcontinente, mas também uniram um estonteante mosaico de reinos, principados e tribos que se combatiam incessantemente, criando uma consciência nacional compartilhada e um país que bem ou mal funciona como uma unidade política. Dessa forma, lançaram as bases do sistema jurídico indiano, estabeleceram sua estrutura administrativa e construíram uma rede ferroviária que foi crucial para a integração econômica. A Índia independente adotou como forma de governo a democracia ocidental em sua encarnação britânica. O inglês ainda é a língua franca do subcontinente, um idioma neutro que os indivíduos que falam híndi, tâmil e malaiala podem usar para se comunicar. Os indianos são apaixonados pelo críquete e pelo *chai*, e tanto o esporte quanto a bebida são legados britânicos. As plantações comerciais de chá não existiam na Índia até meados do século xix, quando os ingleses as introduziram pela Companhia Britânica das Índias Orientais. Foram os esnobes *sahibs* ingleses que espalharam o hábito de beber chá em todo o subcontinente.

Quantos indianos hoje gostariam de votar para se livrar da democracia, do idioma inglês, da rede ferroviária, do sistema jurídico, do críquete e do chá com base no argumento de que são heranças imperiais? Ainda que o fizessem, o próprio fato de convocarem uma votação para decidir a questão não demonstraria a dívida deles para com os antigos dominadores?

Mesmo que negássemos por completo a herança de um império brutal na esperança de reconstruir e proteger as culturas "autênticas" que o precederam, é provável que estaríamos defendendo a herança de um império mais antigo e não menos brutal. Aqueles que criticam a mutilação da cultura indiana pelo Raj britânico inadvertidamente consagram os legados do Império Mogol e do Sultanato de Delhi. E quem quer que tente resgatar a "cultura indiana autênti-

28. *A estação ferroviária de Chhatrapati Shivaji em Mumbai, antes chamada de Victoria Station em Bombaim. Os ingleses a construíram no estilo neogótico, que era popular em fins do século XIX, na Grã-Bretanha. Um governo nacionalista hindu mudou o nome da cidade e da estação, porém não teve nenhum interesse em pôr abaixo um prédio tão magnífico, mesmo que erguido por opressores estrangeiros.*

ca" das influências estrangeiras desses impérios muçulmanos consagra os legados do Império Gupta, do Império Kushana e do Império Máuria. Se um nacionalista hindu radical fosse destruir todos os prédios deixados pelos conquistadores britânicos, como a estação central de trem de Mumbai, faria o mesmo com as estruturas deixadas pelos conquistadores muçulmanos, como o Taj Mahal?

Ninguém sabe ao certo como resolver a questão espinhosa da herança cultural. Qualquer que seja o caminho que tomemos, o primeiro passo implica reconhecer a complexidade do dilema e aceitar que dividir de maneira simplista o passado entre mocinhos e bandidos não nos leva a lugar nenhum. A menos, é claro, que estejamos dispostos a admitir que geralmente seguimos os bandidos.

29. *O Taj Mahal. Um exemplo da cultura indiana "autêntica" ou uma criação estrangeira do imperialismo muçulmano?*

O NOVO IMPÉRIO GLOBAL

Desde cerca de 200 a.C., a maioria dos humanos viveu em impérios. Parece provável que isso também acontecerá no futuro. Mas dessa vez o império será de fato global. A visão imperial de domínio mundial pode ser iminente.

Conforme adentramos o século xxi, o nacionalismo vem rapidamente perdendo espaço. Cada vez mais gente acredita que, em vez de membros de determinada nacionalidade, toda a humanidade é fonte legítima de autoridade política, e que defender os direitos humanos e proteger os interesses da espécie humana como um todo deveria ser a luz que guia a política. Sendo assim, ter quase duzentos Estados independentes é um obstáculo, e não uma ajuda. Se suecos, indonésios e nigerianos merecem ter os mesmos direitos humanos, não seria mais fácil se um único governo global garantisse isso?

O surgimento de problemas essencialmente globais, como o derretimento das calotas polares, retira pouco a pouco a legitimidade que as nações independentes ainda têm. Nenhum Estado soberano será capaz de superar o aquecimento global sozinho. O Mandato do Céu chinês foi enviado pelo Céu para solucionar questões da humanidade. O Mandato do Céu moderno será concedido à humanidade para resolver problemas do céu, como o buraco na camada de ozônio e o acúmulo de gases de efeito estufa. A cor do império global pode muito bem ser verde.

O mundo ainda está politicamente fragmentado, mas os Estados estão perdendo depressa a sua independência. Nenhum país é capaz de realizar políticas econômicas por conta própria, declarar e promover guerras de acordo com a sua vontade, ou mesmo cuidar de questões internas da maneira que achar adequada. Os Estados estão cada vez mais abertos às manipulações dos mercados globais, à interferência de empresas globais e ONGs e à vigilância da opinião pública mundial e do sistema jurídico internacional. Os países têm de se adequar a padrões globais de comportamento financeiro, políticas ambientais e justiça. Correntes imensamente poderosas de capital, trabalho e informação alteram e remodelam o mundo, com um crescente desprezo pelas fronteiras e pelas opiniões nacionais.

O império global que está se formando diante de nossos olhos não é governado por nenhum país ou grupo étnico em particular. Como o Império Romano, é gerido por uma elite multiétnica e se mantém unido por interesses e por uma cultura comuns. Por todo o mundo, cada vez mais empreendedores, engenheiros, especialistas, acadêmicos, advogados e administradores são convocados a se juntar a esse império. Eles precisam pensar se devem atender a esse chamado ou se devem permanecer fiéis a seu povo e a sua nação. Cada vez mais gente escolhe o império.

12. A lei da religião

No mercado medieval de Samarcanda, cidade construída num oásis da Ásia Central, negociantes sírios alisavam finas sedas chinesas; membros ferozes das tribos das estepes exibiam a última leva de escravos de cabelos cor de palha trazidos do distante ocidente; lojistas embolsavam reluzentes moedas de ouro gravadas com letras exóticas e efígies de reis desconhecidos. Lá, num dos maiores pontos de encontro daquela época entre Leste e Oeste, Norte e Sul, a unificação da humanidade era um fato corriqueiro. O mesmo processo podia ser observado quando o exército de Kublai Khan se preparava para invadir o Japão em 1281. Cavaleiros mongóis vestindo peles e couros roçavam ombros com soldados de infantaria chineses usando chapéus de bambu; ajudantes coreanos bêbados provocavam briga com marujos tatuados do mar da China Meridional; engenheiros da Ásia Central ouviam boquiabertos as narrativas fantasiosas dos aventureiros europeus — e todos obedeciam às ordens de um único imperador.

Enquanto isso, em torno da sagrada Caaba em Meca, a unificação humana prosseguia por outros meios. Se você fosse um peregrino em Meca em 1300, circulando pelo mais sagrado santuário do islã, poderia ver a seu lado um grupo da Mesopotâmia com suas túnicas sopradas pelo vento, os olhos vidrados em êxtase, as bocas repetindo, um após o outro, os 99 nomes de Deus. Logo à frente, talvez encontrasse um patriarca turco das estepes asiáticas, o rosto curtido pelo sol, segurando um cajado e cofiando a barba de maneira pensativa. Mais para o lado, com joias de ouro brilhando sobre a pele negra, um bando de muçulmanos do reino africano de Mali. O aroma de cravo, açafrão, cardamomo e sal marinho teria assinalado a presença de irmãos da Índia ou talvez das misteriosas ilhas das especiarias mais ao Leste.

Hoje a religião muitas vezes é vista como fonte de discriminação, discórdia e desunião. No entanto, a verdade é que, ao lado do dinheiro e dos impérios, ela foi o terceiro maior unificador da humanidade. Como as ordens sociais e as hierarquias, sem exceção, são imaginadas, todas elas são frágeis — e quanto maior a sociedade, mais frágeis são. O papel histórico crucial da religião tem sido o de conferir uma legitimidade sobre-humana a essas estruturas frágeis. As religiões afirmam que nossas leis não são o resultado de um capricho humano, e sim ordenadas por uma autoridade absoluta e inquestionável. Isso ajuda a pôr ao menos algumas leis fundamentais acima de qualquer dúvida, garantindo desse modo a estabilidade social.

Assim, a religião pode ser definida como *um sistema de normas e valores humanos baseado na crença em uma ordem sobre-humana*. Isso envolve dois critérios distintos:

1. A religião afirma que existe uma ordem sobre-humana, que não é resultado de caprichos ou acordos humanos. O futebol profissional não é uma religião porque, apesar de possuir regras, ritos e rituais muitas vezes bizarros, todo mundo sabe que seres humanos o inventaram e que a qualquer momento a Fifa pode aumentar o tamanho do gol ou cancelar a regra do impedimento.
2. Com base nessa ordem sobre-humana, a religião estabelece normas e valores que são considerados deveres. Muitos ocidentais hoje acreditam em fantasmas, fadas e reencarnação, mas essas crenças não são fonte de padrões comportamentais e morais. Portanto, não constituem uma religião.

Apesar de sua capacidade de legitimar ordens sociais e políticas amplas, nem todas as religiões se utilizaram desse potencial. A fim de unir sob sua égide uma grande extensão territorial habitada por grupos diversos de seres humanos, uma religião necessita ter duas qualidades adicionais. Primeiro, estabelecer uma ordem sobre-humana *universal* que seja verdadeira sempre e em toda parte. Segundo, insistir em fazer com que essa crença chegue a todas as pessoas. Em outras palavras, precisa ser universal e missionária.

As religiões mais conhecidas na história, como o islamismo e o budismo, são universais e missionárias. Consequentemente, as pessoas tendem a acreditar que todas as religiões são assim. Na verdade, a maioria das religiões antigas era local e exclusiva. Seus seguidores acreditavam em divindades e espíritos locais, e não tinham nenhum interesse em converter toda a raça humana. Tanto quanto sabemos, as religiões universais e missionárias começaram a aparecer apenas no primeiro milênio antes de Cristo. Seu surgimento foi uma das revoluções mais importantes da história e forneceu uma contribuição vital para a unificação da humanidade, bem semelhante à oferecida pelo nascimento dos impérios e do dinheiro universais.

SILENCIANDO OS CORDEIROS

Quando o animismo era o sistema de crença dominante, as normas e os valores humanos tinham de levar em conta a visão e os interesses de inúmeros outros seres, como animais, plantas, fadas e espíritos. Por exemplo, um bando de coletores no vale do Ganges pode ter estabelecido uma regra proibindo as pessoas de cortar certa figueira especialmente frondosa para impedir que o espírito daquela árvore ficasse zangado e se vingasse. Outro bando de coletores que vivia no vale do Indo pode ter proibido as pessoas de caçar raposas de cauda branca porque uma dessas raposas certa vez revelara a uma sábia anciã onde o grupo conseguiria encontrar preciosas obsidianas.

Essas religiões tendiam a ter uma visão muito local, enfatizando as características específicas do lugar, do clima e dos fenômenos habituais. A maioria dos coletores passava a vida inteira numa área de cerca de mil quilômetros quadrados. Para sobreviver, os habitantes de determinado vale precisavam compreender a ordem sobre-humana que regulava aquele vale, ajustando seu comportamento em função disso. Era inútil tentar convencer os habitantes de algum vale distante a seguir as mesmas regras. As pessoas do Indo não se davam ao trabalho de enviar missionários ao Ganges a fim de convencer os locais a não caçarem raposas de cauda branca.

A Revolução Agrícola parece ter sido acompanhada de uma revolução religiosa. Os caçadores-coletores colhiam plantas silvestres e perseguiam animais selvagens que podiam ser vistos como tendo o mesmo status do *Homo sapiens*. O fato de que os humanos caçavam ovelhas não as tornava inferiores a eles, assim como o fato de que os tigres caçavam homens não os fazia inferiores aos tigres. Os seres se comunicavam diretamente e negociavam as regras que governavam seu hábitat compartilhado. Em contrapartida, os camponeses eram donos das plantas e dos animais e os manipulavam, então não se podia esperar que se rebaixassem para negociar com aquilo que lhes pertencia. Por isso, o primeiro efeito religioso da Revolução Agrícola foi transformar plantas e animais, que antes participavam em condições de igualdade de uma mesa-redonda espiritual, em bens materiais.

Isso, entretanto, criou um grande problema. Os camponeses podem ter desejado um controle absoluto sobre suas ovelhas, porém sabiam muito bem que tal controle era limitado. Por mais que prendessem os animais em currais, castrassem os carneiros e fizessem cruzamentos seletivos, não conseguiam garantir que as ovelhas parissem cordeiros saudáveis nem evitar a erupção de epidemias letais. Como então proteger a fecundidade dos rebanhos?

A principal teoria sobre a origem dos deuses postula que eles ganharam importância por oferecerem uma solução para esse problema. Divindades como a deusa da fertilidade, o deus do céu e o deus da medicina ocuparam o palco principal quando as plantas e os animais perderam sua capacidade de falar, sendo o papel mais relevante dos deuses servir como intermediários entre os humanos e as plantas e os animais agora sem voz. Muito da mitologia antiga é de fato um contrato em que os humanos prometem eterna devoção aos deuses em troca do domínio sobre as plantas e os animais — e os primeiros capítulos do livro de Gênesis são um exemplo notável disso. Por milhares de anos após a Revolução Agrícola, a liturgia religiosa consistiu sobretudo em seres humanos sacrificando cordeiros e oferecendo vinho e pão aos poderes divinos, que em troca prometiam colheitas abundantes e rebanhos fecundos.

A Revolução Agrícola inicialmente teve um impacto bem menor no status dos outros membros do sistema animista, tais como rochedos, fontes, espíritos e demônios. No entanto, esses também aos poucos perderam importância em favor dos novos deuses. Enquanto as pessoas passaram a vida inteira dentro de territórios limitados a algumas centenas de quilômetros quadrados, a maior parte de suas necessidades pôde ser satisfeita por espíritos locais. Contudo, uma vez que os reinos e as redes de comércio se expandiram, elas precisaram contar com entidades cujo poder e autoridade englobassem todo um reino ou toda uma zona de comércio.

A tentativa de atender a essas necessidades levou ao surgimento de religiões politeístas (do grego: *poli* = muitos, *theos* = deuses). Essas religiões entendiam que o mundo era controlado por um grupo de deuses poderosos, como a deusa da fertilidade, o deus da chuva e o deus da guerra. Os humanos podiam apelar para esses deuses que, caso recebessem devoções e sacrifícios, talvez se dignassem a trazer chuva, vitórias e saúde.

O animismo não desapareceu por completo com a chegada do politeísmo. Demônios, fadas, espíritos, rochas, fontes e árvores sagradas permaneceram como parte integral de quase todas as religiões politeístas. Esses espíritos eram bem menos importantes que os grandes deuses, mas, para as necessidades cotidianas de muitas pessoas comuns, eram bons o bastante. Enquanto o rei em sua capital sacrificava dezenas de carneiros gordos ao grande deus da guerra, rezando pela vitória sobre os bárbaros, o camponês em sua palhoça acendia uma vela à fada da figueira, rezando pela cura do filho doente.

Todavia, o maior impacto da ascensão dos grandes deuses não foi sobre as ovelhas ou os demônios, mas sobre o status do *Homo sapiens*. Os animistas acreditavam que os humanos eram simplesmente mais uma das muitas criaturas que habitavam o mundo. Os politeístas, por outro lado, viram cada vez mais o mundo como um reflexo da relação entre deuses e humanos. Nossas preces, nossos sacrifícios, nossos pecados e nossas boas ações determinavam o destino de todo o ecossistema. Uma inundação terrível era capaz de eliminar bilhões de formigas, gafanhotos, tartarugas, antílopes, girafas e elefantes só porque alguns poucos sapiens imbecis haviam irritado os deuses. Por isso, o politeísmo exaltava não apenas o status dos deuses, mas também o da humanidade. Os membros menos afortunados do velho sistema animista perderam em estatura e se tornaram meros figurantes ou objetos de cena silenciosos no grande drama do relacionamento entre homens e deuses.

OS BENEFÍCIOS DA IDOLATRIA

Dois mil anos de lavagem cerebral monoteísta fizeram com que a maioria dos ocidentais enxergasse o politeísmo como uma idolatria ignorante e infantil. Esse é um estereótipo injusto. Para compreender a lógica interna do politeísmo é necessário apreender a ideia central que sustenta a crença em muitos deuses.

O politeísmo não questiona necessariamente a existência de um único poder ou lei que governe todo o universo. Na verdade, a maioria das religiões politeístas e mesmo animistas reconheceu o poder supremo por trás de todos os diversos deuses, demônios e rochas sagradas. No politeísmo grego clássico, Zeus, Hera, Apolo e seus colegas estavam sujeitos a um poder onipotente e abrangente — o Destino (*Moira, Ananke*). Os deuses nórdicos, por sua vez, também estavam sujeitos ao destino, que os condenou a perecer no cataclisma de Ragnarök (o Crepúsculo dos Deuses). Na religião politeísta dos iorubás da África Ocidental, todos os deuses nasceram de um deus supremo, Olodumare, e continuaram submetidos a ele. No politeísmo hindu, um único princípio, Atman, controla a infinidade de deuses e espíritos, a humanidade e o mundo biológico e físico. Atman é a essência ou a alma eterna de todo o universo, bem como de cada indivíduo e de cada fenômeno.

A percepção fundamental do politeísmo — que o distingue do monoteísmo — é que o poder supremo que governa o mundo não tem interesses nem preferências, e por isso está alheio aos desejos, aos cuidados e às preocupações mundanas dos humanos. É inútil pedir a esse poder pela vitória na guerra, por saúde e pela chuva porque, de onde se situa, acima de tudo, não faz a menor diferença para ele se determinado reino ganha ou perde, se uma dada cidade prospera ou fenece, se uma pessoa específica se recupera de uma doença ou morre. Os gregos não desperdiçavam nenhum sacrifício com o Destino; os hindus nunca construíram um templo para Atman.

A única razão para se aproximar do poder supremo do universo seria para renunciar a todos os desejos e abraçar o mal junto com o bem — abraçar até mesmo a derrota, a pobreza, a doença e a morte. Por isso, alguns hindus, conhecidos como sadhus ou sannyasis, devotam a vida a se unir a Atman, de modo a alcançar a iluminação. Lutam para ver o mundo da perspectiva desse princípio fundamental, para entender que, de sua perspectiva eterna, todos os desejos e temores mundanos são fenômenos sem sentido e efêmeros.

Entretanto, a maioria dos hindus não é composta de sadhus. Eles estão imersos por completo no pântano das preocupações mundanas, onde Atman não ajuda em nada. Para contar com alguma ajuda nesses assuntos, os hindus procuram os deuses com poderes parciais. Justamente porque seus poderes são parciais em vez de abrangentes, deuses como Ganesha, Lakshmi e Saraswati têm interesses e preferências. Por isso, os humanos podem negociar com esses poderes parciais e confiar em sua ajuda a fim de ganhar guerras e se recuperar de uma doença. Há necessariamente muitos desses poderes menores, uma vez que, ao se dividir o poder abrangente de um princípio supremo, é inevitável que se termine com mais de uma divindade. Daí a pluralidade de deuses.

Essa percepção do politeísmo implica uma grande tolerância religiosa. Como os politeístas acreditam tanto num poder supremo e totalmente desinteressado quanto em muitos poderes parciais e com preferências, não é difícil para os devotos de um deus aceitarem a existência e a eficácia de outros deuses. O politeísmo é por natureza condescendente, raras vezes perseguindo "heréticos" e "infiéis".

Mesmo quando conquistaram enormes impérios, os politeístas não tentaram converter seus súditos. Os egípcios, os romanos e os astecas não enviaram missionários para terras estrangeiras a fim de inculcar o culto a Osíris, Júpiter ou Huitzilopochtli (o principal deus asteca), e certamente não enviaram exércitos com tal propósito. Esperava-se que todos os povos dominados respeitassem os deuses e os rituais do império, pois esses deuses e rituais protegiam e legitimavam a nova ordem. Entretanto, não se exigia que eles abandonassem seus deuses e seus rituais próprios. No Império Asteca, os povos subjugados eram obrigados a construir templos para Huitzilopochtli, que eram erguidos ao lado daqueles dedicados aos deuses locais em vez de substituí-los. Em muitos casos, a elite imperial adotou os deuses e os rituais de povos subjugados. Os romanos incorporaram sem objeção a deusa asiática Cibele e a deusa egípcia Ísis a seu panteão.

O único deus que os romanos por muito tempo se recusaram a tolerar foi o deus monoteísta e evangelizador dos cristãos. O Império Romano não exigia que os cristãos abrissem mão de suas crenças e seus rituais, porém esperava que eles mostrassem respeito pelos deuses protetores do império e pela divindade do imperador. Isso era visto como uma declaração de lealdade política. Quando os cristãos se recusaram a isso com veemência, rechaçando todas as tentativas de negociação, os romanos reagiram perseguindo o que entendiam ser uma facção politicamente subversiva. E mesmo isso foi feito sem grande rigor. Durante os trezentos anos que transcorreram entre a crucificação de Jesus Cristo e a conversão do imperador Constantino, os imperadores romanos politeístas só lançaram quatro perseguições gerais contra os cristãos. Administradores e governadores locais incitaram alguma violência anticristã por iniciativa própria. Contudo, se somarmos todas as vítimas dessas perseguições, se verifica que, nesses três séculos, os romanos politeístas não mataram mais que uns poucos milhares de cristãos.[1] Em contrapartida, durante os 1500 anos seguintes, os cristãos exterminaram milhões de outros cristãos para defender intepretações um pouco diferentes da religião que prega o amor e a compaixão.

As guerras religiosas entre católicos e protestantes que varreram a Europa nos séculos XVI e XVII são especialmente notórias. Todos os envolvidos admitiam a divindade de Jesus Cristo e Seu evangelho de compaixão e amor. No entanto, discordavam sobre a natureza desse amor. Os protestantes acreditavam que o amor divino era tão grande que Deus se fez carne e se deixou torturar e crucificar a fim de redimir o pecado original e abrir as portas do Céu para todos que tivessem fé Nele. Os católicos sustentavam que a fé, embora essencial, não bastava. Para entrar no Céu, os crentes precisavam participar dos rituais da Igreja e realizar boas ações. Os protestantes se recusavam a aceitar isso, argumentando que essa condição diminuía a grandeza e o amor de Deus. Quem quer que pense que sua entrada no Céu depende das boas ações que pratica está exagerando sua própria importância, insinuando com isso que o sofrimento de Jesus Cristo na cruz e Seu amor pela humanidade não são suficientes.

Essas disputas teológicas se tornaram tão violentas que, durante os séculos XVI e XVII, centenas de milhares de católicos e protestantes mataram uns aos outros. Em 24 de agosto de 1572, os católicos franceses, que enfatizavam a importância das boas ações, atacaram comunidades de compatriotas protestantes, que ressaltavam o amor de Deus pela humanidade. Nesse ataque, o Massacre da Noite de São Bartolomeu, entre 5 mil e 10 mil protestantes foram assassinados em menos de 24 horas. Quando o papa em Roma ouviu as notícias vindas da França, ficou tão contente que organizou orações festivas a fim de comemorar a ocasião e contratou Giorgio Vasari para decorar um dos aposentos do Vaticano com um mural que retratasse o massacre (o aposento atualmente está fechado à visitação pública).[2] Mais cristãos foram mortos por outros cristãos naquelas 24 horas do que pelo Império Romano politeísta em toda a sua existência.

Com o tempo, alguns seguidores dos deuses politeístas ficaram tão encantados com seus padroeiros que aos poucos se afastaram da percepção básica do politeísmo. Começaram a acreditar que o deus deles era o único, e que Ele era de fato o poder supremo do universo. No entanto, ao mesmo tempo continuaram a ver Nele interesses e preferências, acreditando que podiam negociar com Ele. Assim nasceram as religiões monoteístas, cujos seguidores imploram ao poder supremo do universo que os ajude a se recuperar de uma doença, a ganhar na loteria e a vencer uma guerra.

A primeira religião monoteísta de que temos conhecimento surgiu no Egito por volta de 1350 a.C., quando o faraó Aquenáton declarou que o deus Aton, uma das divindades menores do panteão egípcio, era na verdade o poder supremo do universo. Aquenáton institucionalizou o culto a Aton como a religião do Estado e tentou impedir o culto a todos os outros deuses. Sua revolução religiosa, contudo, não teve sucesso. Após a morte do faraó, o culto a Aton foi abandonado em favor do antigo panteão.

O politeísmo continuou a dar origem aqui e ali a outras religiões monoteístas, porém elas permaneceram à margem, em especial porque não eram capazes de fazer valer sua própria mensagem universal. O judaísmo, por exemplo, sustentava que o poder supremo do universo tinha interesses e preferências, mas Seu principal interesse era a minúscula nação judaica e a obscura terra de Israel. Essa religião tinha pouco a oferecer a outras nações e, durante a maior parte de sua existência, não teve uma proposta missionária. Esse estágio pode ser chamado de "monoteísmo local".

A grande mudança se deu com o cristianismo. Essa crença começou como uma seita judaica esotérica que buscava convencer os judeus de que Jesus de Nazaré era o messias que havia tanto tempo esperavam. Entretanto, um dos primeiros líderes da seita, Paulo de Tarso, pensou que, se o poder supremo do universo tinha interesses e preferências, e se Ele se dera ao trabalho de se fazer homem para depois morrer na cruz a fim de salvar a humanidade, então isso era algo que todos deviam ouvir, não apenas os judeus. Por isso era necessário espalhar a boa palavra sobre Jesus — o evangelho — por todo o mundo.

Os argumentos de Paulo caíram em solo fértil. Os cristãos começaram a organizar atividades missionárias amplas, dirigidas a todos os seres humanos.

Numa das reviravoltas mais estranhas da história, essa seita judaica esotérica conquistou o poderoso Império Romano.

O sucesso cristão serviu de exemplo para outra religião monoteísta que surgiu na península Arábica durante o século VII — o islamismo. Tal como o cristianismo, o islamismo também começou como uma pequena seita num ponto remoto do mundo, mas, numa inesperada virada histórica ainda mais estranha e rápida, conseguiu escapar dos desertos da Arábia e conquistar um império imenso, que ia do oceano Atlântico à Índia. A partir de então, o conceito de monoteísmo desempenhou papel central na história do mundo.

Os monoteístas eram em geral muito mais fanáticos e missionários que os politeístas. Uma religião que reconhece a legitimidade de outras fés admite de maneira implícita que seu deus não é o poder supremo do universo ou que recebeu dele apenas uma parte da verdade universal. Como os monoteístas normalmente acreditavam ser portadores de toda a mensagem de um Deus único, se sentiam forçados a negar as demais religiões. Ao longo dos dois últimos milênios, os monoteístas tentaram várias vezes se fortalecer exterminando de maneira violenta qualquer competição.

Funcionou. No começo do século I, quase não havia monoteístas no mundo. Por volta do ano 500, um dos maiores impérios — o Romano — era uma entidade cristã, e missionários levavam ativamente o cristianismo para outras partes da Europa, da Ásia e da África. No final do primeiro milênio depois de Cristo, a maior parte das pessoas na Europa, na Ásia Ocidental e no norte da África era monoteísta, e impérios que se estendiam do oceano Atlântico ao Himalaia afirmavam haver sido criados pelo grande Deus único. No início do século XVI, o monoteísmo dominava a maior parte da massa continental afro-asiática, com exceção da Ásia Oriental e do sul da África, mas já estendia seus longos tentáculos em direção à África do Sul, à América e à Oceania. Hoje, a maioria das pessoas fora da Ásia Oriental segue alguma religião monoteísta, e a ordem política global foi construída sobre bases monoteístas.

No entanto, assim como o animismo continuou vivo como parte do politeísmo, o politeísmo também sobreviveu dentro do monoteísmo. Teoricamente, se alguém acredita que o poder supremo do universo tem interesses e preferências, por que adoraria poderes parciais? Quem abordaria um burocrata de baixo escalão quando tem acesso ao escritório do presidente? De fato, a teologia monoteísta tende a negar a existência de todos os deuses com exceção do

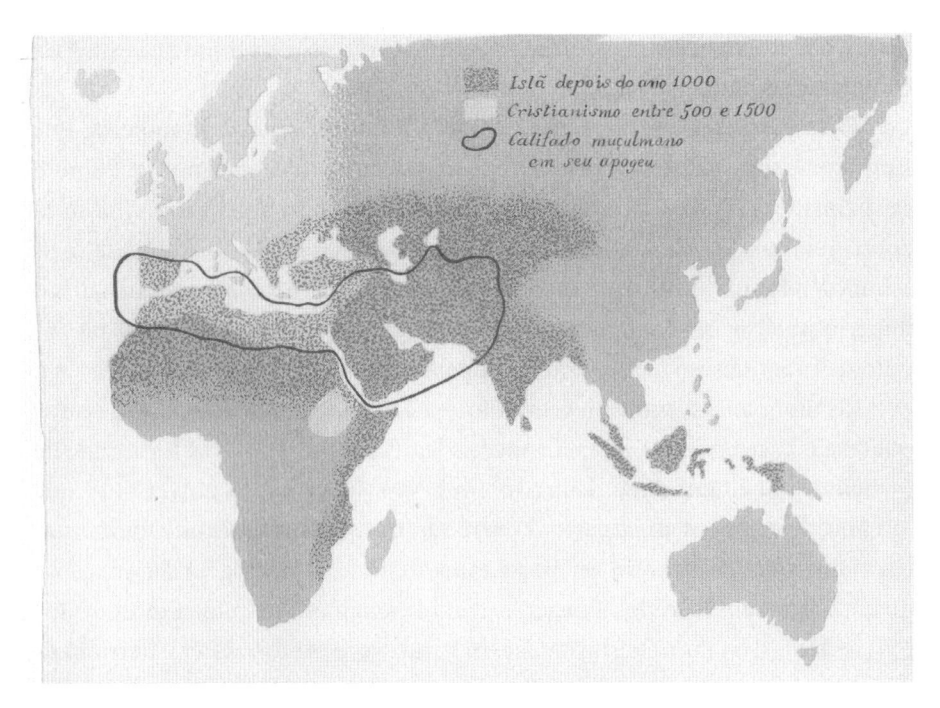

Mapa 5. *A disseminação do cristianismo e do islamismo.*

Deus supremo e a desejar que quem ousar cultuá-los seja consumido pelas chamas do inferno.

No entanto, sempre houve um abismo entre as teorias teológicas e as realidades históricas. A maioria das pessoas teve dificuldade em assimilar o conceito monoteísta por completo. Elas continuaram a dividir o mundo em "nós" e "eles" e a ver o poder supremo do universo como muito distante e alheio para as suas necessidades cotidianas. As religiões monoteístas fizeram um grande estardalhaço ao expulsar os deuses pela porta da frente, mas os trouxeram de volta pela janela lateral. O cristianismo, por exemplo, desenvolveu seu próprio panteão de santos, cujos cultos pouco diferem daqueles dos deuses politeístas.

Assim como o deus Júpiter defendeu Roma e Huitzilopochtli protegeu o Império Asteca, todos os reinos cristãos tiveram seu santo padroeiro que os ajudou a superar dificuldades e a ganhar guerras. A Inglaterra foi protegida por são Jorge, a Escócia por santo André, a Hungria por santo Estêvão e a França por são Martinho. Cidades e vilas, profissões e até mesmo doenças — cada qual tem seu próprio santo. A cidade de Milão conta com santo Ambrósio, enquanto são Marcos cuida de Veneza. São Floriano protege os limpadores de chaminé, enquanto são Mateus dá uma mãozinha a cobradores de impostos aflitos. Se você sofre de dores de cabeça tem de rezar por santo Acácio, mas, se o problema for dor de dente, então santa Apolônia é a mais recomendável.

Os santos cristãos não apenas se assemelhavam aos velhos deuses politeístas como muitas vezes eram esses mesmos deuses disfarçados. Por exemplo, a principal deusa da Irlanda celta antes da chegada do cristianismo era Brígida. Quando o país se tornou cristão, Brígida também foi batizada. Tornou-se santa Brígida, que é até hoje a santa mais reverenciada na Irlanda católica.

A BATALHA ENTRE O BEM E O MAL

O politeísmo gerou não apenas as religiões monoteístas, mas também as dualistas. As religiões dualistas postulam a existência de dois poderes opostos: o bem e o mal. Ao contrário do monoteísmo, o dualismo crê que o mal é um poder independente, que não foi criado pelo Deus bom nem está subordinado a ele. O dualismo explica que o universo inteiro é um campo de batalha entre essas duas forças, e que tudo que acontece no mundo é parte dessa luta.

O dualismo é uma visão de mundo bastante atraente porque tem uma resposta simples e curta para o famoso Problema do Mal, uma das preocupações fundamentais do pensamento humano: "Por que o mal existe no mundo? Por que há sofrimento? Por que coisas ruins acontecem com pessoas boas?". Os monoteístas precisam praticar malabarismos mentais para explicar como um Deus todo-poderoso e perfeitamente bom permite tanto sofrimento no mundo. Uma explicação bem conhecida é que seria o modo pelo qual Deus permite o livre-arbítrio humano. Se o mal não existisse, os humanos não poderiam escolher entre o bem e o mal — logo não haveria o livre-arbítrio. Essa, contudo, é uma resposta pouco intuitiva, que de imediato suscita uma série de novas perguntas. O livre-arbítrio possibilita aos humanos escolher o mal. Muitos, na verdade, o escolhem, e, de acordo com o relato-padrão do monoteísmo, essa escolha deve trazer como consequência a punição divina. Ora, se Deus sabia de antemão que determinada pessoa usaria seu livre-arbítrio para escolher o mal e que por isso seria punida com as torturas eternas do inferno, então por que a criou? Os teólogos escreveram incontáveis livros para responder a tais perguntas. Alguns acham as respostas convincentes. Outros, não. O que é inegável é que os monoteístas têm bastante trabalho ao lidar com o Problema do Mal.

Para os dualistas, é fácil explicar o mal. Coisas ruins acontecem até mesmo com pessoas boas porque o mundo não é governado exclusivamente por um Deus bom. Existe no mundo um poder malévolo e independente. Esse poder faz coisas ruins.

O dualismo tem suas próprias deficiências. Embora resolva o Problema do Mal, padece com o Problema da Ordem. Se o mundo fosse criado por um Deus único, é claro que se trataria de um lugar muito bem-ordenado, onde tudo obedeceria às mesmas leis. Porém, se o bem e o mal lutam pelo controle da Terra, quem determina as regras que governam essa guerra cósmica? Dois Estados rivais podem combater porque ambos obedecem às mesmas leis da física. Um míssil lançado do Paquistão pode atingir alvos na Índia porque a gravidade opera do mesmo modo nos dois países. Quando o bem e o mal se enfrentam, a quais leis em comum eles obedecem e quem as decretou?

Assim, o monoteísmo explica a ordem, mas se atrapalha com o mal. Já o dualismo explica o mal, mas tem dificuldade com a ordem. Há uma forma lógica de resolver essa charada: argumentar que existe um único Deus onipotente que criou todo o universo — e ele é do mal. Mas ninguém na história teve estômago para advogar essa crença.

As religiões dualistas floresceram por mais de mil anos. Em algum momento entre 1500 a.C. e 1000 a.C., um profeta chamado Zoroastro (Zaratustra) atuou em algum lugar da Ásia Central. Seu credo passou de geração em geração até se tornar a mais importante religião dualista — o zoroastrismo. Os zoroastrianos viam o mundo como uma batalha cósmica entre o deus bom Ahura Mazda e o deus mau Angra Mainyu. Os humanos tinham de ajudar o deus bom nessa luta. O zoroastrismo foi uma religião importante durante o Império Persa Aquemênida (550 a.C.-330 a.C.), tornando-se mais tarde a religião oficial do Império Persa Sassânida (224-651). Além disso, exerceu grande influência sobre quase todas as religiões subsequentes no Oriente Médio e na Ásia Central, e inspirou diversas outras religiões dualistas, como o gnosticismo e o maniqueísmo.

Durante os séculos III e IV, a crença maniqueísta se espalhou da China até o norte da África e, por algum tempo, pareceu que chegaria antes do cristianismo para dominar o Império Romano. No entanto, os maniqueístas perderam a alma de Roma para os cristãos, o Império Sassânida zoroastriano foi derrotado pelos muçulmanos monoteístas, e a onda dualista se desfez. Hoje, apenas algumas poucas comunidades dualistas sobrevivem na Índia e no Oriente Médio.

Mas a onda monoteísta não levou de vez o dualismo. Os monoteísmos judaico, cristão e muçulmano absorveram muitas crenças e práticas dualistas, tanto que algumas das ideias mais básicas do que hoje denominamos "monoteísmo" são, de fato, dualistas na origem e no espírito. Incontáveis cristãos, muçulmanos e judeus acreditam numa poderosa força do mal — como aquela que os cristãos chamam de Diabo ou Satã —, que pode agir de maneira independente, lutar contra o Deus bom e provocar estragos sem a permissão divina.

Como um monoteísta pode admitir essa crença dualista (que, aliás, não está em nenhuma parte do Velho Testamento)? Logicamente, isso é impossível. Ou você acredita num Deus único onipotente ou acredita em dois poderes opostos, nenhum dos quais onipotente. No entanto, os humanos têm uma capacidade maravilhosa de acreditar em contradições. Por isso, não surpreende que milhões de devotos cristãos, muçulmanos e judeus consigam acreditar ao mesmo tempo num Deus onipotente e num Diabo independente. Inumeráveis cristãos, muçulmanos e judeus chegaram inclusive ao ponto de imaginar que o Deus bom precisa de nossa ajuda para combater o Diabo, o que serviu de inspiração, entre outras coisas, para a convocação de jihads e cruzadas.

Outro conceito fundamental do dualismo, em especial do gnosticismo e do maniqueísmo, era a nítida distinção entre corpo e alma, matéria e espírito. Os gnósticos e os maniqueístas defendiam que o deus bom criara o espírito e a alma, enquanto a matéria e os corpos eram uma criação do deus mau. O homem, segundo essa doutrina, servia de campo de batalha entre a alma boa e o corpo mau. De uma perspectiva monoteísta, isso é um absurdo — por que distinguir de modo tão incisivo entre corpo e alma ou matéria e espírito? E por que afirmar que o corpo e a matéria são maus? Afinal, tudo foi criado pelo mesmo Deus bom. Mas os monoteístas não podiam deixar de lado essas dicotomias dualistas exatamente porque elas os ajudavam a lidar com o problema do mal. Desse modo, tais oposições se tornaram os pilares dos pensamentos cristão e muçulmano. A crença no Céu (o reino do deus bom) e no Inferno (o reino do deus mau) também era dualista na origem. Não há vestígio dessa crença no Velho Testamento, que também jamais afirmou que a alma das pessoas continuaria a viver após a morte do corpo.

Na verdade, o monoteísmo, da forma como se desdobrou na história, é um caleidoscópio de legados monoteístas, dualistas, politeístas e animistas misturados sob um único guarda-chuva divino. O cristão comum acredita no Deus monoteísta, mas também no Diabo dualista, nos santos politeístas e nos espíritos animistas. Os estudiosos da religião têm um nome para essa admissão simultânea de ideias contraditórias e a combinação de rituais e práticas vindos de fontes diversas. Chama-se sincretismo. O sincretismo, de fato, talvez seja a única grande religião do mundo.

A LEI DA NATUREZA

Todas as religiões que analisamos até agora têm uma característica importante em comum: sem exceção, concentram-se na crença em deuses e outras entidades sobrenaturais. Isso parece óbvio para um ocidental, que está familiarizado com os credos monoteístas e politeístas. Contudo, a história religiosa do mundo não se resume à história dos deuses. Durante o primeiro milênio antes de Cristo, religiões de um tipo totalmente novo começaram a se disseminar através da massa continental afro-asiática. As recém-chegadas, como o jainismo e o budismo da Índia, o taoismo e o confucionismo da China, o estoicismo, o cinismo e o epicurismo do Mediterrâneo, eram caracterizadas por seu desprezo pelos deuses.

Essas crenças afirmavam que a ordem sobre-humana que governa o mundo é produto das leis naturais, e não da vontade ou dos caprichos divinos. Algumas dessas religiões baseadas na lei natural continuaram a sustentar a existência de deuses, mas eles estavam tão sujeitos às leis da natureza quanto os humanos, os animais e as plantas. Os deuses tinham seu espaço no ecossistema, como elefantes e porcos-espinhos têm os deles, porém eram tão capazes de modificar as leis da natureza quanto os elefantes. Um exemplo notável é o budismo, a mais importante religião baseada na lei natural, que continua sendo um dos maiores credos do mundo.

A figura central do budismo não é um deus, mas um ser humano, Sidarta Gautama. De acordo com a tradição budista, Gautama, que viveu por volta do ano 500 a.C., era o herdeiro de um pequeno reino no Himalaia. O jovem príncipe era profundamente afetado pelo sofrimento à sua volta. Ele percebeu que homens e mulheres, crianças e velhos sofriam não apenas de calamidades ocasionais, como guerras e pestes, mas também de ansiedade, frustração e descontentamento, que pareciam ser parte inerente à condição humana. As pessoas buscam poder e riqueza, adquirem conhecimento e posses, geram filhos e filhas, constroem casas e palácios. No entanto, não importa quanto conquistem, nunca estão satisfeitas. Os que vivem na pobreza sonham com fortunas. Os que têm 1 milhão querem 2 milhões. Os que têm 2 milhões querem 10 milhões. Mesmo os ricos e famosos raramente estão felizes: também são perseguidos por obrigações e preocupações incessantes, até que enfermidades, a velhice e a morte os façam encontrar um fim amargo. Tudo que alguém acumulou se desvanece como fumaça. A vida é uma maratona que não leva a lugar nenhum. Mas como escapar dela?

Aos 29 anos, Gautama escapou do palácio no meio da noite, deixando para trás sua família e suas posses. Viajou como mendicante pelo norte da Índia, buscando um meio de fugir do sofrimento. Visitou *ashrams* e se sentou aos pés de gurus, porém nada foi capaz de libertá-lo por completo — sempre restava alguma insatisfação. Não se desesperou. Resolveu investigar o sofrimento por conta própria até encontrar um método para alcançar a libertação total. Passou seis anos meditando sobre a essência, as causas e as curas da angústia humana. Por fim, entendeu que o sofrimento não é causado pela má sorte, pela injustiça social ou por caprichos divinos. Ao contrário, o sofrimento é causado pelos padrões de comportamento da mente de cada pessoa.

A percepção de Gautama foi que, seja lá o que for que se passe na mente, ela em geral reage desejando alguma coisa, e o desejo sempre causa insatisfação. Quando a mente experimenta alguma coisa desagradável, ela deseja se livrar da irritação. Quando experimenta alguma coisa agradável, deseja que o prazer permaneça e se torne mais intenso. Esse seria então o motivo de a mente estar sempre insatisfeita e inquieta. Isso fica muito claro quando temos experiências desagradáveis, como a dor. Enquanto a dor não vai embora, ficamos infelizes e fazemos todo o possível para evitá-la. Entretanto, mesmo quando temos uma experiência agradável, nunca estamos contentes. Temos medo de

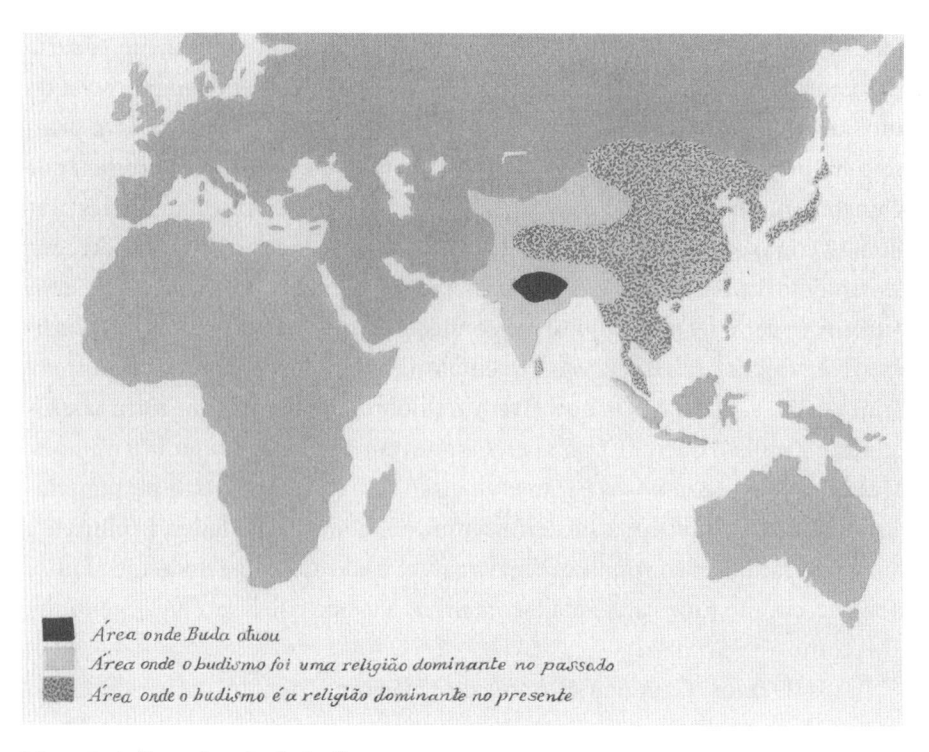

Área onde Buda atuou
Área onde o budismo foi uma religião dominante no passado
Área onde o budismo é a religião dominante no presente

Mapa 6. *A disseminação do budismo.*

que o prazer desapareça ou esperamos que se torne mais intenso. As pessoas sonham durante anos em encontrar o amor, porém é raro ficarem felizes ao encontrá-lo. Alguns se tornam ansiosos com a possibilidade de que o parceiro vá embora; outros sentem que se satisfizeram com pouco e talvez pudessem encontrar alguém melhor. E todos conhecemos quem sinta as duas coisas.

Grandes deuses podem fazer chover, instituições sociais podem garantir justiça e boa saúde, coincidências da sorte podem nos tornar milionários, porém nada disso pode modificar nossos padrões mentais básicos. Nessas condições, mesmo os grandes reis estão fadados a viver angustiados, constantemente infelizes e ansiosos e sempre buscando prazeres maiores.

Gautama descobriu que havia uma maneira de escapar desse círculo vicioso. Se, ao registrar algo agradável ou desagradável, a mente simplesmente entendesse que as coisas são como são, então não há sofrimento. Se você experimentar a tristeza sem desejar que esse sentimento vá embora, continuará triste, mas não sofrerá por isso. Na verdade, pode haver algo positivo na tristeza. Caso você sinta alegria sem desejar que ela dure por mais tempo ou se intensifique, então continuará se sentindo contente sem perder a paz de espírito.

Mas como conseguir fazer com que a mente aceite as coisas como são sem desejar nada além? Para que aceite a tristeza como tristeza, a alegria como alegria, a dor como dor? Gautama desenvolveu um conjunto de técnicas de meditação que treinam a mente para sentir a realidade como ela é, sem desejos. Essas práticas requerem que toda a atenção esteja na pergunta "O que estou sentindo agora?", e não em "O que eu gostaria de estar sentindo?". É um estado de espírito difícil de ser alcançado, mas não é impossível.

Gautama fundamentou essas técnicas de meditação num conjunto de regras éticas destinadas a fazer com que as pessoas tivessem mais facilidade para se concentrar na experiência que estava sendo vivida, evitando assim recorrer a desejos ou a fantasias. Instruiu seus seguidores a evitar matar, fazer sexo promíscuo e roubar, uma vez que tais atos necessariamente alimentam o fogo do desejo (de poder, de prazer sexual ou de riqueza). Quando essas chamas se apagam por completo, o desejo é substituído por um estado de perfeito contentamento e serenidade, chamado de nirvana (cujo significado literal é "apagando o fogo"). Aqueles que atingiram o nirvana estão livres de todo o sofrimento. Encaram a realidade com o máximo de clareza, sem fantasias nem ilusões. Embora seja provável que ainda se deparem com coisas desagradáveis e com dor, essas experiências não lhes causarão pesar. Uma pessoa que não deseja não pode sofrer.

Segundo a tradição budista, o próprio Gautama atingiu o nirvana e ficou totalmente livre do sofrimento. Depois disso, passou a ser conhecido como "Buda", que significa "o iluminado". Buda dedicou o resto de seus dias a explicar aquelas descobertas para outras pessoas, de forma que todos pudessem se libertar do sofrimento. Seus ensinamentos foram resumidos numa única lei: o sofrimento nasce do desejo; o único modo de se libertar totalmente do sofrimento é se libertando do desejo; e o único modo de se libertar do desejo é treinar a mente para viver a realidade como ela é.

Essa lei, conhecida como *dharma* ou *dhamma*, é vista pelos budistas como uma lei universal da natureza. A afirmação de que "O sofrimento nasce do desejo" é verdadeira sempre e em toda parte, assim como na física moderna E é sempre igual a mc^2. Os budistas acreditam nessa lei e fazem dela a base de todas as suas atividades. A crença em deuses, por outro lado, é menos importante para eles. O primeiro princípio das religiões monoteístas é: "Deus existe. O que Ele quer de mim?". O primeiro princípio do budismo é: "O sofrimento existe. Como posso escapar dele?".

O budismo não nega a existência de deuses — descritos como seres poderosos que podem trazer chuvas e vitórias —, mas eles não têm nenhuma influência sobre a lei de que o sofrimento nasce do desejo. Se a mente das pessoas estiver livre de qualquer desejo, nenhum deus pode torná-las infelizes. Por outro lado, uma vez despertado o desejo na mente de uma pessoa, nem todos os deuses do universo poderão impedi-la de sofrer.

Todavia, assim como as crenças monoteístas, as religiões pré-modernas baseadas na lei natural, como o budismo, nunca se livraram de fato do culto aos deuses. O budismo dizia às pessoas que elas deviam ter como objetivo a libertação completa do sofrimento em vez de buscar paradas ao longo do caminho, como a prosperidade econômica e o poder político. No entanto, 99% dos budistas não atingiam o nirvana, e mesmo aqueles que esperavam fazê-lo numa vida futura dedicavam a maior parte da vida no presente à busca por conquistas mundanas. Por isso, continuavam a adorar diversos deuses, como os deuses hindus na Índia, os deuses bön no Tibete e os deuses xintoístas no Japão.

Além disso, com o passar dos anos, várias seitas budistas desenvolveram panteões de budas e bodisatvas — seres humanos e não humanos com a capacidade de alcançar a libertação completa do sofrimento, mas que renunciaram a isso por compaixão, para ajudar os incontáveis seres que ainda estão aprisionados no ciclo do sofrimento. Em vez de cultuar deuses, muitos budistas começaram a adorar esses seres iluminados, pedindo-lhes ajuda não apenas para alcançar o nirvana, como também para lidar com problemas cotidianos. Desse modo, encontramos muitos budas e bodisatvas por todo o Leste da Ásia que passam seus dias fazendo chover, interrompendo surtos de peste e até vencendo guerras sangrentas — em troca de preces, flores coloridas, incensos e oferendas de arroz ou doces.

O CULTO AO HOMEM

Os últimos trezentos anos são muitas vezes descritos como uma era de crescente secularismo em que as religiões foram perdendo importância. Se estivermos falando de religiões teístas, a afirmação é em geral correta. Porém, se levamos em conta as religiões baseadas na lei natural, então a modernidade é uma era de intenso fervor religioso, de esforços missionários nunca antes vistos e das guerras religiosas mais sangrentas da história. A era moderna testemunhou a ascensão de diversas novas religiões baseadas na lei natural, como o liberalismo, o comunismo, o capitalismo, o nacionalismo e o nazismo. Essas crenças não gostam de ser chamadas de religião e se autodenominam ideologias. Mas isso não passa de um exercício semântico. Se uma religião é um sistema de normas e valores humanos baseado na crença em uma ordem sobre-humana, então o comunismo soviético foi uma religião tanto quanto o islamismo.

O islamismo é obviamente diferente do comunismo porque vê a ordem sobre-humana que governa o mundo como o decreto de um deus criador onipotente, ao passo que o comunismo soviético não acreditava em deuses. Mas o budismo também dá pouco valor aos deuses e, no entanto, é em geral classificado como uma religião. Assim como os budistas, os comunistas acreditavam numa ordem sobre-humana de leis naturais e imutáveis que deviam guiar as ações humanas. Enquanto o budismo acredita que a lei da natureza foi descoberta por Sidarta Gautama, o comunismo acredita que ela foi descoberta por Karl Marx, Friedrich Engels e Vladímir Ilitch Lênin. A semelhança não acaba aí. Assim como em outras religiões, os comunistas também têm seus textos sagrados e seus livros proféticos, a exemplo de *O capital* de Marx, que previu que a história logo terminaria com a inevitável vitória do proletariado. O comunismo tinha seus feriados e festivais, como o Primeiro de Maio e o aniversário da Revolução de Outubro. Possuía teólogos especializados na dialética marxista, e cada unidade do Exército soviético contava com um capelão, chamado de comissário, que monitorava a devoção de soldados e oficiais. O comunismo tinha mártires, guerras santas e heresias, como o trotskismo. O comunismo soviético era uma religião fanática e missionária. Um comunista devoto não podia ser cristão nem budista: esperava-se que ele divulgasse o evangelho segundo Marx e Lênin, mesmo se lhe custasse a vida.

Alguns leitores talvez se sintam desconfortáveis com essa linha de raciocínio. Se isso o faz se sentir melhor, fique à vontade para continuar a chamar o comunismo de ideologia, e não de religião. Não faz a menor diferença. Podemos dividir as crenças em religiões centradas em deuses e ideologias sem deu-

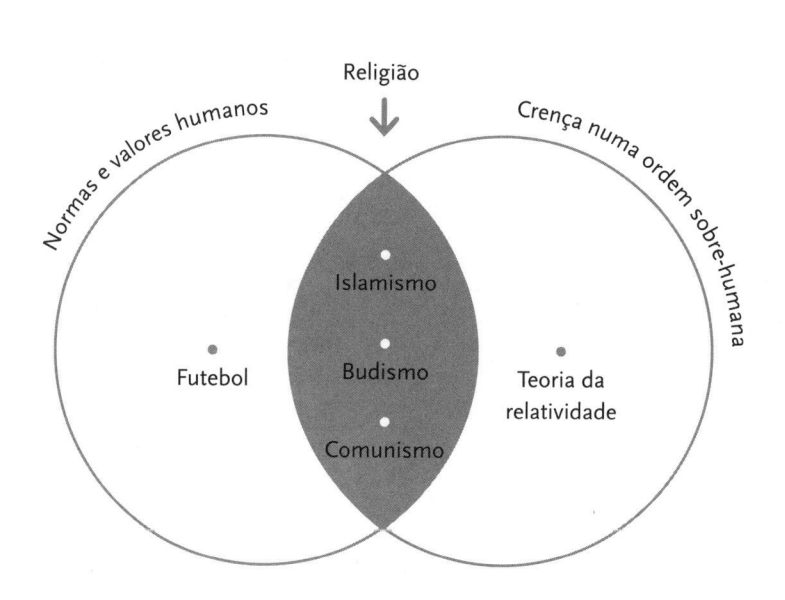

Religião

Normas e valores humanos

Crença numa ordem sobre-humana

Islamismo

Futebol

Budismo

Comunismo

Teoria da relatividade

A religião é um sistema de normas e valores humanos baseado na crença em uma ordem sobre-humana. A teoria da relatividade não é uma religião porque (ao menos até agora) não há normas e valores humanos que sejam baseados nela. O futebol não é uma religião porque ninguém defende que suas regras são reflexo de determinações sobre-humanas. O islamismo, o budismo e o comunismo são religiões porque são todos sistemas de normas e valores humanos baseados na crença em uma ordem sobre-humana. (Vale notar a diferença entre "sobre-humana" e "sobrenatural". A lei budista da natureza e as leis marxistas da história são sobre-humanas, pois não foram promulgadas por humanos. No entanto, elas não são sobrenaturais.)

ses, ambas afirmando se basear em leis naturais. Mas então, para sermos consistentes, seria necessário catalogar ao menos algumas seitas budistas, taoistas e estoicas como ideologias em vez de religiões. Por outro lado, devemos notar que a crença em deuses persistiu no seio de muitas ideologias modernas, e que algumas delas, em especial o liberalismo, fazem pouco sentido sem isso.

Seria impossível examinar aqui a história de todas as crenças modernas, em particular porque não há fronteiras claras entre elas: são tão sincréticas quanto o monoteísmo e o budismo comum. Assim como um budista podia cultuar as divindades hindus e um monoteísta podia acreditar na existência de Satã, o norte-americano típico da atualidade é ao mesmo tempo um nacionalista (crê na existência de uma nação norte-americana com um papel especial a desempenhar na história), um capitalista defensor do livre mercado (acredita que a competição irrestrita e a busca pelos próprios interesses são as melhores formas de se tornar uma sociedade próspera) e um humanista liberal (acredita que os humanos foram dotados por seu criador de certos direitos inalienáveis). O nacionalismo será discutido no cap. 18. O capitalismo — a mais bem-sucedida das religiões modernas — merece todo um capítulo, o 16, no qual são expostos suas crenças e seus rituais mais relevantes. Nas próximas páginas deste capítulo, cuidarei das religiões humanistas.

As religiões teístas se concentram na adoração de deuses. As religiões humanistas cultuam a humanidade ou, para ser mais exato, o *Homo sapiens*. O humanismo é a crença de que o *Homo sapiens* tem uma natureza singular e sagrada fundamentalmente diferente da de todos os outros animais e de todos os outros fenômenos. Os humanistas acreditam que a natureza singular do *Homo sapiens* é a coisa mais importante no mundo, determinando o significado de tudo o que ocorre no universo. O bem supremo é o bem do *Homo sapiens*. O resto do mundo e todos os outros seres só existem para o benefício dessa espécie.

Todos os humanistas cultuam a humanidade, mas não concordam em sua definição. O humanismo se dividiu em três seitas rivais que lutam em torno da definição exata de "humanidade", da mesma forma que seitas cristãs rivais brigaram pela definição exata de Deus. Atualmente, a seita humanista mais importante é o humanismo liberal, que acredita que "humanidade" é uma qualidade de humanos individuais, e que portanto a liberdade dos indivíduos é sacrossanta. De acordo com os liberais, a natureza sagrada da humanidade reside em todos os indivíduos *Homo sapiens*. A essência dos indivíduos humanos dá sentido ao mundo e é a origem de toda autoridade ética e política. Se encontramos algum dilema ético ou político, devemos olhar para dentro e ouvir nossa voz interior — a voz da humanidade. Os principais mandamentos do humanismo liberal têm como objetivo proteger a liberdade da voz interior contra qualquer invasão ou dano. Esses mandamentos são conhecidos coletivamente como "direitos humanos".

Por exemplo, é por isso que os liberais se opõem à tortura e à pena de morte. No início da era moderna na Europa, considerava-se que os assassinos violavam e desestabilizavam a ordem cósmica. A fim de reequilibrar o cosmos, era necessário torturar e executar em público o criminoso de modo que todos pudessem ver a ordem sendo restabelecida. Presenciar execuções horríveis era um dos passatempos prediletos de londrinos e parisienses nos tempos de Shakespeare e de Molière. Na Europa atual, o assassinato é visto como uma violação da natureza sagrada da humanidade. Para restaurar a ordem, os europeus hoje não torturam ou executam criminosos. Em vez disso, punem o assassino da forma que entendem ser a mais "humana", preservando assim — e até mesmo reconstruindo — sua santidade humana. Ao honrar a natureza humana do assassino, todos são lembrados do caráter sagrado da humanidade, e a ordem é restabelecida. Ao defender o assassino, reparamos aquilo que o assassino danificou.

Muito embora torne os humanos sagrados, o humanismo liberal não nega a existência de Deus porque de fato se fundamenta em crenças monoteístas. A convicção liberal na natureza livre e sagrada de cada indivíduo é um legado direto da tradicional crença cristã nas almas individuais livres e eternas. Sem recorrer a almas eternas e a um Deus Criador, fica embaraçosamente difícil para os liberais explicar o que existe de tão extraordinário no indivíduo sapiens.

Outra seita importante é o humanismo socialista. Os socialistas acreditam que a "humanidade" é coletiva e não individualista. Consideram sagrada não a voz interior de cada indivíduo, mas a espécie *Homo sapiens* como um todo. Enquanto o humanismo liberal busca tanta liberdade quanto possível para cada ser humano individualmente, o humanismo socialista busca a igualdade entre todos os humanos. Segundo os socialistas, a desigualdade é a maior blasfêmia contra o caráter sagrado da humanidade porque privilegia qualidades periféricas dos humanos em detrimento de sua essência universal. Por exemplo, quando os ricos são privilegiados em relação aos pobres, isso significa que valorizamos mais o dinheiro do que a essência universal de todos os humanos, que é a mesma para ricos e pobres.

Tal como o humanismo liberal, o humanismo socialista está baseado em pilares monoteístas. A ideia de que todos os humanos são iguais é uma versão repaginada da crença monoteísta de que todas as almas são iguais perante Deus. A única seita humanista que de fato se desgarrou do monoteísmo tradicional foi o humanismo evolucionário, cujos representantes mais famosos foram os nazistas. O que distinguiu os nazistas das outras seitas humanistas foi uma definição diferente de "humanidade", profundamente influenciada pela teoria da evolução. Em contraste com outros humanistas, os nazistas acreditavam que a humanidade não é algo universal e eterno, mas uma espécie mutável que pode evoluir ou degenerar. O homem pode evoluir para se transformar num super-homem ou num ser sub-humano.

A maior ambição dos nazistas era proteger a humanidade da degeneração e encorajar sua progressiva evolução. Por isso, afirmavam que a raça ariana, entendida como a forma mais avançada da humanidade, precisava ser protegida e fortalecida, enquanto os tipos degenerados do *Homo sapiens* — como judeus, ciganos, homossexuais e doentes mentais — necessitavam ser isolados e até exterminados. Os nazistas explicavam que o próprio *Homo sapiens* tinha surgido quando uma população "superior" de antigos humanos evoluíra enquanto as populações "inferiores", como os neandertais, foram extintas. Essas diferentes populações inicialmente não passavam de raças diferentes, mas se desenvolveram de forma independente seguindo caminhos evolutivos próprios. Isso poderia voltar a ocorrer. De acordo com os nazistas, o *Homo sapiens* já se dividira em raças diferentes, cada qual com suas características peculiares. Uma dessas raças, a ariana, possuía as melhores qualidades — racionalidade, beleza, integridade, diligência —, tendo por isso o potencial de transformar o homem em super-homem. Outras raças, como os judeus e os negros, eram os novos neandertais, exibindo qualidades inferiores. Se lhes fosse permitido procriar, e sobretudo se casar com arianos, eles adulterariam todas as populações humanas e condenariam o *Homo sapiens* à extinção.

Os biólogos desde então refutaram a teoria racial nazista. Em particular, a pesquisa genética conduzida depois de 1945 demonstrou que as diferenças entre as diversas linhagens humanas são muito menores do que os nazistas postularam. Mas essas conclusões são relativamente recentes. À luz do conhecimento científico em 1933, as crenças nazistas não eram absurdas. A crença na existência de raças humanas diferentes e na superioridade da raça branca, bem como na necessidade de proteger e amparar essa raça superior, era compartilhada em larga escala pela maioria das elites ocidentais. Membros das mais prestigiosas universidades do Ocidente, fazendo uso dos métodos científicos ortodoxos de então, publicavam estudos que supostamente provariam que os indivíduos de raça branca eram mais inteligentes, mais éticos e mais hábeis que africanos ou indianos. Políticos em Washington, Londres e Camberra aceitavam como um fato que cabia a eles evitar a adulteração e a degeneração da raça branca — por exemplo, restringindo a imigração da China ou mesmo da Itália para países "arianos", como os Estados Unidos e a Austrália.

Essas posições não mudaram apenas porque novas pesquisas científicas foram publicadas. Os avanços sociológicos e políticos foram instrumentos de mudança muito mais poderosos. Nesse sentido, Hitler não cavou só sua própria sepultura, mas a do racismo em geral. Ao iniciar a Segunda Guerra Mundial, ele obrigou seus inimigos a fazer uma nítida distinção entre "nós" e "eles". Mais tarde, exatamente porque a ideologia nazista era tão racista, o racismo se tornou desacreditado no Ocidente. No entanto, essa mudança levou tempo. A supremacia branca permaneceu como uma ideologia central na política norte--americana pelo menos até a década de 1960. A política da Austrália Branca, que restringia a imigração de grupos não brancos, continuou a vigorar até 1973. Os aborígenes australianos não receberam direitos políticos iguais até a década de 1960, e em sua maioria foram impedidos de votar nas eleições por serem considerados incapazes de atuar como cidadãos.

Os nazistas não odiavam a humanidade. Lutaram contra o humanismo liberal, os direitos humanos e o comunismo exatamente porque admiravam a humanidade e acreditavam no grande potencial da espécie humana. Mas, seguindo a lógica da evolução darwiniana, postularam que era necessário permitir à seleção natural erradicar os indivíduos impróprios e deixar que apenas os mais aptos sobrevivessem e procriassem. Ao ajudar os fracos, o liberalismo e o comunismo não apenas possibilitavam que pessoas incapazes sobrevivessem, como de fato lhes davam a oportunidade de se reproduzir, minando assim a seleção natural. Nesse mundo, os humanos mais aptos inevitavelmente se afo-

RELIGIÕES HUMANISTAS — RELIGIÕES QUE CULTUAM A HUMANIDADE		
HUMANISMO LIBERAL	HUMANISMO SOCIALISTA	HUMANISMO EVOLUCIONÁRIO
O *Homo sapiens* tem uma natureza peculiar e sagrada que é fundamentalmente diferente da natureza de todos os outros seres e fenômenos. O bem supremo é o bem da humanidade.		
A "humanidade" é individualista e reside em cada indivíduo *Homo sapiens*.	A "humanidade" é coletiva e reside na espécie *Homo sapiens* como um todo.	A "humanidade" é uma espécie mutável. Os humanos podem degenerar para sub-humanos ou evoluir para super-homens.
O mandamento supremo é proteger a essência interior e a liberdade de cada indivíduo *Homo sapiens*.	O mandamento supremo é proteger a igualdade dentro da espécie *Homo sapiens*.	O mandamento supremo é proteger a humanidade da degeneração em sub-humanos e encorajar sua evolução para super-homens.

30. *Pôster de propaganda nazista que mostra, à dir., um "ariano racialmente puro" e, à esq., um "mestiço". A admiração nazista pelo corpo humano é evidente, assim como seu medo de que raças tidas como inferiores pudessem contaminar a humanidade e causar sua degeneração.*

gariam num mar de degenerados incapazes. A humanidade se tornaria menos apta a cada geração — o que poderia levá-la à extinção.

Um manual de biologia alemão de 1942 explica no capítulo "As leis da natureza e a humanidade" que a lei suprema da natureza é que todos os seres estão engajados numa luta impiedosa pela sobrevivência. Depois de descrever como as plantas lutam por território, como os besouros brigam para encontrar fêmeas e coisas do gênero, o manual conclui que:

A batalha pela existência é dura e implacável, mas é o único modo de manter a vida. Essa luta elimina tudo que é impróprio à vida, selecionando tudo que é capaz de sobreviver [...]. Essas leis naturais são incontroversas: as criaturas vivas as demonstram por sua própria sobrevivência. Elas são impiedosas. Aqueles que resistem a elas serão liquidados. A biologia não fala apenas de animais e plantas, mas também mostra que leis devemos seguir em nossas vidas, fortalecendo a nossa vontade de viver e de lutar de acordo com tais princípios. O sentido da vida é a luta. Pobre daquele que violar essas leis.

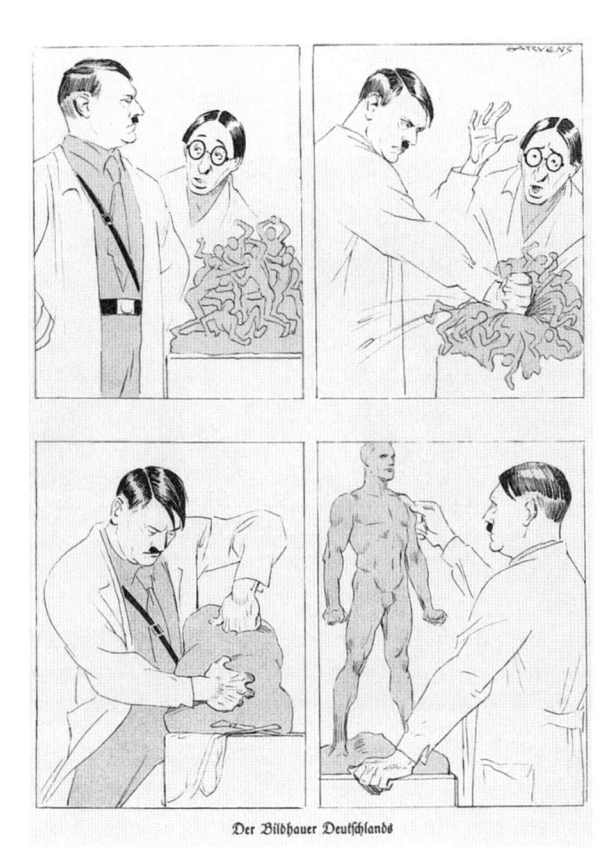

31. *Charge nazista de 1933. Hitler é apresentado como um escultor que cria o super-homem. Um liberal de óculos fica horrorizado com a violência necessária para criar o super-homem. (Vale notar também a glorificação erótica do corpo humano.)*

Der Bildhauer Deutschlands

Em seguida há uma citação de *Minha luta*: "Quem tenta combater a lógica imutável da natureza está lutando contra os princípios aos quais deveria agradecer por estar vivo. Lutar contra a natureza é provocar sua própria destruição".[3]

Na aurora do terceiro milênio, o futuro do humanismo evolucionário não está claro. Durante os sessenta anos que se seguiram ao fim da guerra contra Hitler, foi um tabu vincular o humanismo à evolução e advogar o uso de métodos biológicos para "aprimorar" o *Homo sapiens*. Mas hoje esses projetos voltaram à moda. Ninguém fala em exterminar raças ou pessoas ditas inferiores, porém muitos contemplam o emprego do nosso crescente conhecimento de biologia humana para criar super-homens.

Ao mesmo tempo, um grande abismo está se abrindo entre os princípios do humanismo liberal e as descobertas mais recentes das ciências da vida, que não pode continuar a ser ignorado por muito tempo. Nossos sistemas liberais político e jurídico se baseiam na crença de que todo indivíduo tem uma natureza interior sagrada, indivisível e imutável, que dá sentido ao mundo e é a fonte de toda autoridade ética e política. Isso é a reencarnação da tradicional crença cristã numa alma livre e eterna que reside dentro de cada indivíduo. No entanto, durante os últimos duzentos anos, as ciências da vida minaram totalmente essa crença. Os cientistas que estudam o funcionamento interno do organismo humano não encontraram lá alma nenhuma. Cada vez mais argumentam que o comportamento humano é determinado não pelo livre-arbítrio, mas por hormônios, genes e sinapses — as mesmas forças que ditam o comportamento de chimpanzés, lobos e formigas. Nossos sistemas jurídico e político em grande medida tentam varrer para debaixo do tapete essas descobertas inconvenientes. Entretanto, sejamos honestos: por mais quanto tempo podemos manter o departamento de biologia distante dos departamentos de direito e de ciência política?

13. O segredo do sucesso

O comércio, os impérios e as religiões universais com o tempo trouxeram todos os sapiens, de todos os continentes, para o mundo globalizado em que vivemos hoje. Esse processo de expansão e unificação não foi linear ou ininterrupto. Entretanto, contemplando o panorama mais amplo, a transição de muitas culturas pequenas para culturas maiores e em menor quantidade e, por fim, para uma única sociedade global foi provavelmente o resultado inevitável da dinâmica da história humana.

Contudo, dizer que uma sociedade global é inevitável não é o mesmo que dizer que o resultado final precisava ser o tipo de sociedade globalizada que temos hoje. Sem dúvida é possível visualizar outros desfechos. Por que o inglês é tão disseminado atualmente, e não o dinamarquês? Por que há cerca de 2 bilhões de cristãos e 1,25 bilhão de muçulmanos no mundo, mas apenas 150 mil zoroastrianos e nenhum maniqueísta? Se pudéssemos voltar 10 mil anos no tempo e reiniciar o processo quantas vezes fosse necessário, será que iríamos sempre ver a ascensão do monoteísmo e o declínio do dualismo?

Como não podemos fazer esse experimento, é de fato impossível saber, mas um exame de duas características cruciais da história pode nos proporcionar algumas pistas.

1. A FALÁCIA DO OLHAR RETROSPECTIVO

Todo ponto na história é uma encruzilhada. Uma única estrada nos traz do passado para o presente, mas milhares de caminhos se abrem em direção ao futuro. Alguns são mais largos, mais planos e bem sinalizados, e por isso têm uma maior probabilidade de serem escolhidos, porém às vezes a história — ou as pessoas que fazem a história — toma rumos inesperados.

No começo do século IV da era cristã, o Império Romano estava diante de um amplo leque de possibilidades religiosas. Poderia ter se aferrado a seu politeísmo tradicional e diversificado, mas seu imperador, Constantino, refletindo sobre um século turbulento de guerra civil, parece ter pensado que uma única religião, dotada de uma doutrina clara, seria capaz de ajudar a unificar seus domínios etnicamente diversos. Poderia ter escolhido qualquer um entre os vários cultos contemporâneos para estabelecer como fé nacional — maniqueísmo, mitraísmo, os cultos a Ísis ou Cibele, zoroastrismo, judaísmo e mesmo o budismo eram opções disponíveis. Por que optou por Jesus Cristo? Alguma coisa na teologia cristã o atraiu, ou talvez um aspecto daquela fé o fez pensar que seria mais fácil usá-la para seus propósitos? Será que ele teve alguma experiência religiosa, ou algum de seus conselheiros sugeriu que os cristãos estavam ganhando adeptos bem depressa e que seria melhor surfar aquela onda? Os historiadores especulam, porém não têm uma resposta definitiva. Podem descrever *como* o cristianismo tomou conta do Império Romano, mas são incapazes de explicar *por que* foi exatamente essa possibilidade que se transformou em realidade.

Qual é a diferença entre descrever "como" e explicar o "porquê"? Descrever "como" significa reconstruir a série de eventos específicos que levaram de um ponto a outro. Explicar o "porquê" significa encontrar conexões causais para a ocorrência daquela série particular de acontecimentos, e não todas as outras.

Alguns estudiosos de fato oferecem explicações deterministas de eventos como a ascensão do cristianismo. Tentam reduzir a história humana à operação de forças biológicas, ecológicas ou econômicas. Argumentam que havia alguma coisa na geografia, na genética ou na economia do Mediterrâneo romano que tornava inevitável a ascensão de uma religião monoteísta. Entretanto, a maioria dos historiadores tende a ver com ceticismo tais teorias deterministas. Essa é uma das características especiais da história como disciplina acadêmica —

quanto mais se conhece um período histórico particular, mais *difícil* é explicar por que as coisas aconteceram de uma forma e não de outra. Quem tem um conhecimento apenas superficial de certo período tende a se concentrar somente na possibilidade que por fim ocorreu. Com afirmações de que "foi assim que aconteceu", explicam de maneira retrospectiva por que determinado resultado era inevitável. Os que possuem mais informações sobre o período têm um conhecimento bem maior dos caminhos que não foram tomados.

Na verdade, as pessoas que conheciam melhor o período — as que viviam na época — eram as que menos sabiam: para o romano comum do tempo de Constantino, o futuro era nebuloso. É uma lei de ouro da história que aquilo que parece inevitável quando olhamos para o passado estava longe de ser óbvio à época. Hoje não é diferente. Já escapamos da crise econômica global ou o pior ainda está por vir? A China continuará crescendo até se tornar a maior superpotência mundial? Os Estados Unidos perderão sua hegemonia? A expansão do fundamentalismo monoteísta é a onda do futuro ou um redemoinho passageiro que terá pouca importância a longo prazo? Estamos rumando para um desastre ecológico ou para um paraíso tecnológico? Há bons argumentos em favor de todos esses resultados, mas não temos como saber ao certo. Dentro de algumas décadas, as pessoas olharão para trás e pensarão que as respostas para todas essas perguntas eram óbvias.

É particularmente relevante enfatizar que possibilidades talvez muito improváveis para os contemporâneos com frequência se concretizam. Quando Constantino assumiu o trono, em 306, o cristianismo era pouco mais que uma seita esotérica do Oriente. Se na época alguém sugerisse que ele estava prestes a se transformar na religião oficial de Roma, seria posto para fora da sala às gargalhadas, assim como aconteceria com quem sugerisse agora que, no ano de 2050, o Hare Krishna será a religião oficial dos Estados Unidos. Em outubro de 1913, os bolcheviques eram uma pequena facção radical russa. Nenhuma pessoa razoável teria predito que, dentro de apenas quatro anos, eles controlariam o país. Em 600, era ainda mais ridícula a noção de que um bando de árabes que vivia no deserto em breve conquistaria um território que ia do oceano Atlântico à Índia. Na verdade, caso o exército bizantino houvesse rechaçado o ataque inicial, o islamismo provavelmente teria permanecido como um culto obscuro conhecido só por um punhado de especialistas. Os estudiosos teriam então uma tarefa muito fácil para explicar por que um credo baseado na revelação de um mercador de meia-idade de Meca nunca poderia ter deslanchado.

Não que tudo seja possível. Forças geográficas, biológicas e econômicas geram restrições. No entanto, essas restrições deixam ampla margem para ocorrências surpreendentes que não parecem limitadas por nenhuma lei determinista.

Essa conclusão decepciona muita gente que prefere que a história seja determinista. O determinismo é atraente por implicar que nosso mundo e nossas crenças são um produto natural e inevitável da história. Assim, é natural e inevitável que vivamos em Estados-nações, organizemos nossa economia em função de princípios capitalistas e acreditemos fervorosamente em direitos humanos. Reconhecer que a história não é determinista significa reconhecer que é apenas uma coincidência o fato de que a maioria das pessoas hoje acredita no nacionalismo, no capitalismo e nos direitos humanos.

A história não pode ser explicada de forma determinista e não pode ser prevista porque é caótica. São tantas forças em jogo, com interações tão complexas, que variações extremamente pequenas na potência dessas forças e no modo como interagem produzem diferenças enormes nos resultados. Não só isso, mas a história é o que se chama de sistema caótico de "nível dois". Os sistemas caóticos se apresentam de duas formas. O caos de nível um é o que não reage a predições sobre ele. As condições meteorológicas, por exemplo, constituem um sistema caótico de nível um. Embora influenciado por milhares de fatores, podemos formular modelos de computador que levam em consideração um número cada vez maior deles para produzir previsões do tempo cada vez melhores.

O caos de nível dois reage às previsões sobre ele, e por isso não pode jamais ser previsto com exatidão. Os mercados, por exemplo, são um sistema caótico de nível dois. O que acontecerá se desenvolvermos um programa de computador capaz de prever com 100% de precisão o preço do petróleo amanhã? O preço do petróleo reagirá na mesma hora à previsão, que, portanto, deixará de se realizar. Se o preço atual do petróleo é noventa dólares por barril e o programa de computador infalível prevê que amanhã será de cem dólares, os corretores se apressarão para comprar petróleo a fim de lucrar com a elevação prevista no preço. Em consequência, o preço pulará para cem dólares hoje, e não amanhã. E o que ocorrerá amanhã? Ninguém sabe.

A política também é um sistema caótico de nível dois. Muitos criticam os especialistas em União Soviética pela falta de previsão das revoluções de 1989 ou condenam quem estuda o Oriente Médio por não ter antevisto a Primavera Árabe de 2011. Isso é injusto. As revoluções, por definição, são imprevisíveis. Uma revolução prevista nunca eclode.

Por que não? Imaginemos que, em 2010, algum cientista político genial se uniu a um mago da computação e juntos desenvolveram um algoritmo infalível que, incorporado a uma interface atraente, pode ser comercializado como um previsor de revoluções. Oferecem seus serviços ao presidente Hosni Mubarak, do Egito, e em troca de um valor generoso dizem a ele que, segundo suas previsões, uma revolução sem dúvida eclodirá no país durante o próximo ano. Como Mubarak reagiria? Muito provavelmente reduziria de imediato os impostos, distribuiria bilhões de dólares em benesses aos cidadãos — e também, por via das dúvidas, reforçaria sua polícia secreta. As medidas preventivas funcionam. O ano seguinte transcorre — surpresa! — sem que nenhuma revolução ocorra. Mubarak exige seu dinheiro de volta: "Esse algoritmo de vocês não vale nada!", grita para os cientistas. "Eu bem que poderia ter construído outro palácio em vez de jogar todo aquele dinheiro fora!" "Mas só não houve uma revolução porque a previmos", dizem os cientistas para se defender. "Profetas que preveem coisas que não acontecem?", retruca Mubarak, fazendo sinal para que seus seguranças agarrem os dois. "Eu posso arranjar uma dúzia desses no mercado do Cairo por alguns tostões."

Então por que estudar história? Ao contrário da física ou da economia, a história não é um meio de fazer previsões exatas. Estudamos história não para conhecer o futuro, mas para ampliar nossos horizontes, para compreender que nossa situação atual não é nem natural nem inevitável e que, consequentemente, temos muito mais possibilidades diante de nós do que imaginamos. Por exemplo, ao estudar como se deu a dominação dos africanos pelos europeus podemos entender que não há nada de natural ou inevitável na hierarquia racial e que o mundo podia perfeitamente ter uma conformação diferente.

2. CLIO, A MUSA CEGA DA HISTÓRIA

Não podemos explicar as escolhas que a história faz, porém podemos dizer algo muito importante sobre elas: as escolhas da história não são feitas para beneficiar os humanos. Não há nenhuma prova de que o bem-estar dos seres humanos inevitavelmente melhore ao longo da história. Não há nenhuma prova de que culturas benéficas para os humanos tenham êxito e se disseminem, ao passo que culturas menos benéficas desapareçam. Não há nenhuma prova de que o cristianismo foi uma escolha melhor que o maniqueísmo, ou que o Império Árabe foi mais benéfico que o Persa Sassânida.

Não há prova de que a história esteja trabalhando em favor dos humanos porque não temos uma escala objetiva para medir esse benefício. Culturas diversas definem o que é bom de forma diferente, e não temos parâmetros objetivos para esse julgamento. Os vencedores, é claro, sempre creem que sua definição é a correta. Mas por que deveríamos confiar nos vencedores? Os cristãos acreditam que a vitória do cristianismo sobre o maniqueísmo foi benéfica para a humanidade, porém, se não aceitamos a visão de mundo dos cristãos, não há motivo para concordar com eles. Os muçulmanos acreditam que a queda do Império Sassânida, que lhes deu o poder, foi benéfica para a humanidade. No entanto, esses benefícios só são evidentes se aceitarmos a visão de mundo dos muçulmanos. É perfeitamente possível que estivéssemos em uma situação melhor se o cristianismo e o islamismo tivessem sido esquecidos ou derrotados.

Um número cada vez maior de estudiosos vê as culturas como um tipo de infecção ou parasita mental, com os humanos como hospedeiros involuntários. Os parasitas orgânicos, como os vírus, vivem dentro do corpo de seus hospedeiros. Multiplicam-se e passam de um hospedeiro para outro, alimentando-se deles, enfraquecendo-os e às vezes até os matando. Desde que os hospedeiros vivam por tempo suficiente para transmiti-lo, o parasita pouco se importa com a condição do hospedeiro. Do mesmo modo, as ideias culturais que vivem dentro da mente dos humanos se multiplicam e se disseminam de um hospedeiro para outro, às vezes debilitando-os ou até mesmo os matando. Uma ideia cultural — como a crença no Céu cristão acima das nuvens ou no paraíso comunista aqui na Terra — pode compelir um humano a dedicar sua vida a divulgá-la, mesmo com risco de morte. O humano morre, mas a ideia se espalha. De acordo com essa abordagem, as culturas não são conspirações formuladas por algumas pessoas a fim de levar vantagem sobre outras (como os marxistas tendem a pensar). Pelo contrário, as culturas são parasitas mentais que surgem acidentalmente e depois se aproveitam de todos que são contaminados por eles.

Essa abordagem é por vezes chamada de memética. Ela presume que, assim como a evolução orgânica está baseada na replicação de unidades de informação orgânica chamadas de "genes", a evolução cultural está baseada na replicação de unidades de informação cultural chamadas de "memes".[1] Culturas bem-sucedidas são aquelas que conseguem reproduzir mais seus memes, quaisquer que sejam os custos e os benefícios para os hospedeiros humanos.

A maioria dos especialistas no campo das humanidades despreza a memética, vendo-a como um esforço amador para explicar processos culturais com analogias biológicas grosseiras. Mas muitos desses mesmos estudiosos acolhem o irmão gêmeo da memética — o pós-modernismo. Em vez de memes, os pensadores pós-modernistas falam de "discursos" como os elementos básicos na construção das culturas. No entanto, eles também consideram que as culturas se propagam por conta própria sem se importar com o bem da humanidade. Por exemplo, os pensadores pós-modernistas descrevem o nacionalismo como uma praga mortal que se espalhou por todo o mundo nos séculos XIX e XX, causando guerras, opressão, ódio e genocídio. No momento em que pessoas num país foram contaminadas, os habitantes dos países vizinhos também tinham grande chance de pegar o vírus. O vírus nacionalista se apresentava como benéfico para todos os seres humanos, ainda que só tenha sido para si mesmo.

Argumentos similares são comuns nas ciências sociais sob a égide da teoria dos jogos. A teoria dos jogos explica como, em sistemas com vários jogadores, visões e padrões de comportamento que causam dano a *todos* os participantes conseguem fincar raízes e se disseminar. As corridas armamentistas são um exemplo famoso. Muitas delas levam quem delas participa à falência sem realmente alterar a balança de poderio militar. Quando o Paquistão compra caças avançados, a Índia reage com compras semelhantes. Quando a Índia desenvolve bombas nucleares, o Paquistão faz o mesmo. Quando o Paquistão aumenta sua Marinha, a Índia toma medida idêntica. No final do processo, a balança de poder tende a permanecer praticamente igual ao que era antes, mas, enquanto isso, bilhões de dólares que poderiam ter sido investidos em educação ou saúde foram gastos em armas. Contudo, é difícil resistir à dinâmica da corrida armamentista por ser um padrão de comportamento que se espalha como um vírus de um país para outro, causando prejuízo a todos mas beneficiando a si próprio, seguindo um critério evolucionário de sobrevivência e reprodução. (Vale notar que uma corrida armamentista, como um gene, não tem consciência — não busca deliberadamente sobreviver e se reproduzir. Sua disseminação é o resultado não intencional de uma dinâmica poderosa.)

Não importa como a chamemos — teoria dos jogos, pós-modernismo ou memética —, a dinâmica da história não tem como objetivo aumentar o bem-estar humano. Não há nenhum fundamento de que as culturas mais exitosas na história são necessariamente as melhores para o *Homo sapiens*. Assim como a evolução, a história não se importa com a felicidade de organismos individuais. E, por sua vez, os indivíduos humanos são em geral ignorantes e fracos demais para influenciar o curso da história em benefício próprio.

A história vai de uma encruzilhada para a seguinte escolhendo, por alguma razão misteriosa, tomar primeiro tal caminho, depois aquele outro. Por volta de 1500, a história fez sua escolha mais marcante, mudando não só o destino da humanidade, mas provavelmente o de toda a vida no planeta. Chamamos isso de Revolução Científica. Ela começou na Europa Ocidental, uma grande península na ponta mais a oeste da massa continental afro-asiática, que até então não desempenhara um papel importante na história. Por que, de todos os lugares onde poderia surgir, a Revolução Científica começou ali, e não na China ou na Índia? Por que teve início na metade do segundo milênio depois de Cristo, e não dois séculos antes ou três séculos depois? Não sabemos. Os estudiosos propuseram dezenas de teorias, mas nenhuma delas é convincente o bastante.

A história tem um vasto horizonte de possibilidades, e muitas delas nunca se transformam em realidade. É concebível imaginar a história prosseguindo por incontáveis gerações e passando ao largo da Revolução Científica, assim como é concebível imaginar a história sem o cristianismo, sem o Império Romano e sem moedas de ouro.

PARTE IV
A Revolução Científica

32. *Alamogordo, 16 de julho de 1945, 5h29min53. Oito segundos depois de a primeira bomba atômica ter sido detonada. O físico nuclear Robert Oppenheimer, ao ver a explosão, citou o Bhagavad Gita: "Agora me transformo na Morte, a destruidora de mundos".*

14. A descoberta da ignorância

Caso um camponês espanhol houvesse adormecido no ano 1000 da era cristã e acordado quinhentos anos depois, ouvindo a barulheira causada pelos marinheiros de Colombo ao embarcar nas caravelas *Niña*, *Pinta* e *Santa Maria*, o mundo lhe teria parecido bem familiar. Apesar das muitas mudanças na tecnologia, nos costumes e nas fronteiras políticas, esse Rip Van Winkle* medieval teria se sentido em casa. No entanto, se algum dos marujos de Colombo tivesse entrado num sono semelhante e acordado com o toque de um celular no século XXI, ele se teria visto num mundo tão estranho que escaparia à sua compreensão. "Será que estou no Paraíso?", quem sabe se perguntasse. "Ou, talvez, no Inferno?"

Os últimos quinhentos anos testemunharam um crescimento fenomenal e inédito no poderio humano. Em 1500, havia cerca de 500 milhões de *Homo sapiens* em todo o mundo. Hoje, há 7 bilhões.[1] Estima-se que a quantia total dos bens e serviços produzidos pela humanidade em 1500 era de 250 bilhões de dólares em valores atuais.[2] Hoje, a cifra da produção humana em um ano está próxima de 60 trilhões de dólares.[3] Em 1500, a humanidade consumia

---

* Personagem de um conto de Washington Irving que dorme numa colônia inglesa dos Estados Unidos e acorda vinte anos depois com o país já independente. (N. T.)

cerca de 13 trilhões de calorias de energia por dia. Hoje, consumimos 1500 trilhões de calorias diárias.[4] (Vale a pena olhar de novo esses números: a população humana aumentou catorze vezes; a produção, 240 vezes; o consumo de energia, 115 vezes.)

Vamos supor que um navio de guerra moderno fosse transportado de volta para o tempo de Colombo. Em poucos segundos, ele poderia transformar a *Niña*, a *Pinta* e a *Santa Maria* em serragem, e depois afundar as esquadras de todas as grandes potências mundiais da época sem sofrer um só arranhão. Cinco cargueiros modernos seriam suficientes para levar toda a carga transportada pela frota comercial mundial.[5] Um computador moderno poderia facilmente armazenar as palavras e os números inscritos em todos os tomos e rolos de pergaminho de todas as bibliotecas medievais sem ocupar completamente a sua memória. Qualquer grande banco atual tem mais dinheiro que todos os reinos pré-modernos do mundo juntos.[6]

Em 1500, poucas cidades tinham mais de 100 mil habitantes. A maior parte dos edifícios era feita de barro, madeira e palha; uma construção de três andares era um arranha-céu. As ruas eram caminhos de terra esburacados, que ficavam com muito pó no verão e muita lama no inverno, apinhados de pedestres, cavalos, cabras, galinhas e algumas carroças. Os ruídos urbanos mais comuns eram as vozes de humanos e de animais, além de um martelo ou serrote ocasional. Depois que o sol se punha, a cidade ficava escura, com apenas uma vela ou uma tocha tremeluzindo aqui e ali em meio às trevas. Se um habitante de qualquer uma dessas cidades pudesse ver as modernas Tóquio, Nova York ou Mumbai, o que pensaria?

Antes do século XVI, nenhum ser humano havia circum-navegado a Terra. Isso mudou em 1522, quando a expedição de Magalhães retornou à Espanha após uma viagem de 72 mil quilômetros que durou três anos e custou a vida de quase todos os membros da tripulação, incluindo o próprio Magalhães. Em 1873, Jules Verne imaginou que Phileas Fogg, um rico aventureiro britânico, seria capaz de dar a volta ao mundo em oitenta dias. Hoje, qualquer um que tenha uma renda de classe média pode dar a volta ao globo de modo fácil e seguro em apenas 48 horas.

Em 1500, os humanos estavam confinados à superfície da Terra. Podiam construir torres e escalar montanhas, mas o céu permanecia reservado para pássaros, anjos e divindades. Em 20 de julho de 1969, os humanos aterrissaram na Lua. Essa não foi apenas uma conquista histórica, mas também um feito evolucionário e até mesmo cósmico. Durante os 4 bilhões de anos anteriores da evolução, nenhum organismo havia conseguido nem mesmo se afastar da atmosfera da Terra, e sem dúvida nenhum deixara a marca de seu pé ou tentáculo na superfície lunar.

Durante a maior parte da história, os humanos não sabiam nada sobre 99,99% dos organismos existentes no planeta — a saber, os microrganismos. Não porque não eram do nosso interesse. Cada um de nós carrega dentro de si bilhões de criaturas unicelulares, e não apenas como passageiros. Elas são nossas melhores amigas — e nossas inimigas mais mortais. Algumas delas digerem nossa comida e limpam nossas entranhas, enquanto outras causam doenças e epidemias. No entanto, foi apenas em 1674 que um olho humano viu pela primeira vez um microrganismo, quando Anton van Leeuwenhoek espiou através do microscópio que havia construído em casa e se surpreendeu ao descobrir um mundo de criaturas minúsculas se movendo numa gota d'água. Nos trezentos anos seguintes, os humanos conheceram inúmeras espécies microscópicas. Conseguimos derrotar a maioria das doenças contagiosas mais letais causadas por elas, e pusemos os microrganismos a serviço da medicina e da indústria. Hoje, criamos artificialmente bactérias para produzir medicamentos, fabricar biocombustíveis e matar parasitas.

Mas o momento mais notável e definidor dos últimos quinhentos anos ocorreu às 5h29min45 de 16 de julho de 1945. Naquele exato segundo, cientistas norte-americanos detonaram a primeira bomba atômica em Alamogordo, no estado do Novo México, nos Estados Unidos. Desde então, a humanidade passou a ter a capacidade não apenas de modificar o curso da história, mas também de lhe dar um fim.

O processo histórico que levou a Alamogordo e à Lua é conhecido como Revolução Científica, quando a humanidade conquistou poderes novos e enormes ao investir recursos em pesquisa científica. Trata-se de uma revolução porque, até cerca de 1500, os humanos em todo o mundo duvidavam de sua capacidade de desenvolver novos poderes medicinais, militares e econômicos. Embora governos e mecenas ricos proporcionassem fundos para a educação e para bolsas de estudo, o objetivo era, em geral, preservar as capacidades existentes em vez de adquirir novas aptidões. O típico governante pré-moderno dava dinheiro a sacerdotes, filósofos e poetas na esperança de que eles legitimassem seu domínio e mantivessem a ordem social. Ele não esperava que descobrissem novos remédios, inventassem novas armas ou estimulassem o crescimento econômico.

Ao longo dos últimos cinco séculos, os humanos passaram cada vez mais a acreditar que poderiam aprimorar suas habilidades ao investir em pesquisa científica. Não se tratava apenas de uma fé cega — isso foi comprovado diversas vezes de forma empírica. Quanto mais provas surgiam, maiores eram os recursos que indivíduos ricos e governos estavam dispostos a aplicar em ciência. Nunca teríamos sido capazes de andar na Lua, criar artificialmente microrganismos e dividir o átomo sem esses investimentos. O governo dos Estados Unidos, por exemplo, em décadas recentes destinou bilhões de dólares para o estudo da física nuclear. O conhecimento produzido por essa pesquisa tornou possível a construção de usinas nucleares, que fornecem energia barata para as indústrias norte-americanas e pagam impostos ao governo, que por sua vez são em parte usados para financiar mais pesquisas no campo da física nuclear.

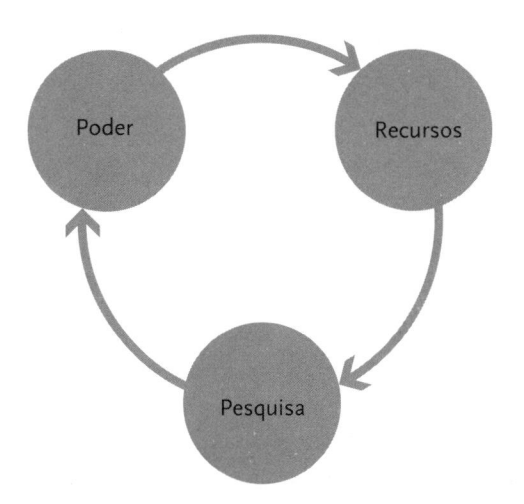

O ciclo se fecha na Revolução Científica. A ciência necessita mais do que somente pesquisa para progredir: ela depende do reforço mútuo entre ciência, política e economia. As instituições políticas e econômicas fornecem os recursos sem os quais a pesquisa científica é quase impossível. Em troca, a pesquisa científica fornece novos poderes, que são usados, entre outras coisas, para obter novos recursos, alguns dos quais reinvestidos em pesquisa.

Por que os humanos modernos desenvolveram uma fé cada vez maior em sua capacidade de obter novos poderes através da pesquisa? O que forjou o elo entre ciência, política e economia? Este capítulo examina a natureza peculiar da ciência moderna a fim de fornecer parte da resposta. Os dois capítulos seguintes examinam a formação da aliança entre a ciência, os impérios europeus e a economia do capitalismo.

IGNORAMUS

Os humanos tentam entender o universo ao menos desde a Revolução Cognitiva. Nossos ancestrais empregaram bastante tempo e esforços tentando descobrir as regras que governam o mundo natural. Mas a ciência moderna difere de todas as tradições de conhecimento anteriores de três formas cruciais.

a) *Predisposição para admitir ignorância.* A ciência moderna está baseada na advertência latina *ignoramus* — "não sabemos". Ela presume que não sabemos tudo. O que é ainda mais importante, admite que as coisas que achamos que sabemos podem se comprovar erradas à medida que adquirimos mais conhecimento. Nenhum conceito, ideia ou teoria é sagrado ou não pode ser contestado.

b) *Papel central da observação e da matemática.* Após admitir ignorância, a ciência moderna visa obter novos conhecimentos. Faz isso coletando observações e depois usando ferramentas matemáticas para conectar tais dados em teorias abrangentes.

c) *Aquisição de novos poderes.* A ciência moderna não se contenta em criar teorias. Utiliza-as a fim de adquirir novos poderes, e em especial desenvolver novas tecnologias.

A Revolução Científica não foi uma revolução do conhecimento. Foi sobretudo uma revolução da ignorância. A grande descoberta que deu origem à Revolução Científica foi a de que os humanos não sabem as respostas para as suas perguntas mais importantes.

As tradições de conhecimento pré-modernas, como o islamismo, o cristianismo, o budismo e o confucionismo, afirmavam que tudo que havia de importante saber sobre o mundo já era conhecido. Os grandes deuses, o Deus único e todo-poderoso ou os sábios do passado possuíam um saber abrangente, que nos era revelado nas escrituras e nas tradições orais. Os mortais acumulavam conhecimento mergulhando nesses textos e em tradições antigas para compreendê-los de forma correta. Era inconcebível que a Bíblia, o Corão ou os Vedas tivessem deixado de explicar um segredo fundamental do universo — um segredo que ainda poderia ser descoberto por criaturas de carne e osso.

As antigas tradições de conhecimento só admitiam dois tipos de ignorância. Primeiro, um *indivíduo* podia ignorar alguma coisa importante. Para obter o conhecimento necessário, bastava perguntar a alguém mais sábio. Não havia necessidade de descobrir algo que ninguém sabia. Por exemplo, se um camponês numa aldeia em Yorkshire no século XIII quisesse saber como a raça humana tinha se originado, ele presumia que a tradição cristã soubesse a resposta definitiva. Tudo que precisava fazer era perguntar ao padre local.

Segundo, uma *tradição inteira* podia ignorar coisas *sem importância*. Por definição, era sem importância tudo aquilo que os grandes deuses ou os sábios do passado não tinham se dado ao trabalho de nos dizer. Por exemplo, se nosso camponês de Yorkshire desejasse saber como as aranhas tecem suas teias, era inútil indagar ao padre, porque a resposta para essa pergunta não estava em nenhuma das Escrituras cristãs. Isso não queria dizer, contudo, que o cristianismo fosse deficiente. Significava que entender como as aranhas tecem suas teias não era importante. Afinal, Deus sabia perfeitamente bem como as aranhas faziam aquilo. Caso fosse uma informação vital, necessária para a prosperidade e para a salvação humanas, Deus teria incluído uma explicação completa na Bíblia.

O cristianismo não proibia as pessoas de estudar aranhas. Mas os estudiosos de aranhas — se é que havia algum na Europa medieval — tinham de aceitar seu papel periférico na sociedade e a irrelevância de suas descobertas para a verdade eterna do cristianismo. O que quer que se descobrisse sobre aranhas, borboletas ou tentilhões das ilhas Galápagos era pouco mais que uma informação trivial, sem relevância para as verdades fundamentais da sociedade, da política e da economia.

Na verdade, as coisas nunca foram assim tão simples. Em todas as eras, mesmo nas mais devotas e conservadoras, tinha quem argumentasse haver coisas *importantes* que sua *tradição inteira* ignorava. No entanto, essas pessoas eram em geral marginalizadas ou perseguidas — quando não fundavam uma nova tradição e começavam a afirmar que *elas* sabiam tudo que havia para saber. Por exemplo, o profeta Maomé iniciou sua carreira religiosa condenando os irmãos árabes por viverem na ignorância da verdade divina. Mas o próprio Maomé muito rapidamente começou a declarar que *ele* conhecia a verdade completa, e seus seguidores passaram a chamá-lo de o "Último Profeta". A partir de então, não havia necessidade de revelações além daquelas proclamadas por ele.

A ciência moderna é uma tradição de conhecimento especial na medida em que admite abertamente a *ignorância coletiva* a respeito das *questões mais importantes*. Darwin nunca afirmou que era o "Último Biólogo" e que tinha resolvido o enigma da vida de uma vez por todas. Após séculos de pesquisas científicas intensas, os biólogos admitem não ter nenhuma boa explicação para como o cérebro produz a consciência. Os físicos reconhecem não saber o que causou o Big Bang ou como conciliar a mecânica quântica com a teoria geral da relatividade.

Em outros casos, teorias científicas conflitantes são debatidas de maneira acalorada com base em novas evidências, que surgem a todo momento. Um exemplo notável são as discussões sobre a melhor maneira de conduzir a economia. Embora certos economistas possam afirmar que seu método é o melhor, a ortodoxia se altera a cada crise financeira e a cada bolha no mercado de ações, em geral admitindo que ainda não temos a palavra final sobre o assunto.

Em outros casos, certas teorias são confirmadas de modo tão consistente pelas evidências disponíveis que todas as alternativas foram há muito deixadas de lado. Essas teorias são aceitas como verdade — desde que todos concordem em que, caso surja alguma evidência que as contradiga, elas terão de ser revistas ou abandonadas. Bons exemplos disso são a teoria das placas tectônicas e a teoria da evolução.

A predisposição para admitir ignorância tornou a ciência moderna mais dinâmica, flexível e inquisitiva que qualquer tradição de conhecimento anterior. Isso fez com que nossa capacidade de compreender como o mundo funciona e nossa habilidade de inventar novas tecnologias se expandissem de forma extraordinária. Mas criou também um problema grave que a maioria de nossos antepassados não precisou enfrentar. A premissa atual de que não sabemos tudo, e de que mesmo o conhecimento que possuímos está sujeito a revisões, se estende aos mitos compartilhados que permitem que milhões de desconhecidos cooperem de maneira eficiente. Se as evidências mostram que muitos desses mitos são duvidosos, como podemos manter nossa sociedade unida? Como nossas comunidades, nossos países e o sistema internacional podem funcionar?

Todas as tentativas modernas de estabilizar a ordem sociopolítica têm sido forçadas a depender de dois métodos não científicos:

a) Tomar uma teoria científica e, contrariando as práticas científicas usuais, *declarar que ela é uma verdade final e absoluta*. Esse foi o método utilizado pelos nazistas (ao afirmarem que suas políticas raciais eram o corolário de fatos biológicos) e pelos comunistas (ao afirmarem que Marx e Lênin tinham descoberto verdades econômicas absolutas que jamais seriam refutadas).

b) Deixar a ciência de fora e viver de acordo com uma *verdade absoluta não científica*. Essa tem sido a estratégia do humanismo liberal, baseado na crença dogmática no valor único e nos direitos dos seres humanos — uma doutrina que embaraçosamente tem pouco em comum com o estudo científico do *Homo sapiens*.

Mas isso não deveria nos surpreender. Mesmo a ciência depende de crenças religiosas e ideológicas para justificar e financiar suas pesquisas.

A cultura moderna, apesar de tudo, tem se revelado mais disposta a abraçar a ignorância do que qualquer cultura até então. Uma das coisas que tornou possível manter as ordens sociais modernas unidas foi a disseminação de uma fé quase religiosa na tecnologia e nos métodos de pesquisa científica, que até certo ponto substituíram a crença em verdades absolutas.

O DOGMA CIENTÍFICO

A ciência moderna não tem nenhum dogma. Entretanto, possui um núcleo comum de métodos de pesquisa, todos baseados na coleta de observações empíricas — aquelas que podemos perceber com pelo menos um de nossos sentidos —, conectadas entre si com a ajuda de ferramentas matemáticas.

As pessoas ao longo da história coletaram observações empíricas, mas a importância delas era em geral limitada. Para que gastar preciosos recursos obtendo novas observações quando já tínhamos todas as respostas de que necessitávamos? No entanto, como no mundo moderno as pessoas passaram a admitir que não sabiam as respostas para algumas perguntas muito importantes, era necessário buscar um conhecimento *completamente novo*. Como consequência, o método de pesquisa predominante hoje parte da premissa de que o velho conhecimento é insuficiente. Em vez de estudar tradições antigas, a ênfase agora está em novas observações e novos experimentos. Quando a observação atual conflita com a tradição do passado, damos precedência à observação. Obviamente, físicos que analisam os espectros de galáxias distantes, arqueólogos que examinam achados de uma cidade da Idade do Bronze e cientistas políticos que estudam o surgimento do capitalismo não desconsideram a tradição. Começam por estudar o que os sábios do passado disseram e escreveram. Contudo, a partir de seu primeiro ano na universidade, os jovens que aspiram a se tornar físicos, arqueólogos e cientistas políticos aprendem que têm como missão ir além do que Einstein, Heinrich Schliemann e Max Weber sabiam.

Entretanto, as observações por si sós não constituem conhecimento. A fim de compreender o universo, precisamos conjugá-las em teorias abrangentes. As tradições anteriores em geral formulavam suas teorias como histórias. A ciência moderna utiliza a matemática.

Há pouquíssimas equações, gráficos e cálculos na Bíblia, no Corão, nos Vedas ou nos clássicos confucionistas. Quando as mitologias e as escrituras tradicionais postulavam leis gerais, elas eram apresentadas sob a forma de narrativas, e não matematicamente. Assim, um princípio fundamental da religião maniqueísta afirmava que o mundo é um campo de batalha entre o bem e o mal. Uma força do mal criou a matéria, enquanto uma força do bem criou o espírito. Apanhados entre essas duas forças, os humanos deviam escolher o bem e rejeitar o mal. No entanto, o profeta Mani não fez nenhum esforço para oferecer uma fórmula matemática que pudesse ser usada para prever as escolhas humanas quantificando a potência respectiva daquelas duas forças. Nunca calculou que "a força agindo sobre um homem é igual à aceleração de seu espírito dividida pela massa de seu corpo".

É exatamente isso que os cientistas tentam fazer. Em 1687, Isaac Newton publicou *Princípios matemáticos da filosofia natural*, talvez o livro mais importante da história moderna. Newton apresentou uma teoria geral do movimento e da mudança. A grandeza da teoria de Newton residia em sua capacidade de explicar e prever os movimentos de todos os corpos do universo, de maçãs que caíam da árvore a estrelas cadentes, usando três leis matemáticas muito simples:

1. $\sum \vec{F} = 0$

2. $\sum \vec{F} = m\vec{a}$

3. $\vec{F}_{1,2} = \vec{F}_{2,1}$

A partir de então, quem quisesse compreender e predizer o movimento de uma bala de canhão ou de um planeta simplesmente teria de medir a massa, a direção e a aceleração do objeto, assim como as forças que agem sobre ele. Inserindo tais números nas equações de Newton, a posição futura do objeto podia ser prevista. Funcionava como mágica. Só por volta do fim do século XIX os cientistas esbarraram em algumas observações que não se enquadravam muito bem nas leis de Newton, o que conduziu à revolução seguinte na física — a teoria da relatividade e a mecânica quântica.

Newton mostrou que o livro da natureza é escrito em linguagem matemática. Alguns capítulos (por exemplo) se resumem a uma equação clara. Mas os estudiosos que tentaram reduzir a biologia, a economia e a psicologia a equações newtonianas simples descobriram que esses campos têm um nível de complexidade que torna tal aspiração impossível. Isso não significou, contudo, que tenham desistido da matemática. Um novo ramo matemático foi desenvolvido nos últimos duzentos anos para lidar com os aspectos mais complexos da realidade: a estatística.

Em 1744, dois clérigos presbiterianos na Escócia, Alexander Webster e Robert Wallace, decidiram criar um fundo que proporcionaria pensões às viúvas e aos órfãos de pastores. Propuseram que cada um depositasse uma pequena parte de sua renda no fundo, que investiria o dinheiro. Quando um pastor morresse, a viúva receberia dividendos sobre o lucro do fundo. Isso lhe permitiria viver de maneira confortável pelo resto de seus dias. Porém, a fim de determinar quanto os pastores deveriam contribuir para que o fundo pudesse honrar suas obrigações, Webster e Wallace precisavam ser capazes de predizer quantos pastores morreriam a cada ano, quantas viúvas e quantos órfãos deixariam e quantos anos as viúvas ainda viveriam.

É importante notar o que os dois clérigos não fizeram. Não rezaram a Deus para que revelasse a resposta. Nem buscaram a resposta nas Sagradas Escrituras ou nas obras dos antigos teólogos. Também não se envolveram em discussões filosóficas abstratas. Sendo escoceses, eram gente prática. Por isso, entraram em contato com um professor de matemática da Universidade de Edimburgo, Colin Maclaurin. Os três reuniram informações sobre a idade com a qual as pessoas morriam e as usaram para calcular quantos pastores provavelmente faleceriam a cada ano.

O trabalho deles se baseou em diversos avanços recentes no campo da estatística e da probabilidade. Um deles era a Lei dos Grandes Números, de Jacob Bernoulli. Bernoulli havia codificado o princípio de que, embora seja difícil prever com certeza qualquer acontecimento específico, como a morte de determinada pessoa, era possível antever com grande precisão o resultado médio de muitos acontecimentos similares. Isto é, ainda que Maclaurin não pudesse usar a matemática para saber se Webster e Wallace iriam morrer no ano seguinte, dispondo de informação suficiente ele era capaz de dizer quantos pastores presbiterianos quase com certeza morreriam no ano seguinte na Escócia. Por sorte, eles já contavam com dados que poderiam ser usados. Tábuas atuariais publicadas havia cinquenta anos por Edmond Halley se comprovaram particularmente úteis. Halley havia analisado registros de 1238 nascimentos e 1174 mortes que obteve na cidade de Breslau, na Alemanha. Suas tábuas permitiam ver que, por exemplo, uma pessoa de vinte anos tinha uma chance em cem de morrer em certo ano, mas uma pessoa de cinquenta anos tinha uma chance em 39.

Processando esses dados, Webster e Wallace concluíram que, em média, haveria 930 pastores presbiterianos vivos na Escócia em qualquer momento dado, com uma média de 27 mortes ao ano, sendo que dezoito deixariam viúvas. Cinco dos que não teriam viúvas deixariam filhos órfãos, e dois dos que deixariam viúvas teriam também filhos menores de dezesseis anos de casamentos anteriores. Ademais, computaram quanto tempo era provável que se passasse antes que as viúvas morressem ou voltassem a se casar (nesses dois casos, o pagamento da pensão cessaria). Esses números permitiram a Webster e Wallace determinar quanto os pastores que entrassem para o fundo deveriam depositar a fim de cuidar do sustento futuro de seus entes queridos. Contribuindo anualmente com duas libras, doze xelins e dois *pennies*, um pastor poderia garantir que sua viúva recebesse ao menos dez libras por ano — uma soma respeitável para a época. Se achasse que isso não era o bastante, podia pagar mais, até seis libras, onze xelins e três *pennies* anuais — o que garantiria à viúva a soma ainda mais atraente de 25 libras por ano.

Segundo estimaram, em 1765 o Fundo de Amparo às Viúvas e aos Órfãos dos Pastores da Igreja da Escócia teria um capital de 58 348 libras. Esses cálculos se revelaram incrivelmente precisos. Naquele ano, o capital do fundo somava 58 347 libras — apenas uma libra a menos que o previsto! Isso era ainda melhor que as profecias de Habacuque, Jeremias ou são João. Hoje, o fundo de Webster e Wallace, conhecido simplesmente como Viúvas Escocesas, é uma das maiores empresas de pensões e seguros do mundo. Com ativos superiores a 100 bilhões de libras, fornece seguros não apenas às viúvas do país, mas a qualquer pessoa que queira comprar suas apólices.[7]

Cálculos de probabilidade como aqueles usados pelos dois pastores escoceses se tornaram a base não apenas da ciência atuarial, imprescindível para o negócio de pensões e seguros, como também da demografia (fundada por outro clérigo, o anglicano Robert Malthus). A demografia, por sua vez, foi a pedra fundamental sobre a qual Charles Darwin (que quase se tornou pastor anglicano) construiu sua teoria da evolução. Embora não haja equações que prevejam que tipo de organismo evoluirá sob determinado conjunto de condições, os geneticistas usam cálculos de probabilidade a fim de computar qual mutação específica irá se disseminar em determinada população. Modelos probabilísticos semelhantes se tornaram centrais na economia, na sociologia, na psicologia, na ciência política e em outras ciências sociais e naturais. Até a física com o tempo suplementou as equações clássicas de Newton com as nuvens de probabilidade da mecânica quântica.

Basta refletir sobre a história da educação para se dar conta de quão longe esse processo nos levou. Na maior parte da história, a matemática era um campo esotérico que mesmo as pessoas instruídas raramente estudavam com seriedade. Na Europa medieval, a lógica, a gramática e a retórica formavam o núcleo educacional, enquanto o ensino da matemática poucas vezes ia além da simples aritmética e geometria. Ninguém estudava estatística. A rainha inquestionável de todas as ciências era a teologia.

Hoje, poucos estudam retórica; a lógica está restrita aos departamentos de filosofia e a teologia aos seminários. Cada vez mais alunos são motivados — ou forçados — a estudar matemática. Há uma corrente irresistível que os empurra para as ciências exatas — definidas como "exatas" graças ao uso das ferramentas matemáticas. Mesmo campos que eram tradicionalmente parte das humanidades, como o estudo da linguagem humana (linguística) e da psique humana (psicologia), dependem cada vez mais da matemática e buscam se apresentar como ciências exatas. Estatística é agora parte dos requisitos básicos não apenas de cursos de física e biologia, mas também de psicologia, sociologia, economia e ciência política.

No programa do departamento de psicologia da minha universidade, o primeiro curso obrigatório no currículo é "Introdução à estatística e à metodologia de pesquisa psicológica". Os alunos do segundo ano de psicologia precisam estudar "Métodos estatísticos na pesquisa psicológica". Confúcio, Buda, Jesus Cristo e Maomé ficariam pasmos se alguém lhes dissesse que, para compreender a mente humana e curar doenças, primeiro é necessário estudar estatística.

CONHECIMENTO É PODER

A maioria das pessoas acha difícil absorver a ciência moderna porque sua linguagem matemática não é facilmente apreendida por nossa mente e suas descobertas com frequência contradizem o senso comum. Dos 7 bilhões de pessoas no mundo, quantas de fato compreendem a mecânica quântica, a biologia celular ou a macroeconomia? No entanto, a ciência tem imenso prestígio devido aos novos poderes que nos concedeu. Presidentes e generais podem não saber nada de física nuclear, mas têm um bom entendimento do que as bombas nucleares são capazes de fazer.

Em 1620, Francis Bacon publicou um manifesto científico intitulado *O novo instrumento*. Nele, argumentava que "conhecimento é poder". O principal teste do "conhecimento" não é sua veracidade, mas se ele nos dá poder. Os cientistas em geral presumem que nenhuma teoria é 100% correta. Por conseguinte, a verdade é um teste medíocre para o conhecimento. O teste real é sua utilidade. Uma teoria que nos permite fazer coisas novas é conhecimento.

Ao longo dos séculos, a ciência nos proporcionou muitas ferramentas novas. Algumas são mentais, como as utilizadas para prever taxas de mortalidade e de crescimento econômico. Ainda mais importantes são as ferramentas tecnológicas. A conexão forjada entre ciência e tecnologia é tão forte que as pessoas hoje tendem a confundir as duas. Com frequência pensamos que é impossível desenvolver novas tecnologias sem pesquisa científica, e que há pouco sentido na pesquisa se ela não resultar em novas tecnologias.

Na verdade, a relação entre ciência e tecnologia é um fenômeno bem recente. Antes de 1500, eram campos totalmente separados. Quando Bacon vinculou as duas no começo do século XVII, essa era uma ideia revolucionária. Durante os séculos XVII e XVIII, a relação se estreitou, mas a união só se concretizou no século XIX. Mesmo em 1800, os governantes que queriam um Exército forte e os magnatas que desejavam um negócio bem-sucedido em geral não se davam ao trabalho de financiar a pesquisa física, biológica ou econômica.

Não quero dizer que não havia exceções a essa regra. Um bom historiador pode encontrar precedentes para tudo. Mas um ótimo historiador sabe quando não passam de curiosidades que apenas turvam o panorama mais amplo. Em geral, a maior parte dos governantes e dos homens de negócio pré-modernos não financiava pesquisas sobre a natureza do universo esperando desenvolver novas tecnologias, e a maioria dos pensadores não tentava transformar suas descobertas em aparatos tecnológicos. Os governantes financiavam instituições de ensino cuja função consistia em espalhar o conhecimento tradicional visando consolidar a ordem existente.

Aqui e ali as pessoas de fato desenvolviam novas tecnologias, porém elas eram em geral criadas por artesãos sem instrução que recorriam ao método de tentativa e erro, e não por estudiosos realizando pesquisas científicas sistemáticas. Os fabricantes de carroças construíam as mesmas carroças com os mesmos materiais ano após ano. Não punham de lado uma percentagem de seus lucros anuais para pesquisar e desenvolver novos modelos de carroças. O desenho delas às vezes era aprimorado, mas em geral graças à engenhosidade de algum carpinteiro local que nunca tinha pisado numa universidade nem sabia ler.

Isso era verdade tanto no setor público quanto no privado. Enquanto os Estados modernos convocam seus cientistas a fim de apresentarem soluções em quase todas as áreas governamentais, da energia à saúde, passando pelo descarte do lixo, os antigos reinos raramente o faziam. O contraste entre o passado e agora é mais pronunciado em relação a armamentos. Em 1961, quando estava prestes a terminar seu mandato, o presidente Dwight Eisenhower fez um alerta sobre o poder crescente do complexo militar-industrial, mas deixou de fora uma parte da equação. Deveria ter alertado seu país sobre o complexo militar-industrial-científico, porque as guerras atuais são produções científicas. As forças militares de todo o mundo iniciam, financiam e direcionam uma grande parte da pesquisa científica e do desenvolvimento tecnológico da humanidade.

Quando a Primeira Guerra Mundial se afundou num conflito interminável de trincheiras, ambos os lados convocaram cientistas para romper o impasse e salvar a nação. Os homens de branco responderam ao chamado, e dos laboratórios brotou uma série ininterrupta de armas maravilhosas: caças de combate, gás venenoso, tanques e submarinos, assim como metralhadoras, obuses de artilharia, rifles e bombas cada vez mais eficazes.

A ciência desempenhou um papel ainda mais relevante na Segunda Guerra Mundial. Em fins de 1944, a Alemanha estava perdendo a guerra e a derrota era iminente. Um ano antes, os italianos, que lutavam ao lado dos alemães, haviam derrubado Mussolini e se rendido aos Aliados. Mas a Alemanha continuou a lutar muito embora os exércitos britânico, norte-americano e soviético estivessem fechando o cerco. Uma razão pela qual os soldados e os civis alemães acharam que nem tudo estava perdido foi o fato de acreditarem que seus cientistas estavam prestes a virar o jogo com armas supostamente milagrosas, como o foguete V-2 e aviões a jato.

33. Foguete V-2 alemão pronto para ser lançado. Ele não derrotou os Aliados, mas manteve a esperança dos alemães de que haveria um milagre tecnológico até os últimos dias da guerra.

Enquanto os alemães trabalhavam em foguetes e jatos, o Projeto Manhattan, dos Estados Unidos, desenvolvia bombas atômicas. Quando elas ficaram prontas, no início de agosto de 1945, a Alemanha já havia se rendido, mas o Japão continuava a lutar. As forças norte-americanas estavam preparadas para invadir as ilhas principais. Os japoneses juravam resistir à invasão e lutar até a morte, e tinham ótimas razões para acreditar que isso não era uma ameaça vã. Os generais disseram a Harry S. Truman que uma invasão ao Japão custaria a vida de 1 milhão de soldados norte-americanos e que a guerra se estenderia até 1946. Truman decidiu usar a nova bomba. Duas semanas e duas bombas atômicas depois, o Japão se rendeu de maneira incondicional e a guerra terminou.

No entanto, a ciência não cuida apenas de armas ofensivas, desempenhando também papel importante em nossas defesas. Hoje em dia, muitos norte-americanos acreditam que a solução para o problema do terrorismo é tecnológica, e não política. Basta dar outros milhões à indústria de nanotecnologia, creem eles, e os Estados Unidos poderiam enviar moscas-espiãs biônicas para dentro de todas as cavernas do Afeganistão, a todos os redutos iemenitas e a todos os acampamentos no norte da África. Uma vez feito isso, os herdeiros de Osama bin Laden não serão capazes de preparar uma xícara de café sem que alguma mosca-espiã da CIA passe essa informação vital para o quartel-general em Langley. Basta alocar outros milhões para a pesquisa cerebral, e todos os aeroportos poderão ser equipados com escâneres de imagem por ressonância magnética funcional ultrassofisticados, capazes de reconhecer de imediato pensamentos raivosos e ameaçadores no cérebro das pessoas. Será que isso iria mesmo funcionar? Quem sabe? É uma boa ideia desenvolver moscas biônicas e escâneres que leem pensamentos? Não necessariamente. Seja como for, enquanto você lê estas linhas, o Departamento de Defesa dos Estados Unidos está transferindo milhões de dólares para laboratórios de nanotecnologia e de neurociência a fim de que trabalhem nessas ideias e em outras semelhantes.

Essa obsessão com a tecnologia militar — de tanques a bombas atômicas e moscas-espiãs — é um fenômeno surpreendentemente recente. Até o século XIX, a imensa maioria das grandes novidades militares era fruto de mudanças organizacionais, e não tecnológicas. Quando civilizações diferentes se confrontavam pela primeira vez, os hiatos tecnológicos eram às vezes cruciais. Mas, mesmo nesses casos, poucos pensavam em criar ou aumentar de forma deliberada tais hiatos. A maior parte dos impérios não se formou graças a passes de mágica tecnológicos, e seus governantes não davam maior atenção aos avanços nessa área. Os árabes não derrotaram o Império Sassânida devido a arcos ou espadas melhores, os seljúcidas não gozavam de vantagem tecnológica sobre os bizantinos, os mongóis não conquistaram a China com a ajuda de alguma arma nova engenhosa. Na verdade, em todos esses casos o vencido possuía uma tecnologia militar e civil superior.

O exército romano é um exemplo particularmente bom pois era o melhor do seu tempo. Embora do ponto de vista tecnológico Roma não tivesse superioridade sobre Cartago, a Macedônia ou o Império Selêucida, sua vantagem residia em uma organização eficiente, uma disciplina férrea e tremendas reservas de homens. O exército romano nunca criou um departamento de pesquisa e desenvolvimento, e suas armas permaneceram mais ou menos as mesmas por séculos a fio. Se as legiões de Cipião Emiliano — o general que arrasou Cartago e bateu os numantinos no século II a.C. — houvessem de repente aparecido quinhentos anos depois, na época de Constantino, o Grande, elas teriam uma boa chance de vencer o próprio imperador. Imaginemos, porém, o que aconteceria com um general de alguns séculos atrás — digamos Napoleão — se ele atirasse suas tropas contra uma brigada de tanques moderna. Napoleão era um estrategista brilhante e seus homens eram profissionais experientes, mas tais habilidades seriam inúteis diante dos armamentos modernos.

Como em Roma, na China antiga a maioria dos generais e filósofos não pensava que fosse seu dever criar armas novas. A invenção militar mais importante da história da China foi a pólvora. Todavia, tanto quanto sabemos, a pólvora foi inventada por acidente por alquimistas taoistas que buscavam o elixir da vida. A trajetória subsequente da pólvora é ainda mais esclarecedora. Era de imaginar que os alquimistas taoistas teriam feito com que a China dominasse o mundo. Mas a verdade é que os chineses usaram o novo composto sobretudo em fogos de artifício. Mesmo quando o Império Song caiu diante dos invasores mongóis, nenhum imperador lançou um Projeto Manhattan medieval para salvar seus domínios inventando uma arma imbatível. Apenas no século xv — cerca de seiscentos anos depois da invenção da pólvora — os canhões se tornaram um fator decisivo nos campos de batalha da massa continental afro-asiática. Por que levou tanto tempo para que o potencial mortífero dessa substância tivesse uso militar? Porque ela apareceu numa época em que nem os reis nem os estudiosos ou mercadores pensavam que uma nova tecnologia pudesse salvá-los ou torná-los ricos.

A situação só começou a se modificar nos séculos xv e xvi. No entanto, outros duzentos anos transcorreram antes que a maioria dos governantes revelasse algum interesse em financiar a pesquisa e o desenvolvimento de novas armas. A logística e a estratégia continuavam a ter um impacto muito maior no resultado das guerras que a tecnologia. A máquina militar de Napoleão, que esmagou os exércitos das potências europeias em Austerlitz (1805), utilizava praticamente as mesmas armas que o exército de Luís xvi. O próprio Napoleão, apesar de ser um homem de artilharia, tinha pouco interesse em novas armas, muito embora cientistas e inventores tentassem persuadi-lo a financiar o desenvolvimento de máquinas voadoras, submarinos e foguetes.

A ciência, a indústria e a tecnologia militar só se entrelaçaram com o surgimento do sistema capitalista e a Revolução Industrial. Todavia, uma vez estabelecida, essa relação rapidamente transformou o mundo.

Até a Revolução Científica, as culturas humanas em sua maioria não acreditavam no progresso. Pensavam que a era dourada se situava no passado e que o mundo estava estagnado, se não em decadência. A aceitação estrita da sabedoria de antigamente poderia quem sabe trazer de volta os bons tempos, e a engenhosidade humana talvez tivesse condições de melhorar algum aspecto da vida cotidiana. No entanto, era considerado impossível que o conhecimento técnico humano resolvesse os problemas fundamentais do mundo. Se mesmo Maomé, Jesus Cristo, Buda e Confúcio — que sabiam tudo que há para saber — tinham sido incapazes de acabar com a fome, a doença, a pobreza e a guerra no mundo, como poderíamos fazê-lo?

Muitas crenças afirmavam que algum dia apareceria um messias que terminaria com todas as guerras, com a fome e até com a morte em si. Mas a noção de que a humanidade pudesse fazer isso adquirindo novos conhecimentos e inventando novas ferramentas era mais do que ridícula — era uma arrogância diante dos deuses. As histórias da Torre de Babel, de Ícaro, do Golem e incontáveis outros mitos ensinavam às pessoas que qualquer tentativa de ir além das limitações humanas conduziria inevitavelmente à frustração e ao desastre.

Quando a cultura moderna admitiu que havia muitas coisas importantes que ainda não eram conhecidas, e quando tal admissão de ignorância se somou à ideia de que as descobertas científicas poderiam nos dar novos poderes, as pessoas começaram a suspeitar que o verdadeiro progresso afinal de contas era possível. À medida que a ciência passou a resolver um problema insolúvel atrás do outro, muitos se convenceram de que a humanidade tinha condições de superar qualquer problema adquirindo e aplicando novos conhecimentos. A pobreza, as doenças, as guerras, a fome, a velhice e a própria morte não eram o destino inevitável da humanidade. Eram apenas frutos de nossa ignorância.

Um exemplo famoso são os raios. Muitas culturas acreditavam que os relâmpagos eram o martelo de um deus raivoso usado para punir os pecadores. Em meados do século XVIII, num dos mais celebrados experimentos da história científica, Benjamin Franklin empinou uma pipa durante uma tempestade a fim de testar a hipótese de que o relâmpago era só uma corrente elétrica. As observações empíricas de Franklin, somadas ao seu conhecimento das características da energia elétrica, possibilitaram que ele inventasse o para-raios e desarmasse os deuses.

34. *Benjamin Franklin desarmando os deuses.*

A pobreza é outro caso interessante. Muitas culturas viram a pobreza como parte inescapável deste mundo imperfeito. Segundo o Novo Testamento, pouco antes da crucificação uma mulher untou Cristo com um óleo precioso que custava trezentos denários. Os discípulos de Jesus censuraram a mulher por desperdiçar essa grande soma em vez de dá-la aos pobres, porém Jesus a defendeu, dizendo: "Os pobres vocês terão sempre consigo, e poderão ajudá--los quando bem quiserem. Mas não terão a mim para sempre" (Marcos 14,7). Hoje, cada vez menos gente, inclusive cristãos, concorda com Jesus nessa questão. A pobreza é cada vez mais vista como um problema técnico passível de ser solucionado, e é sabido que as últimas descobertas em agronomia, economia, medicina e sociologia podem eliminar a pobreza.

E, de fato, muitas partes do mundo já se livraram das piores formas de privação. Ao longo da história, as sociedades sofreram dois tipos de pobreza: a social, que impede algumas pessoas de se beneficiarem das oportunidades oferecidas a outras; e a biológica, que põe em risco a vida de certos indivíduos devido à falta de alimentos e de abrigo. É possível que a pobreza social nunca seja erradicada, porém em muitos países a pobreza biológica é coisa do passado.

Até pouco tempo, a maior parte das pessoas estava situada bem perto da linha biológica de pobreza, abaixo da qual um indivíduo deixa de ter calorias suficientes para se manter vivo por muito tempo. Até mesmo pequenos erros de cálculo ou infortúnios poderiam empurrá-las com facilidade para baixo dessa linha, levando-as a morrer de inanição. Desastres naturais e calamidades provocadas pelos homens com frequência faziam com que populações inteiras despencassem no precipício, causando a morte de milhões. Hoje, a maioria das pessoas conta com uma rede de proteção: os indivíduos são protegidos de infortúnios pessoais por seguros e pela previdência social garantida pelo governo, além de grande número de ONGs locais e internacionais. Quando ocorre uma calamidade que atinge toda uma região, esforços mundiais de ajuda humanitária em geral conseguem evitar o pior. As pessoas ainda padecem de numerosas privações, humilhações e doenças ligadas à pobreza, porém na maioria dos países ninguém está morrendo de fome. Na verdade, em muitas sociedades há mais gente correndo o risco de morrer por causa da obesidade que de inanição.

O PROJETO GILGAMESH

De todos os problemas claramente insolúveis da humanidade, um permaneceu o mais incômodo, interessante e crucial: a morte. Antes da era moderna, a maior parte das religiões e ideologias aceitava sem discussão que a morte era nosso destino inevitável. Além disso, a maioria dos credos transformava a morte na principal fonte de significado da vida. Tentemos imaginar o islamismo, o cristianismo ou a antiga religião egípcia num mundo sem a morte. Essas crenças ensinavam às pessoas que elas precisavam chegar a um acordo com a morte e depositar suas esperanças na vida no Além, em vez de tentar vencê-la e viver para sempre aqui na terra. As melhores mentes se ocupavam em dar sentido à morte, não em tentar fugir dela.

Esse é o tema do mito mais antigo que chegou até nós — o mito de Gilgamesh, da antiga Suméria. Seu protagonista é o homem mais forte e mais capaz do mundo, o rei Gilgamesh de Uruk, que podia derrotar qualquer um em combate. Certo dia, morre o melhor amigo de Gilgamesh, Enkidu. Gilgamesh se senta ao lado do corpo e o observa durante vários dias, até ver um verme saindo da narina do amigo. Nesse momento, Gilgamesh é tomado de um horror tremendo e resolve que ele mesmo nunca morreria. Encontraria de algum modo uma forma de vencer a morte. Gilgamesh então empreende uma viagem ao fim do universo, matando leões, enfrentando homens-escorpiões e descobrindo uma entrada para o submundo. Lá ele destrói as misteriosas "coisas de pedra" de Urshanabi, o barqueiro do rio dos mortos, e encontra Utnapishtim, o último sobrevivente do dilúvio primordial. No entanto, Gilgamesh fracassa em sua busca. Volta para casa de mãos abanando, tão mortal quanto antes, mas com uma nova sabedoria. Gilgamesh havia aprendido que, quando criaram o homem, os deuses determinaram que a morte seria seu destino inevitável, e o homem era obrigado a aprender a viver com isso.

Os discípulos do progresso não compartilham dessa atitude derrotista. Para os homens da ciência, a morte não é um destino inevitável, mas um mero problema técnico. As pessoas morrem não porque os deuses assim o decretaram, mas devido a vários defeitos técnicos — ataque cardíaco, câncer, infecção. E todo problema técnico tem uma solução técnica. Se o coração fibrila, pode ser estimulado por um marca-passo ou substituído por um novo. Se o câncer ataca, pode ser liquidado por drogas e radiação. Se as bactérias se proliferam, podem ser controladas com antibióticos. É verdade que, atualmente, não podemos resolver todos os problemas técnicos, mas estamos trabalhando neles. Nossas mentes mais brilhantes não estão desperdiçando seu tempo tentando dar sentido à morte. Em vez disso, estão ocupadas investigando os sistemas fisiológico, hormonal e genético responsáveis pelas doenças e pelo envelhecimento. Estão desenvolvendo novos remédios, tratamentos revolucionários e órgãos artificiais que prolongarão nossas vidas e podem algum dia derrotar o próprio Anjo da Morte.

Até pouco tempo, ninguém ouviria cientistas ou qualquer um falar sobre isso tão abertamente. "Derrotar a morte? Que bobagem! Só estamos tentando curar o câncer, a tuberculose e o Alzheimer", eles insistiriam. As pessoas evitavam a questão da morte porque o objetivo parecia ser elusivo demais. Por que gerar expectativas pouco razoáveis? No entanto, chegamos agora a um ponto em que podemos ser francos. O principal projeto da Revolução Científica é dar à humanidade a vida eterna. Mesmo se liquidar a morte parecer uma meta distante, já alcançamos coisas que eram inconcebíveis até alguns séculos atrás. Em 1199, o rei Ricardo Coração de Leão foi atingido por uma flecha no ombro esquerdo. Diríamos hoje que sofrera um ferimento de menor importância. Mas, em 1199, na ausência de antibióticos e de métodos eficazes de esterilização, aquela pequena ferida na pele se infectou e gangrenou. A única forma de evitar o avanço da gangrena na Europa do século XII consistia em amputar o membro afetado, o que era impossível quando a infecção era no ombro. A gangrena se espalhou pelo corpo de Coração de Leão e ninguém pôde ajudar o rei. Ele morreu duas semanas depois em meio a um grande sofrimento.

Até o século XIX, os médicos mais brilhantes não sabiam como evitar uma infecção e interromper a putrefação dos tecidos. Em hospitais de campanha, com receio da gangrena, era rotina para os médicos amputar mãos e pernas de soldados até mesmo após ferimentos superficiais. Essas amputações, bem como outros procedimentos médicos (como a extração de dentes), eram feitas sem anestesia. Os primeiros anestésicos — éter, clorofórmio e morfina — passaram a ser usados regularmente na medicina ocidental só em meados do século XIX. Antes do clorofórmio, quatro soldados tinham de segurar um companheiro ferido enquanto o médico amputava com uma serra o membro atingido. Na manhã seguinte à Batalha de Waterloo (1815), pilhas de mãos e pernas amputadas podiam ser vistas junto aos hospitais de campanha. Naqueles tempos, carpinteiros e açougueiros alistados no Exército eram com frequência designados para os batalhões médicos porque a cirurgia exigia pouco mais do que saber como trabalhar com facas e serrotes.

Nos dois séculos que se seguiram a Waterloo, as coisas mudaram totalmente. Pílulas, injeções e operações sofisticadas nos salvam de uma série de enfermidades e ferimentos que, no passado, significavam uma inescapável sentença de morte. Também nos protegem contra incontáveis dores e doenças cotidianas que as pessoas pré-modernas simplesmente aceitavam como parte da vida. A expectativa média de vida saltou de cerca de 25 anos a quarenta anos para cerca de 67 anos em todo o mundo, e cerca de oitenta anos nos países desenvolvidos.[8]

A morte sofreu seu maior revés no campo da mortalidade infantil. Até o século XX, entre um quarto e um terço das crianças de sociedades agrícolas nunca chegava à idade adulta. A maioria sucumbia de doenças infantis como difteria, sarampo e varíola. Na Inglaterra do século XVII, 150 de cada mil recém-nascidos morriam durante o primeiro ano, e um terço de todas as crianças morriam antes de completar quinze anos.[9] Hoje, apenas cinco de cada mil bebês ingleses morrem durante o primeiro ano, e apenas sete de mil crianças morrem antes dos quinze anos.[10]

Podemos entender melhor o impacto real dessas cifras se deixarmos de lado as estatísticas e contarmos algumas histórias. Um bom exemplo é a família do rei Eduardo I da Inglaterra (1237-1307) e sua esposa, a rainha Leonor (1241-90). Seus filhos tinham as melhores condições e os melhores cuidados disponíveis na Europa medieval. Viviam em palácios, comiam o quanto desejassem, tinham muitas roupas quentes, lareiras cheias de lenha, a água mais limpa que havia, um exército de criados e os médicos mais competentes. As fontes mencionam que a rainha Leonor deu à luz dezesseis crianças entre 1255 e 1284:

1. Uma filha, sem nome, nascida em 1255 e morta ao nascer.
2. Uma filha, Catarina, morta com um ano ou três anos.
3. Uma filha, Joana, morta com seis meses.
4. Um filho, João, morto com cinco anos.
5. Um filho, Henrique, morto com seis anos.
6. Uma filha, Leonor, morta com 29 anos.
7. Uma filha, sem nome, morta com cinco meses.
8. Uma filha, Joana, morta com 35 anos.
9. Um filho, Alfonso, morto com dez anos.
10. Uma filha, Margarida, morta com 58 anos.
11. Uma filha, Berengária, morta com dois anos.
12. Uma filha, sem nome, morta pouco depois de nascer.
13. Uma filha, Maria, morta com 53 anos.
14. Um filho, sem nome, morto pouco depois de nascer.
15. Uma filha, Isabel, morta com 34 anos.
16. Um filho, Eduardo.

O mais novo, Eduardo, foi o primeiro dos homens a vencer os anos perigosos da infância e, quando o pai morreu, subiu ao trono inglês como rei Eduardo II. Em outras palavras, Leonor precisou tentar dezesseis vezes para executar a missão mais fundamental de uma rainha inglesa — dar a seu marido um herdeiro do sexo masculino. A mãe de Eduardo II deve ter sido uma mulher de excepcional paciência e coragem. O que não ocorreu com a mulher que Eduardo escolheu para esposa, Isabela da França. Ela mandou matá-lo quando ele tinha 43 anos.[11]

Tanto quanto sabemos, Leonor e Eduardo I eram um casal saudável e não transmitiram nenhuma doença hereditária fatal a seus filhos. Mas dez dos dezesseis filhos que tiveram — 62% — morreram na infância. Apenas seis conseguiram viver mais de onze anos, e só três — meros 18% — passaram dos quarenta anos. Além desses partos, Leonor muito provavelmente teve várias gestações que resultaram em abortos naturais. Em média, Eduardo e Leonor perderam um filho a cada três anos, dez deles um atrás do outro. É quase impossível para um pai ou uma mãe atuais imaginar essas perdas.

Quanto tempo o Projeto Gilgamesh — a busca pela imortalidade — vai levar? Cem anos? Quinhentos anos? Mil anos? Quando lembramos quão pouco sabíamos sobre o corpo humano em 1900 e quanto conhecimento adquirimos em apenas um século, há razões para otimismo. Pouco tempo atrás os engenheiros genéticos conseguiram dobrar a expectativa de vida dos vermes *Caenorhabditis elegans*.[12] Será que vão poder fazer o mesmo pelo *Homo sapiens*? Os especialistas em nanotecnologia estão desenvolvendo um sistema imunológico biônico composto de milhões de nanorrobôs que, habitando em nossos corpos, poderiam abrir vasos sanguíneos obstruídos, combater vírus e bactérias, eliminar células cancerosas e até mesmo reverter os processos de envelhecimento.[13] Alguns poucos estudiosos sérios sugerem que, por volta de 2050, certos humanos se tornarão amortais (não imortais, porque ainda poderiam morrer devido a algum acidente, mas amortais, no sentido de que, na ausência de um trauma fatal, suas vidas seriam estendidas indefinidamente).

Tenha ou não sucesso o Projeto Gilgamesh, do ponto de vista histórico é fascinante ver que a maior parte das religiões e ideologias modernas já eliminou da equação a morte e a vida após a morte. Até o século XVIII, as religiões consideravam a morte e o que se seguia a ela como os elementos centrais do significado da vida. A partir do século XVIII, religiões e ideologias — como o liberalismo, o socialismo e o feminismo — perderam todo o interesse pela vida após a morte. O que, exatamente, acontece com um comunista depois que ele morre? O que acontece com um capitalista? O que acontece com uma feminista? É inútil procurar uma resposta nos escritos de Marx, Adam Smith ou Simone de Beauvoir. A única ideologia moderna que ainda confere à morte um papel central é o nacionalismo. Em seus momentos mais poéticos e desesperados, o nacionalismo promete que aquele que morre pela nação viverá para sempre na memória coletiva. No entanto, essa promessa é tão vaga que a maioria dos nacionalistas não sabe de fato o que ela quer dizer.

O AMANTE RICO DA CIÊNCIA

Estamos vivendo numa era técnica. Muitos estão convencidos de que a ciência e a tecnologia dão resposta a todos os nossos problemas. Bastaria deixar que os cientistas e os técnicos continuassem a trabalhar para que criassem o paraíso aqui na terra. Porém a ciência não é um empreendimento que se desenrola em algum nível moral ou espiritual superior, acima do restante das atividades humanas. Como todas as outras partes de nossa cultura, ela é moldada por interesses econômicos, políticos e religiosos.

A ciência é uma coisa muito cara. Um biólogo que procura entender o sistema imunológico humano precisa de laboratórios, provetas, produtos químicos e microscópios eletrônicos, sem falar de assistentes, eletricistas, encanadores e serventes. Um economista que procura gerar modelos dos mercados de crédito precisa adquirir computadores, criar enormes bancos de dados e desenvolver complexos programas de processamento desses dados. Um arqueólogo que deseja compreender o comportamento de caçadores-coletores arcaicos precisa viajar para terras distantes, escavar ruínas antigas e datar ossos e artefatos fossilizados. Tudo isso exige dinheiro.

Durante os últimos quinhentos anos, a ciência moderna tem feito maravilhas sobretudo graças à predisposição de governos, empresas, fundações e doadores privados de canalizar bilhões de dólares para a pesquisa científica. Esses bilhões fizeram muito mais para mapear o universo e o planeta e para catalogar o reino animal do que foi feito por Galileu Galilei, Cristóvão Colombo e Charles Darwin. Se esses três gênios nunca tivessem nascido, outros provavelmente teriam tido as mesmas ideias. Mas, se lhes tivesse faltado um financiamento adequado, o brilho intelectual deles não teria compensado essa carência. Por exemplo, se Darwin não tivesse nascido, atribuiríamos hoje a teoria da evolução a Alfred Russel Wallace, que concebeu a ideia da evolução pela seleção natural independentemente de Darwin e apenas alguns anos depois. No entanto, se as potências europeias não tivessem financiado as pesquisas geográficas, zoológicas e botânicas em todo o mundo, nem Darwin nem Wallace teriam contado com as informações empíricas necessárias para formular a teoria da evolução. É bem provável que nem houvessem tentado.

Por que bilhões de dólares começaram a fluir de governos e empresas para os laboratórios e as universidades? Nos círculos acadêmicos, muitos são ingênuos o bastante para acreditar na ciência pura. Acreditam que o governo e as empresas lhes dão dinheiro para empreender em quaisquer projetos de pesquisa que lhes venham à mente por mero altruísmo. Mas isso não descreve de modo correto a realidade do financiamento à ciência.

A maior parte dos estudos científicos é financiada porque alguém acredita que eles podem ajudar a atingir algum objetivo político, econômico ou religioso. Por exemplo, no século XVI, os reis e os banqueiros canalizaram imensas somas para custear expedições geográficas em todo o mundo, mas nem um centavo para estudar a psicologia infantil. Isso porque os reis e os banqueiros entenderam que a aquisição de conhecimentos geográficos maiores poderia permitir que conquistassem novas terras e estabelecessem impérios comerciais, enquanto não viam lucro em compreender a psicologia das crianças.

Na década de 1940, os governos dos Estados Unidos e da União Soviética destinaram enormes recursos para o estudo de física nuclear, e não para a arqueologia subaquática. Entenderam que o estudo da física nuclear permitiria que desenvolvessem armamentos nucleares, enquanto a arqueologia subaquática provavelmente não os ajudaria a ganhar guerras. Os próprios cientistas nem sempre são conscientes dos interesses políticos, econômicos e religiosos que controlam o fluxo de dinheiro; muitos deles, com efeito, agem por pura curiosidade intelectual. Entretanto, é raro que cientistas ditem a agenda científica.

Mesmo se quiséssemos financiar a ciência pura, que não é afetada por interesses políticos, econômicos ou religiosos, isso seria provavelmente impossível. Afinal, nossos recursos são limitados. Peça a um congressista dos Estados Unidos para destinar mais 1 milhão de dólares à Fundação Nacional da Ciência para financiar pesquisa básica, e ele com razão perguntará se esse dinheiro não poderia ser usado de forma mais útil para custear o treinamento de professores ou para conceder uma necessária isenção de impostos a uma indústria em apuros no seu distrito eleitoral. Para distribuir fundos limitados, devemos responder a perguntas do tipo "O que é mais importante?" e "O que é bom?". Essas não são perguntas científicas. A ciência pode explicar o que existe no mundo, como as coisas funcionam e o que pode acontecer no futuro. Por definição, não tem a pretensão de saber o que *deve* acontecer no futuro. Só as religiões e as ideologias buscam responder a perguntas assim.

Consideremos o seguinte dilema: dois biólogos do mesmo departamento, com as mesmas competências profissionais, solicitaram uma verba de 1 milhão de dólares para custear seus projetos de pesquisa. O prof. Fulano quer estudar uma doença que infecta os úberes das vacas e que causa uma redução de 10% em sua produção de leite. O prof. Sicrano quer estudar se as vacas sofrem mentalmente ao serem separadas de suas crias. Presumindo que o montante de dinheiro seja limitado, e portanto é impossível financiar ambos os projetos, qual deveria ser custeado?

Não há resposta científica para essa pergunta. Só existem respostas políticas, econômicas e religiosas. No mundo de hoje, é óbvio que Fulano tem mais chance de obter o dinheiro. Não porque as doenças de úbere sejam cientificamente mais interessantes que a mentalidade bovina, mas porque a indústria de laticínios, que deve se beneficiar da pesquisa, tem mais força política e econômica que os defensores dos direitos dos animais.

Talvez numa sociedade hindu, em que as vacas são sagradas, ou numa sociedade comprometida com os direitos dos animais, o prof. Sicrano teria mais vantagens. Todavia, caso viva numa sociedade que dá mais valor à importância comercial do leite e à saúde dos cidadãos humanos do que aos sentimentos das vacas, seria melhor para ele redigir seu projeto de pesquisa apelando para tais premissas. Por exemplo, poderia escrever o seguinte: "A depressão conduz a uma queda na produção de leite. Se entendermos o mundo mental das vacas leiteiras, poderemos desenvolver medicamentos psiquiátricos que lhes causarão um bem-estar maior, aumentando dessa forma a produção de leite em 10%. Estimo que haja um mercado global anual de 250 milhões de dólares para medicamentos psiquiátricos de uso bovino".

A ciência é incapaz de estabelecer suas próprias prioridades. É também incapaz de determinar o que fazer com suas descobertas. Por exemplo, do ponto de vista puramente científico, não está claro o que deveríamos fazer com nossa crescente compreensão da genética. Será que devemos usar esse conhecimento para curar o câncer, para criar uma raça de super-homens geneticamente modificados, ou para criar vacas leiteiras com úberes grandes? É óbvio que um governo liberal, um governo comunista, um governo nazista e uma corporação capitalista usariam a mesma descoberta científica com propósitos totalmente diversos, e não há nenhuma razão *científica* para preferir um uso a outro.

Em suma, a pesquisa científica só pode prosperar se aliada a alguma religião ou ideologia. A ideologia justifica os custos da pesquisa. Em troca, a ideologia influencia a agenda científica e determina o que fazer com as descobertas. Sendo assim, para entender como a humanidade chegou a Alamogordo e à Lua — em vez de outros diversos destinos alternativos —, não basta examinar as conquistas de físicos, biólogos e sociólogos. Precisamos levar em conta as forças ideológicas, políticas e econômicas que moldaram a física, a biologia e a sociologia, empurrando-as em determinadas direções enquanto ignoravam outras.

Duas forças em especial merecem nossa atenção: o imperialismo e o capitalismo. O ciclo entre ciência, império e capital foi provavelmente o principal motor da história nos últimos quinhentos anos. Os capítulos seguintes analisam o funcionamento desse processo. Primeiro veremos como as turbinas gêmeas da ciência e do império foram acopladas, examinando depois como ambas se somaram à máquina do capitalismo de fazer dinheiro.

15. O casamento da ciência com o império

Qual a distância entre o Sol e a Terra? Essa é uma pergunta que intrigou muitos astrônomos no início da era moderna, em especial depois que Copérnico afirmou que era o Sol, e não a Terra, que estava localizado no centro do universo. Diversos astrônomos e matemáticos tentaram calcular essa distância, mas seus métodos forneceram resultados muito divergentes. Um meio confiável de fazer a medida foi por fim proposto em meados do século XVIII. De tantos em tantos anos, o planeta Vênus passa diretamente entre o Sol e a Terra. A duração do trânsito difere quando vista de pontos distantes na superfície terrestre devido à minúscula diferença no ângulo em que o observador a vê. Se várias observações do mesmo trânsito fossem feitas de continentes diferentes, bastava usar a trigonometria para calcular sem dificuldade nossa distância exata do Sol.

Os astrônomos previram que os próximos trânsitos de Vênus ocorreriam em 1761 e 1769. Por isso, expedições foram enviadas da Europa aos quatro cantos do mundo a fim de observar os trânsitos do maior número possível de pontos distantes. Em 1761, os cientistas acompanharam o trânsito da Sibéria, da América do Norte, de Madagascar e da África do Sul. Quando se aproximou o trânsito de 1769, a comunidade científica europeia montou um esforço supremo, despachando cientistas até para o norte do Canadá e para a Califórnia (à época uma região desabitada). A Sociedade Real de Londres para o Progresso do Conhecimento Natural concluiu que isso não bastava. Para obter resultados precisos era necessário mandar um astrônomo até o ponto mais ao sudoeste do oceano Pacífico.

A Sociedade Real decidiu enviar ao Taiti um eminente astrônomo, Charles Green, não poupando para tanto nem esforços nem dinheiro. Mas como estava financiando uma expedição tão cara, não fazia sentido usá-la apenas para fazer uma única observação astronômica. Por isso, Green foi acompanhado por uma equipe de outros oito cientistas de várias disciplinas, liderados pelos botânicos Joseph Banks e Daniel Solander. A equipe incluía artistas incumbidos de retratar as novas terras, plantas, animais e pessoas que eles sem dúvida encontrariam. Equipados com os instrumentos científicos de mensuração mais avançados que Banks e a Sociedade Real puderam adquirir, a expedição foi posta sob o comando do capitão James Cook, um homem do mar experiente, além de geógrafo e etnógrafo competente.

A expedição partiu da Inglaterra em 1768, observou o trânsito de Vênus do Taiti em 1769, inspecionou diversas ilhas do Pacífico, visitou a Austrália e a Nova Zelândia, e retornou à Inglaterra em 1771. Trouxe enormes volumes de informações astronômicas, geográficas, meteorológicas, botânicas, zoológicas e antropológicas. Suas descobertas forneceram grandes contribuições para diversas disciplinas, aguçaram a imaginação dos europeus com relatos incríveis sobre o Pacífico Sul e inspiraram as gerações futuras de naturalistas e astrônomos.

Um dos campos que se beneficiou da expedição Cook foi a medicina. Naquele tempo, os navios que partiam para terras distantes sabiam que mais da metade de suas tripulações morreria na viagem. O inimigo não eram os nativos ferozes, as embarcações inimigas ou a saudade de casa. Era um misterioso mal chamado escorbuto. Os homens que sofriam dessa enfermidade se tornavam letárgicos e deprimidos, suas gengivas e outros tecidos moles sangravam. À medida que a doença avançava, os dentes caíam, surgiam feridas abertas, eles ficavam febris e amarelados, perdendo o controle dos membros. Entre os séculos XVI e XVIII, estima-se que o escorbuto roubou a vida de cerca de 2 milhões de marinheiros. Ninguém sabia o que o causava, e, apesar de diversos remédios terem sido testados, os marujos morriam como moscas. O ponto de inflexão veio em 1747, quando um médico britânico, James Lind, realizou um experimento controlado com marinheiros que sofriam do mal.

Separou-os em diversos grupos e deu a cada um deles um tratamento diferente. Um dos grupos de teste foi instruído a consumir frutas cítricas, um remédio caseiro contra o escorbuto. Os pacientes desse grupo prontamente se recuperaram. Lind não sabia o que as frutas cítricas tinham que faltava no corpo dos marinheiros, mas agora sabemos que é a vitamina C. Uma dieta típica a bordo naquela época sem dúvida não tinha alimentos ricos nesse nutriente essencial. Nas viagens longas, os marinheiros em geral subsistiam à base de biscoitos e carne-seca, quase sem frutas ou legumes.

A Marinha Real não se convenceu com os experimentos de Lind, mas James Cook sim. Ele decidiu provar que o médico tinha razão. Encheu seu navio com uma grande quantidade de chucrute e ordenou a seus marinheiros que consumissem muitas frutas e legumes frescos sempre que a expedição chegasse a algum porto. Cook não perdeu um só marujo para o escorbuto. Nas décadas seguintes, todas as marinhas do mundo adotaram a dieta náutica de Cook, e as vidas de incontáveis marinheiros foram poupadas.[1]

No entanto, a expedição Cook teve outro resultado muito menos benigno. Ele não era apenas um calejado lobo do mar e geógrafo, mas também um oficial da Marinha. A Sociedade Real havia financiado boa parte das despesas da expedição, porém o navio pertencia à Marinha Real, que também fornecera os 85 marujos e soldados bem armados, além de equipar a embarcação com canhões, mosquetes, pólvora e outras armas. Muito da informação coletada pela expedição — em particular os dados astronômicos, geográficos, meteorológicos e antropológicos — tinha evidente valor político e militar. A descoberta de um tratamento eficaz para o escorbuto contribuiu muito para o controle britânico dos oceanos e sua capacidade de enviar exércitos para o outro lado do mundo. Cook reivindicou para a Grã-Bretanha diversas ilhas e terras que havia "descoberto", sendo a mais notável a Austrália. A expedição de Cook lançou as bases para a ocupação britânica do sudoeste do oceano Pacífico; para a conquista da Austrália, da Tasmânia e da Nova Zelândia; para o assentamento de milhões de europeus nas novas colônias; e para o extermínio de suas culturas nativas e da maior parte das populações que lá viviam.[2]

No século seguinte à expedição de Cook, as áreas mais férteis da Austrália e da Nova Zelândia foram tomadas de seus habitantes por colonizadores europeus. A população nativa foi reduzida em cerca de 90%, e os sobreviventes foram submetidos a um regime cruel de opressão racial. Para os aborígenes da

Austrália e os maoris da Nova Zelândia, a expedição Cook foi o início de uma catástrofe da qual jamais se recuperaram.

Um destino ainda pior aguardava os nativos da Tasmânia. Após sobreviver por 10 mil anos em um isolamento esplêndido, eles foram completamente varridos da face da Terra, até o último homem, mulher e criança, um século depois da chegada de Cook. Os colonos europeus primeiro os expulsaram das partes mais ricas da ilha, e depois, cobiçando até as regiões inóspitas, os caçaram e os mataram sistematicamente. Os poucos sobreviventes foram postos num campo de concentração evangélico, onde missionários bem-intencionados mas não particularmente magnânimos tentaram doutriná-los nos costumes do mundo moderno. Os tasmanianos aprenderam a ler e a escrever, bem como foram instruídos sobre o cristianismo e sobre várias "habilidades úteis", como costurar roupas e trabalhar nos campos. Mas eles se recusaram a aprender. Tornaram-se cada dia mais melancólicos, pararam de ter filhos, perderam todo interesse na vida e por fim escolheram a única rota de fuga que lhes restava no mundo moderno da ciência e do progresso — a morte.

35. *Truganini, a última nativa da Tasmânia.*

Infelizmente, a ciência e o progresso os perseguiram mesmo depois disso. Em nome da ciência, os cadáveres dos últimos tasmanianos foram confiscados por antropólogos e curadores de museus e mais tarde dissecados, pesados e medidos para análises publicadas em artigos especializados. Os crânios e os esqueletos foram depois exibidos em museus e em coleções antropológicas. Apenas em 1976 o Museu da Tasmânia entregou para ser enterrado o esqueleto de Truganini, a última nativa da ilha, que morrera cem anos antes. O Colégio Real Inglês de Cirurgiões não abriu mão de amostras da pele e dos cabelos dela até 2002.

O navio de Cook era parte de uma expedição científica protegida por forças militares ou uma expedição militar acompanhada por alguns cientistas? Isso é o mesmo que perguntar se seu tanque de gasolina está meio cheio ou meio vazio. As duas coisas. A Revolução Científica e o imperialismo moderno eram inseparáveis. Indivíduos como o capitão James Cook e o botânico Joseph Banks eram quase incapazes de distinguir entre ciência e império. Assim como a pobre Truganini.

POR QUE A EUROPA?

O fato de que os habitantes de uma grande ilha do norte do Atlântico conquistaram uma grande ilha no sul da Austrália é um dos acontecimentos mais bizarros da história. Até pouco tempo antes da expedição de Cook, as Ilhas Britânicas e no geral toda a parte oeste da Europa não eram mais que um quintal distante do mundo mediterrâneo. Nada importante havia acontecido por lá. Até mesmo o Império Romano — o único império europeu pré-moderno — derivava a maior parte de sua riqueza das províncias situadas no norte da África, nos Bálcãs e no Oriente Médio. As províncias ocidentais de Roma eram uma região selvagem pobre que contribuía basicamente com escravos e minérios. O norte da Europa era tão desolado e bárbaro que nem valia a pena conquistar.

Apenas no fim do século xv, a Europa se tornou um foco de importantes avanços militares, políticos, econômicos e culturais. Entre 1500 e 1750, a Europa Ocidental ganhou impulso e passou a dominar o "mundo de fora", isto é, os dois continentes americanos e os oceanos. No entanto, mesmo nessa época a

Europa não era páreo para as grandes potências da Ásia. Os europeus conseguiram conquistar a América e ganhar a supremacia marítima sobretudo porque as potências asiáticas demonstraram pouco interesse por isso. O início da era moderna foi uma era dourada para o Império Otomano no Mediterrâneo, para o Império Safávida na Pérsia, para o Império Mogol na Índia e para as dinastias Ming e Qing na China. Todos expandiram seus territórios substancialmente e desfrutaram de um crescimento demográfico e econômico sem precedentes. Em 1775, a Ásia era responsável por 80% da economia mundial. As economias combinadas da Índia e da China representavam dois terços da produção global. Em comparação com a Ásia, a Europa era um anão econômico.[3]

O centro global de poder só se deslocou para a Europa entre 1750 e 1850, quando os europeus humilharam as potências asiáticas numa série de guerras, conquistando grandes extensões do continente. Por volta de 1900, os europeus controlavam firmemente a economia mundial e a maior parte de seu território. Em 1950, a Europa Ocidental e os Estados Unidos eram responsáveis por mais da metade da produção global, enquanto a parcela da China se reduzira a 5%.[4] Sob a égide da Europa, surgiram uma nova ordem e uma cultura globais. Hoje, todos os humanos são, num grau muito maior do que gostariam de admitir, europeus no vestuário, no pensamento e nos gostos. Podem se proclamar antieuropeus em sua retórica feroz, mas quase todos no planeta veem a política, a medicina, a guerra e a economia com olhos europeus, além de escutar música composta em estilo europeu e escrita nas línguas europeias. Mesmo a atual economia efervescente chinesa, que pode em breve retomar a primazia mundial, está baseada num modelo europeu de produção e finanças.

Como os povos de uma extremidade gélida da massa continental euro--asiática puderam escapar de seu canto longínquo do globo e conquistar todo o mundo? Os cientistas europeus costumam receber grande parte do crédito por isso. É inquestionável que, a partir de 1850, o domínio do continente dependeu em larga medida do complexo militar-industrial-científico e da magia tecnológica. Todos os impérios modernos bem-sucedidos cultivaram a pesquisa científica na esperança de colher inovações tecnológicas, e muitos cientistas passaram a maior parte de seu tempo trabalhando em armas, remédios e máquinas para seus governantes imperiais. Uma frase comum entre os soldados europeus que enfrentavam inimigos africanos era: "Aconteça o que acontecer, nós temos metralhadoras, e eles, não". As tecnologias civis não eram menos importantes. Alimentos enlatados eram servidos aos exércitos, estradas de ferro e navios a vapor transportavam os combatentes e suas provisões, enquanto um arsenal de remédios curava soldados, marinheiros e engenheiros militares. Esses progressos logísticos desempenharam um papel mais significativo na conquista europeia da África do que a metralhadora.

Mas antes de 1850 não era assim. O complexo militar-industrial-científico estava ainda dando os primeiros passos; os frutos da Revolução Científica não estavam amadurecidos; e a distância tecnológica entre as potências europeias, asiáticas e africanas era pequena. Em 1770, James Cook sem dúvida dispunha de uma tecnologia muito superior à dos aborígenes australianos, mas isso também valia para chineses e otomanos. Por que então a Austrália foi explorada e colonizada pelo capitão James Cook e não pelo capitão Wan Zhengse ou pelo capitão Hussein Pasha? Ainda mais importante: se em 1770 os europeus não tinham uma vantagem tecnológica substancial sobre os muçulmanos, os indianos e os chineses, como conseguiram no século seguinte abrir um abismo tão grande entre eles e o resto do mundo?

Por que o complexo militar-industrial-científico floresceu na Europa e não na Índia? Quando a Grã-Bretanha deu seu grande salto, por que a França, a Alemanha e os Estados Unidos logo a seguiram, ao passo que a China ficou para trás? Quando o abismo entre as nações industrializadas e não industrializadas se tornou um claro fator econômico e político, por que a Rússia, a Itália e a Áustria conseguiram superá-lo, mas a Pérsia, o Egito e o Império Otomano não fizeram nada? Afinal, a tecnologia da primeira onda industrial era relativamente simples. Seria tão difícil para os chineses ou para os otomanos projetar motores a vapor, fabricar metralhadoras e construir estradas de ferro?

A primeira ferrovia comercial do mundo entrou em operação na Grã--Bretanha em 1830. Já em 1850, as nações ocidentais eram cortadas por quase 40 mil quilômetros de estradas de ferro — porém, em toda a Ásia, a África e a América Latina, havia apenas 4 mil quilômetros de trilhos. Em 1880, o Ocidente contava com mais de 350 mil quilômetros de ferrovias, enquanto no resto mundo havia apenas 35 mil quilômetros de linhas férreas (e a maior parte construída pelos britânicos na Índia).[5] A primeira estrada de ferro na China só passou a operar em 1876. Tinha 25 quilômetros de extensão e havia sido construída por europeus — o governo chinês a destruiu no ano seguinte. Em 1880, o Império Chinês não operava uma única linha férrea. A primeira ferrovia na

Pérsia foi construída em 1888 e ligava Teerã a um local sagrado muçulmano situado dez quilômetros ao sul da capital. Foi construída e era operada por uma empresa belga. Em 1950, a rede ferroviária total da Pérsia não chegava a 2500 quilômetros num país sete vezes maior que a Grã-Bretanha.[6]

Não faltavam aos chineses e aos persas invenções tecnológicas como o motor a vapor (que podia ser copiado ou comprado com facilidade). O que eles não tinham eram valores, mitos, sistemas jurídicos e estruturas sociopolíticas que levaram séculos para se formar e amadurecer no Ocidente, e que não podiam ser copiados e internalizados tão rápido. A França e os Estados Unidos logo seguiram os passos da Grã-Bretanha porque os franceses e os norte-americanos já compartilhavam dos mitos e das estruturas sociais mais importantes dos britânicos. Os chineses e os persas não podiam alcançá-los com rapidez porque pensavam e organizavam suas sociedades de forma diferente.

Essa explicação lança nova luz sobre o período entre 1500 e 1850. Durante essa era, a Europa não gozou de nenhuma vantagem tecnológica, política, militar ou econômica óbvia sobre as potências asiáticas e, no entanto, desenvolveu um potencial ímpar cuja importância de repente se tornou ostensiva em 1850. A aparente igualdade entre Europa, China e o mundo muçulmano em 1750 era uma miragem. Imaginemos dois construtores, cada qual erguendo uma torre muito alta. Um usa madeira e tijolos de barro, enquanto o outro usa aço e concreto. De início, parece não haver grande diferença entre os dois métodos, uma vez que ambas as torres crescem em ritmo semelhante e alcançam uma altura parecida. Todavia, ao ser atingido um patamar crítico, a torre de madeira e de barro não consegue suportar a pressão e desaba, enquanto a torre de aço e de concreto cresce a cada andar até onde a vista alcança.

Que potencial a Europa desenvolveu no começo do período moderno que lhe possibilitou dominar o mundo mais adiante? Há duas respostas complementares para essa pergunta: a ciência moderna e o capitalismo. Os europeus estavam acostumados a pensar e a se comportar de um modo científico e capitalista mesmo antes de terem quaisquer vantagens tecnológicas. Quando a bonança tecnológica começou, eles foram capazes de aproveitá-la muito melhor do que qualquer outro povo. Por isso, não é coincidência que a ciência e o capitalismo constituam a herança mais importante que o imperialismo europeu legou ao mundo pós-europeu do século XXI. A Europa e os europeus não dominam mais o mundo, mas a ciência e o capital ficam cada vez mais fortes. As conquistas do capitalismo serão examinadas no capítulo seguinte. O restante deste capítulo é dedicado ao caso de amor entre o imperialismo europeu e a ciência moderna.

A MENTALIDADE DE CONQUISTA

A ciência moderna prosperou nos impérios europeus e graças a eles. Ela obviamente tem uma grande dívida para com as antigas tradições científicas, como as da Grécia clássica, da China, da Índia e dos países muçulmanos, porém sua natureza ímpar começou a tomar forma apenas no início do período moderno, de mãos dadas com a expansão imperial de Espanha, Portugal, Grã--Bretanha, França, Rússia e Países Baixos. Durante o início do período moderno, chineses, indianos, muçulmanos, indígenas norte-americanos e polinésios continuaram a fazer importantes contribuições à Revolução Científica. As ideias dos economistas muçulmanos foram estudadas por Adam Smith e por Karl Marx, tratamentos pioneiros feitos por indígenas norte-americanos chegaram aos textos médicos ingleses, e informações extraídas de fontes polinésias revolucionaram a antropologia ocidental. No entanto, até meados do século XX, quem reunia esses milhares de descobertas, criando no processo as diferentes disciplinas científicas, pertencia às elites governantes e intelectuais dos impérios europeus globais. O mundo do Extremo Oriente e dos países muçulmanos gerou mentes tão brilhantes e curiosas quanto as da Europa. Todavia, entre 1500 e 1950, não produziu nada que chegasse perto da física de Newton ou da biologia de Darwin.

Isso não significa que os europeus têm um gene especial para a ciência ou que dominarão para sempre o estudo da física e da biologia. Assim como o islamismo começou como um monopólio árabe, mas foi depois absorvido por turcos e persas, a ciência moderna teve início como uma especialidade europeia, porém hoje está se transformando numa empreitada multiétnica.

O que forjou o elo histórico entre a ciência moderna e o imperialismo europeu? A tecnologia foi um fator importante nos séculos XIX e XX, porém no começo da era moderna teve um impacto limitado. O fator crucial foi que o botânico em busca de plantas e o oficial da Marinha em busca de colônias tinham uma mentalidade parecida. Tanto o cientista quanto o conquistador começavam por admitir sua ignorância — ambos diziam: "Não sei o que existe lá fora". Os dois se sentiam compelidos a sair do casulo e a fazer novas descobertas. E ambos esperavam que o novo conhecimento adquirido dessa forma os tornaria donos do mundo.

O imperialismo europeu foi totalmente diferente de todos os outros projetos imperiais na história. Os candidatos anteriores a império costumavam presumir que já entendiam o mundo. A conquista apenas utilizava e disseminava a visão de mundo que *eles* tinham. Os árabes, para dar um exemplo, não conquistaram o Egito, a Espanha ou a Índia a fim de descobrir alguma coisa que não conheciam. Os romanos, os mongóis e os astecas conquistavam com avidez novas terras em busca de poder e de riqueza — não de conhecimento. Em contrapartida, os imperialistas europeus partiram para terras distantes na esperança de obter tanto novos conhecimentos quanto novos territórios.

James Cook não foi o primeiro explorador a pensar desse modo. Os viajantes portugueses e espanhóis dos séculos xv e xvi já tinham feito isso. O infante Henrique, o Navegador, e Vasco da Gama exploraram a costa da África e, ao fazê-lo, passaram a controlar ilhas e portos. Cristóvão Colombo "descobriu" a América e imediatamente reivindicou a soberania sobre as novas terras para os reis da Espanha. Fernão de Magalhães achou o caminho para dar a volta ao mundo ao mesmo tempo que lançou as bases para a conquista espanhola das Filipinas.

Com o passar do tempo, a conquista do conhecimento e a de território se tornaram ainda mais interligadas. Nos séculos xviii e xix, quase todas as expedições militares importantes que partiam da Europa rumo a terras distantes levavam a bordo cientistas que não iam para lutar, mas para fazer descobertas científicas. Quando Napoleão invadiu o Egito em 1798, levou com ele 165 estudiosos. Entre outras coisas, eles criaram uma disciplina completamente nova, a egiptologia, além de fazer importantes contribuições ao estudo da religião, da linguística e da botânica.

Em 1831, a Marinha Real enviou o navio hms *Beagle* para mapear a costa da América do Sul, das ilhas Malvinas e das ilhas Galápagos. A Marinha precisava desse conhecimento para fortalecer o controle imperial sobre a região. O capitão do navio, que era um cientista amador, decidiu acrescentar um geólogo à expedição para estudar as formações geológicas que encontrassem pelo caminho. Depois que vários geólogos profissionais recusaram o convite, o capitão ofereceu o posto a um rapaz de 22 anos formado na Universidade de Cambridge, Charles Darwin. Ele havia estudado para se tornar pastor anglicano, mas estava bem mais interessado em geologia e nas ciências naturais do que na Bíblia. O jovem Darwin agarrou a oportunidade — e o resto é história. O capitão passou todo o tempo da viagem desenhando mapas militares, enquanto Darwin colecionava informações empíricas e formulava ideias que mais tarde desembocaram na teoria da evolução.

Em 20 de julho de 1969, Neil Armstrong e Buzz Aldrin desembarcaram na superfície da Lua. Nos meses que antecederam a expedição, os astronautas da Apollo 11 treinaram num deserto longínquo parecido com a Lua, situado no oeste dos Estados Unidos. A área é a terra natal de diversas comunidades de indígenas norte-americanos, e se conta uma história — ou uma lenda — que descreve o encontro entre os astronautas e um dos habitantes locais.

Certo dia, enquanto treinavam, os astronautas se depararam com um indígena idoso. O homem perguntou o que eles estavam fazendo lá. Eles responderam que eram parte de uma expedição de pesquisa que em breve iria explorar a Lua. Ao ouvir isso, o velho ficou em silêncio por alguns segundos, e então perguntou aos astronautas se poderiam lhe fazer um favor.

"O que o senhor quer?", eles perguntaram.

"Bem", disse o velho, "as pessoas da minha tribo acreditam que espíritos sagrados moram na Lua. Estava pensando se os senhores podiam lhes transmitir uma mensagem importante."

"Qual é a mensagem?", perguntaram os astronautas.

O homem pronunciou alguma coisa na sua língua tribal, pedindo depois aos astronautas que a repetissem várias vezes até que a tivessem memorizado corretamente.

"O que significa isso?", perguntaram os astronautas.

"Ah, não posso lhes dizer. É um segredo que só nossa tribo e os espíritos da Lua estão autorizados a conhecer."

Após retornar à base, os astronautas procuraram até encontrar alguém que falava aquela língua, e lhe pediram que traduzisse a mensagem secreta.

Quando repetiram o que tinham memorizado, o tradutor caiu na gargalhada. Depois que se acalmou, os astronautas perguntaram a ele o que significava. O homem explicou que a frase gravada com tanto cuidado dizia: "Não acreditem numa única palavra que essa gente disser a vocês. Eles foram aí roubar as suas terras".

MAPAS VAZIOS

A mentalidade moderna de "explorar e conquistar" é bem ilustrada pelo desenvolvimento dos mapas-múndi. Muitas culturas desenharam tais mapas bem antes da era moderna. Obviamente, nenhum deles conhecia de verdade o mundo todo. Nenhuma cultura afro-asiática sabia da existência da América e nenhuma cultura americana sabia da Afro-Ásia. Porém, áreas desconhecidas eram simplesmente ignoradas ou ocupadas por monstros e maravilhas imaginárias. Esses mapas não tinham espaços vazios: davam a impressão de que se conhecia o mundo inteiro.

Durante os séculos xv e xvi, os europeus começaram a desenhar mapas-múndi com muitos espaços vazios — um indício do surgimento de uma mentalidade científica e do impulso imperial europeu. Os mapas vazios eram um avanço revolucionário do ponto de vista psicológico e ideológico, a admissão clara de que os europeus desconheciam grandes parcelas do globo.

O ponto de inflexão crucial veio em 1492, quando Cristóvão Colombo navegou da Espanha rumo ao Oeste, buscando uma nova rota para a Ásia Oriental. Colombo ainda acreditava nos velhos mapas "completos". Fazendo uso deles, calculou que o Japão deveria estar cerca de 7 mil quilômetros a oeste da Espanha. Na verdade, mais de 20 mil quilômetros e todo um continente desconhecido separam a Ásia Oriental da Espanha. Em 12 de outubro de 1492, por volta das duas horas da madrugada, a expedição de Colombo chegou ao continente desconhecido. Juan Rodríguez Bermejo, olhando do mastro da caravela *Pinta*, avistou uma ilha onde hoje chamamos de Bahamas e gritou: "Terra à vista! Terra à vista!".

Colombo acreditou que havia alcançado uma pequena ilha afastada da costa da Ásia Oriental. Chamou as pessoas que encontrou por lá de "índios" porque imaginou que tinha desembarcado nas Índias — onde hoje chamamos

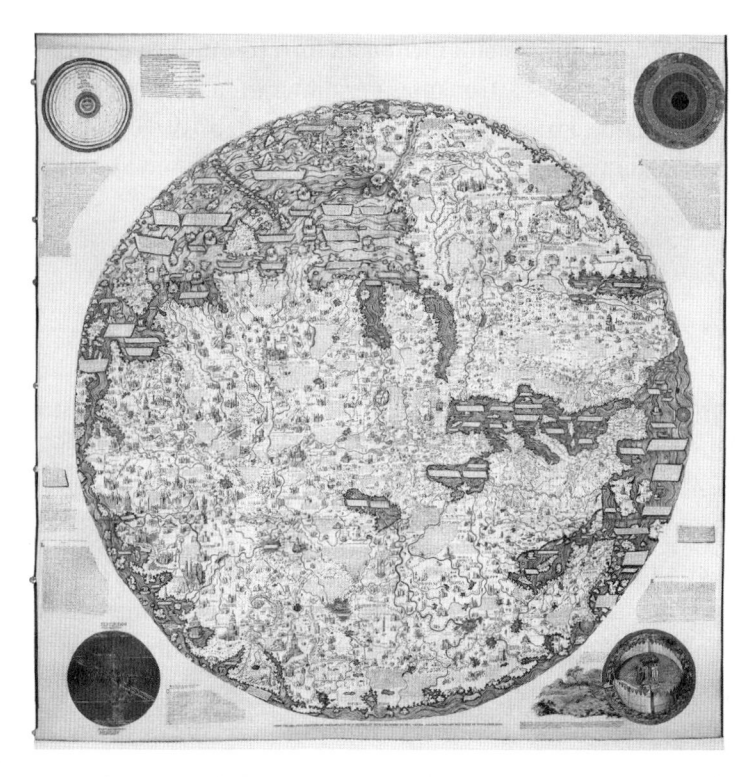

36. *Mapa-múndi europeu de 1459 (a Europa está no canto inferior direito). O mapa traz muitos detalhes, mesmo ao representar áreas que eram completamente desconhecidas dos europeus, como o sul da África.*

de Índias Orientais ou de arquipélago indonésio. Colombo se aferrou a esse erro pelo resto da vida. A ideia de que tinha descoberto um novo continente totalmente desconhecido era inconcebível para ele e para muitos de sua geração. Durante milhares de anos, não apenas os grandes pensadores e estudiosos como também as infalíveis Escrituras só conheciam a Europa, a África e a Ásia. Como todos eles poderiam estar errados? Como a Bíblia poderia não conhecer metade do mundo? Seria como se, em 1969, a caminho da Lua, a Apollo 11 colidisse com um satélite até então desconhecido orbitando a Terra, um corpo celeste que todas as observações anteriores por algum motivo haviam deixado de detectar. Naquela recusa em admitir sua ignorância, Colombo era ainda um homem medieval. Certo de que conhecia o mundo todo, nem sua extraordinária descoberta foi capaz de convencê-lo do contrário.

O primeiro homem moderno foi Américo Vespúcio, um marinheiro italiano que participou de várias expedições à América nos anos 1499-1504. Entre 1502 e 1504, dois textos que descrevem essas expedições foram publicados na Europa e atribuídos a Vespúcio. Os textos afirmavam que as novas terras descobertas por Colombo não eram ilhas na costa leste da Ásia, e sim todo um continente desconhecido pelas Escrituras, pelos geógrafos clássicos e pelos europeus contemporâneos. Em 1507, convencido desses argumentos, um respeitado cartógrafo chamado Martin Waldseemüller publicou um mapa-múndi atualizado, o primeiro a mostrar como um continente à parte o local onde as frotas europeias que navegavam rumo ao Oeste haviam desembarcado. Após desenhar o continente, Waldseemüller precisava lhe dar um nome. Acreditando de maneira equivocada que Américo Vespúcio tinha sido o descobridor, Waldseemüller nomeou o continente em sua homenagem — América. O mapa de Waldseemüller se tornou muito popular e foi copiado por numerosos outros cartógrafos, divulgando assim o nome que ele dera à nova terra. Há certa justiça poética no fato de que um quarto do mundo e dois de seus sete continentes receberam o nome de um italiano pouco conhecido cuja única pretensão à fama foi ter tido a coragem de dizer: "Não sabemos".

A descoberta da América foi o evento que marcou o início da Revolução Científica. Não apenas ensinou os europeus a preferirem as observações presentes em detrimento das tradições passadas, mas o desejo de conquistar a América também os obrigou a buscar novos conhecimentos com grande rapidez. Se de fato queriam controlar os vastos territórios novos, precisavam reunir enormes quantidades de informações sobre a geografia, o clima, a flora, a fauna, as línguas, as culturas e a história do continente recém-descoberto. As Escrituras cristãs, os velhos livros de geografia e as antigas tradições orais não eram de grande ajuda.

Desde então, tanto os geógrafos quanto os estudiosos europeus em quase todos os campos do conhecimento começaram a desenhar mapas com espaços a ser preenchidos. Começaram a admitir que suas teorias não eram perfeitas e que havia coisas importantes que desconheciam.

Os europeus se sentiram atraídos pelos espaços em branco no mapa como se fossem ímãs, e logo começaram a preenchê-los. Durante os séculos xv e

XVI, expedições europeias circum-navegaram a África, exploraram a América, cruzaram os oceanos Pacífico e Índico, criaram uma rede de bases e colônias por toda parte. Estabeleceram os primeiros impérios de fato globais e teceram a primeira rede de comércio verdadeiramente global. As expedições imperiais europeias transformaram a história do mundo: de uma série de histórias de povos e culturas isoladas, ela se transformou na história de uma sociedade humana única e integrada.

Essas expedições europeias de exploração e conquista são tão bem conhecidas por nós que costumamos não perceber o seu caráter extraordinário. Nada parecido havia acontecido antes. Campanhas de conquista em terras longínquas não são um empreendimento natural. Ao longo da história, a maioria das sociedades humanas esteve tão ocupada com conflitos locais e brigas com vizinhos que nunca pensou em explorar e conquistar territórios distantes. A maior parte dos grandes impérios estendeu seu controle apenas sobre a vizinhança imediata — e chegava a locais remotos apenas porque sua vizinhança não parava de crescer. Assim, os romanos conquistaram a Etrúria a fim de defender Roma (c. 350-300 a.C.). Depois conquistaram o vale do Pó para defender a Etrúria (c. 200 a.C.). Mais tarde conquistaram a Provença para defender o vale do Pó (c. 120 a.C.), a Gália para defender a Provença (c. 50 a.C.) e a Britânia para defender a Gália (c. 50 d.C.). Levaram quatrocentos anos para ir de Roma a Londres. Em 350 a.C., nenhum romano teria pensado em navegar diretamente até a Britânia e conquistá-la.

De vez em quando, um governante ou aventureiro ambiciosos se lançavam numa campanha de conquista de longo alcance, porém em geral seguiam rotas imperiais ou comerciais já trilhadas. As campanhas de Alexandre, o Grande, por exemplo, não resultaram em um novo império, mas na tomada de um império já existente — o dos persas. Os precedentes mais próximos dos impérios europeus modernos foram os antigos impérios navais de Atenas e Cartago, assim como o império medieval naval de Majapahit, que dominou boa parte da Indonésia no século XIV. Todavia, mesmo esses exemplos raramente se aventuraram em mares desconhecidos — suas incursões eram empreitadas locais em comparação com as expedições globais dos europeus modernos.

Muitos historiadores afirmam que as viagens do almirante Zheng He durante a dinastia chinesa Ming prenunciaram e foram mais relevantes que as

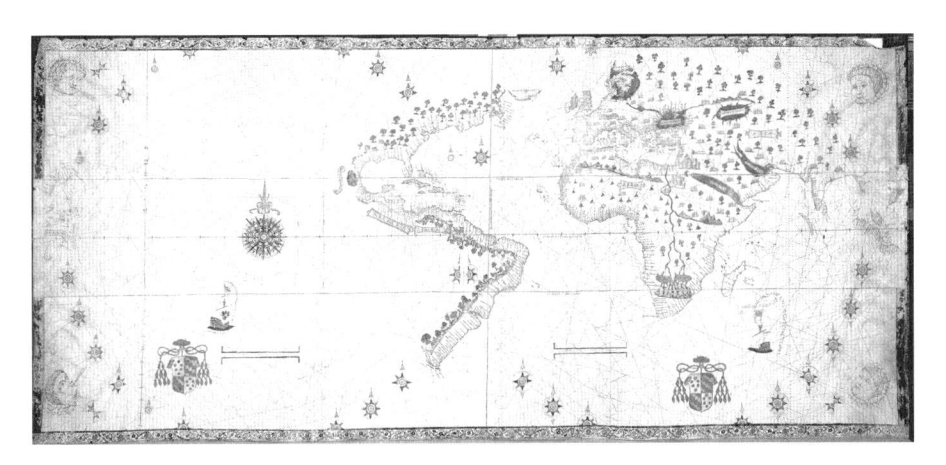

37. *O mapa-múndi de Salviati, 1525. Enquanto o mapa-múndi de 1459 está repleto de continentes, ilhas e explicações pormenorizadas, o mapa de Salviati exibe grandes espaços em branco. Os olhos acompanham a costa da América em direção ao Sul, até cair no vazio. Qualquer um que observe este mapa e tenha alguma curiosidade se sente tentado a perguntar: "O que existe além daquele ponto?". O mapa não dá nenhuma resposta. Convida o observador a subir a bordo de um navio e descobrir.*

viagens europeias de descobrimento. Entre 1405 e 1433, Zheng comandou sete grandes frotas chinesas até os confins do oceano Índico. A maior delas era composta de quase trezentas embarcações e levava cerca de 30 mil pessoas.[7] Eles visitaram a Indonésia, o Sri Lanka, a Índia, o Golfo Pérsico, o mar Vermelho e a África Oriental. Os navios chineses ancoraram em Jidá, o principal porto do Hejaz, e Melinde, na costa do Quênia. A frota de Colombo em 1492 — que consistia em três pequenas caravelas tripuladas por 120 marinheiros — era como um trio de mosquitos em comparação com o enorme bando de dragões de Zheng He.[8]

No entanto, havia uma diferença crucial. Zheng He explorava os oceanos e ajudava governantes favoráveis à China, mas não tentou conquistar ou colonizar os países visitados. Além disso, as expedições de Zheng He não eram profundamente enraizadas na política e na cultura chinesas. Quando a facção governante em Beijing mudou na década de 1430, os novos senhores abruptamente puseram fim à operação. A grande frota foi desmantelada, conhecimentos técnicos e geográficos fundamentais se perderam, nenhum explorador de igual estatura e recursos jamais voltou a zarpar de um porto chinês. Os gover-

38. *Nau capitânia de Zheng He ao lado da caravela de Colombo.*

nantes chineses nos séculos seguintes, como a maioria de seus predecessores, restringiram seus interesses e ambições à vizinhança imediata do Império do Meio.

As expedições de Zheng He comprovam que a Europa não tinha nenhuma grande vantagem tecnológica. O que tornava os europeus excepcionais era sua ambição insaciável e inigualável por explorar e conquistar. Embora pudessem ter tal capacidade, os romanos nunca tentaram conquistar a Índia ou a Escandinávia; os persas nunca tentaram dominar Madagascar ou a Espanha; os chineses nunca tentaram fazer o mesmo com a Indonésia ou a África. A maior parte dos governantes chineses deixou até mesmo o Japão à sua própria sorte. Não havia nada de surpreendente nisso. O estranho é que os primeiros europeus modernos tivessem sido tomados por uma febre que os fazia navegar para terras distantes e totalmente desconhecidas, ocupadas por culturas distintas. E que declarassem ao pisar em suas praias: "Reivindico todos estes territórios para meu rei!".

Por volta de 1517, os colonizadores espanhóis nas ilhas do Caribe começaram a ouvir vagos rumores sobre um poderoso império em algum lugar no centro do México atual. Apenas quatro anos depois, a capital asteca era uma ruína fumegante, o Império Asteca, uma relíquia do passado, e Hernán Cortés comandava o novo e vasto Império Espanhol no México.

Os espanhóis não pararam para se congratular ou mesmo para recobrar o fôlego. Imediatamente passaram a fazer operações de exploração e conquista em todas as direções. Os antigos governantes da América Central — astecas, toltecas, maias — mal sabiam que a América do Sul existia, nunca tinham feito o menor esforço para subjugá-la em 2 mil anos. No entanto, pouco mais de dez anos após a conquista espanhola do México, Francisco Pizarro havia descoberto o Império Inca na América do Sul e o derrotado, em 1532.

Se os astecas e os incas tivessem mostrado um pouco mais de interesse no mundo à sua volta — e se tivessem ficado sabendo o que os espanhóis haviam feito com seus vizinhos — talvez houvessem resistido aos invasores com maior vigor e sucesso. Nos anos que passaram entre a primeira viagem de Colombo para a América (1492) e o desembarque de Cortés no México (1519), os espanhóis conquistaram a maior parte das ilhas caribenhas, estabelecendo uma cadeia de novas colônias. Para os nativos subjugados, essas colônias eram o inferno na terra. Eles eram governados com mão de ferro por colonizadores ávidos e inescrupulosos que os escravizavam e os colocavam para trabalhar em minas e plantations, matando qualquer um que oferecesse a menor resistência. A maioria da população nativa logo morreu, seja pelas condições de trabalho brutais ou pela virulência das doenças que vieram nos barcos dos conquistadores. Em vinte anos, quase todos os habitantes originais do Caribe foram liquidados. Os colonizadores espanhóis começaram a importar escravos africanos a fim de preencher o vazio.

Esse genocídio ocorreu às portas do Império Asteca, mas, quando Cortés desembarcou na costa oriental de suas terras, os astecas não sabiam de nada. A chegada dos espanhóis foi o equivalente a uma invasão alienígena. Os astecas estavam convencidos de que conheciam o mundo inteiro e governavam a maior parte dele. Era inimaginável que fora de seus domínios existisse alguma

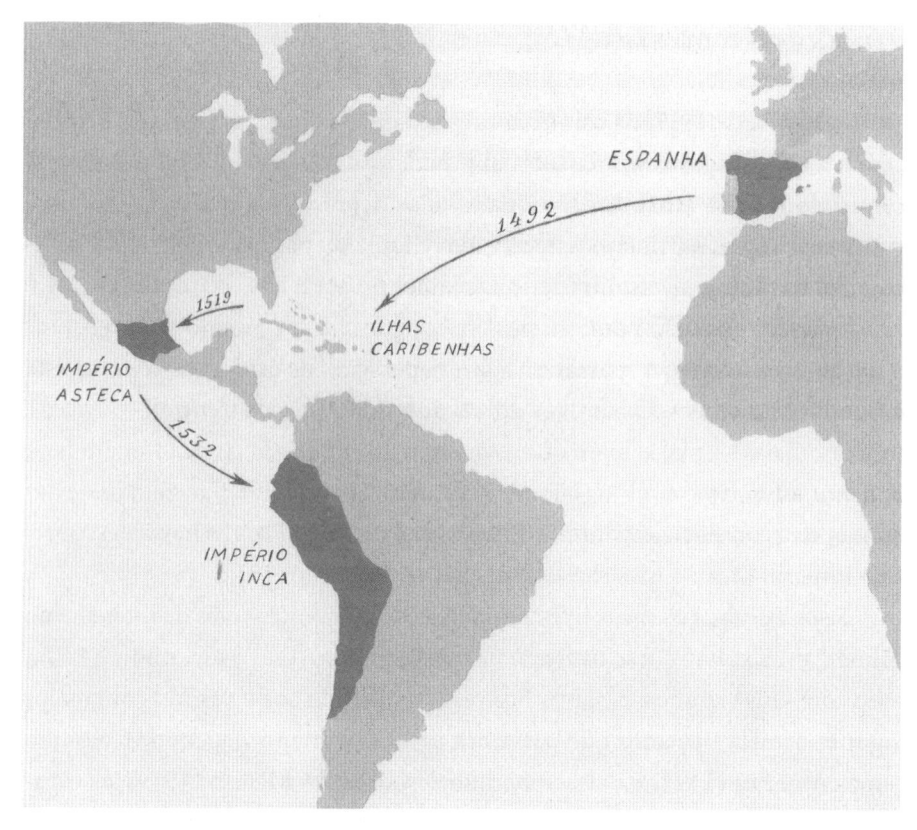

Mapa 7. *Os impérios Asteca e Inca na época da conquista espanhola.*

coisa como aqueles espanhóis. Quando Cortés e seus homens desembarcaram nas praias ensolaradas do que é hoje Vera Cruz, foi a primeira vez que os astecas encontraram gente completamente desconhecida.

Os astecas não sabiam como reagir. Tiveram dificuldade em decidir o que eram aqueles seres estranhos. Ao contrário de todos os humanos conhecidos, tinham a pele branca e muitos pelos no rosto. Alguns tinham cabelos da cor do sol. Fediam muito. (A higiene dos nativos era muito superior à dos espanhóis. Quando eles chegaram pela primeira vez ao México, nativos foram designados para carregar incensários e acompanhá-los aonde quer que fossem. Os espanhóis entenderam aquilo como uma prova de honraria divina. Sabemos por fontes nativas que eles consideravam o cheiro dos recém-chegados insuportável.)

A cultura material dos invasores do espaço era ainda mais assombrosa.

Eles vinham em embarcações gigantescas, do tipo que os astecas nunca haviam imaginado, quanto mais visto. Deslocavam-se em cima de grandes animais assustadores, tão velozes quanto o vento. Eram capazes de produzir relâmpagos e trovões com bastões reluzentes de metal. Tinham espadas faiscantes compridas e armaduras impenetráveis, contra as quais as espadas de madeira e as lanças com ponta de sílex dos nativos eram inúteis.

Alguns astecas acharam que deviam ser deuses. Outros argumentaram que seriam demônios, ou os fantasmas dos mortos, ou feiticeiros poderosos. Em vez de concentrar todas as forças disponíveis e exterminar os espanhóis, os astecas deliberaram, hesitaram e negociaram. Não viram razão para pressa. Afinal, Cortés não tinha mais do que 550 homens a seu serviço: o que esses 550 homens poderiam fazer contra um império com milhões de pessoas?

Cortés era tão ignorante quanto em relação aos astecas, porém ele e seus homens tinham vantagens substanciais sobre os adversários. Enquanto os astecas não possuíam nenhuma experiência que os preparasse para a chegada daqueles estranhos de aparência curiosa e malcheirosos, os espanhóis sabiam que o planeta estava repleto de reinos humanos ainda por descobrir, e que ninguém tinha mais experiência do que eles na invasão de terras desconhecidas e em lidar com situações sobre as quais não sabiam nada. Para o conquistador europeu moderno, assim como para o cientista europeu moderno, mergulhar no desconhecido era muito animador.

Por isso, quando ancorou naquela praia ensolarada em julho de 1519, Cortés não hesitou em agir. Como um ser extraterrestre saindo de sua nave espacial, declarou para os locais abismados: "Viemos em paz. Levem-nos até seu líder". Cortés explicou que era o emissário pacífico do grande rei da Espanha e pediu para ter um encontro diplomático com o governante asteca, Montezuma II. (Isso era uma mentira vergonhosa. Cortés liderava uma expedição independente de aventureiros gananciosos. O rei da Espanha nunca ouvira falar de Cortés nem dos astecas.) Inimigos locais dos astecas ofereceram a Cortés guias, alimentos e alguma ajuda militar. O conquistador marchou então rumo à capital asteca, a grande metrópole de Tenochtitlán.

Os astecas permitiram que os estranhos seguissem até a capital, e então levaram o seu líder ao encontro do imperador Montezuma. No meio da entrevista, Cortés fez um sinal e os espanhóis, com suas armas de aço, exterminaram os guarda-costas de Montezuma (que só dispunham de porretes de madeira e lâminas de pedra). O honrado hóspede aprisionou seu anfitrião.

Cortés estava agora numa situação muito delicada. Havia capturado o imperador, mas se via cercado por dezenas de milhares de guerreiros inimigos furiosos, por milhões de civis hostis e por um continente inteiro do qual não sabia quase nada. Tinha à sua disposição apenas algumas centenas de espanhóis, enquanto os reforços mais próximos estavam em Cuba, a mais de 1500 quilômetros de distância.

Cortés manteve Montezuma cativo em seu palácio, dando a impressão de que o rei permanecia livre e no comando e o "embaixador espanhol" não era mais que um hóspede. Como o Império Asteca era uma entidade extremamente centralizada, essa situação sem precedentes o paralisou. Montezuma se comportava como se continuasse a governar o império, e a elite asteca ainda o obedecia, o que significava que obedecia a Cortés. Essa situação durou vários meses, nos quais Cortés interrogou Montezuma e seus assistentes, treinou tradutores em diversas línguas locais e enviou pequenas expedições espanholas em todas as direções a fim de se familiarizar com o Império Asteca e os diversos povos, tribos e cidades por ele governados.

Com o tempo, a elite asteca se revoltou contra Cortés e Montezuma, elegeu um novo imperador e enxotou os espanhóis de Tenochtitlán. Entretanto, a essa altura várias rachaduras haviam surgido na estrutura imperial. Cortés usou o conhecimento que adquirira para alargar as fendas e dividir o império a partir de dentro. Convenceu muitos dos povos subjugados ao império asteca a se juntar a ele contra a elite governante. Esses povos cometeram um erro grave. Odiavam os astecas, mas não sabiam nada sobre a Espanha ou sobre o genocídio no Caribe. Presumiram que, com a ajuda espanhola, iriam se livrar do jugo asteca. A ideia de que os espanhóis assumiriam o comando nunca lhes ocorreu. Tinham certeza de que, se criassem algum problema, Cortés e suas centenas de capangas poderiam ser esmagados com facilidade. Os povos rebeldes proporcionaram a Cortés um exército de dezenas de milhares de soldados, com cuja ajuda ele cercou Tenochtitlán e conquistou a cidade.

Nessa época, cada vez mais soldados e colonizadores espanhóis começaram a chegar ao México, alguns vindos de Cuba, outros diretamente da Espanha. Quando os locais se deram conta do que estava acontecendo, era tarde demais. Um século após o desembarque em Vera Cruz, a população nativa da

América havia se reduzido em cerca de 90% devido sobretudo às novas doenças trazidas pelos invasores. Os sobreviventes se viram sob um regime ganancioso e racista que era bem pior que o dos astecas.

Dez anos depois que Cortés desembarcou no México, Pizarro chegou à costa do Império Inca. Tinha menos soldados que Cortés — sua expedição contava com apenas 168 homens! No entanto, Pizarro se beneficiou de todo o conhecimento e a experiência adquiridos nas invasões anteriores. Os incas, pelo contrário, não sabiam nada sobre o destino dos astecas. Pizarro copiou Cortés. Declarou-se um emissário pacífico do rei da Espanha, convidou o governante inca Atahualpa para um encontro diplomático e então o sequestrou. Pizarro foi adiante, conquistando o império paralisado com a ajuda de aliados locais. Se os povos subjugados do Império Inca soubessem do destino dos habitantes do México, não teriam se juntado aos invasores. Mas não sabiam.

Os povos nativos da América não foram os únicos que pagaram um preço alto por sua visão paroquial. Os grandes impérios da Ásia — o Otomano, o Safávida, o Mogol e o Chinês — rapidamente souberam que os europeus tinham descoberto alguma coisa grande. Todavia, demonstraram pouco interesse nessas descobertas. Continuaram a acreditar que o mundo girava em torno da Ásia e não fizeram o menor esforço para competir como os europeus pelo controle da América ou das novas rotas oceânicas no Atlântico e no Pacífico. Até mesmo reinos europeus minúsculos, como a Escócia e a Dinamarca, enviaram expedições de exploração e conquista para a América, mas nenhuma viagem desse tipo foi enviada pelo mundo islâmico, pela Índia ou pela China. A primeira potência não europeia que tentou mandar uma expedição militar para o continente americano foi o Japão. Isso aconteceu em junho de 1942, quando uma incursão japonesa conquistou Kiska e Attu, duas pequenas ilhas na altura da costa do Alasca, capturando no processo dez soldados norte-americanos e um cachorro. Foi o mais perto que os japoneses chegaram do continente.

É difícil alegar que os otomanos ou os chineses estivessem longe demais ou que lhes faltavam os recursos tecnológicos, econômicos ou militares. Tudo aquilo que foi necessário para enviar Sheng He da China à África Oriental na década de 1420 seria suficiente para chegar à América. Os chineses só não estavam interessados. O primeiro mapa-múndi chinês a mostrar o continente americano só foi publicado em 1602 — e mesmo assim por um missionário europeu!

Durante trezentos anos, os europeus gozaram de um domínio inconteste na América e na Oceania, no Atlântico e no Pacífico. Os únicos conflitos relevantes nessas regiões aconteceram entre potências europeias. A riqueza e os recursos acumulados pelos europeus com o tempo lhes permitiram invadir também a Ásia, derrotando seus impérios e dividindo a região entre si. Quando otomanos, persas, indianos e chineses acordaram e começaram a prestar atenção, já era tarde demais.

Apenas no século xx culturas não europeias adotaram uma visão de fato global. Esse foi um dos fatores fundamentais que conduziram ao colapso da hegemonia europeia. Assim, na guerra argelina de independência (1954-62), as guerrilhas locais derrotaram o exército francês, que desfrutava de formidável superioridade numérica, tecnológica e econômica. Os argelinos venceram porque foram apoiados por uma rede global anticolonial e porque conseguiram descobrir uma forma de angariar o apoio da mídia internacional — assim como da opinião pública na própria França. A derrota que o pequeno Vietnã do Norte infligiu ao colosso norte-americano se baseou numa estratégia similar. Essas forças de guerrilha mostraram que até mesmo as superpotências podiam ser vencidas se uma luta local se transformasse em uma causa global. É interessante contemplar o que poderia ter acontecido se Montezuma tivesse sido capaz de manipular a opinião pública na Espanha e contasse com a assistência de algum de seus rivais — Portugal, França ou o Império Otomano.

ARANHAS RARAS E ESCRITAS ESQUECIDAS

A ciência moderna e os impérios modernos foram incentivados pelo sentimento constante de que talvez algo valioso estivesse esperando além do horizonte — algo que deveria ser explorado e dominado por eles. No entanto, a conexão entre a ciência e o império foi muito mais longe. Não apenas o incentivo, mas também as práticas dos criadores de impérios se misturavam às dos cientistas. Para um europeu moderno, construir um império era um projeto científico, enquanto estabelecer uma disciplina científica era um projeto imperial.

Quando os muçulmanos conquistaram a Índia, não levaram arqueólogos para estudar a história indiana, antropólogos para estudar as culturas indianas, geólogos para estudar os solos indianos ou zoólogos para estudar a fauna indiana. Quando os britânicos conquistaram a Índia, fizeram tudo isso. Em 10 de abril de 1802, o Grande Levantamento da Índia foi lançado. Durou sessenta anos. Com o auxílio de dezenas de milhares de trabalhadores, pesquisadores e guias locais, os britânicos cuidadosamente mapearam todo o país, demarcando fronteiras, medindo distâncias e até mesmo calculando pela primeira vez a altura exata do monte Everest e de outros picos do Himalaia. Os britânicos exploraram os recursos militares das províncias indianas e a localização das minas de ouro, mas também se deram ao trabalho de coletar informações sobre aranhas raras do país, de catalogar borboletas coloridas, de traçar as origens de idiomas extintos e de escavar ruínas esquecidas.

Mohenjo-daro foi uma das principais cidades da civilização do vale do Indo, que floresceu no terceiro milênio antes de Cristo e foi destruída por volta de 1900 a.C. Nenhum governante da Índia antes dos britânicos — nem os máurias, nem os guptas, nem os sultões de Délhi, nem os grandes mogóis — se importou com suas ruínas. Mas um levantamento arqueológico britânico localizou o sítio em 1922 e uma equipe britânica fez escavações no local, descobrindo a primeira grande civilização da Índia, que nenhum indiano conhecia.

Outro exemplo notável da curiosidade científica britânica foi a solução da escrita cuneiforme. Ela foi a escrita mais utilizada no Oriente Médio durante cerca de 3 mil anos, mas a última pessoa capaz de lê-la morreu provavelmente no início do primeiro milênio depois de Cristo. Desde então, os habitantes da região encontravam com frequência inscrições cuneiformes em monumentos, estelas, ruínas antigas e peças de cerâmica quebradas. Porém não tinham ideia de como ler os estranhos riscos angulares e, até onde sabemos, nunca tentaram. A escrita cuneiforme atraiu a atenção de europeus em 1618, quando o embaixador espanhol na Pérsia foi fazer uma visita turística às ruínas da antiga Persépolis e lá viu inscrições que ninguém foi capaz de lhe explicar. Notícias da escrita desconhecida se espalharam entre os especialistas europeus, instigando a curiosidade de todos. Em 1657, estudiosos europeus publicaram a primeira transcrição de um texto cuneiforme de Persépolis. Mais e mais transcrições se seguiram, e durante quase dois séculos os pesquisadores no Ocidente tentaram decifrá-la. Ninguém conseguiu.

Na década de 1830, um oficial britânico chamado Henry Rawlinson foi enviado à Pérsia para ajudar o xá a treinar seu exército nos moldes europeus. Em seu tempo livre, Rawlinson viajou pelo país e, certo dia, foi levado por guias locais até um penhasco nas cordilheiras de Zagros, onde lhe mostraram a grande inscrição de Behistun. Com cerca de quinze metros de altura e 25 metros de largura, ela tinha sido entalhada bem alto numa face do penhasco por ordem do rei Dario I em aproximadamente 500 a.C. Era escrita em caracteres cuneiformes em três línguas: persa antigo, elamita e babilônio. A inscrição era bem conhecida da população local, mas ninguém conseguia entendê-la. Rawlinson convenceu-se de que, se fosse capaz de decifrá-la, ele e outros estudiosos poderiam ler as numerosas inscrições e os vários textos que estavam sendo descobertos à época por todo o Oriente Médio, abrindo dessa forma as portas para um mundo antigo e esquecido.

O primeiro passo para decifrar os caracteres consistia em fazer uma transcrição precisa que pudesse ser mandada para a Europa. Para isso, Rawlinson desafiou a morte, escalando a íngreme escarpa a fim de copiar os estranhos caracteres. Contratou diversos habitantes locais para ajudá-lo, em especial um rapaz curdo que era capaz de alcançar os trechos mais inacessíveis do despenhadeiro e copiar a parte superior da inscrição. Em 1847, o projeto foi finalizado, e uma cópia completa e exata foi enviada para a Europa.

Rawlinson não descansou depois disso. Como oficial do Exército, precisava cumprir missões militares e políticas, mas sempre que tinha um minuto livre se debruçava sobre o texto incompreensível. Tentou um método atrás do outro, e por fim conseguiu decifrar o trecho em persa antigo da inscrição. Essa provou ser a parte mais fácil, porque o persa antigo não era muito diferente do persa moderno, que Rawlinson conhecia bem. A compreensão do trecho em persa antigo foi a chave de que ele precisava para desvendar os segredos das seções em elamita e em babilônio. A grande porta se abriu, e de lá saíram vozes antigas mas animadas — o alvoroço dos bazares sumérios, as proclamações de reis assírios, os discursos dos burocratas babilônios. Sem os esforços de imperialistas modernos como Rawlinson, não conheceríamos muito acerca do destino dos antigos impérios do Oriente Médio.

Outro estudioso imperialista notável foi William Jones. Jones chegou à Índia em setembro de 1873 para servir como juiz na Corte Suprema de Bengala. Ficou tão encantado com as maravilhas do país que menos de seis meses depois já tinha fundado a Sociedade Asiática. Essa organização acadêmica era dedicada ao estudo das culturas, histórias e sociedades da Ásia, em particular as da Índia. Em dois anos, Jones publicou suas observações sobre o sânscrito, inaugurando a ciência da linguística comparada.

Em seus trabalhos, Jones indicou as surpreendentes similaridades entre o sânscrito, uma antiga língua indiana que se tornou sagrada e era utilizada nos rituais hindus, e o grego e o latim, bem como as semelhanças entre essas línguas e o gótico, o celta, o persa antigo, o alemão, o francês e o inglês. Assim, "mãe" em sânscrito é *matar*, em inglês é *mother*, em latim é *mater* e em celta antigo é *mathir*. Jones concluiu que todos esses idiomas deviam ter uma origem comum, desenvolvendo-se a partir de um idioma ancestral agora esquecido. Desse modo, ele foi o primeiro a identificar o que mais tarde passou a ser conhecido como a família de línguas indo-europeias.

O estudo de Jones foi um marco importante não apenas por sua audaciosa (e precisa) hipótese como também devido à metodologia eficiente que desenvolveu para comparar línguas. Adotada por outros estudiosos, ela possibilitou o estudo sistemático da evolução de todos os idiomas do mundo.

A linguística recebeu um apoio imperial entusiasmado. Os impérios europeus acreditavam que, para governar de maneira eficaz, deviam conhecer as línguas e as culturas de seus súditos. Esperava-se que os oficiais britânicos, ao chegar à Índia, passassem até três anos numa escola em Calcutá, onde estudavam direito hindu e muçulmano além do direito britânico; sânscrito, urdu e persa junto com grego e latim; as culturas tâmil, bengalesa e hindustâni ao lado de matemática, economia e geografia. O estudo da linguística prestou uma ajuda incalculável na compreensão da estrutura e da gramática dos idiomas locais.

Graças ao trabalho de gente como William Jones e Henry Rawlinson, os conquistadores europeus conheciam seus impérios muito bem. Muito melhor, na verdade, que quaisquer conquistadores anteriores ou mesmo a população nativa. Seu conhecimento superior tinha vantagens práticas óbvias. Sem tal conhecimento, é improvável que um número ridiculamente pequeno de britânicos pudesse ter tido sucesso em governar, oprimir e explorar tantas centenas de milhões de indianos durante dois séculos. Ao longo do século XIX e começo do século XX, menos de 5 mil funcionários, cerca de 40 mil a 70 mil soldados e talvez outros 100 mil homens de negócio, aproveitadores, esposas e crianças inglesas foram o suficiente para conquistar e governar 300 milhões de indianos.[9]

No entanto, essas vantagens práticas não eram a única razão pela qual os impérios financiavam o estudo de linguística, botânica, geografia e história. Não menos importante era o fato de que a ciência dava aos impérios uma justificativa ideológica. Os europeus modernos passaram a acreditar que adquirir novos conhecimentos era sempre bom. O fato de que impérios produziam um fluxo constante de novos conhecimentos os caracterizava como empreendimentos progressistas e positivos. Mesmo hoje, a história de ciências como geografia, arqueologia e botânica não pode deixar de creditar os impérios europeus, pelo menos de maneira indireta. A história da botânica tem pouco a dizer acerca do sofrimento dos aborígenes australianos, porém costuma encontrar palavras simpáticas para falar de James Cook e Joseph Banks.

Além disso, o novo conhecimento acumulado pelos impérios permitiu, ao menos em teoria, beneficiar as populações conquistadas e levar até elas os benefícios do "progresso" — fornecer remédios e educação, construir estradas de ferro e canais, assegurar justiça e prosperidade. Os imperialistas proclamavam que seus impérios não eram vastos empreendimentos de exploração, e sim projetos altruístas conduzidos para o bem das raças não europeias — nas palavras de Rudyard Kipling, "o fardo do homem branco":

Aceite o fardo do homem branco.
Mande seus melhores filhos,
Condenando-os ao exílio,
Para servirem a seus cativos
Portando pesados arreios.
Para servirem àquela gente agitada e bravia,
Recém-colhida e taciturna,
Metade demônios, metade crianças.

Está claro que os fatos muitas vezes negavam esse mito. Os britânicos conquistaram Bengala, a mais rica província da Índia, em 1764. Os novos governantes não tinham muito interesse além de enriquecer. Adotaram uma política econômica desastrosa, que alguns anos depois levou à eclosão da Grande Fome de Bengala. Iniciada em 1769, atingiu níveis catastróficos em 1770 e durou até

1773. Cerca de 10 milhões de bengaleses, um terço da população da província, morreram na calamidade.[10]

Na verdade, nem a narrativa da opressão e da exploração nem a do "fardo do homem branco" retratam por completo os fatos. Os impérios europeus fizeram tantas coisas diferentes em uma escala tão grande que é possível encontrar muitos exemplos para corroborar qualquer coisa que se queira dizer sobre eles. Você acha que esses impérios foram monstruosidades malignas que espalharam morte, opressão e injustiça ao redor do mundo? Pode facilmente encher uma enciclopédia com seus crimes. Você quer afirmar que eles de fato melhoraram as condições de vida de seus súditos com novos medicamentos, maior eficiência econômica e mais segurança? Pode encher outra com as suas realizações. Devido à íntima cooperação com a ciência, esses impérios exerceram tanto poder e mudaram tanto o planeta que talvez não possam apenas ser rotulados como bons ou maus. Criaram o mundo como o conhecemos, incluindo as ideologias que usamos para julgá-los.

Mas a ciência também foi usada pelos imperialistas para fins mais sinistros. Biólogos, antropólogos e mesmo linguistas forneceram provas científicas de que os europeus são superiores a todas as outras raças, tendo consequentemente o direito (se não talvez o dever) de governá-las. Depois de William Jones ter afirmado que todas as línguas indo-europeias descendiam de uma única língua antiga, muitos estudiosos se interessaram por descobrir quem tinha falado esse idioma. Observaram que os primeiros falantes de sânscrito, que invadiram a Índia a partir da Ásia Central mais de 3 mil anos antes, chamavam a si próprios de *arya*. Os que falavam as primeiras línguas persas chamavam a si próprios de *airiia*. Dessa forma, os pesquisadores europeus concluíram que o povo que falava o idioma primordial que dera origem tanto ao sânscrito quanto ao persa (assim como ao grego, ao latim, ao gótico e ao celta) devia se auto-denominar ariano. Seria uma coincidência que todos aqueles que fundaram as magníficas civilizações indiana, persa, grega e romana fossem arianos?

Depois, estudiosos britânicos, franceses e alemães uniram a teoria linguística sobre os operosos arianos à teoria de Darwin sobre a seleção natural, postulando que os arianos não eram apenas um grupo linguístico, mas uma entidade biológica — uma raça. E não uma raça qualquer, mas uma raça superior de humanos altos, de cabelos claros, olhos azuis, diligentes e super-racionais que tinham surgido das brumas do Norte para lançar as bases da cultura em todo o mundo. Infelizmente, os arianos que invadiram a Índia e a Pérsia haviam se casado com nativos que encontraram naquelas terras, perdendo a pele clara e o cabelo louro, assim como sua racionalidade e diligência. Por esse motivo, as civilizações da Índia e da Pérsia tinham entrado em declínio. Na Europa, pelo contrário, os arianos preservaram sua pureza racial. Por isso, haviam conseguido conquistar o mundo e tinham a capacidade de governá-lo — desde que tomassem as precauções necessárias para não se misturar com as raças inferiores.

Essas teorias racistas, proeminentes e respeitáveis durante muitas décadas, se tornaram anátema entre cientistas e políticos. As pessoas continuam a se empenhar numa luta heroica contra o racismo sem notar que o front de batalha mudou, que o lugar do racismo na ideologia imperial agora foi substituído pelo "culturismo". Essa palavra não existe, mas chegou a hora de cunhá-la. Nas elites atuais, afirmações sobre os méritos contrastantes de diversos grupos humanos são quase sempre formuladas em termos das diferenças históricas entre culturas, e não mais nas diferenças biológicas entre raças. Já não dizemos "Está no sangue deles". Dizemos "Faz parte da cultura deles".

Assim, os partidos de extrema direita europeus que se opõem à imigração muçulmana costumam tomar cuidado para evitar a terminologia racial. Quem escreve os discursos de Marine Le Pen seria posto na rua no mesmo instante se sugerisse que a líder do Front National fosse à televisão para declarar que "não queremos que esses semitas inferiores diluam nosso sangue ariano e degenerem nossa civilização". Em vez disso, o Front National, o Partido para a Liberdade holandês, a Aliança para o Futuro da Áustria e outros do gênero afirmam que a cultura ocidental, por ter evoluído na Europa, é caracterizada por valores democráticos, pela tolerância e pela igualdade de gênero, enquanto a cultura muçulmana, que evoluiu no Oriente Médio, é caracterizada pela política hierarquizada, pelo fanatismo e pela misoginia. Como as duas culturas são muito diferentes e os imigrantes muçulmanos demonstram falta de vontade (e talvez sejam incapazes) de adotar os valores ocidentais, sua entrada não devia ser permitida, devido ao risco de fomentarem conflitos internos e corroerem a democracia e o liberalismo europeus.

Esses argumentos de cunho cultural são alimentados por estudos científicos no campo das humanidades e das ciências sociais que enfatizam o chamado choque de civilizações e as diferenças fundamentais entre culturas diferentes. Nem todos os historiadores e antropólogos aceitam essas teorias ou apoiam suas utilizações políticas. Mas, embora para os biólogos hoje seja fácil desacreditar o racismo, apenas explicando que as diferenças biológicas entre as atuais populações humanas são triviais, para os historiadores e os antropólogos é mais difícil desacreditar o culturismo. Afinal, se as diferenças entre as culturas humanas são triviais, por que historiadores e antropólogos deveriam ser pagos para estudá-las?

Os cientistas proporcionaram ao projeto imperial conhecimento prático, justificativa ideológica e recursos tecnológicos. Sem essa contribuição é muito difícil saber se os europeus poderiam ter dominado o mundo. Os conquistadores retribuíram o favor proporcionando aos cientistas informação e proteção, apoiando todo tipo de projetos estranhos e fascinantes, espalhando o modo de pensar científico pelos quatro cantos do planeta. Sem o apoio imperial, é possível que a ciência moderna não tivesse progredido tanto. Há poucas disciplinas que não começaram suas vidas como servas do crescimento imperial e que não devem grande parte de suas descobertas, suas coleções, seus edifícios e suas verbas à generosa ajuda de oficiais do Exército, capitães da Marinha e governadores imperiais.

Essa, sem dúvida, não é toda a história. A ciência também recebeu apoio de outras instituições, não apenas dos impérios. E os impérios europeus surgiram e prosperaram graças também a outros fatores que não a ciência. Por trás da ascensão meteórica tanto da ciência como do império se vislumbra uma força particularmente importante: o capitalismo. Não fosse pelos homens de negócio que queriam ganhar dinheiro, Colombo não chegaria à América, James Cook não chegaria à Austrália e Neil Armstrong nunca daria aquele pequeno passo na superfície da Lua.

16. A fé capitalista

O dinheiro é essencial tanto para construir impérios quanto para promover a ciência. Mas seria o dinheiro o objetivo final desses empreendimentos ou talvez apenas uma necessidade perigosa?

Não é fácil captar o verdadeiro papel da economia na história moderna. Volumes inteiros foram escritos sobre como o dinheiro criou e arruinou Estados, abriu novos horizontes e escravizou milhões de pessoas, fez as engrenagens da indústria girarem e levou centenas de espécies à extinção. No entanto, para entender a história econômica moderna, é preciso compreender uma única palavra: crescimento. Para o bem ou para o mal, na saúde ou na doença, a economia moderna cresce como um adolescente cheio de hormônios: devora tudo que vê e cresce mais depressa do que podemos medir.

Durante a maior parte da história, a economia ficou praticamente do mesmo tamanho. Sim, a produção global aumentava, porém isso se devia sobretudo à expansão demográfica e à ocupação de novas terras. A produção per capita permanecia inalterada. Mas tudo isso mudou na era moderna. Em 1500, a produção global de bens e serviços equivalia a cerca de 250 bilhões de dólares; hoje está em torno de 60 trilhões de dólares. O que é mais importante: em 1500, a produção anual per capita, em média, era de 550 dólares, enquanto hoje todos os homens, mulheres e crianças produzem, em média, 8800 dólares por ano.[1] O que explica esse crescimento estupendo?

Como se sabe, economia é um assunto complicado. Para tornar as coisas mais fáceis, examinemos um exemplo simples.

Samuel Sovina, um astuto financista, funda um banco em El Dorado, na Califórnia.

O sr. A. A. Pedroso, um empreiteiro que vem crescendo em El Dorado, termina sua primeira grande obra e recebe como pagamento 1 milhão de dólares em dinheiro vivo. Ele deposita essa soma no banco do sr. Sovina. O banco agora tem de capital 1 milhão de dólares.

Nesse meio-tempo, Jane Rosquinha, uma chef de cozinha de El Dorado, experiente mas com poucos recursos, vê uma oportunidade de negócio: não há nenhuma padaria realmente boa na região em que vive. Mas ela não tem dinheiro suficiente para comprar uma instalação completa com fornos industriais, pias, facas e panelas. Vai ao banco, apresenta seu plano de negócio ao Sovina e o convence de que se trata de um investimento interessante. Ele lhe concede um empréstimo de 1 milhão de dólares, creditando tal soma na conta dela em seu banco.

Rosquinha então contrata Pedroso, o empreiteiro, para construir e equipar sua padaria. Ele cobra 1 milhão de dólares.

Quando ela lhe paga, com um cheque garantido pelo empréstimo em sua conta, Pedroso o deposita em sua própria conta no banco de Sovina.

Portanto, quanto Pedroso tem em sua conta? Certo, 2 milhões de dólares.

Quanto dinheiro vivo existe de fato no cofre do banco? Isso mesmo, 1 milhão de dólares.

Não para por aí. Como costumam fazer os empreiteiros, dois meses depois de iniciar as obras Pedroso informa a Rosquinha que, devido a problemas e a despesas imprevistos, o custo da construção da padaria subiu para 2 milhões de dólares. A sra. Rosquinha não fica nada feliz, mas também não pode parar a coisa na metade. Por isso, faz outra visita ao banco, convence o sr. Sovina a lhe fazer um empréstimo adicional, e ele deposita mais 1 milhão de dólares na conta dela. Rosquinha transfere no mesmo instante o dinheiro para a conta do empreiteiro.

Quanto Pedroso tem agora em sua conta? Três milhões de dólares.

Mas quanto dinheiro está realmente depositado no banco? Ainda só

1 milhão de dólares. Na verdade, é o mesmo 1 milhão de dólares que sempre esteve lá.

A legislação bancária dos Estados Unidos permite que o banco repita essa operação mais sete vezes. O empreiteiro com o tempo teria 10 milhões de dólares em sua conta, muito embora o banco ainda tivesse apenas 1 milhão em seus cofres. Os bancos estão autorizados a emprestar dez dólares a cada dólar que de fato possuem, o que significa que 90% de todo o dinheiro em nossas contas bancárias não está coberto por moedas e cédulas de verdade.[2] Se todos os correntistas do Barclays Bank de repente pedirem para sacar seu dinheiro, o banco quebra na mesma hora (a menos que o governo intervenha para salvá-lo). O mesmo aconteceria com o Lloyds, o Deutsche Bank, o Citibank e com todos os outros bancos do mundo.

Parece um daqueles esquemas de pirâmide gigantesco, não é mesmo? Mas, se isso é uma fraude, então toda a economia moderna o é. O fato é que não se trata de um engodo, mas de um tributo à assombrosa capacidade da imaginação humana. O que possibilita aos bancos — e a toda a economia — sobreviver e prosperar é nossa confiança no futuro. Essa confiança é o único sustentáculo de quase todo o dinheiro no mundo.

No exemplo da padaria, a discrepância entre o extrato da conta do empreiteiro e o montante de dinheiro efetivamente depositado no banco corresponde à padaria da sra. Rosquinha. O sr. Sovina emprestou o dinheiro do banco para financiar o projeto confiando que algum dia ele se tornaria lucrativo. A padaria ainda não havia produzido uma única bisnaga, mas Rosquinha e Sovina previam que, dentro de um ano, ela estaria vendendo milhares de pães, bolos e biscoitos todos os dias, garantindo um bom lucro. A sra. Rosquinha então seria capaz de pagar o empréstimo, com juros. Se, nesse momento, o sr. Pedroso decidisse sacar suas economias, Sovina teria condições de oferecer o dinheiro vivo. Toda a empreitada, portanto, se baseia na confiança em um futuro imaginário — a confiança que o empreendedor e o banqueiro têm na padaria de seus sonhos, e a confiança do empreiteiro na solvência futura do banco.

Já vimos que o dinheiro é uma coisa maravilhosa porque pode representar milhares de objetos diferentes e converter qualquer coisa em quase qualquer outra coisa. Entretanto, antes da era moderna essa capacidade era limitada. Na maioria dos casos, o dinheiro só podia representar e converter aquilo que de fato existia no presente. Isso impunha um limite rígido ao crescimento, uma vez que tornava muito difícil financiar novas empresas.

Consideremos de novo a nossa padaria. Será que Rosquinha teria conseguido construí-la se o dinheiro só pudesse representar objetos tangíveis? Não. No presente, ela tem uma porção de sonhos, porém nenhum recurso tangível. A única forma de construir sua padaria seria encontrar um empreiteiro que quisesse trabalhar hoje e receber o pagamento em alguns anos, se e quando a padaria começasse a fazer dinheiro. Infelizmente, esses empreiteiros são raríssimos. Por isso, nossa empreendedora estaria em apuros. Sem a padaria, não conseguiria assar bolos. Sem os bolos, não ganharia dinheiro. Sem dinheiro, não contrataria um empreiteiro. Sem um empreiteiro, não teria a padaria.

A humanidade esteve presa nessa armadilha por milhares de anos. Como consequência, a economia permanecia congelada. O modo de escapar da armadilha só foi descoberto na era moderna, com o surgimento de um novo sistema assentado na confiança no futuro. Com base nele, as pessoas concordaram em representar bens imaginários — que não existiam no presente — com um tipo especial de dinheiro chamado "crédito". O crédito permite que possamos construir no presente às custas do futuro. Fundamenta-se na presunção de que nossos recursos futuros sem dúvida serão mais abundantes do que os atuais. Um mundo de oportunidades novas e maravilhosas se abre se pudermos construir coisas hoje usando nossa renda futura.

Se o crédito é algo tão maravilhoso, por que ninguém pensou nele antes? Claro que pensou. Arranjos de crédito de uma forma ou de outra existiram em todas as culturas humanas, remontando ao menos à antiga Suméria. O problema nas eras precedentes não estava no fato de ninguém ter tido a ideia ou não saber como usá-la. A questão era que as pessoas raramente queriam conceder muito crédito por não confiarem que o futuro seria melhor que o presente. Em geral, acreditavam que o passado tinha sido melhor que o agora e que o futuro seria ainda pior, ou pelo menos igual. Em termos econômicos, pensavam que o volume total de riqueza era limitado, se não decrescente. Por isso, consideravam uma aposta ruim presumir que elas pessoalmente — ou o reino a que pertenciam, ou o mundo como um todo — produziriam mais riqueza em dez anos. Os negócios davam a impressão de ser um jogo de soma zero. Obviamente, os lucros de determinada padaria poderiam aumentar, mas apenas em detrimento da padaria mais próxima. Veneza poderia prosperar, mas apenas empobrecendo Gênova. O rei da Inglaterra poderia ficar mais rico, mas apenas roubando do rei da França. O bolo podia ser repartido de muitas maneiras, mas nunca ficava maior.

Por esse motivo, diversas culturas concluíram que era pecado ganhar muito dinheiro. Como disse Jesus Cristo: "É mais fácil um camelo passar pelo buraco de uma agulha do que um homem rico entrar no reino de Deus" (Mateus 19,24). Se o bolo não pode ser mudado, e eu tenho um bom pedaço dele, então devo ter me apropriado da fatia de alguém. Os ricos eram obrigados a se penitenciar pelas más ações destinando parte de sua riqueza excedente à caridade.

Se o bolo global permanecia do mesmo tamanho, não havia margem para o crédito, que é a diferença entre o bolo de hoje e o de amanhã. Se ele continua igual, por que oferecer crédito? Seria um risco inaceitável a menos que você acreditasse que o padeiro ou o rei que lhe pedia dinheiro seria capaz de roubar a fatia de algum concorrente. Por isso, era difícil obter um empréstimo no mundo pré-moderno, e quando isso ocorria ele era em geral *pequeno, de curto prazo e sujeito a juros elevados*. Assim, empreendedores audaciosos encontravam muita dificuldade para abrir novas padarias, e grandes reis que queriam construir palácios ou travar guerras não tinham outra opção senão levantar os fundos necessários impondo altos impostos e tarifas. Isso funcionava para os reis (enquanto seus súditos permaneciam dóceis), mas uma ajudante de cozinha que tivesse uma boa ideia para uma padaria e quisesse subir na vida em geral só podia sonhar com riqueza enquanto esfregava o chão da cozinha real.

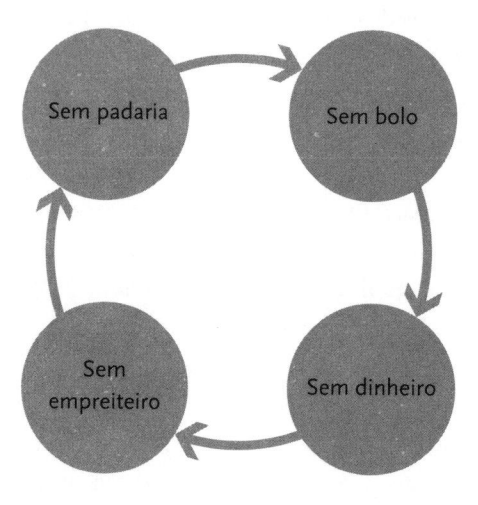

O dilema do empreendedor.

Era uma situação em que só era possível perder. Como o crédito era limitado, as pessoas tinham dificuldade em financiar novos negócios. Como havia poucos novos negócios, a economia não crescia. Como a economia não crescia, as pessoas presumiam que nunca cresceria, e os que dispunham de capital receavam oferecer crédito. A expectativa de estagnação se transformava automaticamente em realidade.

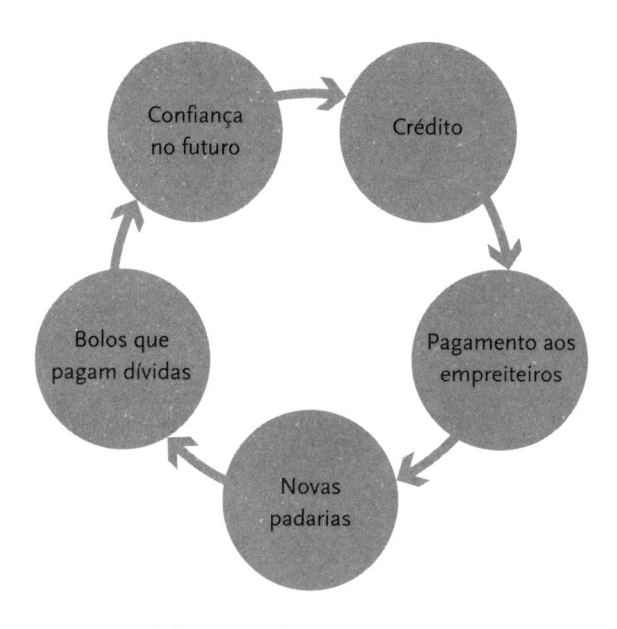

O ciclo mágico da economia moderna.

UM BOLO QUE CRESCE

Vieram então a Revolução Científica e a ideia de progresso. Esta última decorre da noção de que, se admitimos nossa ignorância e investimos recursos em pesquisa, as coisas podem melhorar. Essa ideia bem cedo se traduziu em termos econômicos. Quem acredita no progresso crê que descobertas geográficas, invenções tecnológicas e avanços organizacionais podem aumentar o total da produção, do comércio e da riqueza humanos. Novas rotas de comércio no Atlântico podiam florescer sem arruinar as rotas antigas no Índico. Novos artigos podiam ser produzidos sem reduzir a oferta anterior. Era possível, por exemplo, abrir uma padaria especializada em bolos de chocolate e croissants sem levar à falência as que eram especializadas em bisnagas. Todos podiam adquirir novos gostos e comer mais. Eu posso ser rico sem tornar outra pessoa pobre. Posso ser obeso sem matar outra pessoa de fome. Todo o bolo global pode crescer.

Nos últimos quinhentos anos, a ideia de progresso convenceu as pessoas a depositarem cada vez mais fé no futuro. Essa fé gerou o crédito; o crédito resultou no crescimento econômico real; e o crescimento fortaleceu a fé no futuro, abrindo caminho para ainda mais crédito. Isso não ocorreu da noite para o dia — a economia se comportou mais como uma montanha-russa do que como um balão. No entanto, com o passar do tempo e com os buracos do caminho nivelados, a direção geral era inequívoca. Hoje, há tanto crédito no mundo que governos, corporações e indivíduos podem facilmente obter empréstimos *substanciais, de longo prazo e a juros baixos* em volumes bem superiores a suas rendas correntes.

A confiança cada vez maior no bolo global por fim se tornou revolucionária. Em 1776, o economista escocês Adam Smith publicou *A riqueza das nações*, talvez o mais importante manifesto econômico de todos os tempos. No oitavo capítulo do primeiro volume, Smith formulou a seguinte proposição original: quando um senhorio, um tecelão ou um sapateiro tem lucros maiores do que necessita para manter a própria família, ele usa o excedente para empregar mais ajudantes com o objetivo de aumentar seus lucros. Quanto mais

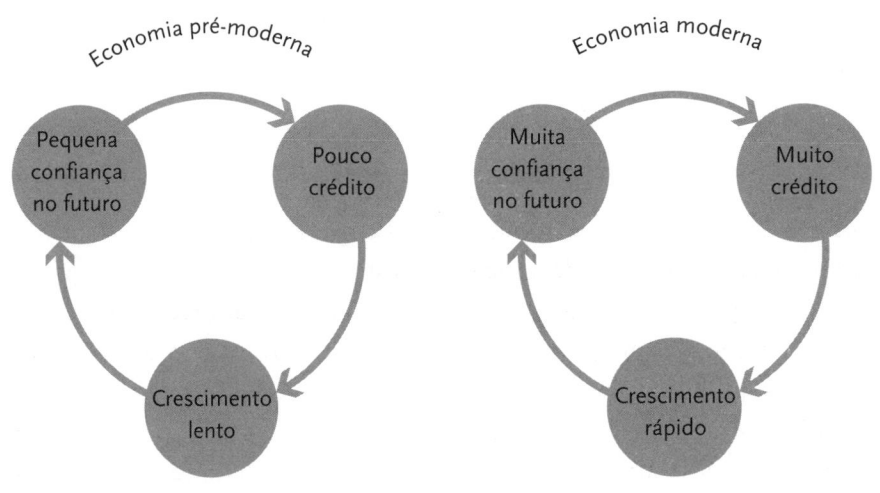

Uma síntese da história econômica mundial.

lucro tem, mais ajudantes pode empregar. Dessa forma, um aumento no lucro dos empreendedores privados é a base para o aumento da riqueza e da prosperidade coletivas.

Isso talvez não lhe pareça muito original, já que todos vivemos num mundo capitalista que aceita como um dado banal a formulação de Smith. Ouvimos variantes desse tema todos os dias no noticiário. No entanto, a afirmação de Smith de que o impulso humano egoísta de aumentar o lucro privado era a base da riqueza coletiva constitui uma das ideias mais revolucionárias da história humana — revolucionária não apenas do ponto de vista econômico, porém até mais de uma perspectiva moral e política. O que Smith está dizendo, de fato, é que a ganância é uma coisa boa, e que eu, ao me tornar mais rico, estou beneficiando todo mundo, não apenas a mim mesmo. *Egoísmo é altruísmo.*

Smith ensinou as pessoas a pensar a economia como um jogo em que todos ganham, no qual meus lucros são também seus lucros. Não apenas nós dois podemos desfrutar de uma fatia maior do bolo ao mesmo tempo, como o aumento da sua fatia depende do aumento da minha. Se eu sou pobre, você também será pobre, pois não posso comprar seus produtos ou serviços. Se sou rico, você também enriquecerá, pois agora pode me vender alguma coisa. Smith negou a contradição tradicional entre riqueza e moralidade, abrindo assim os portões do paraíso para os ricos. Ser rico significava ser moral. Na visão de Smith, as pessoas se tornam ricas não porque espoliam os vizinhos, mas porque aumentam o tamanho do bolo. E quando o bolo cresce, todos ganham. Dessa forma, os ricos são as pessoas mais úteis e benevolentes da sociedade, uma vez que fazem as engrenagens do crescimento se moverem para o bem de todos.

Entretanto, tudo isso depende de o rico usar seus lucros para abrir novas fábricas e contratar novos empregados, em vez de desperdiçá-los em atividades não produtivas. Por isso, Smith repetiu como um mantra a frase "quando os lucros crescerem, o senhorio ou tecelão empregará mais ajudantes", e não "quando os lucros crescerem, o sovina enfiará o dinheiro num baú e só vai tirá-lo de lá para contar as moedas". Uma parte fundamental da economia capitalista moderna foi o surgimento de uma nova ética, segundo a qual os lucros devem ser reinvestidos na produção. Isso traz mais lucros, que são de novo reinvestidos na produção, gerando assim mais lucros, et cetera ad infinitum. Os investimentos podem ser feitos de várias maneiras: expandindo a fábrica, realizando pesquisa científica, desenvolvendo novos produtos. Contudo, todos esses investimentos precisam de algum modo aumentar a produção e gerar lucros maiores. No novo credo capitalista, o primeiro e mais sagrado mandamento é: "Os lucros da produção devem ser reinvestidos no aumento da produção".

É por isso que o capitalismo tem esse nome — ele distingue o "capital" da mera "riqueza". O capital é formado por dinheiro, bens e recursos que são investidos na produção. A riqueza, por outro lado, está enterrada ou é esbanjada em atividades não produtivas. Um faraó que despeja recursos numa pirâmide improdutiva não é um capitalista. Um pirata que ataca uma flotilha espanhola carregando tesouros e enterra um baú cheio de moedas reluzentes na praia de alguma ilha caribenha não é um capitalista. Mas um diligente operário de fábrica que reinveste parte de seu salário no mercado de ações é de fato um capitalista.

A idcia de que "os lucros da produção têm de ser reinvestidos no aumento da produção" parece trivial. Entretanto, era desconhecida ao longo da história. Nos tempos pré-modernos, as pessoas acreditavam que o nível de produção era mais ou menos constante. Sendo assim, por que reinvestir seus lucros se a produção não cresceria muito, independentemente do que você fizesse? Por isso os nobres medievais seguiam uma ética de generosidade e consumo conspícuo. Gastavam suas rendas em torneios, banquetes, palácios e guerras, assim como em obras de caridade e na construção de catedrais monumentais. Poucos tentavam reinvestir os lucros no aumento da produção de seus domínios, desenvolvendo espécies de trigo melhores ou procurando novos mercados.

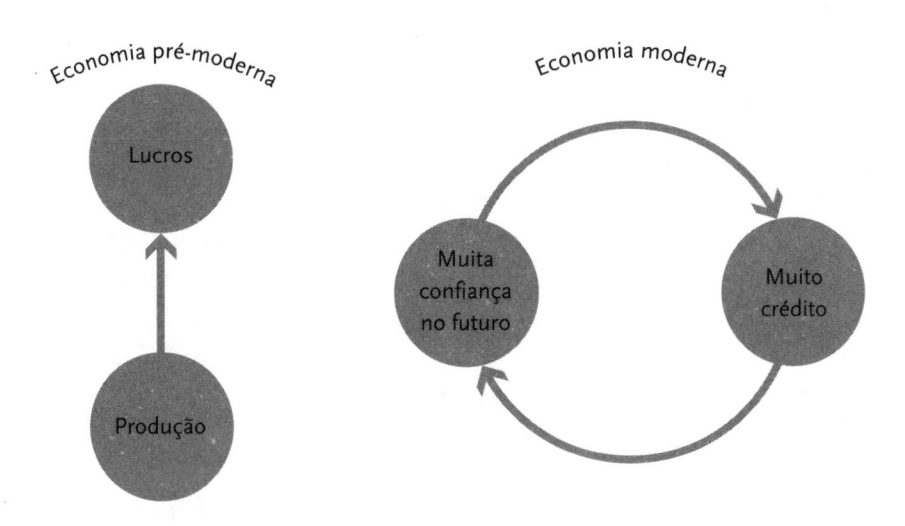

Na era moderna, a nobreza foi superada por uma nova elite cujos membros são devotos da fé capitalista. A nova elite capitalista é composta não de duques e marqueses, e sim de presidentes do conselho, corretores de ações e industriais. Esses magnatas são muito mais ricos que os nobres medievais, porém estão muito menos interessados no consumo suntuário, gastando uma parcela bem menor de seus lucros em atividades não produtivas.

Os nobres medievais usavam túnicas coloridas de ouro e de seda, dedicavam uma grande parte de seu tempo a banquetes, festivais e torneios glamorosos. Em comparação, os CEOS modernos vestem uniformes sóbrios chamados ternos, que lhes dão todo o encanto de um bando de corvos, e têm pouco tempo para festividades. O típico investidor de capital de risco corre de uma reunião de negócios para outra, tentando descobrir onde investir enquanto acompanha as flutuações de preço das ações e dos títulos que possui. É verdade que talvez seus ternos sejam Versace e ele viaje num jatinho particular, mas esses gastos não são nada se comparados ao que ele investe para aumentar a produção humana.

Não são apenas magnatas vestindo ternos Versace que investem para aumentar a produtividade. Cidadãos comuns e agências governamentais pensam da mesma forma. Quantas conversas em jantares em bairros modestos mais cedo ou mais tarde se perdem em intermináveis discussões sobre se é melhor investir as economias no mercado de ações, em títulos ou em imóveis? Os governos também se esforçam para investir a receita proveniente dos impostos em empreendimentos produtivos que aumentarão ainda mais a receita futura — por exemplo, a construção de um novo porto para facilitar as exportações, possibilitando que as fábricas tenham uma renda tributável maior e, com isso, elevem a receita futura do governo. Outro pode preferir investir em educação, defendendo que pessoas bem instruídas são a base de indústrias de alta tecnologia lucrativas, que pagam altos impostos sem precisar de grandes instalações portuárias.

O capitalismo começou como uma teoria sobre o funcionamento da economia. Era ao mesmo tempo descritiva e prescritiva — oferecia um relato de como o dinheiro operava e promovia a ideia de que os lucros reinvestidos na produção conduzem ao rápido crescimento econômico. Mas aos poucos o capitalismo se tornou muito mais que uma simples doutrina econômica. Nos dias atuais, engloba uma ética — um conjunto de ensinamentos sobre como as pessoas devem se comportar, educar seus filhos e até mesmo pensar. Seu princípio básico estipula que o crescimento econômico é o bem supremo, ou ao menos a representação do bem supremo, porque a justiça, a liberdade e até a felicidade dependem do crescimento econômico. Pergunte a um capitalista como levar a justiça e a liberdade política a um lugar como o Zimbábue ou o Afeganistão, e muito provavelmente receberá uma lição sobre como a riqueza econômica e uma classe média próspera são essenciais para se ter instituições democráticas estáveis, e como portanto é necessário inspirar nos membros das tribos afegãs os valores da livre iniciativa, da educação financeira e da autossuficiência.

Essa nova religião também tem tido uma influência decisiva no desenvolvimento da ciência moderna. A pesquisa científica é em geral financiada por governos ou empresas privadas. Quando governos e empresas capitalistas pensam em investir em determinado projeto científico, as primeiras perguntas que se fazem costumam ser: "Esse projeto nos permitirá aumentar a produção e os lucros? Vai promover o crescimento econômico?". Um projeto que se mostre incapaz de superar esses obstáculos tem pouca chance de encontrar um patrocinador. Nenhuma história da ciência moderna pode deixar o capitalismo de fora.

Por outro lado, a história do capitalismo é ininteligível se não for levada em conta a ciência. A crença do capitalismo no crescimento econômico perpétuo vai contra quase tudo que sabemos sobre o universo. Uma sociedade de lobos seria muito tola se acreditasse que o suprimento de ovelhas continuaria a crescer indefinidamente. No entanto, a economia humana tem continuado a crescer ao longo da era moderna apenas porque os cientistas surgem com uma nova descoberta ou um novo dispositivo de tempos em tempos — como o continente americano, o motor de combustão interna ou ovelhas geneticamente modificadas. Os bancos e os governos imprimem dinheiro, mas, em última análise, são os cientistas que pagam a conta.

Nos últimos anos, os bancos e os governos vêm imprimindo dinheiro de maneira frenética. Todo mundo está apavorado com a possibilidade de que a crise econômica faça o crescimento da economia cessar. Por isso, trilhões de dólares, euros e ienes são criados como num passe de mágica, bombeando crédito barato para o sistema e mantendo a esperança de que os cientistas, técnicos e engenheiros irão aparecer com alguma coisa muito importante antes que a bolha estoure. Tudo depende do pessoal nos laboratórios. Descobertas em campos como a biotecnologia e a nanotecnologia poderiam dar origem a indústrias completamente novas, cujos lucros iriam oferecer suporte aos trilhões de dinheiro sem lastro que os bancos e os governos vêm criando desde 2008. Se os laboratórios não preencherem essas expectativas antes de a bolha estourar, estamos caminhando em direção a tempos bem difíceis.

COLOMBO PROCURA UM INVESTIDOR

O capitalismo desempenhou um papel decisivo não apenas na ascensão da ciência moderna, mas também na emergência do imperialismo europeu. E foi o próprio imperialismo europeu que criou o sistema de crédito capitalista. Obviamente, o crédito não foi inventado na Europa moderna. Existiu em quase todas as sociedades agrícolas e, nos estágios iniciais do período moderno, quando surgiu o capitalismo europeu, esteve intimamente ligado a atividades econômicas na Ásia. Como se viu, até fins do século XVIII, a Ásia era a locomotiva econômica do mundo, o que significa que a Europa tinha muito menos capital a seu dispor que chineses, muçulmanos ou indianos.

Todavia, nos sistemas sociopolíticos da China, da Índia e do mundo muçulmano o crédito tinha apenas uma função secundária. Comerciantes e banqueiros nos mercados de Istambul, Isfahan, Delhi e Beijing podem ter pensado em termos capitalistas, mas os reis e os generais nos palácios e nas fortalezas costumavam desprezar os comerciantes e o pensamento mercantil. A maior parte dos impérios não europeus do início da era moderna tinha sido criada por grandes conquistadores, como Nurhachi e Nader Xá, ou por elites de burocratas e militares, como os impérios Qing e Otomano. Financiando as guerras através de impostos e pilhagem (sem fazer nítida distinção entre os dois), eles dependiam pouco dos sistemas de crédito, importando-se menos ainda com os interesses de banqueiros e investidores.

Na Europa, pelo contrário, os reis e os generais foram aos poucos adotando o modo de pensar mercantil, até que comerciantes e banqueiros se tornassem a elite governante. A conquista do mundo pelos europeus foi crescentemente financiada pelo crédito e não por impostos, sendo cada vez mais dirigida por capitalistas, cuja maior ambição era receber o máximo de retorno sobre seus investimentos. Os impérios erguidos por banqueiros e comerciantes que usavam sobrecasacas e cartolas derrotaram os impérios construídos por reis e nobres que vestiam túnicas bordadas a ouro e armaduras reluzentes. Os impérios mercantis eram simplesmente muito mais astutos na forma de financiar suas conquistas: ninguém quer pagar impostos, e todos ficam felizes em investir.

Em 1484, Cristóvão Colombo procurou o rei de Portugal com a proposta de que financiasse uma esquadra que navegaria rumo ao Oeste a fim de encontrar uma nova rota comercial para a Ásia Ocidental. Tais explorações eram um negócio muito caro e arriscado. Era necessário bastante dinheiro para construir as embarcações, comprar suprimentos, pagar marinheiros e soldados — e não havia a menor garantia de que o investimento proporcionaria algum retorno. O rei de Portugal não aceitou.

Como um empresário de start-up de nossos dias, Colombo não desistiu. Apresentou a ideia a outros investidores em potencial na Itália, na França, na Inglaterra e, de novo, em Portugal. Foi rechaçado todas as vezes. Então tentou a sorte com Fernando e Isabel, governantes da Espanha recém-unificada. Contratou alguns lobistas experientes e, com a ajuda deles, conseguiu convencer a rainha Isabel a investir. Como qualquer criança na escola sabe, Isabel tirou a sorte grande. As descobertas de Colombo permitiram aos espanhóis conquistar a América, onde, além de abrir minas de ouro e de prata, estabeleceram plantações de cana-de-açúcar e tabaco que enriqueceram reis, banqueiros e comerciantes espanhóis muito além de seus sonhos mais extravagantes.

Cem anos depois, príncipes e banqueiros estavam dispostos a oferecer muito mais crédito aos sucessores de Colombo e tinham a seu dispor volumes maiores de capital graças aos tesouros vindos da América. Tão importante quanto, os príncipes e banqueiros tinham muito mais confiança no potencial da exploração e estavam mais inclinados a correr riscos com seu dinheiro. Esse foi o ciclo mágico do capitalismo imperial: o crédito financiava novas descobertas; as descobertas geravam colônias; as colônias proporcionavam lucros; os lucros criavam confiança; a confiança traduzia-se em mais crédito. Nurhachi e Nader Xá ficaram sem combustível depois de alguns milhares de quilômetros. Os empreendedores capitalistas só fizeram aumentar a velocidade financeira a cada nova conquista.

Mas, como essas expedições continuavam a ser empreitadas de risco, os mercados de crédito permaneciam bastante cautelosos. Muitas expedições regressavam à Europa de mãos abanando, sem ter descoberto nada de valor. Os ingleses, por exemplo, gastaram um bom volume de capital nas tentativas infrutíferas de descobrir uma passagem para a Ásia pelo noroeste, através do Ártico. Muitas outras expedições simplesmente nunca retornaram. Navios colidiam com icebergs, afundavam em tempestades tropicais, caíam nas mãos de piratas. A fim de aumentar o número de investidores em potencial e reduzir o risco em que incorriam, os europeus recorreram às companhias de responsabilidade limitada que distribuíam ações. Em vez de um único investidor apostando todo seu dinheiro num único navio frágil, essas companhias reuniam o dinheiro de um grande número de investidores, cada qual arriscando apenas uma pequena parcela de seu capital. Os riscos foram assim mitigados, mas não havia limite para os lucros. Mesmo um investimento módico na embarcação certa podia transformar alguém num milionário.

Década após década, a Europa Ocidental testemunhou o desenvolvimento de um sofisticado sistema financeiro capaz de levantar grandes volumes de crédito em um curto intervalo e colocá-lo à disposição de empreendedores privados e governos. Esse sistema podia custear explorações e conquistas de maneira bem mais eficiente que qualquer reino ou império. O poder recém--descoberto do crédito fica visível na dura luta entre a Espanha e os Países Baixos. No século XVI, a Espanha era o mais poderoso Estado da Europa, dominando um vasto império global que incluía boa parte da Europa, parcelas substanciais das Américas do Norte e do Sul, as ilhas das Filipinas e uma série de bases ao longo das costas da África e da Ásia. Todos os anos, frotas abarrotadas de tesouros americanos e asiáticos retornavam aos portos de Sevilha e Cádiz. Os Países Baixos eram um pântano pequeno e ventoso, desprovido de recursos naturais, um diminuto rincão dos domínios espanhóis.

Em 1568, os holandeses, que eram em sua maioria protestantes, se rebelaram contra seus senhores espanhóis e católicos. De início, os rebeldes pareciam desempenhar o papel de Dom Quixote, enfrentando com coragem moinhos de vento imbatíveis. No entanto, após oitenta anos, os holandeses haviam não apenas assegurado sua independência da Espanha como haviam conseguido substituir os espanhóis e os aliados deles, os portugueses, no controle das rotas oceânicas, construir um império global holandês e se tornar o Estado mais rico da Europa.

O segredo do sucesso holandês foi o crédito. Os cidadãos holandeses, que tinham pouca inclinação para o combate por terra, contrataram exércitos mercenários para lutar em seu lugar contra os espanhóis. Enquanto isso, os próprios holandeses partiram para o mar em frotas cada vez maiores. Exércitos mercenários e frotas armadas de canhões custavam uma fortuna, mas os holandeses foram capazes de financiar suas expedições militares mais facilmente que o poderoso Império Espanhol porque ganharam a confiança do florescente sistema financeiro europeu numa época em que o rei da Espanha se mostrava negligente ao deixar que se erodisse a confiança que havia sido depositada nele. Os financistas deram crédito suficiente aos holandeses para sustentar exércitos e frotas, que com isso ganharam o controle das rotas de comércio global e obtiveram lucros substanciais. Tais lucros permitiram aos holandeses pagar os empréstimos, reforçando a confiança dos financistas. Amsterdam logo se transformou não apenas num dos mais importantes portos da Europa, mas também na meca financeira do continente.

Como exatamente os holandeses ganharam a confiança do sistema financeiro? Em primeiro lugar, eles faziam questão de pagar os empréstimos na data prevista e em sua totalidade, tornando assim a oferta de crédito menos arriscada para os credores. Em segundo lugar, o sistema jurídico do país gozava de independência e protegia os direitos dos cidadãos — em especial os direitos sobre a propriedade privada. O capital foge aos poucos de Estados ditatoriais que não defendem os indivíduos e suas propriedades. Pelo contrário, flui para os Estados que garantem as leis e a propriedade privada.

Imagine que você é o filho de uma sólida família de financistas alemães. Seu pai vê uma oportunidade de expandir o negócio abrindo filiais nas maiores cidades europeias. Ele o envia a Amsterdam e seu irmão mais moço a Madri, dando a cada um 10 mil moedas de ouro para investir. Seu irmão empresta o capital inicial com juros ao rei da Espanha, que necessita dele para armar o exército que vai lutar contra o rei da França. Você decide emprestar o seu a um comerciante holandês que quer investir numas terras cobertas de mato na ponta sul de uma ilha deserta chamada Manhattan, certo de que os valores das propriedades ali vão crescer rapidamente quando o rio Hudson se transformar numa via importante de comércio. Ambos os empréstimos devem ser quitados dentro de um ano.

O ano passa. O comerciante holandês vende a terra que comprou e aufere um bom lucro, devolvendo seu dinheiro com os juros prometidos. Seu pai fica contente. Mas seu irmão mais moço em Madri está ficando nervoso. A guerra com a França terminou bem para o rei da Espanha, porém ele agora se envolveu num conflito com os turcos. Precisa de cada tostão para custear a nova guerra, e acha que isso é bem mais importante que pagar dívidas antigas. Seu irmão envia cartas para o palácio e pede a amigos com conexões na corte para interceder, mas é tudo em vão. Ele não apenas deixou de embolsar os juros prometidos como perdeu o principal. Seu pai não fica nem um pouco feliz.

Então, para tornar as coisas ainda piores, o rei manda um funcionário do Tesouro procurar seu irmão a fim de lhe dizer, de forma muito incisiva, que espera receber outro empréstimo no mesmo valor e de imediato. Seu irmão não tem dinheiro para emprestar. Escreve ao pai, tentando persuadi-lo de que dessa vez o rei vai pagar. O *paterfamilias* tem preferência pelo filho mais novo e concorda, com o coração pesado. Outras 10 mil moedas de ouro desaparecem no Tesouro espanhol, e nunca mais são vistas. Enquanto isso, em Amsterdam as coisas vão muito bem. Você faz mais e mais empréstimos para comerciantes holandeses empreendedores, que os pagam na data determinada e até o último centavo. Mas sua sorte não dura para sempre. Um de seus clientes mais fiéis sente que os tamancos de madeira vão ser a próxima moda em Paris e lhe pede um empréstimo para abrir uma loja de calçados na capital francesa. Você empresta o dinheiro, mas infelizmente os tamancos não encantam as senhoras francesas, e o comerciante, frustrado, se recusa a pagar o valor.

Seu pai fica furioso, dizendo a ambos que chegou a hora de recorrer a advogados. Seu irmão abre um processo em Madri contra o monarca espanhol, enquanto você faz o mesmo em Amsterdam contra o antigo mago dos tamancos de madeira. Na Espanha, os tribunais são subservientes ao rei — os juízes, designados por ele, temem ser punidos caso não cumpram sua vontade. Nos Países Baixos, os tribunais são um ramo separado do governo, não dependem dos burgueses e dos príncipes do país. O tribunal em Madri rejeita o processo de seu irmão, enquanto o de Amsterdam lhe dá ganho de causa e penhora os bens do vendedor de tamancos para obrigá-lo a pagar a dívida. Seu pai aprendeu a lição. Melhor fazer negócio com comerciantes do que com reis, e melhor fazer isso nos Países Baixos do que na Espanha.

E os problemas de seu irmão não terminaram. O rei da Espanha está desesperado por mais dinheiro para pagar o exército. Por isso, faz falsas acusações de traição contra seu irmão, pois tem certeza de que o pai de vocês tem dinheiro de sobra. Se ele não arranjar 20 mil moedas de ouro imediatamente, seu irmão será jogado numa masmorra, onde vai ficar até morrer.

Para seu pai, já chega. Ele paga o resgate do filho querido, mas jura nunca mais fazer negócios com a Espanha. Fecha a filial em Madri e reposiciona seu irmão em Rotterdam. Duas filiais nos Países Baixos agora parecem uma ideia excelente. Ele ouve dizer que até mesmo os capitalistas espanhóis estão contrabandeando suas fortunas para fora do país. Eles também se deram conta de que, caso queiram manter e usar seu dinheiro para ficar mais ricos, será melhor investir onde a lei prevalece e a propriedade privada é respeitada — por exemplo, nos Países Baixos.

Foi assim que o rei da Espanha esbanjou a confiança dos investidores ao mesmo tempo que os comerciantes holandeses a ganhavam. E foram esses comerciantes — não o Estado — que construíram o Império Holandês. O rei da Espanha continuou tentando se financiar e manter suas conquistas cobrando impostos impopulares de uma população ressentida. Os comerciantes holandeses financiaram a conquista obtendo empréstimos e vendendo cada vez mais ações de suas companhias, que permitiam aos titulares receber uma parcela dos lucros da empresa. Investidores cautelosos, que jamais teriam dado seu dinheiro ao rei da Espanha e pensariam duas vezes antes de conceder crédito ao governo holandês, investiam alegremente suas fortunas naquelas companhias de capital aberto dos Países Baixos que constituíram a base do novo império.

Caso achasse que certa companhia iria obter um grande lucro mas já tivesse vendido todas as suas ações, você podia comprar algumas delas de alguém que as possuía, talvez por um preço maior do que essa pessoa tinha pagado originalmente. Se comprasse as ações e depois descobrisse que a companhia estava em dificuldade, poderia tentar se desfazer de seu estoque por um preço menor. As transações envolvendo ações das empresas levaram ao estabelecimento de bolsas de valores na maioria das grandes cidades europeias, onde esses papéis eram comercializados.

A mais famosa companhia holandesa de capital aberto, a Vereenigde Oostindische Compagnie (Companhia Holandesa das Índias Orientais, ou VOC, na sigla em holandês), foi fundada em 1602, justamente quando os holandeses estavam se livrando do jugo espanhol e o som dos canhões inimigos ainda podia ser ouvido não muito longe das muralhas de Amsterdam. A VOC usou o dinheiro da venda de ações para construir navios e mandá-los à Ásia a fim de trazer produtos chineses, indianos e indonésios. Também custeou ações militares efetuadas por embarcações da companhia contra concorrentes e piratas. Com o tempo, o dinheiro da VOC financiou a conquista da Indonésia.

A Indonésia é o maior arquipélago do mundo. Seus muitos milhares de ilhas eram governados no começo do século XVII por centenas de reinos, principados, sultanatos e tribos. Quando os comerciantes da VOC chegaram pela primeira vez à Indonésia em 1603, seus objetivos eram estritamente comerciais. Entretanto, para garantir seus interesses mercantis e maximizar os lucros dos acionistas, os comerciantes da VOC começaram a lutar contra os potentados locais que aplicavam tarifas inflacionadas e contra os concorrentes europeus. A VOC armou seus navios mercantes com canhões; recrutou mercenários europeus, japoneses, indianos e indonésios; construiu fortes e efetuou combates e cercos em larga escala. Essas atividades podem parecer um pouco insólitas, porém, no início da era moderna, as empresas privadas costumavam contratar não apenas soldados, mas também generais e almirantes, canhões e navios, e até mesmo exércitos já organizados e prontos para serem usados. A comunidade internacional aceitava isso como algo normal e não se surpreendeu nem um pouco quando uma empresa privada estabeleceu um império.

Ilha após ilha foi sendo tomada pelos mercenários da VOC, até que grande parte da Indonésia se tornou uma colônia da companhia, que governou toda a área por quase duzentos anos. Apenas em 1800, o Estado holandês assumiu o controle da Indonésia, fazendo dela uma colônia nacional pelos 150 anos seguintes. Hoje, algumas pessoas alertam para o fato de que corporações do século XXI estão acumulando poder demais. A história do início da era moderna mostra quão longe isso pode chegar caso se permita às empresas promoverem seus interesses próprios sem nenhum controle.

Enquanto a VOC operava no oceano Índico, a Companhia Holandesa das Índias Ocidentais, ou WIC, trabalhava no Atlântico. Para controlar o comércio no importante rio Hudson, a WIC fundou uma povoação chamada Nova Amsterdam numa ilha na foz do rio. A colônia foi ameaçada pelos indígenas e diversas vezes atacada pelos britânicos, que por fim a capturaram em 1664. Os ingleses mudaram seu nome para Nova York. Os restos do muro construído pela WIC para defender sua colônia contra indígenas e ingleses estão hoje cobertos pela rua mais famosa do mundo — a Wall Street.

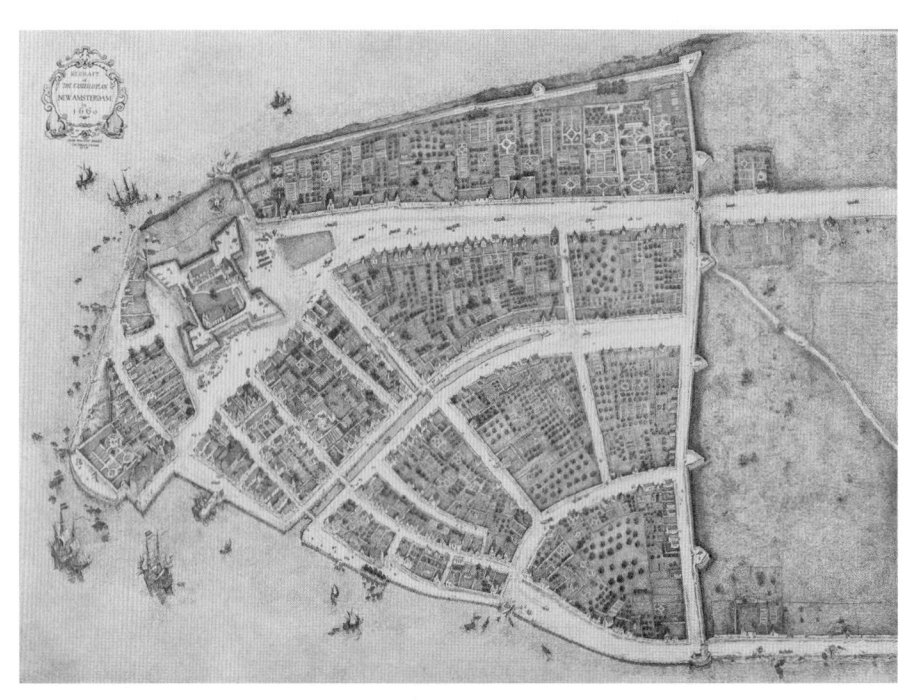

39. *Nova Amsterdam em 1660, na ponta da ilha de Manhattan. O muro de proteção do povoamento está hoje coberto pela Wall Street.*

Conforme o final do século XVII se aproximava, a complacência e as custosas guerras continentais fizeram com que os holandeses perdessem não apenas Nova York, mas também seu lugar como locomotiva financeira e imperial da Europa. O vazio foi duramente disputado pela França e pela Grã-Bretanha. No início, a França parecia estar numa posição bem melhor. Era maior que a Grã-Bretanha, mais rica e mais populosa, além de ter um exército mais numeroso e experiente. No entanto, a Grã-Bretanha conseguiu ganhar a confiança do sistema financeiro, enquanto a França não se mostrou digna disso. O comportamento da Coroa francesa foi particularmente malvisto durante o que se chamou de Bolha do Mississippi, a maior crise financeira da Europa no século XVIII. Essa história também começa com uma companhia de capital aberto e objetivos imperiais.

Em 1717, a Companhia do Mississippi, estabelecida na França, decidiu colonizar o vale do baixo Mississippi e fundar no processo a cidade de New

Orleans. A fim de financiar seus ambiciosos planos, a companhia, que possuía boas conexões na corte do rei Luís xv, vendeu ações na bolsa de Paris. John Law, o diretor da companhia, era também presidente do Banco Central da França. Ademais, havia sido nomeado pelo rei controlador-geral das finanças, um posto mais ou menos equivalente ao atual ministro da Economia. Em 1717, o vale do baixo Mississippi oferecia poucas atrações além de pântanos e crocodilos, mas a Companhia do Mississippi divulgou relatos de riquezas fabulosas e oportunidades ilimitadas. Aristocratas, homens de negócio e membros austeros da burguesia urbana francesa se deixaram encantar por tais fantasias, e o preço das ações da empresa disparou. No começo, elas foram oferecidas a quinhentos livres cada. Em 1º de agosto, valiam 2750 livres, em 30 de agosto, 4100 livres, e chegaram a 5 mil livres em 4 de setembro. Em 2 de dezembro, o preço de uma ação da Mississippi ultrapassou o limiar de 10 mil livres. A euforia tomou conta das ruas de Paris. As pessoas vendiam tudo que tinham e tomavam enormes empréstimos para comprar ações da empresa. Todos acreditaram haver descoberto o caminho mais fácil para a fortuna.

Poucos dias depois o pânico se instalou. Alguns especuladores se deram conta de que o preço das ações era totalmente irrealista e insustentável. Entenderam que era melhor vender enquanto eles estavam nas alturas. Com o crescimento da oferta de ações, seu preço caiu. Quando outros investidores viram o preço em queda, também quiseram sair rápido. O valor das ações despencou ainda mais, gerando uma avalanche. Para estabilizar a cotação, o Banco Central da França — por ordens de seu diretor, John Law — comprou ações da Mississippi. Mas não podia fazer isso para sempre. Com o tempo, esgotou seus recursos, e quando isso aconteceu o controlador-geral de finanças, o mesmo John Law, autorizou a emissão de moeda para adquirir ações adicionais. Isso pôs todo o sistema financeiro francês dentro da bolha. E nem mesmo esse malabarismo financeiro foi capaz de evitar o desastre. O preço das ações da Mississippi caiu de 10 mil livres para mil livres antes de entrar em colapso total, não valendo nem mais um *sou*. A essa altura, o Banco Central e o Tesouro Real possuíam um enorme volume de ações sem valor e não tinham mais reservas. Os grandes especuladores escaparam quase ilesos — tinham vendido a tempo. Pequenos investidores perderam tudo, e muitos se suicidaram.

A Bolha do Mississippi foi um dos craques financeiros mais espetaculares da história. O sistema financeiro da monarquia francesa nunca se recuperou por completo do baque. O modo como a Companhia do Mississippi usou seu poder político para manipular o preço das ações e alimentar o frenesi de compras levou o público a perder a confiança no sistema bancário francês e na sabedoria financeira do rei. Luís xv encontrou dificuldades cada vez maiores para levantar empréstimos. Essa foi uma das principais razões que levaram o império ultramarino francês a cair em mãos britânicas. Enquanto os britânicos eram capazes de tomar dinheiro emprestado com facilidade e baixas taxas de juros, a França tinha problemas para obter fundos e precisava pagar taxas elevadas. Para financiar suas dívidas crescentes, o rei da França tomou mais e mais empréstimos a juros cada vez mais elevados. Por fim, na década de 1780, Luís xvi, que subira ao trono com a morte do avô, se deu conta de que metade de seu orçamento anual estava comprometida com o pagamento de juros relativos àquelas dívidas, e que ele caminhava para a bancarrota. Relutante, Luís xvi convocou em 1789 os Estados Gerais, o Parlamento francês que havia um século e meio não se reunia, para encontrar uma solução para a crise. Assim começou a Revolução Francesa.

Enquanto o Império Francês de ultramar ruía, o Império Britânico se expandia rapidamente. Tal como o Império Holandês antes dele, o britânico foi estabelecido e operado em grande parte por companhias de capital aberto baseadas na bolsa de Londres. Os primeiros povoamentos ingleses na América do Norte foram estabelecidos no início do século xvii por empresas de capital aberto como a London Company, a Plymouth Company, a Dorchester Company e a Massachusetts Company.

O subcontinente indiano também foi conquistado não pelo Estado britânico, mas por um exército mercenário da Companhia Britânica das Índias Orientais. Essa companhia superou até a voc. De sua sede na Leadenhall Street, em Londres, ela governou um poderoso império indiano por quase um século, mantendo uma imensa força militar de cerca de 350 mil soldados, que ultrapassava em muito o efetivo das Forças Armadas da monarquia britânica. Apenas em 1858 a Coroa britânica nacionalizou a Índia e o exército privado da companhia. Napoleão zombou dos britânicos, dizendo que eram uma nação de donos de lojinhas. No entanto, esses donos de lojinhas derrotaram o próprio Napoleão, e o império que criaram foi o maior já conhecido no mundo.

A nacionalização da Indonésia pela Coroa holandesa (1800) e a da Índia pela Coroa britânica (1858) não acabaram de modo algum com o estreito relacionamento entre o capitalismo e o império. Pelo contrário, a conexão ficou mais forte durante o século XIX. Companhias de capital aberto não necessitavam mais estabelecer e governar colônias privadas — seus dirigentes e acionistas principais agora manipulavam o poder em Londres, Amsterdam e Paris, e podiam contar com o Estado para cuidar de seus interesses. Como Marx e outros críticos sociais observaram de forma irônica, os governos ocidentais estavam se transformando num sindicato capitalista.

O exemplo mais conhecido de como os governos jogavam com grandes somas é a Primeira Guerra do Ópio, em 1840-2, na qual a Grã-Bretanha e a China se confrontaram. Na primeira metade do século XIX, a Companhia Britânica das Índias Orientais e diversos homens de negócio ingleses fizeram fortunas exportando drogas, em especial o ópio, para a China. Milhões de chineses ficaram viciados, debilitando o país em termos tanto econômicos quanto sociais. No final da década de 1830, o governo chinês proibiu o tráfico, mas os comerciantes de drogas britânicos simplesmente ignoraram a lei. As autoridades chinesas começaram a confiscar e a destruir cargas com o produto. Os cartéis de drogas tinham conexões próximas no Parlamento inglês e no gabinete do primeiro-ministro — na verdade, muitos parlamentares e ministros possuíam ações dessas companhias — e, por isso, pressionaram o governo a agir.

Em 1840, a Grã-Bretanha declarou guerra à China em nome da "liberdade de comércio". Foi uma vitória fácil. Os chineses, excessivamente confiantes, não eram páreo para as novas armas maravilhosas da Grã-Bretanha — barcos a vapor, artilharia pesada, foguetes, rifles de repetição. Conforme o acordo de paz que se seguiu, a China concordou em não limitar as atividades dos comerciantes britânicos de drogas e compensá-los pelos prejuízos causados pela polícia chinesa. Além disso, os britânicos exigiram e receberam o controle sobre Hong Kong, que passaram a usar como base segura para o tráfico de drogas (Hong Kong permaneceu em mãos inglesas até 1997). No final do século XIX, cerca de 40 milhões de chineses, um décimo da população, eram viciados em ópio.[3]

O Egito também aprendeu a respeitar o alcance do capitalismo britânico. Durante o século XIX, investidores franceses e britânicos emprestaram grandes somas aos governantes do Egito, primeiro a fim de financiar o projeto do canal de Suez e, mais tarde, para custear outros empreendimentos bem menos exitosos. A dívida egípcia cresceu muito e os credores europeus passaram a se intrometer cada vez mais nos assuntos do país. Em 1881, nacionalistas egípcios deram um basta e se rebelaram. Declararam a anulação unilateral de toda a dívida externa. A rainha Vitória não achou a menor graça. Um ano depois, seu exército e sua marinha foram enviados ao Nilo, e o Egito permaneceu como um protetorado britânico até depois da Segunda Guerra Mundial.

Essas não foram as únicas guerras travadas para servir aos interesses de investidores. Na verdade, a própria guerra podia se tornar um produto, como o ópio. Em 1821, os gregos se revoltaram contra o Império Otomano. O levante despertou grande simpatia nos círculos liberais e românticos da Grã-Bretanha — até o Lorde Byron, o poeta, foi à Grécia para lutar ao lado dos insurgentes. Mas os financistas de Londres também viram naquilo uma oportunidade. Propuseram aos líderes rebeldes lançar Títulos da Rebelião Grega comercializáveis na bolsa de Londres. Os gregos prometiam pagar os títulos com juros se e quando conquistassem a independência. Investidores privados compraram os títulos para obter algum lucro, por simpatizar com a causa grega ou por ambos os motivos. O valor dos Títulos da Rebelião Grega subiu e desceu na bolsa de Londres em sintonia com as vitórias e as derrotas militares nos campos de batalha da Hellas. Os turcos aos poucos se impuseram. Diante da derrota iminente dos rebeldes, os detentores dos títulos se viram diante da perspectiva de perder tudo. Como o interesse dos acionistas era o interesse nacional, os britânicos organizaram uma frota internacional que, em 1827, afundou a principal flotilha turca na batalha de Navarino. Após séculos subjugada, a Grécia estava enfim livre. Mas a liberdade veio com uma dívida substancial que o novo governo não tinha como quitar. A economia grega foi hipotecada aos credores britânicos por muitas e muitas décadas.

A pressão criada entre o capital e a política tem tido implicações muito relevantes para o mercado de crédito. O volume de crédito numa economia é determinado não apenas por fatores puramente econômicos, como a descoberta de um novo campo de petróleo ou a invenção de uma nova máquina,

40. *A batalha de Navarino* (*1827*).

mas também por acontecimentos políticos, como mudanças de regime ou políticas externas mais ambiciosas. Após a batalha de Navarino, os capitalistas britânicos ficaram mais dispostos a investir em operações externas arriscadas. Tinham visto que, se um devedor externo se recusasse a pagar os empréstimos, o exército de Sua Majestade iria lá buscar o dinheiro deles.

É por isso que hoje a avaliação de crédito de um país é muito mais importante para seu bem-estar econômico que seus recursos naturais. As classificações de risco indicam a probabilidade de um país pagar suas dívidas. Além de dados puramente econômicos, elas levam em consideração fatores políticos, sociais e até culturais. Um país rico em petróleo, mas amaldiçoado por um governo despótico, por guerras endêmicas e por um sistema jurídico corrupto em geral receberá um valor baixo na avaliação de risco. Como consequência, é provável que permaneça relativamente pobre, pois não será capaz de levantar o capital necessário para aproveitar ao máximo a bonança petrolífera. Já um país desprovido de recursos naturais, mas que goza de paz, um sistema jurídico honesto e um governo livre, tem a probabilidade de receber uma avaliação de crédito mais elevada. Com isso, pode levantar capital barato suficiente para sustentar um bom sistema educacional e promover uma emergente indústria de alta tecnologia.

O capital e a política se influenciam mutuamente a tal ponto que suas relações são discutidas de maneira acalorada por economistas, políticos e o público em geral. Entusiastas do capitalismo costumam afirmar que o capital deveria ter a liberdade de influenciar a política, mas que não se deve permitir que a política influencie o capital. Entendem que, quando os governos interferem nos mercados, os interesses políticos os levam a fazer investimentos mal concebidos, que resultam em menor crescimento econômico. Por exemplo, um governo pode impor pesados impostos sobre os industriais e utilizar o dinheiro para proporcionar generosos auxílios aos desempregados, uma medida bastante popular entre os eleitores. Na opinião de muitos homens de negócio, seria muito melhor que deixasse o dinheiro com eles, que o usariam, assim declaram, para abrir novas fábricas e contratar os desempregados.

Segundo essa visão, a política econômica mais sábia consiste em manter a política fora da economia, reduzir impostos e regulamentações governamentais a um mínimo e dar livre curso às forças do mercado. Os investidores privados, desembaraçados das considerações políticas, investirão seu dinheiro onde puderem obter o maior lucro. Assim, para assegurar o máximo de crescimento econômico — que beneficiará a todos, industriais e trabalhadores —, o governo deve fazer o mínimo possível. A doutrina do livre mercado é hoje a variante mais comum e influente do credo capitalista. Os advogados mais incisivos do livre mercado criticam as aventuras militares no exterior com tanto ardor quanto os programas de bem-estar dentro do país. Oferecem aos governos o mesmo conselho que os mestres zen oferecem aos iniciados: não faça nada.

No entanto, em sua forma extrema, a crença no livre mercado é tão ingênua quanto acreditar em Papai Noel. Não existe um mercado livre de todas as considerações políticas. O recurso econômico mais importante é a confiança no futuro, e esse recurso está ameaçado constantemente por ladrões e charlatães. Os mercados por si sós não oferecem proteção contra a fraude, o roubo e a violência. Cabe aos sistemas políticos garantir tal confiança legislando punições contra armadilhas, bem como criando e sustentando forças policiais, tribunais e penitenciárias responsáveis por fazer cumprir a lei. Quando os reis deixam de exercer suas funções e não regulam os mercados de maneira adequada, isso leva à perda de confiança, ao crédito minguante e à depressão econômica. Essa foi a lição oferecida pela Bolha do Mississippi em 1719, e qualquer um que a tenha esquecido foi lembrado pela bolha imobiliária nos Estados Unidos em 2007, seguida do aperto creditício e da recessão.

Existe uma razão ainda mais fundamental para por que é perigoso dar aos mercados rédeas totalmente soltas. Adam Smith ensinou que o sapateiro usaria seu excedente para empregar mais ajudantes. Isso implica que a ganância egoísta é benéfica a todos, uma vez que os lucros são utilizados para expandir a produção e contratar mais gente.

Contudo, o que acontece se o sapateiro ganancioso aumenta seus lucros pagando menos e aumentando as horas de trabalho? A resposta-padrão é que o livre mercado protegeria os empregados. Se nosso sapateiro paga pouco e exige demais, os melhores funcionários naturalmente o abandonarão e irão trabalhar para seus concorrentes. O tirano se veria com os piores trabalhadores ou sem nenhum. Teria de corrigir seu comportamento ou sair do negócio. Sua própria ganância o obrigaria a tratar seus empregados bem.

Em teoria, esse argumento parece à prova de bala, mas na prática os projéteis penetram com facilidade. Num mercado completamente livre, sem a supervisão de reis e padres, os capitalistas avarentos podem estabelecer monopólios ou entrar em conluio contra suas forças de trabalho. Se há uma única corporação controlando todas as fábricas de sapatos no país, ou se todos os donos das fábricas conspirarem para reduzir os salários ao mesmo tempo, então os operários não serão mais capazes de se proteger trocando de emprego.

Pior ainda, os proprietários gananciosos podem limitar a liberdade de movimento dos trabalhadores mediante a servidão por dívidas ou pela mera escravidão. No final da Idade Média, a escravidão era quase desconhecida na Europa cristã. Durante o início da era moderna, a ascensão do capitalismo europeu caminhou de mãos dadas com o crescimento do comércio de escravos no Atlântico. As forças descontroladas do mercado, e não reis tirânicos ou ideólogos racistas, foram responsáveis por essa calamidade.

Quando os europeus conquistaram a América, além de abrirem minas de ouro e de prata, estabeleceram plantações de cana-de-açúcar, tabaco e algodão.

Essas minas e plantações se tornaram os pilares básicos da produção e da exportação desses continentes. As plantações de cana se mostraram particularmente importantes. Na Idade Média, o açúcar era um artigo de luxo na Europa. Importado do Oriente Médio a preços proibitivos, era usado com parcimônia como ingrediente secreto em guloseimas e poções de charlatães. Depois do estabelecimento das grandes plantações de cana na América, volumes crescentes do produto começaram a chegar à Europa. O preço caiu e se desenvolveu um gosto insaciável pelo açúcar. Os empreendedores satisfizeram essa necessidade produzindo quantidades enormes de doces: bolos, biscoitos, chocolates, balas e bebidas adocicadas, como chocolate, café e chá. O consumo anual de açúcar do inglês típico aumentou de quase zero no começo do século XVII para cerca de oito quilos no começo do século XIX.

No entanto, o cultivo da cana e a extração do açúcar demandavam uma atividade intensiva de sua mão de obra. Poucas pessoas estavam dispostas a trabalhar longas horas nos campos infestados de malária sob o sol tropical. Trabalhadores contratados teriam produzido um artigo caro demais para o consumo em massa. Sensíveis às forças do mercado e ávidos por lucros e crescimento econômico, os proprietários europeus das plantações se voltaram para os escravos.

Entre os séculos XVI e XIX, cerca de 10 milhões de escravos africanos foram levados para a América. Desse total, aproximadamente 70% trabalharam nas plantações de cana-de-açúcar. As condições de trabalho eram abomináveis. A maioria dos escravos tinha uma vida curta e miserável, e outros milhões morreram durante as guerras para sua captura ou nas longas viagens do interior da África até as praias da América. Tudo isso para que os europeus pudessem saborear seu chá doce acompanhado de biscoitos — e os barões do açúcar pudessem desfrutar de lucros enormes.

O tráfico de escravos não foi controlado por nenhum Estado ou governo. Era uma empreitada puramente comercial, organizada e financiada pelo livre mercado segundo as leis da oferta e da procura. As companhias privadas que comercializavam escravos vendiam ações nas bolsas de Amsterdam, Londres e Paris. Europeus de classe média em busca de um bom investimento compravam essas ações. Com base nesses recursos, as companhias adquiriam navios, contratavam marinheiros e soldados, compravam escravos na África e os transportavam para a América. Lá, os vendiam para os donos das plantations, usando a receita para comprar produtos desses mesmos lugares, como açúcar, cacau, café, tabaco, algodão e rum. Voltavam para a Europa, vendiam o açúcar e o algodão a bom preço e navegavam outra vez para a África para começar de novo. Os acionistas ficavam muito contentes com esse arranjo. Ao longo do século XVIII, o rendimento das inversões no tráfico de escravos foi de cerca de 6% ao ano — extremamente lucrativo, como qualquer consultor moderno seria o primeiro a admitir.

Esse é o calcanhar de aquiles do capitalismo de livre mercado: ele não pode garantir que os lucros sejam obtidos ou distribuídos de modo justo. Ao contrário, a ânsia de aumentar os lucros e a produção cega as pessoas para qualquer coisa que possa obstruir seu caminho. Quando o crescimento se transforma num bem supremo, ilimitado por qualquer consideração ética, pode facilmente conduzir à catástrofe. Algumas religiões, como o cristianismo e o nazismo, mataram milhões de pessoas por conta de um ódio fulminante. O capitalismo matou milhões por causa de uma fria indiferença somada à ganância. O tráfico de escravos no Atlântico não resultou do ódio racial em relação aos africanos. Os indivíduos que compravam as ações, os corretores que as vendiam e os diretores das companhias que comercializavam escravos raramente pensavam nesses povos. Como também não o faziam os proprietários das plantações de cana: muitos deles viviam longe, e as únicas informações que exigiam estavam relacionadas com livros de contabilidade onde deveriam estar registrados os lucros e as perdas.

É importante lembrar que o tráfico de escravos no Atlântico não foi uma aberração num histórico até então impecável. A Grande Fome de Bengala, comentada no capítulo anterior, foi causada por uma dinâmica parecida — a Companhia Britânica das Índias Orientais se importava mais com seus lucros do que com a vida de 10 milhões de bengaleses. As campanhas militares da VOC na Indonésia eram financiadas por burgueses decentes dos Países Baixos que amavam seus filhos, contribuíam com instituições de caridade e apreciavam boa música e as belas-artes, porém não davam a mínima para o sofrimento dos habitantes de Java, Sumatra e Malaca. Outros crimes e delitos incontáveis acompanharam o crescimento da economia moderna em outras partes do planeta.

O século XIX não trouxe nenhuma melhoria na ética do capitalismo. A Revolução Industrial que varreu a Europa enriqueceu os banqueiros e os donos do capital, mas condenou milhões de trabalhadores a uma vida de pobreza abjeta. Nas colônias europeias, as coisas foram até piores. Em 1876, o rei Leopoldo II da Bélgica fundou uma organização humanitária não governamental com o objetivo declarado de explorar a África Central e combater o tráfico de escravos ao longo do rio Congo. Competia-lhe também melhorar as condições de vida dos habitantes da região construindo estradas, escolas e hospitais. Em 1885, as potências europeias concordaram em dar a essa organização o controle de 2,3 milhões de quilômetros quadrados na bacia do Congo. Esse território, 75 vezes maior que o da Bélgica, passou a ser chamado de Estado Livre do Congo. Ninguém pediu a opinião dos 20 milhões a 30 milhões de habitantes do território.

Em pouco tempo, a organização humanitária se transformou numa empresa cujo verdadeiro objetivo era crescimento e lucro. As escolas e os hospitais foram esquecidos, instalando-se em vez disso minas e plantations na bacia do Congo, dirigidas sobretudo por funcionários belgas que exploravam de maneira cruel a população local. A indústria da borracha foi particularmente nociva. Como o produto se tornava cada vez mais um item essencial, as exportações passaram a ser a mais importante fonte de renda do Congo. Exigia-se dos moradores das aldeias que coletavam a borracha volumes cada vez maiores. Os que deixavam de preencher a cota estipulada eram punidos brutalmente por sua "indolência" e tinham os braços amputados. Vez por outra, a população de vilarejos inteiros era massacrada. Segundo as estimativas mais conservadoras, entre 1885 e 1908 a busca por crescimento e lucros custou a vida de 6 milhões de indivíduos (ao menos 20% da população do Congo). Algumas estimativas chegam a 10 milhões de mortes.[4]

Depois de 1908, e em especial depois de 1945, a ganância capitalista foi de certo modo controlada, em boa parte pelo medo do comunismo. Entretanto, as iniquidades ainda são gritantes. O bolo econômico de 2014 é bem maior que o de 1500, mas sua distribuição é muitíssimo desigual, e muitos camponeses da África e operários da Indonésia voltam para casa após um dia duro de trabalho com menos comida do que seus antepassados quinhentos anos atrás. Tal como ocorreu com a Revolução Agrícola, o crescimento da economia moderna pode se revelar uma fraude colossal. É bem possível que a espécie humana e a economia global continuem a crescer, porém um número muito maior de indivíduos pode viver com fome e passando necessidades.

O capitalismo tem duas respostas a essa crítica. Primeiro, esse modelo econômico criou um mundo que só pode ser governado por um capitalista. A única tentativa séria de dirigir o mundo de outro modo — o comunismo — foi tão pior em quase todos os sentidos concebíveis que ninguém tem vontade de tentar outra vez. Em 8500 a.C., era possível chorar amargamente por causa da Revolução Agrícola, mas era tarde demais para abrir mão da agricultura. Do mesmo modo, podemos não gostar do capitalismo, mas não podemos viver sem ele.

A segunda resposta é que só precisamos de mais paciência — o paraíso, prometem os capitalistas, está logo ali, dobrando a esquina. Na verdade, houve erros, como o tráfico de escravos no Atlântico e a exploração da classe operária na Europa. Mas aprendemos nossa lição e, se simplesmente esperarmos um pouco mais e permitirmos que o bolo cresça mais um pouco, todos receberão uma fatia maior. A divisão do butim nunca será equitativa, porém haverá o suficiente para satisfazer todos os homens, mulheres e crianças — até mesmo no Congo.

Há, de fato, alguns sinais positivos. Ao menos quando usamos critérios puramente materiais — como a expectativa de vida, a mortalidade infantil e o consumo de calorias —, o padrão de vida do ser humano médio em 2014 era muito mais elevado do que era em 1914, apesar do crescimento exponencial do número de humanos.

No entanto, será que o bolo econômico pode crescer de modo indefinido? Todo bolo exige matéria-prima e energia. Os profetas do apocalipse alertam que cedo ou tarde o *Homo sapiens* vai exaurir os recursos naturais e a energia do planeta Terra. E, então, o que irá acontecer?

17. As engrenagens da indústria

A economia moderna cresce graças à nossa confiança no futuro e à disposição dos capitalistas de reinvestir seus lucros na produção. Entretanto, isso não basta. O crescimento econômico também exige energia e matéria-prima, que são recursos finitos. Se e quando se esgotarem, todo o sistema vai entrar em colapso.

Mas as evidências fornecidas pelo passado dizem que são finitos apenas em teoria. Embora soe paradoxal, o uso de energia e de matéria-prima pela humanidade cresceu muitíssimo nos últimos séculos, porém os volumes disponíveis de fato *aumentaram* ainda mais. Sempre que a escassez de uma ou de outra ameaçou tornar mais lento o crescimento econômico, investimentos para a pesquisa científica e tecnológica fluíram — gerando não apenas formas mais eficientes de explorar os recursos existentes como também tipos totalmente novos de energia e materiais.

Consideremos a indústria de veículos. Ao longo dos últimos trezentos anos, a humanidade fabricou bilhões de veículos — de carroças e carrinhos de mão a trens, carros, jatos supersônicos e naves espaciais. Seria de esperar que tal esforço prodigioso houvesse exaurido as fontes de energia e as matérias-primas usadas na construção de veículos, e que hoje estaríamos raspando o fundo do barril. Todavia, ocorre o oposto. Enquanto em 1700 a indústria global de veículos dependia sobretudo de madeira e de ferro, atualmente ela tem a seu dispor uma variedade de novos materiais, tais como plástico, borracha, alumínio e titânio, nenhum dos quais era nem mesmo conhecido por nossos ancestrais. Enquanto em 1700 as carroças eram fabricadas sobretudo à mão por carpinteiros e ferreiros, hoje as máquinas na Toyota ou na Boeing são movidas por motores a combustão de petróleo e usinas nucleares. Revolução similar varreu quase todos os outros segmentos da indústria. Chamamos isso de Revolução Industrial.

Durante milênios antes da Revolução Industrial, os humanos já sabiam como utilizar a grande diversidade de fontes de energia. Queimavam madeira a fim de derreter o ferro, aquecer casas e assar bolos. Os navios a vela dominavam o poder do vento para navegar, e os moinhos de água capturavam a corrente dos rios para moer grãos. No entanto, todas essas fontes tinham claros limites e problemas. Não existiam árvores em toda parte, o vento não soprava sempre que se precisava dele, e a força da água só era útil para quem morava perto de um rio.

Um problema ainda maior era que as pessoas não sabiam converter um tipo de energia em outro. Eram capazes de se valer da força do vento e das águas para mover navios e mós, porém não para esquentar a água ou derreter o ferro. Por outro lado, não podiam usar a energia do calor produzido ao queimar a madeira para fazer girar a mó. Os humanos tinham uma única máquina capaz de executar esses truques de conversão de energia: o corpo. No processo natural do metabolismo, o corpo dos humanos e de outros animais queima combustíveis orgânicos conhecidos como alimentos e converte a energia liberada em atividade muscular. Homens, mulheres e animais podiam consumir grãos e carne, queimar seus carboidratos e gorduras, e utilizar a energia para puxar um riquixá ou um arado.

Como os corpos dos humanos e dos animais constituíam o único dispositivo de conversão de energia disponível, a força muscular era fundamental para quase todas as atividades humanas. Músculos humanos construíam carroças e casas, músculos de bois aravam os campos, músculos de cavalos transportavam mercadorias. A energia que alimentava essas máquinas musculares orgânicas vinha em última análise de uma só fonte — as plantas. Elas, por sua vez, obtinham a energia do sol. Mediante o processo de fotossíntese, capturavam a energia solar e a empacotavam sob a forma de compostos orgânicos. Quase tudo que as pessoas fizeram no curso da história foi alimentado pela energia solar capturada pelas plantas e convertida em força muscular.

Consequentemente, a história humana foi dominada por dois ciclos principais: os ciclos de crescimento das plantas e os ciclos alternados de energia solar (dia e noite, verão e inverno). Quando a luz solar era fraca e os trigais permaneciam verdes, os humanos tinham pouca energia, os celeiros estavam vazios, os cobradores de impostos ficavam à toa, os soldados tinham dificuldade em se movimentar e lutar, os reis tendiam a manter a paz. Quando o sol brilhava e o trigo amadurecia, os camponeses faziam a colheita e enchiam os celeiros. Os cobradores de impostos então corriam para tomar seu quinhão. Os soldados aqueciam os músculos e afiavam as espadas. Os reis convocavam conselhos e planejavam as campanhas seguintes. Todos eram movidos pela energia solar — capturada e empacotada no trigo, no arroz e nas batatas.

O SEGREDO NA COZINHA

Ao longo desses muitos milênios, dia após dia, as pessoas ficavam diante da mais importante invenção na história da produção de energia — e não eram capazes de reparar nela. Aquilo as encarava cada vez que uma dona de casa ou uma criada punha no fogão uma chaleira com a água para o chá ou uma panela cheia de batatas. No momento em que a água fervia, a tampa da chaleira ou da panela saltava. O calor estava sendo convertido em movimento. Mas as tampas de panelas saltitantes eram um incômodo, em especial se a pessoa esquecia a panela no fogo e a água transbordava. Ninguém viu o potencial efetivo daquilo.

Um avanço parcial na conversão de calor em movimento resultou da invenção da pólvora na China, no século IX. No começo, a ideia de usar pólvora para impulsionar projéteis era tão contrária à intuição que, durante séculos, ela foi usada principalmente para fabricar fogos de artifício. Mas, com o tempo — talvez depois que algum perito em fogos de artifício moeu a pólvora num pilão e viu o recipiente voar para longe —, as armas de fogo entraram em cena. Cerca de seiscentos anos se passaram entre a invenção da pólvora e o desenvolvimento de uma artilharia eficaz.

Mesmo então, a ideia de converter calor em movimento ainda era tão estranha que precisou de mais três séculos antes que a próxima máquina que usava calor para mover as coisas fosse inventada. A nova tecnologia nasceu nas minas de carvão da Grã-Bretanha. À medida que a população britânica crescia rapidamente, as florestas foram postas abaixo a fim de fornecer combustível para a economia em expansão e abrir espaço para casas e plantações. O país começou a sofrer com a escassez de lenha e a substituiu pelo carvão. Muitos veios de carvão estavam situados em áreas alagadas, impedindo os mineiros de atingir as camadas mais baixas das minas. Era um problema à procura de uma solução. Por volta de 1700, um ruído estranho começou a reverberar nos poços das minas britânicas. No começo, aquele ruído — prenunciando a Revolução Industrial — era sutil, mas foi ficando a cada década mais forte, até que envolveu o mundo inteiro numa cacofonia ensurdecedora. Ele vinha de uma máquina a vapor.

Há muitos tipos de máquinas a vapor, mas todas se baseiam no mesmo princípio. Queima-se algum tipo de combustível, como o carvão, e se usa o calor resultante para ferver água, produzindo vapor. À medida que se expande, o vapor empurra um pistão, que se move, e qualquer coisa que esteja conectada a ele se move junto. É assim que o calor é convertido em movimento! Nas minas de carvão britânicas do século XVIII, o pistão estava conectado a uma bomba que extraía água do fundo delas. As primeiras máquinas eram incrivelmente ineficientes. Era preciso queimar um volume imenso de carvão a fim de bombear para fora uma quantidade pequena de água. Mas, nas minas, o carvão era abundante e estava à mão, por isso ninguém ligava.

Nas décadas seguintes, os empresários britânicos aumentaram a eficiência da máquina a vapor, levaram-na para fora das minas e a conectaram a teares e a descaroçadoras de algodão. Isso provocou uma revolução na produção têxtil, tornando possível fabricar quantidades cada vez maiores de tecidos baratos. Num piscar de olhos, a Grã-Bretanha se tornou a oficina do mundo. Porém, o que foi ainda mais importante, retirar as máquinas a vapor de dentro das minas rompeu uma barreira psicológica crucial. Se era possível queimar carvão para movimentar teares, por que não usar o mesmo método para mover outras coisas, como veículos?

Em 1825, um engenheiro britânico ligou uma máquina a vapor a um trem de vagões de minério cheios de carvão. A máquina puxou os vagões ao longo de um trilho de ferro de vinte quilômetros, da mina até o porto mais próximo. Essa foi a primeira locomotiva a vapor da história. Claramente, se o vapor podia ser usado para transportar carvão, por que não outros produtos? E por que não pessoas? Em 15 de setembro de 1830, foi inaugurada a primeira linha férrea comercial, unindo Liverpool e Manchester. Os trens eram impulsionados pela mesma força a vapor que antes bombeava água e movia teares. Apenas vinte anos depois, a Grã-Bretanha tinha dezenas de milhares de quilômetros de trilhos.[1]

A partir de então, as pessoas ficaram obcecadas pela ideia de que máquinas e motores podiam ser usados para converter um tipo de energia em outro. Qualquer fonte de energia em qualquer lugar do mundo podia ser domada para o fim que se desejasse, contanto que fosse inventada a máquina certa. Por exemplo, quando os físicos se deram conta de que uma imensa quantidade de energia está armazenada no interior dos átomos, imediatamente começaram a pensar em como ela podia ser liberada e empregada para produzir eletricidade, impulsionar submarinos e aniquilar cidades. Seiscentos anos se passaram entre o momento em que alquimistas chineses descobriram a pólvora e um canhão turco pulverizou as muralhas de Constantinopla. Apenas quarenta anos separaram o momento em que Einstein determinou que qualquer massa podia ser convertida em energia — é isso que $E = mc^2$ significa — e o instante em que bombas atômicas obliteraram Hiroshima e Nagasaki, logo depois do surgimento de usinas nucleares em todo o mundo.

Outra descoberta fundamental foi o motor de combustão interna, que levou menos de uma geração para revolucionar o transporte humano e transformar o petróleo em poder político líquido. O petróleo era conhecido há milhares de anos, sendo usado para impermeabilizar telhados e lubrificar eixos. No entanto, até um século atrás, ninguém achou que era muito mais útil que isso. A ideia de que ele seria responsável por derramamento de sangue teria parecido ridícula. Era possível travar uma guerra por território, ouro, pimenta ou escravos, mas não por petróleo.

A trajetória da eletricidade foi ainda mais surpreendente. Há duzentos anos, a eletricidade não exercia nenhum papel na economia, sendo empregada, quando muito, para experimentos científicos obscuros e truques de mágica baratos. Uma série de invenções a transformou em nosso gênio universal da lâmpada. Estalamos os dedos, e ela imprime livros e costura roupas, mantém nossos legumes frescos e nosso sorvete congelado, cozinha nossos jantares e executa criminosos, registra nossos pensamentos e grava nossos sorrisos, ilumina nossas noites e nos entretém com incontáveis programas de televisão. Poucos de nós entendemos como a eletricidade faz tudo isso, mas menos gente ainda pode imaginar a vida sem ela.

UM OCEANO DE ENERGIA

Na essência, a Revolução Industrial é uma revolução na conversão de energia. Já se demonstrou diversas vezes que não há limite para a quantidade de energia a nosso dispor. Ou, para ser mais exato, que o único limite é dado por nossa ignorância. A cada poucas décadas, descobrimos uma nova fonte de energia, de modo que o total à nossa disposição simplesmente continua a crescer.

Por que tantas pessoas temem que estejamos exaurindo nossa energia? Por que nos alertam sobre o desastre que ocorrerá se consumirmos todos os nossos combustíveis fósseis? Sem dúvida não falta energia no mundo. O que falta é o conhecimento necessário para dominá-la e convertê-la para servir a nossas necessidades. O volume de energia armazenado em todo o combustível fóssil na Terra é insignificante quando comparado ao volume que o Sol fornece todos os dias — e de graça. Embora apenas uma pequena fração da energia solar chegue até nós, ela equivale a 3 766 800 exajoules de energia a cada ano (o joule é uma unidade de energia no sistema métrico que equivale aproximadamente ao volume de energia que você gasta para levantar uma maçã pequena a um metro. Um exajoule é 1 bilhão de bilhão de joules — isso é muita maçã!).[2] Todas as plantas do mundo capturam apenas cerca de 3 mil desses exajoules solares através do processo de fotossíntese.[3] Todas as atividades humanas e indústrias combinadas consomem cerca de quinhentos exajoules por ano, o equivalente ao volume de energia que a Terra recebe do Sol em meros noventa minutos.[4] E isso diz respeito apenas à energia solar. Além dela, estamos cercados de outras enormes fontes de energia, como a nuclear e a gravitacional — esta última mais evidente no poder das marés oceânicas causadas pela atração que a Lua exerce sobre a Terra.

Antes da Revolução Industrial, o mercado humano de energia dependia quase completamente das plantas. As pessoas viviam ao lado de um reservatório de energia verde que representava 3 mil exajoules por ano e tentavam extrair dele o máximo de energia que podiam. Contudo, havia um claro limite a respeito de quanto era possível extrair. Durante a Revolução Industrial, fomos nos dando conta de que vivemos de fato às margens de um enorme oceano de energia, que contém bilhões e bilhões de exajoules de energia potencial. Tudo o que precisamos fazer é inventar as bombas de sucção.

Aprender a dominar e a converter a energia de maneira eficiente resolveu outro problema que retarda o crescimento econômico — a escassez de matéria-prima. À medida que os humanos entenderam como produzir grandes volumes de energia barata, puderam começar a explorar depósitos antes inacessíveis de matéria-prima (por exemplo, extrair ferro das paragens desérticas da Sibéria) ou transportar matéria-prima de localidades cada vez mais distantes (por exemplo, suprir uma fábrica de tecidos britânica com lã australiana). Ao mesmo tempo, avanços científicos permitiram à humanidade inventar matérias-primas totalmente novas, como o plástico, e descobrir materiais naturais antes desconhecidos, como o silicone e o alumínio.

Os químicos descobriram o alumínio apenas na década de 1820, mas separar o metal de seu minério era extremamente difícil e custoso. Durante décadas, o alumínio foi bem mais caro que o ouro. Na década de 1860, o imperador Napoleão III da França encomendou talheres de alumínio para uso de seus hóspedes mais eminentes. Os visitantes menos importantes tinham de se contentar com facas e garfos de ouro.[5] No entanto, no final do século XIX, os químicos descobriram um modo de extrair imensos volumes de alumínio barato, e a produção global hoje chega a 30 milhões de toneladas por ano. Napoleão III ficaria surpreso em saber que os descendentes de seus súditos usam papel-alumínio descartável para embrulhar sanduíches e jogar fora as sobras de comida.

Há 2 mil anos, quando as pessoas na bacia do Mediterrâneo sofriam de pele seca, esfregavam azeite de oliva nas mãos. Atualmente, abrem um tubo de creme. A seguir está a lista de ingredientes de um creme simples para as mãos que comprei numa loja local:

água deionizada, ácido esteárico, glicerina, triglicérides de ácido cáprico/ caprílico, propilenoglicol, miristato de isopropila, extrato de raiz de *Panax ginseng*, fragrância, álcool cetílico, trietanolamina, dimeticona, extrato de folha de *Actostaphylos uva-ursi*, fosfato de ascorbil magnésio, imidazolidinil ureia, metilparabeno, cânfora, propilparabeno, hidroxi-iso-hexil 3-ciclo-hexeno carboxaldeído, hidroxicitronelal, linalol, butilfenil metilpropional, citronelol, limoneno, geraniol.

Quase todos esses ingredientes foram inventados ou descobertos nos últimos dois séculos.

Durante a Primeira Guerra Mundial, a Alemanha foi submetida a um bloqueio e sofreu uma grave carência de matéria-prima, em especial salitre, ingrediente essencial na fabricação de pólvora e outros explosivos. Os depósitos de salitre mais importantes ficavam no Chile e na Índia, e não havia nenhum na Alemanha. Na verdade, o salitre podia ser substituído pela amônia, mas sua produção também era cara. Para a sorte dos alemães, um de seus cidadãos, um químico judeu chamado Fritz Haber, havia descoberto em 1908 um processo para produzir amônia literalmente do ar. Quando a guerra eclodiu, os alemães usaram a descoberta de Haber para iniciar a produção industrial de explosivos usando ar como matéria-prima. Alguns estudiosos acreditam que, não fosse pela descoberta de Haber, a Alemanha teria sido forçada a se render muito antes de novembro de 1918.[6] A descoberta rendeu a Haber (que durante a guerra também teve papel pioneiro no uso de gás venenoso nos campos de batalha) o prêmio Nobel em 1918. Prêmio de química, não da paz.

A VIDA NA ESTEIRA TRANSPORTADORA

A Revolução Industrial propiciou a combinação sem precedente de energia abundante e barata com suprimentos de matérias-primas abundantes e baratas. O resultado foi uma explosão em termos de produtividade humana, que foi sentida inicialmente e sobretudo na agricultura. Em geral, quando pensamos na Revolução Industrial, nos vem à cabeça uma paisagem urbana com fumaça saindo de chaminés ou o suplício dos mineiros de carvão explorados, suando nas entranhas da terra. No entanto, a Revolução Industrial foi, acima de tudo, uma segunda Revolução Agrícola.

Nos últimos duzentos anos, os métodos de produção industrial se tornaram o sustentáculo da agricultura. Máquinas como os tratores começaram a executar tarefas que antes eram realizadas pela força muscular ou simplesmente não podiam ser feitas. Os campos e os animais passaram a ser muito mais produtivos graças aos fertilizantes artificiais, aos inseticidas industriais e a todo um arsenal de hormônios e medicamentos. Refrigeradores, navios e aviões tornaram possível armazenar frutas, verduras e legumes durante meses e transportá-los de forma rápida e barata de um lado para outro do mundo. Os europeus começaram a comer no jantar carne fresca argentina e sushi japonês.

Até as plantas e os animais foram mecanizados. Na mesma época que o *Homo sapiens* foi elevado à condição divina pelas religiões humanistas, os animais de criação deixaram de ser vistos como seres vivos que podiam sentir dor e sofrimento, sendo em vez disso tratados como máquinas. Hoje, esses animais com frequência são produzidos em massa em instalações semelhantes a fábricas e seus corpos são moldados de acordo com as necessidades industriais. Passam a vida toda como engrenagens numa linha de produção gigantesca, e a extensão e a qualidade de sua existência são ditadas pelos lucros e pelas perdas das corporações. Mesmo quando trata de mantê-los vivos, razoavelmente saudáveis e bem alimentados, a indústria não tem nenhum interesse intrínseco nas necessidades sociais e psicológicas do animal (exceto quando elas exercem impacto direto na produção).

Por exemplo, as galinhas poedeiras têm um mundo complexo de necessidades e impulsos comportamentais. Sentem um forte desejo de explorar seu ambiente, catar comida pelo chão e dar bicadas, determinando as hierarquias sociais, construindo ninhos e se limpando. Mas a indústria de ovos com frequência as confina em gaiolas minúsculas, e não é incomum que quatro galinhas dividam uma gaiola, em que cada qual dispõe de um espaço de 22 por 25 centímetros. As galinhas recebem comida suficiente, porém são impedidas de estabelecer seu território, construir um ninho ou executar outras atividades naturais. Na verdade, as gaiolas são tão pequenas que as galinhas nem podem bater as asas ou ficar totalmente eretas.

Os porcos estão entre os mamíferos mais inteligentes e curiosos, só perdendo talvez para os grandes primatas. Entretanto, as criações industriais de porcos confinam as porcas com filhotes em espaços tão diminutos que elas são literalmente incapazes de se virar (muito menos andar ou procurar por comida pelo chão). Elas permanecem nesses caixotes dia e noite por quatro semanas após parir, quando então os leitões são levados para a engorda e as porcas são de novo emprenhadas a fim de produzir uma nova prole.

Muitas vacas leiteiras vivem quase todos os anos que lhes são permitidos dentro de um cercado pequeno, de pé, sentadas ou deitadas sobre sua própria urina e excremento. Recebem doses regulares de alimentos, hormônios e medicamentos de um conjunto de máquinas, sendo ordenhadas de horas em horas por outro conjunto de máquinas. A vaca é tratada como pouco mais que uma boca que recebe matéria-prima e um úbere que produz uma mercadoria. Tratar criaturas vivas que possuem mundos emocionais complexos como se fossem máquinas provavelmente lhes causa não apenas desconforto físico, mas também muita tensão social e frustração psicológica.[7]

Assim como o tráfico de escravos no Atlântico não foi fruto do ódio aos africanos, a indústria moderna de animais não é motivada pela animosidade. Mais uma vez, resulta da indiferença. A maior parte das pessoas que produzem e consomem ovos, leite e carne raramente pensa sobre o destino das galinhas, das vacas e dos porcos cuja carne e tudo aquilo que produzem estão sendo consumidos. Os que pensam costumam afirmar que esses animais são de fato pouco diferentes de máquinas, desprovidos de sensações e emoções, incapazes de sofrer. Ironicamente, as mesmas disciplinas científicas que criam as máqui-

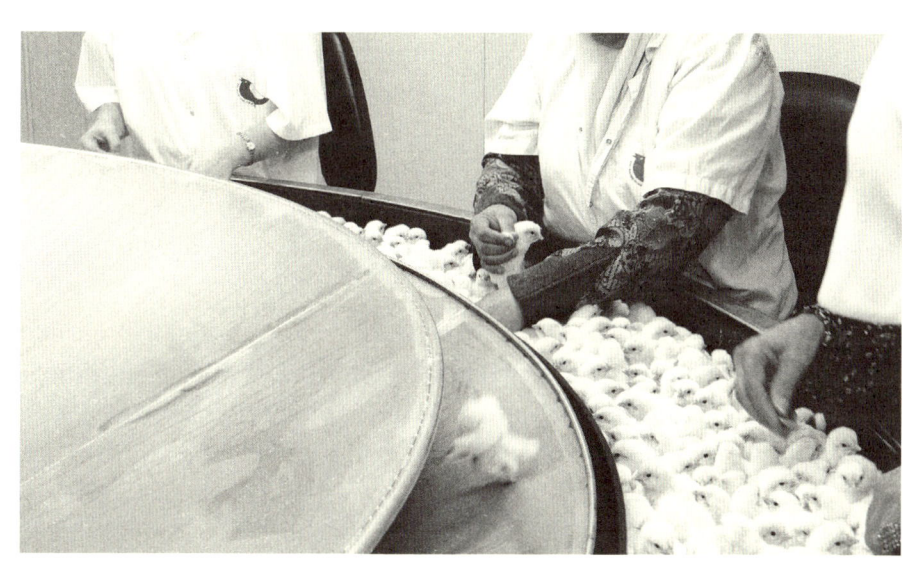

41. *Pintinhos na esteira transportadora de uma incubadora comercial. Os machos e as fêmeas imperfeitos são retirados da esteira e asfixiados em câmaras de gás, jogados em trituradores automáticos ou simplesmente atirados no lixo, onde morrem esmagados. Centenas de milhões de pintinhos são liquidados todos os anos nessas incubadoras.*

nas de ordenha e de produção de ovos nos últimos anos demonstraram, para além de qualquer dúvida razoável, que os mamíferos e as aves têm um sistema sensorial e emocional complexo. Não apenas sentem dor física, como também podem padecer de sofrimentos emocionais.

A psicologia evolucionária sustenta que as necessidades emocionais e sociais dos animais de criação evoluíram quando eles eram selvagens e precisavam lutar pela sobrevivência e pela reprodução. Por exemplo, uma vaca selvagem necessitava saber como criar relações íntimas com outras vacas e outros touros, ou não seria capaz de sobreviver e reproduzir. A fim de aprender essas habilidades, a evolução implantou nos bezerros — assim como nos filhotes de todos os outros mamíferos sociais — um forte desejo de brincar (pois é assim que os mamíferos aprendem a se comportar socialmente). E incutiu neles um desejo ainda mais forte de se ligar às mães, cujo leite e cuidados são essenciais para sua sobrevivência.

O que acontece quando, hoje, os fazendeiros separam da mãe uma bezerra novinha, enfiam-na num espaço confinado, lhe dão comida, água e inoculações contra doenças — e então, atingida uma idade suficiente, a inseminam com o sêmen de um touro? De uma perspectiva objetiva, a bezerra ainda sente um forte desejo de estar com a mãe e de brincar com outros filhotes. Se esses desejos não são realizados, a bezerra sofre muito. Essa é a lição básica da psicologia evolucionária: uma necessidade gerada em estado selvagem continua a ser subjetivamente sentida mesmo se já não for de fato necessária para a sobrevivência e a reprodução. A tragédia da agricultura industrial reside em cuidar das necessidades objetivas dos animais ao mesmo tempo que ignora suas necessidades subjetivas.

A verdade dessa teoria é sabida ao menos desde a década de 1950, quando o psicólogo norte-americano Harry Harlow estudou o desenvolvimento de macacos. Harlow separou filhotes de macacos de suas mães várias horas depois do nascimento. Os macacos foram isolados em gaiolas e criados por bonecos que faziam o papel de mães. Em cada gaiola, Harlow colocou duas mães artificiais. Uma era feita de arames e tinha uma mamadeira da qual o macaquinho podia extrair o leite. A outra era feita de madeira e coberta com tecido, o que a fazia parecer com uma macaca de verdade, embora não fornecesse ao macaquinho nenhum sustento material. Presumia-se que os macacos bebês se agarrariam à mãe de metal, que lhes fornecia nutrição, e não à de tecido, incapaz de fazê-lo.

42. *Um dos macaquinhos órfãos de Harlow se agarra à mãe de tecido mesmo enquanto mama na mãe de metal.*

Para a surpresa de Harlow, os macaquinhos mostraram uma nítida preferência pela mãe de tecido, passando a maior parte do tempo com ela. Quando as duas mães eram postas bem próximas uma da outra, os bebês se agarravam à mãe de tecido mesmo enquanto se esticavam para mamar na mãe de metal. Harlow suspeitou que os filhotes fizessem isso por sentir frio. Por isso, instalou uma lâmpada elétrica dentro da mãe de arame, que então passou a irradiar calor. A maioria dos macaquinhos, exceto os muito novos, continuou a preferir a mãe de tecido.

Pesquisas subsequentes mostraram que os macacos órfãos de Harlow ficaram emocionalmente perturbados ao crescer, muito embora tivessem recebido toda a nutrição de que precisavam. Nunca se ajustaram à sociedade dos macacos, tinham dificuldade em se comunicar com os outros, sofriam de altos níveis de ansiedade e agressividade. A conclusão foi inescapável: os macacos devem ter necessidades e desejos psicológicos que vão além de seus requisitos materiais e sofrem muito caso tais impulsos não sejam satisfeitos. Os bebês macacos de Harlow preferiam passar seu tempo perto de uma mãe de tecido que não lhes proporcionava comida porque buscavam um vínculo emocional, não apenas leite. Nas décadas seguintes, diversos estudos revelaram que essa conclusão se aplica não apenas aos macacos, mas também a outros mamíferos e às aves. Nos dias atuais, milhões de animais de criação estão sujeitos às mesmas condições dos macacos de Harlow quando os fazendeiros de maneira rotineira separam bezerros, cabritos e outros filhotes de suas mães a fim de criá-los em isolamento.[8]

No total, dezenas de bilhões de animais de criação vivem hoje como parte de uma linha mecanizada de montagem, e cerca de 50 bilhões deles são abatidos todo ano. Esses métodos industriais de lidar com os animais conduziram ao acentuado incremento da produção agrícola e das reservas de alimentos dos humanos. Ao lado da mecanização das culturas, a criação industrial de animais é a base de toda a ordem socioeconômica moderna. Antes da industrialização da agricultura, a maior parte dos alimentos produzidos nos campos e nas fazendas era gasta alimentando camponeses e os próprios animais de criação. Só uma pequena percentagem ficava disponível para alimentar artesãos, professores, sacerdotes e burocratas. Consequentemente, em quase todas as sociedades os camponeses representavam mais de 90% da população. Após a industrialização da agricultura, um número decrescente de agricultores bastou para alimentar um número crescente de funcionários e operários. Hoje, nos Estados Unidos, apenas 2% da população ganha a vida na agricultura, porém esses 2% produzem o suficiente para alimentar toda a população norte-americana e ainda exportar os excedentes para o resto do mundo.[9] Sem a industrialização da agricultura, a Revolução Industrial urbana nunca teria acontecido — não haveria mãos e cérebros suficientes para servir nas fábricas e nos escritórios.

À medida que essas fábricas e escritórios absorviam os bilhões de mãos e cérebros liberados do trabalho no campo, eles começaram a produzir uma avalanche de produtos nunca vista. Os humanos agora produzem muito mais aço, fabricam muito mais roupas e constroem muito mais estruturas do que jamais o fizeram. Além disso, produzem uma gama estonteante de bens até então inimagináveis, como lâmpadas elétricas, celulares, câmeras e lavadoras de pratos. Pela primeira vez na história humana, a oferta começa a superar a demanda. E nasceu um problema completamente novo: quem vai comprar essas coisas todas?

A ERA DAS COMPRAS

A economia capitalista moderna precisa aumentar a todo momento a produção para sobreviver, como um tubarão que necessita nadar para não morrer asfixiado. Todavia, não basta produzir. Alguém precisa também comprar os produtos, senão os industriais e os investidores vão quebrar. Para evitar essa catástrofe, além de se assegurar de que as pessoas sempre comprarão qualquer coisa nova que a indústria vier a produzir, surgiu um novo tipo de ética: o consumismo.

A maioria das pessoas ao longo da história viveu sob condições de escassez e tinha como lema a frugalidade. A ética austera dos puritanos e dos espartanos oferece dois exemplos famosos. Uma pessoa boa evitava luxos, nunca jogava comida fora, remendava a calça rasgada em vez de comprar uma nova. Só os reis e os nobres se permitiam renunciar publicamente a esses valores e exibir de forma ostensiva sua riqueza.

O consumismo vê o consumo de um número cada vez maior de bens e serviços como uma coisa positiva. Encoraja as pessoas a se darem prazer, a se mimarem, e até se matarem aos poucos por conta do excesso de consumo. A frugalidade é uma doença a ser curada. Não é preciso ir longe para ver a ética do consumo em ação — basta ler a parte de trás de uma caixa de cereal. Abaixo transcrevo a citação de uma caixa do meu cereal preferido, produzido por uma firma israelense chamada Telma:

> Às vezes você precisa se dar um prazer. Às vezes você precisa de um pouquinho de energia a mais. Há momentos em que observa seu peso e outros em que sim-

plesmente tem que comer alguma coisa... agora! Telma lhe oferece uma variedade de cereais deliciosos — prazer sem remorso.

A mesma caixa exibe o anúncio de outra marca de cereais chamada Delí-
cias Saudáveis:

> Delícias Saudáveis lhe oferece muitos grãos, frutas e nozes para uma experiência
> que combina sabor, prazer e saúde. Para uma guloseima gostosa no meio do dia,
> que se adéqua a quem tem um estilo de vida saudável. *Uma delícia com o mara-*
> *vilhoso sabor de quero mais!* [grifo no original]

Durante a maior parte da história, é provável que as pessoas se sentissem
repugnadas, e não atraídas, por esse texto. Considerariam que era egoísta, de-
cadente e moralmente corrupto. Com a ajuda da psicologia popular ("Faça
isso!"), o consumismo trabalhou duro para convencer as pessoas que a indul-
gência é uma coisa boa para você, enquanto a frugalidade é uma forma de
auto-opressão.

Deu certo. Somos todos bons consumidores. Compramos incontáveis
produtos de que não precisamos e que até a véspera nem sabíamos que existiam. Os fabricantes deliberadamente projetam bens de vida curta, inventando
modelos novos e desnecessários de artigos perfeitamente satisfatórios que necessitamos comprar para ficar "na moda". Ir às compras se tornou um dos
passatempos prediletos das pessoas, e os bens de consumo passaram a ser me-
diadores essenciais nas relações entre membros da família, cônjuges e amigos.
Feriados religiosos como o Natal se transformaram em festivais de compras.
Nos Estados Unidos, mesmo o Memorial Day — originalmente um dia solene
para lembrar os soldados mortos em combate — é agora uma ocasião para
vendas especiais. A maioria das pessoas aproveita esse dia para ir às lojas, talvez
querendo provar que os defensores da liberdade não morreram em vão.

O florescimento da ética consumista se manifesta de modo mais claro no
mercado de alimentos. As sociedades agrícolas tradicionais viviam à sombra
terrível da fome. No mundo abastado de hoje, um dos principais problemas de
saúde é a obesidade, que aflige os pobres (que se entopem de hambúrgueres e
pizzas) de modo ainda mais grave que os ricos (que comem saladas orgânicas
e tomam vitaminas de frutas). A cada ano, a população norte-americana gasta

mais dinheiro em dietas do que a quantia necessária para alimentar todas as pessoas com fome no resto do mundo. A obesidade é uma dupla vitória para o consumismo: em vez de comer pouco, que levaria à contração econômica, as pessoas comem demais, e então compram produtos dietéticos — contribuindo assim duas vezes para o crescimento econômico.

Como podemos equacionar a ética consumista com a ética capitalista dos homens de negócio, segundo a qual os lucros não devem ser desperdiçados, e sim reinvestidos na produção? É simples. Como nas eras anteriores, hoje há uma divisão de trabalho entre a elite e as massas. Na Europa medieval, os aristocratas gastavam seu dinheiro sem maiores cuidados em luxos extravagantes, enquanto os camponeses viviam de maneira frugal, preocupados com cada centavo. Hoje, o jogo virou. Os ricos tomam grandes cuidados na gerência de seus ativos e investimentos, enquanto os menos abonados contraem dívidas para adquirir carros e televisores de que não precisam.

As éticas capitalista e consumista são dois lados da mesma moeda, a fusão de dois mandamentos. O mandamento supremo dos ricos é: "Invista!". O mandamento supremo para o resto de nós é: "Compre!".

A ética capitalista-consumista é revolucionária em outro aspecto. A maioria dos sistemas éticos anteriores colocava as pessoas diante de um dilema bem complicado. Prometia-se a elas o paraíso, mas apenas se cultivassem a compaixão e a tolerância, superassem os desejos e a raiva, contivessem seus interesses egoístas. Isso é pesado demais para quase todo mundo. A história da ética é um triste relato de ideais maravilhosos que ninguém consegue adotar na prática. A maior parte dos cristãos não imitou Jesus Cristo, a maior parte dos budistas não seguiu os ensinamentos de Buda, a maior parte dos confucianos provocaria em Confúcio um ataque de nervos.

Em contrapartida, a maioria das pessoas hoje é capaz de se mostrar à altura do ideal capitalista-consumista. A nova ética promete o paraíso sob a condição de que os ricos permaneçam gananciosos e passem seu tempo ganhando mais dinheiro. E que as massas deixem seus desejos e suas paixões correrem soltos — e comprem cada vez mais. Essa é a primeira religião na história cujos fiéis de fato fazem o que lhes é pedido. Mas como sabemos que, em troca, vamos realmente chegar ao paraíso? Ah, vimos isso na televisão!

18. Uma revolução permanente

A Revolução Industrial criou novas maneiras de converter energia e produzir bens, em grande medida libertando a humanidade de sua dependência do ecossistema que a rodeia. Os humanos derrubaram florestas, drenaram pântanos, represaram rios, inundaram vales, construíram dezenas de milhares de quilômetros de estradas de ferro e ergueram metrópoles repletas de arranha-céus. À medida que o mundo ia sendo moldado para servir às necessidades do *Homo sapiens*, hábitats foram destruídos e espécies, extintas. Nosso planeta, outrora verde e azul, está se transformando num shopping center de plástico e concreto.

Hoje, os continentes são habitados por quase 7 bilhões de sapiens. Se pegássemos todas essas pessoas e as puséssemos numa enorme balança, o peso combinado seria de aproximadamente 300 milhões de toneladas. Se depois disso pegássemos todos os animais de criação — vacas, porcos, ovelhas e galinhas — e os colocássemos numa balança ainda maior, o peso alcançaria cerca de 700 milhões de toneladas. Em contrapartida, o peso total de todos os animais selvagens de grande porte que sobreviveram — dos porcos-espinhos a pinguins, elefantes e baleias — seria menos de 100 milhões de toneladas. Nossos livros infantis, nossa iconografia e nossas telas de TV ainda mostram com frequência girafas, lobos e chimpanzés, mas no mundo real sobraram muito poucos deles. Há cerca de 80 mil girafas no planeta, comparado com 1,5 bilhão de cabeças de gado; só 200 mil lobos, comparado com os 400 milhões de cachorros domésticos; apenas 250 mil chimpanzés, em contraste com bilhões de humanos. A humanidade de fato tomou conta do mundo.[1]

Degradação ecológica não é o mesmo que escassez de recursos. Como vimos no capítulo anterior, os recursos de que a humanidade dispõe estão aumentando constantemente, e há uma grande chance de que continuem a fazê-lo. Por isso, é provável que as profecias sobre o apocalipse baseadas na escassez de recursos sejam equivocadas. Mas o medo da degradação ecológica é muito bem fundamentado. No futuro, o sapiens pode obter o controle de uma cornucópia de novos materiais e fontes energéticas, ao mesmo tempo que destrói o que resta do hábitat natural e leva a maioria das outras espécies à extinção.

Na verdade, o distúrbio ecológico pode ameaçar a sobrevivência do próprio *Homo sapiens*. O aquecimento global, a elevação do nível dos oceanos e a poluição generalizada podem tornar a Terra menos hospitaleira para a nossa espécie, e como consequência fazer com que o futuro testemunhe uma corrida desenfreada entre o poder humano e os desastres naturais induzidos pelo homem. Ao usar seu poder para contrariar as forças da natureza e subjugar o ecossistema para satisfazer suas necessidades e caprichos, os humanos podem multiplicar efeitos colaterais perigosos e imprevistos. Esses efeitos provavelmente só serão controláveis por meio de manipulações cada vez mais drásticas do ecossistema, resultando num caos ainda maior.

Muitos chamam esse processo de "destruição da natureza". Mas não se trata efetivamente de destruição, e sim de transformação. A natureza não pode ser destruída. Há 65 milhões de anos um asteroide exterminou os dinossauros, mas, ao fazer isso, abriu caminho para os mamíferos. Hoje, a humanidade está levando à extinção muitas espécies, podendo até mesmo se autoaniquilar. Mas outros organismos vêm se dando muito bem. Ratos e baratas, por exemplo, estão vivendo uma era dourada. Essas criaturas tenazes provavelmente sairiam de debaixo das ruínas fumegantes de um Armagedom nuclear prontas para disseminar seu DNA. Talvez, dentro de 65 milhões de anos, ratos inteligentes olharão para trás e agradecerão à dizimação causada pela humanidade, assim como hoje agradecemos ao asteroide que acabou com os dinossauros.

Seja como for, os rumores sobre nossa própria extinção são prematuros. Desde a Revolução Industrial, a população humana cresceu mais rápido que nunca. Em 1700, o planeta era habitado por cerca de 700 milhões de humanos. Em 1800, já éramos 950 milhões. Por volta de 1900, o total havia quase dobrado, chegando a 1,6 bilhão; e em 2000 havia quadruplicado para 6 bilhões. Hoje existem perto de 7 bilhões de sapiens.

TEMPOS MODERNOS

Enquanto esses sapiens se tornaram cada vez mais imunes aos caprichos da natureza, também ficaram mais sujeitos aos ditames da indústria e do governo modernos. A Revolução Industrial abriu caminho para uma longa série de experimentos em engenharia social e uma série ainda maior de mudanças não premeditadas na vida cotidiana e na mentalidade humana. Um exemplo entre muitos é a substituição dos ritmos da agricultura tradicional pela programação uniforme e exata da indústria.

A agricultura tradicional dependia de ciclos do tempo natural e do crescimento orgânico. A maioria das sociedades era incapaz de medir o tempo com precisão, mas nem estava muito interessada nisso. O mundo seguia em frente sem relógios e horários, sujeito apenas aos movimentos do sol e aos ciclos de crescimento das plantas. Não havia um dia de trabalho uniforme, todas as rotinas se alteravam drasticamente de uma estação para a outra. As pessoas sabiam onde estava o sol e observavam ansiosas os prenúncios da estação chuvosa e do momento da colheita. Mas não sabiam que horas eram e pouco se importavam com o ano em que estavam. Se um viajante do tempo se perdesse e, aparecendo de repente numa aldeia medieval, perguntasse a um passante "Em que ano estamos?", o aldeão ficaria tão perplexo com a pergunta quanto com o vestuário ridículo do forasteiro.

Em contraste com os camponeses e sapateiros medievais, a indústria moderna pouco se importa com o sol ou a estação do ano. Glorifica a precisão e a uniformidade. Por exemplo, numa oficina medieval, cada sapateiro fazia um sapato inteiro, da sola à fivela. Se um sapateiro chegava tarde ao trabalho, isso não impedia os outros de trabalhar. Todavia, na linha de montagem de uma fábrica moderna de calçados, cada operário cuida de uma máquina que pro-

43. *Charlie Chaplin como um simples operário apanhado nas engrenagens de uma linha de montagem industrial, no filme* Tempos modernos (1936).

duz apenas uma pequena parte de um sapato, que é então passada à máquina seguinte. Se o operário que opera a máquina número cinco acordou muito tarde, todas as outras máquinas param. Para evitar essas calamidades, todos precisam obedecer a um horário preciso. Cada operário chega ao trabalho exatamente na mesma hora; todos param para o almoço juntos, estejam com fome ou não; todos voltam para casa quando uma sirene anuncia que a jornada de trabalho terminou — não quando eles terminaram o que estavam fazendo.

A Revolução Industrial transformou o horário e a linha de montagem num modelo para quase todas as atividades humanas. Pouco depois que as fábricas impuseram suas exigências de tempo ao comportamento humano, as escolas também adotaram horários precisos, seguidas por hospitais, repartições públicas e mercadinhos. Mesmo em locais sem linhas de montagem e máquinas, o horário se tornou soberano. Se o turno na fábrica termina às cinco da tarde, o botequim local fará muito bem se abrir às 17h02.

Um elo fundamental na disseminação do sistema de horários foi o transporte público. Se os operários precisavam começar seu turno à oito da manhã, o trem ou o ônibus tinha de chegar aos portões da fábrica às 7h55. O atraso de alguns minutos reduziria a produção e talvez conduzisse até mesmo à demissão dos infelizes retardatários. Em 1784, um serviço de carruagens com horário publicado começou a operar na Grã-Bretanha. A grade horária especificava apenas a hora de partida, não a de chegada. Naquela época, cada cidade e vilarejo britânico tinha sua própria hora local, que diferia daquela de Londres em até trinta minutos. Quando era meio-dia em Londres, talvez fossem 12h20 em Liverpool e 11h50 em Canterbury. Como não havia telefones, rádio ou televisão, e nenhum trem rápido, quem poderia saber, e quem se importava com isso?[2]

O primeiro serviço comercial de trens começou a operar entre Liverpool e Manchester em 1830. Dez anos depois, o primeiro horário de trens foi divulgado. Como os trens eram muito mais rápidos que as velhas carruagens, as diferenças excêntricas entre os horários locais se tornaram um empecilho. Em 1847, as companhias ferroviárias britânicas se reuniram e concordaram que, dali em diante, todos os horários de trens seriam calibrados pela hora do Observatório de Greenwich, e não pelas horas locais de Liverpool, Manchester ou Glasgow. Cada vez mais instituições seguiram a liderança das companhias ferroviárias. Por fim, em 1880, o governo britânico tomou a medida sem precedente de legislar que todos os horários deveriam seguir Greenwich. Pela primeira vez na história, um país adotava uma hora nacional e obrigava sua população a viver de acordo com um relógio artificial, e não a se orientar pelos relógios locais ou os ciclos do amanhecer e do anoitecer.

Esse começo modesto gerou uma rede global de horários, sincronizados até a menor fração de segundo. Quando as mídias de transmissão — primeiro o rádio, depois a televisão — entraram em cena, já chegaram a um mundo com horários, mas se tornaram seus maiores garantidores e propagadores. Entre as primeiras coisas que as estações de rádio transmitiram foram sinais marcando cada segundo, toques que permitiam a povoações muito remotas e navios em alto-mar acertarem seus relógios. Mais tarde, as estações de rádio adotaram o costume de transmitir noticiários de hora em hora. Hoje, o primeiro item de cada noticiário — mais importante até que a eclosão de guerras — é a hora certa. Durante a Segunda Guerra Mundial, a BBC News era transmitida para a Europa ocupada pelos nazistas. Cada programa de notícias começava com uma transmissão ao vivo das badaladas do Big Ben dando a hora certa — o som mágico da liberdade. Engenhosos físicos alemães encontraram uma maneira de determinar as condições meteorológicas em Londres com base nas minúsculas diferenças no tom daquelas badaladas. Essa informação prestou uma ajuda valiosíssima à Luftwaffe. Quando o Serviço Secreto britânico descobriu isso, substituiu a transmissão ao vivo por gravações do famoso relógio.

Para que a rede de horários funcionasse, relógios portáteis baratos mas precisos se tornaram onipresentes. Nas cidades assírias, sassânidas ou incas talvez houvesse, na melhor das hipóteses, alguns relógios de sol. Nas cidades medievais da Europa havia em geral um único relógio — uma enorme máquina montada no topo da torre alta na praça principal. Era sabido que esses relógios de torres eram imprecisos, mas, sem que houvesse outros na cidade para contradizê-los, isso não fazia a menor diferença. Hoje em dia, uma única família abastada possui em geral mais relógios em casa que todo um país medieval. Pode-se dizer a hora olhando para o relógio de pulso, batendo o olho num Android, consultando o despertador na mesinha de cabeceira, os relógios de parede na cozinha, do micro-ondas, da televisão, do aparelho de DVD ou da barra de tarefas de seu computador. É preciso fazer um esforço consciente para não saber que horas são.

Uma pessoa comum consulta esses relógios várias dezenas de vezes por dia, porque quase tudo que fazemos precisa ser feito na hora certa. Um despertador nos acorda às sete da manhã, esquentamos o pãozinho congelado por exatamente cinquenta segundos no micro-ondas, escovamos os dentes por três minutos até que a escova elétrica emita um bipe, pegamos o trem das 7h40 para ir ao trabalho, corremos na esteira da academia até que o aparelho anuncie que se passou meia hora, sentamos diante da TV às sete da noite para assistir a nosso programa predileto, somos interrompidos em momentos predeterminados por anúncios que custam mil dólares por segundo, e acabamos descarregando toda nossa raiva no psicanalista que corta nossa conversa-fiada ao se esgotarem os cinquenta minutos que agora se convencionou chamar de uma hora de terapia.

A Revolução Industrial causou dezenas de grandes reviravoltas na sociedade humana. A adaptação ao tempo industrial é apenas uma delas. Outros exemplos notáveis incluem a urbanização, o desaparecimento do campesinato, a ascensão do proletariado industrial, o empoderamento do cidadão comum, a democratização, a cultura jovem e a desintegração do patriarcado.

No entanto, todas essas reviravoltas têm menor magnitude que a mais relevante revolução social que acometeu a humanidade: o colapso da família e da comunidade local, substituídas pelo Estado e pelo mercado. Tanto quanto sabemos, desde os tempos mais remotos, há mais de 1 milhão de anos, os humanos viviam em comunidades pequenas e íntimas, em que quase todos eram parentes. A Revolução Cognitiva e a Revolução Agrícola não alteraram essa situação: reuniram famílias e comunidades para criar tribos, cidades, reinos e impérios, mas as famílias e as comunidades permaneceram como unidades básicas de todas as sociedades humanas. A Revolução Industrial, por outro lado, em pouco mais de dois séculos, conseguiu romper essas unidades gerando átomos. A maior parte das funções tradicionais das famílias e das comunidades foi transferida para o Estado e os mercados.

O COLAPSO DA FAMÍLIA E DA COMUNIDADE

Antes da Revolução Industrial, a vida cotidiana da maioria dos humanos se desenrolava dentro de três estruturas antigas: a família nuclear, a família estendida e a comunidade local íntima.* A maioria das pessoas trabalhava em negócios familiares — a fazenda ou a oficina da família, por exemplo — ou nos negócios da família dos vizinhos. A família era também o sistema de bem-estar, o sistema de saúde, o sistema educacional, a indústria de construção, o sindicato, o fundo de pensão, a companhia de seguros, o rádio, a televisão, os jornais, o banco e até mesmo a polícia. Quando uma pessoa ficava doente, a família cuidava dela. Quando envelhecia, a família a sustentava, e seus filhos serviam como um fundo de pensão. Quando morria, a família cuidava dos órfãos. Se alguém queria construir uma choupana, a família ajudava. Se alguém queria abrir um negócio, a família levantava o dinheiro necessário. Se alguém queria se casar, a família escolhia, ou ao menos avaliava, o candidato a

---

* Uma "comunidade íntima" é um grupo de pessoas que se conhecem bem e dependem umas das outras para sobreviver.

cônjuge. Se surgisse um conflito com algum vizinho, a família participava. Mas, se a doença era grave demais para ser tratada pela família, ou um novo negócio exigisse um investimento grande demais, ou se uma rixa de vizinhos resultasse em violência, então a comunidade local vinha em socorro.

A comunidade oferecia auxílio com base em tradições locais e em uma economia de favores, que com frequência era muito diferente das leis de oferta e procura do livre mercado. Numa típica comunidade medieval, quando meus vizinhos necessitavam, eu os ajudava a construir sua choupana e a vigiar suas ovelhas sem esperar nenhum pagamento em troca. Quando eu precisava, meu vizinho retribuía o favor. Ao mesmo tempo, o potentado local poderia recrutar todos nós da aldeia para construir seu castelo sem nos pagar um centavo. Em troca, contávamos com ele para nos defender de assaltantes e bárbaros. A vida na aldeia envolvia muitas transações mas poucos pagamentos. Claro que havia alguns mercados, porém tinham um papel limitado. Era possível comprar especiarias, tecidos e ferramentas, além de contratar os serviços de advogados e médicos. Todavia, menos de 10% dos produtos e serviços em geral usados eram comercializados no mercado. A maior parte das necessidades humanas era atendida pela família e pela comunidade.

Havia também reinos e impérios que executavam tarefas importantes, tais como travar guerras, abrir estradas e erguer palácios. Para esses fins, os reis cobravam impostos e às vezes recrutavam soldados e trabalhadores. No entanto, com raras exceções, eles costumavam manter distância dos assuntos cotidianos das famílias e comunidades. Mesmo se quisessem intervir, a maioria dos reis só o faria com dificuldade. As economias agrícolas tradicionais tinham poucos excedentes para alimentar numerosos funcionários do governo, policiais, assistentes sociais, professores e médicos. Consequentemente, a maioria dos governantes não criava vastos sistemas de bem-estar, de saúde ou de educação. Deixavam tais questões como responsabilidade das famílias e comunidades. Mesmo nas raras ocasiões em que tentavam intervir de maneira mais intensa na vida diária dos camponeses (como ocorreu, por exemplo, no Império Qin da China), os governantes o faziam convertendo os chefes de família e anciãos da comunidade em agentes governamentais.

As dificuldades de transporte e comunicação tornavam tão complicado intervir nos assuntos de comunidades remotas que muitos reinos preferiam lhes ceder até mesmo suas prerrogativas mais fundamentais — como a cobrança de impostos e a violência. O Império Otomano, por exemplo, para não ter de sustentar uma grande força policial, permitia que as vinganças familiares resultassem em justiça pelas próprias mãos. Se meu primo matasse alguém, o irmão da vítima poderia me matar numa vingança assumida. O sultão em Istambul ou mesmo o paxá provincial não intervinham nessas disputas desde que a violência se mantivesse dentro de limites aceitáveis.

No Império Chinês Ming (1368-1644), a população era organizada no sistema de *baojia*. Dez famílias eram agrupadas para formar uma *jia*, e dez *jia* constituíam um *bao*. Quando um membro de um *bao* cometia um crime, outros membros do *bao* podiam ser punidos, em especial os anciãos do grupo. Os impostos também eram cobrados do *bao*, sendo responsabilidade de seus anciãos, e não do Estado, avaliar a situação de cada família e determinar o quanto podia pagar de impostos. Da perspectiva do império, esse sistema tinha uma vantagem enorme. Em vez de manter milhares de funcionários do Tesouro e cobradores de impostos, que precisariam monitorar as receitas e as despesas de cada família, tais tarefas eram deixadas a cargo dos anciãos da comunidade. Eles sabiam quanto valia cada aldeão e podiam em geral garantir os pagamentos de impostos sem recorrer ao exército imperial.

Muitos reinos e impérios na verdade não passavam de grandes esquemas de proteção como os oferecidos por mafiosos. O rei era o *capo di tutti capi* que coletava o dinheiro de proteção, garantindo em troca que criminosos de outras vizinhanças e bandidinhos locais não fariam mal àqueles sob sua proteção. Não fazia muito mais que isso.

A vida no seio das famílias e das comunidades estava longe de ser ideal. Elas podiam oprimir seus membros de forma tão brutal quanto os modernos Estados e mercados, e sua dinâmica interna era muitas vezes carregada de tensão e violência — mas não havia muitas opções. A pessoa que perdesse sua família e comunidade por volta de 1750 estava praticamente morta. Não tinha emprego, nenhuma instrução e nenhum apoio em caso de doença ou sofrimento. Ninguém lhe emprestaria dinheiro ou a defenderia caso se metesse em alguma confusão. Não havia policiais, assistentes sociais, nenhum ensino obrigatório. A fim de sobreviver, tal pessoa precisava encontrar rapidamente uma família ou comunidade alternativa. Rapazes e moças que fugiam de casa podiam esperar, na melhor das hipóteses, se tornarem criados de uma nova família. Na pior das hipóteses, havia o Exército ou o bordel.

Tudo isso mudou drasticamente nos últimos dois séculos. A Revolução Industrial deu ao mercado poderes inéditos e enormes, além de fornecer ao Estado novos meios de comunicação e transporte, colocando à disposição dos governos um exército de funcionários, professores, policiais e assistentes sociais. De início, o mercado e o Estado descobriram que seu progresso era bloqueado pelas famílias e pelas comunidades tradicionais, que não gostavam nem um pouco das intervenções externas. Pais e anciãos comunitários se mostravam relutantes em deixar que a geração mais jovem fosse doutrinada por sistemas de educação nacionalistas, recrutada para o Exército ou transformada em proletariado urbano desenraizado.

Com o tempo, os Estados e os mercados usaram seu poder crescente para enfraquecer os vínculos tradicionais familiares e comunitários. O Estado mandou que seus policiais acabassem com as vinganças de família e as substituíssem por decisões dos tribunais. O mercado enviou seus vendedores para liquidar as antigas tradições locais e as substituir por modas comerciais em constante mutação. No entanto, isso não bastou. Com o objetivo de eliminar de fato o poder da família e da comunidade, eles precisaram da ajuda de um quinta-coluna.

O Estado e o mercado levaram às pessoas uma oferta que não podia ser recusada. "Tornem-se indivíduos", eles disseram. "Casem-se com quem quiserem, sem pedir permissão a seus pais. Arranjem o emprego que melhor lhes aprouver, mesmo se os anciãos da comunidade franzirem a testa. Vivam onde bem entenderem, mesmo se não puderem comparecer todas as semanas ao jantar da família. Vocês não dependem mais da sua família ou da sua comunidade. Nós, o Estado e o mercado, vamos cuidar de vocês no lugar deles. Vamos lhes dar comida, moradia, educação, saúde, bem-estar e emprego. Vamos fornecer pensões, seguros e proteção."

A literatura romântica com frequência apresenta o indivíduo como alguém empenhado numa luta contra o Estado e o mercado. Nada é mais distante da verdade. O Estado e o mercado são a mãe e o pai do indivíduo, que só pode sobreviver graças a eles. O mercado nos oferece emprego, seguros e uma pensão por aposentadoria. Se quisermos estudar para seguir alguma profissão, as escolas do governo estão aí para nos ensinar. Se quisermos abrir um negócio, o banco nos empresta dinheiro. Se quisermos ter uma casa, alguma empreiteira a constrói e o banco nos concede uma hipoteca, em alguns casos subsidiada ou garantida pelo Estado. Se ocorrer um episódio de violência, a polícia nos protege. Se ficarmos doentes durante meses, o sistema previdenciário é acionado. Se necessitarmos de assistência permanente, podemos ir ao mercado e contratar um enfermeiro ou enfermeira — em geral alguém que trata de nós com o tipo de devoção que não esperamos mais nem mesmo de nossos próprios filhos. Se tivermos os recursos necessários, podemos passar nossos anos dourados num asilo para idosos. As autoridades fiscais nos tratam como indivíduos, não esperando que paguemos os impostos de nossos vizinhos. Os tribunais também nos veem como indivíduos, não nos punindo nunca pelos crimes de nossos primos.

Não apenas homens adultos, mas também mulheres e crianças são reconhecidas como indivíduos. Ao longo da maior parte da história, as mulheres costumavam ser vistas como propriedade da família ou da comunidade. Os Estados modernos, por outro lado, enxergam as mulheres como indivíduos, com direitos econômicos e jurídicos independentemente de sua família e comunidade. Elas podem ter contas bancárias, decidir com quem se casar e até decidir se divorciar e viver sozinhas.

Mas a libertação do indivíduo teve um preço. Muitos de nós choramos a perda das famílias e das comunidades fortes, nos sentindo alienados e ameaçados pelo poder que o Estado e o mercado impessoais exercem sobre nossas vidas. Os Estados e os mercados compostos de indivíduos alienados podem interferir na vida de seus membros com muito mais facilidade do que os Estados e os mercados compostos de famílias e comunidades fortes. Quando os vizinhos num prédio de apartamentos não conseguem entrar em acordo nem mesmo em relação ao salário do zelador, como podemos esperar que resistam ao Estado?

O relacionamento entre Estados, mercados e indivíduos não é tranquilo. O Estado e o mercado discordam quanto a seus direitos e suas obrigações mútuas, ao passo que os indivíduos reclamam que ambos exigem demais e fornecem muito pouco. Em muitos casos, as pessoas são exploradas pelos mercados, e os Estados empregam exércitos, forças policiais e burocratas para perseguir os indivíduos em vez de defendê-los. No entanto, é surpreendente que esse relacionamento chegue a funcionar — ainda que de forma imperfeita —, porque ele rompe com incontáveis gerações de pactos sociais. Milhões de anos de evolução nos prepararam para viver e pensar como membros de comunidades, e em apenas dois séculos nos tornamos indivíduos alienados. Nada constitui uma prova mais evidente do poder avassalador da cultura.

A família nuclear não desapareceu por completo da paisagem moderna. Quando os Estados e os mercados tiraram da família a maior parte de seus papéis econômicos e políticos, deixaram algumas funções emocionais importantes. Ainda se presume que a família moderna atenda às necessidades íntimas que o Estado e o mercado são (até o momento) incapazes de garantir. Porém, mesmo aqui a família está sujeita a intervenções crescentes. O mercado molda cada vez mais a forma como as pessoas conduzem suas vidas romântica e sexual. Enquanto tradicionalmente a família arranjava o casamento, hoje é o mercado que formula sob medida nossas preferências românticas e sexuais, ajudando depois a realizá-las — e cobrando bem caro por isso. Antigamente, os noivos se reuniam na sala de estar da família, e o dinheiro passava das mãos de um pai para as do outro. Hoje, o namoro se dá em bares e boates, e o dinheiro passa das mãos dos pombinhos para as das garçonetes. Mais dinheiro ainda é transferido para as contas bancárias de estilistas, gerentes de academias, especialistas em dietas, esteticistas e cirurgiões plásticos, que nos auxiliam a chegar aos bares com uma aparência tão próxima do ideal de beleza do mercado quanto é possível.

O Estado também olha mais de perto as relações familiares, sobretudo entre pais e filhos. Os pais são obrigados a mandar os filhos para serem educados pelo Estado. Pais que são especialmente rigorosos ou violentos com os filhos podem ser contidos pelo Estado. Se necessário, o Estado pode até pôr na cadeia os pais ou transferir a criança para famílias adotivas. Até pouco tempo atrás, a sugestão de que o Estado pudesse impedir os pais de bater nos filhos ou humilhá-los seria rejeitada de pronto como ridícula e impraticável. Na maioria das sociedades, a autoridade parental era sacrossanta. O respeito e a obediência aos pais estavam entre os valores mais sagrados, e os pais podiam fazer quase qualquer coisa que desejassem, inclusive matar recém-nascidos, vender crianças como escravos, casar as filhas com homens que tinham o dobro da idade delas. Hoje, a autoridade parental está em franco declínio. Os jovens deixam cada vez mais de obedecer aos mais velhos, ao passo que os pais são culpabilizados por tudo que dá errado na vida de um filho. Mamãe e papai têm tanta

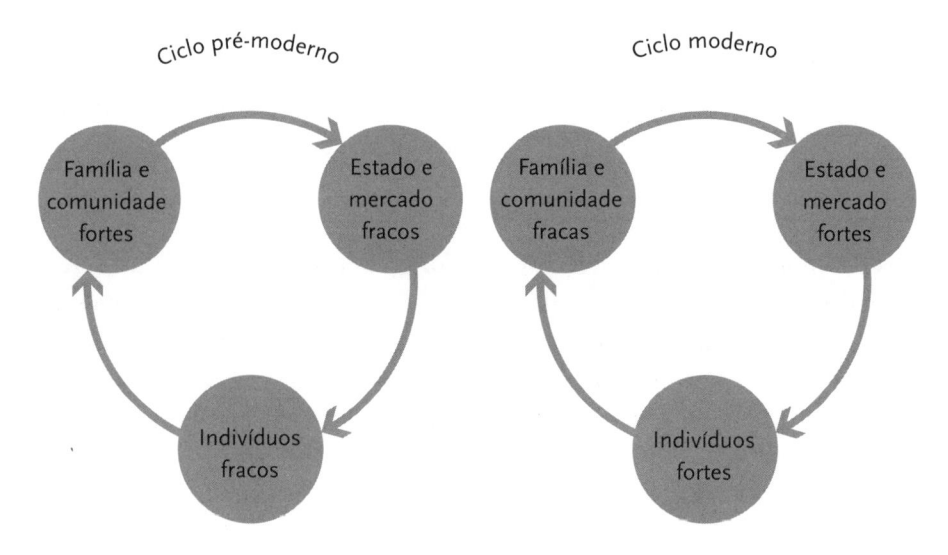

Ciclo pré-moderno · Ciclo moderno

Família e comunidade versus Estado e mercado.

chance de escapar ilesos de um tribunal freudiano quanto os réus nos julgamentos forjados da era stalinista.

COMUNIDADES IMAGINADAS

Assim como a família nuclear, a comunidade não poderia desaparecer por completo de nosso mundo sem algum substituto emocional. Os mercados e os Estados atendem hoje à maior parte das necessidades que antes eram das comunidades, mas também precisam proporcionar vínculos tribais.

Os mercados e os Estados fazem isso promovendo "comunidades imaginadas" que contêm milhões de desconhecidos e são feitas sob medida para atender a necessidades nacionais e comerciais. Uma comunidade imaginada é aquela de pessoas que efetivamente não se conhecem, mas imaginam que sim. Essas comunidades não foram inventadas agora. Reinos, impérios e igrejas funcionaram durante milênios como comunidades imaginadas. Na China antiga, dezenas de milhões de pessoas se viam como membros de uma só família, com o imperador como pai. Na Idade Média, milhões de muçulmanos devotos imaginaram ser irmãos e irmãs na grande comunidade do islã. Contudo, ao longo da história, essas comunidades imaginadas ficavam atrás das comunidades íntimas com várias dezenas de pessoas que se conheciam muito bem. As comunidades íntimas preenchiam as necessidades emocionais de seus membros e eram essenciais para a sobrevivência e o bem-estar de todos. Nos últimos dois séculos, as comunidades íntimas minguaram, deixando que as comunidades imaginadas ocupassem o vácuo emocional criado.

Os dois exemplos mais importantes da ascensão dessas comunidades imaginadas são a nação e a tribo de consumidores. A nação é a comunidade imaginada do Estado. A tribo de consumidores é a do mercado. Ambas são comunidades *imaginadas* porque é impossível que todos os fregueses num mercado ou todos os membros de uma nação de fato se conheçam da mesma forma que os habitantes de uma aldeia se conheciam no passado. Nenhum alemão pode conhecer intimamente os outros 80 milhões de membros da nação alemã, ou os outros 500 milhões de consumidores que moram no Mercado Comum Europeu (que evoluiu primeiro como Comunidade Europeia e depois se transformou na União Europeia).

O consumismo e o nacionalismo se esforçam muitíssimo para nos fazer imaginar que milhões de desconhecidos pertencem à mesma comunidade que nós, que temos todos um passado, interesses e um futuro em comum. Não se trata de uma mentira: é apenas pura imaginação. Assim como o dinheiro, as companhias de responsabilidade limitada e os direitos humanos, as nações e as tribos de consumidores são realidades intersubjetivas. Existem apenas em nossa imaginação coletiva, embora tenham um poder imenso. Enquanto milhões de alemães acreditarem na existência de uma nação alemã, ficarem entusiasmados ao ver os símbolos nacionais alemães, recontarem os mitos nacionais do país e estiverem dispostos a sacrificar dinheiro, tempo e sua integridade física pela nação alemã, a Alemanha permanecerá sendo uma das maiores potências do mundo.

A nação faz o possível para esconder seu caráter imaginário. A maior parte das nações afirma ser uma entidade natural e eterna, criada em alguma época primordial em que o solo da pátria se misturou com o sangue de seu povo. No entanto, tais afirmações são em geral exageradas. Existiram nações no passado remoto, mas sua importância foi muito menor do que hoje porque a relevância do Estado também era bem menor. Um residente da Nuremberg medieval poderia ter sentido alguma lealdade em relação à nação alemã, mas sentia muito mais para com sua família e sua comunidade local, que cuidavam de quase todas as suas necessidades. Ademais, qualquer que tenha sido a importância das antigas nações, poucas sobreviveram. A maioria das nações existentes só se formou depois da Revolução Industrial.

O Oriente Médio fornece vários exemplos. As nações dos sírios, libaneses, jordanianos e iraquianos são resultado de limites traçados aleatoriamente na areia por diplomatas franceses e britânicos que ignoravam a história, a geografia e a economia locais. Esses diplomatas determinaram em 1918 que as pessoas do Curdistão, de Bagdá e de Basra dali em diante seriam "iraquianos". Foram de certa forma os franceses que decidiram quem seria sírio e quem seria libanês. Saddam Hussein e Hafez al-Assad fizeram o possível para promover e fortalecer a consciência de nações manufaturadas por britânicos e franceses, porém seus discursos bombásticos sobre a suposta natureza eterna do Iraque e da Síria soavam falsos.

É desnecessário dizer que as nações não podem ser criadas do nada. Aqueles que trabalharam duro para construir o Iraque ou a Síria usaram elementos reais de história, geografia e cultura — alguns dos quais remontando a séculos ou mesmo milênios. Saddam Hussein cooptou a herança do califado abássida e do Império Babilônico, chegando até mesmo a dar a uma de suas melhores unidades de tanques o nome de Divisão Hamurábi. No entanto, isso não transforma a nação iraquiana numa entidade antiga. Se eu assar um bolo com farinha de trigo, manteiga e açúcar guardados na minha despensa por dois meses, isso não quer dizer que o bolo tenha dois meses.

Em décadas recentes, as comunidades nacionais vêm sendo cada vez mais eclipsadas por tribos de consumidores que não se conhecem intimamente mas partilham dos mesmos hábitos e interesses de consumo, e são, por isso, parte da mesma tribo — e se definem como tal. Isso soa muito estranho, porém estamos cercados de exemplos. Os fãs de Madonna, por exemplo, constituem uma tribo de consumidores. Eles se definem sobretudo pelo que compram: entradas para shows, CDs, pôsteres, camisas e toques de celular com músicas da Madonna, e isso define quem eles são. Os fãs do Manchester United, os vegetarianos e os ambientalistas são outros exemplos. Eles também são definidos acima de tudo pelo que consomem. É a chave da identidade deles. Um vegetariano alemão pode preferir se casar com uma vegetariana francesa a se unir com uma carnívora alemã.

As revoluções dos últimos dois séculos têm sido tão rápidas e radicais que mudaram a característica mais básica da ordem social. Tradicionalmente, a ordem social era sólida e imutável. "Ordem" implicava estabilidade e continuidade. Revoluções sociais rápidas eram excepcionais, e a maior parte das transformações sociais resultava da acumulação de uma série de pequenos passos. Os humanos costumavam presumir que a estrutura social era inflexível e eterna. As famílias e as comunidades podiam lutar para mudar sua posição no interior da ordem, mas a ideia de que era possível alterar a estrutura fundamental era insólita. As pessoas tendiam a se conciliar com o statu quo, declarando que "isso sempre foi assim e sempre será".

Nos dois últimos séculos, o ritmo de mudança se tornou tão veloz que a ordem social adquiriu uma natureza dinâmica e maleável: ela existe agora num estado de fluxo permanente. Quando falamos de revoluções modernas, costumamos pensar em 1789 (a Revolução Francesa), 1848 (as revoluções liberais) ou 1917 (a Revolução Russa). Todavia, o fato é que, hoje em dia, todo ano é revolucionário. Mesmo uma pessoa de trinta anos pode sem brincadeira dizer a adolescentes incrédulos: "Quando eu era jovem, o mundo era completamente diferente". A internet, por exemplo, passou a ser usada em larga escala apenas no início da década de 1990. Hoje, não podemos imaginar o mundo sem ela.

Por isso, qualquer tentativa de definir as características da sociedade moderna equivale a determinar a cor de um camaleão. A única característica de que temos certeza é a mudança incessante. Como as pessoas se acostumaram com isso, a maioria de nós vê a ordem social como uma coisa flexível, que podemos alterar como quisermos e aperfeiçoar a nosso bel-prazer. A principal promessa dos governantes pré-modernos era proteger a ordem tradicional, ou mesmo retornar a uma era dourada perdida. Nos últimos dois séculos, o feijão com arroz da política são promessas de destruir o velho mundo e construir um melhor em seu lugar. Nem mesmo o mais conservador dos partidos políticos proclama que simplesmente manterá as coisas como estão. Todos prometem reformas social, educacional e econômica — e com frequência cumprem tais promessas.

* * *

Assim como os geólogos esperam que os movimentos tectônicos resultem em terremotos e erupções vulcânicas, podemos esperar que os movimentos sociais drásticos resultarão em explosões sangrentas de violência. A história política dos séculos XIX e XX é muitas vezes contada como uma série de guerras, holocaustos e revoluções mortais. Segundo essa visão, tal qual uma criança com botinhas novas pulando de poça em poça, a história salta de um banho de sangue para o seguinte, da Primeira Guerra Mundial para a Segunda Guerra Mundial e dali para a Guerra Fria, do genocídio dos armênios para o genocídio dos judeus e dali para o genocídio dos ruandeses, de Robespierre para Lênin e dali para Hitler.

Há verdade nisso, mas essa lista tão familiar de calamidades é um pouco enganosa. Concentramo-nos demais nas poças e esquecemos a terra seca que as separa. As décadas mais recentes da era moderna têm visto níveis sem precedente não apenas de violência e de horror, mas também de paz e de tranquilidade. Charles Dickens escreveu sobre a Revolução Francesa que "ela foi o melhor dos tempos, ela foi o pior dos tempos". Isso pode ser verdade não apenas para a Revolução Francesa, mas também para toda a era que ela prenunciou.

Essa afirmação é especialmente verdadeira a respeito das sete décadas que transcorreram desde o fim da Segunda Guerra Mundial. Durante esse período, a humanidade pela primeira vez confrontou a possibilidade da autodestruição total, além de viver um número razoável de guerras e genocídios. Entretanto, foi também um dos períodos mais pacíficos na história humana — e com folga. Isso é surpreendente porque essas mesmas décadas testemunharam mais mudanças econômicas, sociais e políticas que qualquer era anterior. As placas tectônicas da história estão se movendo em ritmo frenético, porém os vulcões permanecem na sua maioria silenciosos. A nova ordem elástica parece ser capaz de conter e mesmo iniciar mudanças de estrutura radicais sem derrapar para conflitos violentos.[3]

PAZ EM NOSSO TEMPO

A maioria das pessoas não aprecia quão pacífica é a era em que vivemos. Como nenhum de nós estava vivo há mil anos, podemos facilmente esquecer como o mundo costumava ser muito mais violento. E, à medida que se tornam mais raras, as guerras chamam mais a atenção. Muito mais pessoas pensam nas guerras hoje em curso no Afeganistão e no Iraque do que na paz em que vive a maior parte dos brasileiros e dos indianos.

Vale notar que é mais fácil se relacionar com o sofrimento de indivíduos do que com o de populações inteiras. Todavia, para entender processos macro--históricos, precisamos examinar as estatísticas de grandes aglomerados em vez de narrativas individuais. Em 2000, as guerras causaram a morte de 310 mil indivíduos, enquanto crimes violentos mataram outros 520 mil. Cada vítima é um mundo destruído, uma família arruinada, amigos e parentes com cicatrizes por toda a vida. No entanto, de uma perspectiva mais ampla, essas 830 mil vítimas representam apenas 1,5% dos 56 milhões de pessoas que morreram no ano 2000. Naquele ano, 1,26 milhão morreram em acidentes automobilísticos (2,25% do total) e 815 mil se suicidaram (1,45%).[4]

Os dados para 2002 são ainda mais surpreendentes. Dos 57 milhões de mortos, apenas 172 mil morreram em guerras e 569 mil devido a crimes violentos (um total de 741 mil vítimas da violência humana). Em contrapartida, 873 mil pessoas se suicidaram.[5] Verifica-se, assim, que no ano seguinte ao ataque às torres gêmeas, apesar de tudo que se falou sobre terrorismo e guerra, o homem comum tinha mais probabilidade de se matar do que de ser morto por um terrorista, um soldado ou um traficante de drogas.

Na maior parte do mundo, as pessoas vão dormir sem temer que, no meio da noite, uma tribo vizinha cerque sua aldeia e mate todo mundo. Cidadãos britânicos abastados viajam todos os dias de Nottingham para Londres atravessando a floresta de Sherwood sem ter medo de que um bando de alegres assaltantes vestidos de verde possam armar uma emboscada e lhes tomar o dinheiro para dar para os pobres (ou, mais provável, matá-los e ficar com o dinheiro para si próprios). Os estudantes não apanham de vara dos professores, as crianças não precisam ter medo de ser vendidas como escravas quando seus pais não podem pagar as contas, e as mulheres sabem que a lei proíbe seus maridos de bater nelas e forçá-las a ficar em casa. Cada vez mais, em todo o mundo, essas expectativas se cumprem.

O declínio da violência se deve em grande medida à ascensão do Estado. Ao longo da história, a maior parte da violência era resultado de rixas locais entre famílias e comunidades. (Mesmo hoje, como as cifras acima indicam, o crime local é uma ameaça bem mais letal que as guerras internacionais.) Como vimos anteriormente, os agricultores antigos, que não conheciam organiza-ções políticas maiores que as comunidades locais, sofriam uma violência gene-ralizada.[6] À medida que se fortaleceram, os reinos e os impérios controlaram as comunidades, e o nível de violência diminuiu. Nos reinos descentralizados da Europa medieval, cerca de vinte a quarenta pessoas eram mortas por ano para cada 100 mil habitantes. Em décadas recentes, quando os Estados e os mercados se tornaram todo-poderosos e as comunidades desapareceram, as taxas de violência caíram ainda mais. Hoje, a média global é de apenas nove assassinatos por ano para cada 100 mil pessoas, e a maior parte desses assassi-natos ocorre em Estados débeis como a Somália e a Colômbia. Nos Estados centralizados da Europa, a média é de um assassinato por ano para cada 100 mil habitantes.[7]

Há sem dúvida casos em que os Estados usam seu poder para matar os próprios cidadãos, o que muitas vezes ocupa um grande espaço em nossas memórias e em nossos temores. Durante o século xx, dezenas de milhões, se não centenas de milhões, de pessoas foram mortas pelas forças de segurança de seus Estados. Mesmo assim, de uma perspectiva mais ampla, os tribunais e as forças policiais estatais provavelmente aumentaram o nível de segurança em termos mundiais. Até numa ditadura opressiva o cidadão comum moderno tem muito menos probabilidade de morrer pelas mãos de outra pessoa do que nas sociedades pré-modernas. Em 1964, uma ditadura militar foi instalada no Brasil, governando o país até 1985. Durante esses vinte anos, centenas de bra-sileiros foram assassinados pelo regime e milhares foram presos e torturados. No entanto, mesmo nos piores anos, o cidadão comum no Rio de Janeiro tinha muito menos chance de morrer pelas mãos de um ser humano do que um membro das tribos waorani, araueté ou ianomâmi, grupos indígenas que vi-vem no interior da Floresta Amazônica, sem Exército, polícia ou prisões. Es-tudos antropológicos indicaram que entre um quarto e metade dos homens dessas tribos morrem mais cedo ou mais tarde em conflitos violentos por pro-priedade, mulheres ou prestígio.[8]

APOSENTADORIA IMPERIAL

É talvez discutível se a violência no interior dos Estados diminuiu ou au-mentou desde 1945. O que ninguém pode negar é que a violência internacional caiu para o menor nível de todos os tempos. Talvez o exemplo mais óbvio seja o colapso dos impérios europeus. Ao longo da história, os impérios esmagaram rebeliões com mão de ferro e, quando chegava a hora, um império em perigo usava todo o seu poder para tentar se salvar, em geral tombando em meio a um banho de sangue. A derrota final geralmente levava à anarquia e a guerras de sucessão. Desde 1945, a maior parte dos impérios optou por uma aposentadoria precoce e pacífica. O processo de colapso se tornou relativamente rápido, tranquilo e ordenado.

Em 1945, a Grã-Bretanha governava um quarto do mundo. Trinta anos depois, governava apenas algumas pequenas ilhas. Nessas três décadas, o país se retirou da maioria de suas ex-colônias de modo pacífico e ordenado. Embora em alguns lugares, como a Malásia e o Quênia, os britânicos tenham tentado permanecer pela força das armas, na maioria dos casos aceitaram o fim do império com um suspiro, e não com um ataque de nervos. Concentraram seus esforços não em reter o poder, mas em transferi-lo de modo tão pacato quanto possível. Ao menos uma parte dos elogios que costumam ser efusivamente dirigidos a Mahatma Gandhi por sua crença na não violência se deve, de fato, ao Império Britânico. Apesar dos muitos anos de luta amarga e muitas vezes violenta, quando o Raj chegou ao fim os indianos não precisaram combater os britânicos nas ruas de Delhi ou de Calcutá. O lugar do império foi ocupado por diversos Estados independentes que desde então têm fronteiras estáveis e, na maior parte dos casos, vivem em paz com os seus vizinhos. É verdade que dezenas de milhares de pessoas morreram nas mãos do Império Britânico ameaçado, e em vários locais mais agitados sua retirada levou à eclosão de conflitos étnicos que custaram centenas de milhares de vidas (em particular na Índia). No entanto, quando comparada com a média histórica de longo prazo, a retirada britânica foi um exemplo de paz e ordem. O Império Francês foi mais teimoso. Seu colapso envolveu ações sangrentas de retaguarda no Vietnã e na Argélia, ao custo de centenas de milhares de vidas. Contudo, os franceses também se retiraram do resto de seus domínios de forma rápida e pacífica, deixando para trás Estados ordenados, e não um caótico salve-se quem puder.

O colapso soviético em 1989 foi ainda mais pacífico, apesar da erupção de conflitos étnicos nos Bálcãs, no Cáucaso e na Ásia Central. Nunca antes um império tão poderoso desapareceu de modo tão rápido e tranquilo. O Império Soviético de 1989 não havia sofrido nenhuma derrota militar exceto no Afeganistão, nenhuma invasão externa, nenhuma rebelião e nem mesmo campanhas maciças de desobediência civil como a de Martin Luther King. Os soviéticos tinham ainda milhões de soldados, dezenas de milhares de tanques e aviões, além de armas nucleares suficientes para liquidar toda a humanidade várias vezes. O Exército Vermelho e os outros Exércitos do Pacto de Varsóvia permaneceram leais. Caso o último governante soviético, Mikhail Gorbatchóv, tivesse ordenado, o Exército Vermelho teria aberto fogo contra as massas subjugadas.

No entanto, a elite soviética e os regimes comunistas na maior parte da Europa Oriental (a Romênia e a Sérvia foram as exceções) preferiram não usar nem uma minúscula fração desse poderio militar. Quando seus membros se deram conta de que o comunismo tinha ido à falência, renunciaram ao emprego da força, admitiram o fracasso, fizeram as malas e foram para casa. Gorbatchóv e seus colegas cederam sem lutar não apenas as conquistas soviéticas durante a Segunda Guerra Mundial, como também as conquistas muito mais antigas do regime tsarista no Báltico, na Ucrânia, no Cáucaso e na Ásia Central. É terrível contemplar o que poderia ter acontecido caso Gorbatchóv tivesse se comportado como os líderes sérvios — ou como os franceses na Argélia.

PAX ATOMICA

Os Estados independentes que vieram depois desses impérios mostram um desinteresse notável pela guerra. Com poucas exceções, desde 1945 já não invadem outros Estados para conquistá-los e anexá-los. Tais conquistas tinham sido coisa trivial na história política desde tempos imemoriais. Foi como a maior parte dos grandes impérios se estabeleceu, como a maior parte dos governantes e das populações esperava que as coisas continuassem a ser. Mas campanhas de conquista como as dos romanos, dos mongóis e dos otomanos não podem ocorrer hoje em nenhum lugar do mundo. Desde 1945, nenhum país independente reconhecido pelas Nações Unidas foi conquistado e apagado do mapa. Guerras internacionais restritas ainda acontecem de tempos em tempos, e milhões ainda morrem nessas guerras, porém elas não são mais a norma.

Muitos acreditam que o desaparecimento da guerra internacional é algo específico das ricas democracias da Europa Ocidental. Na verdade, a paz che gou à Europa depois de ter prevalecido em outras partes do mundo. Assim, as últimas guerras internacionais sérias envolvendo países sul-americanos foram entre o Peru e o Equador, em 1941, e a Bolívia e o Paraguai, em 1932-5. Antes disso, não tinha havido uma guerra séria entre países sul-americanos desde 1879-84, com Chile, de um lado, e Bolívia e Peru, do outro.

É raro pensamos no mundo árabe como particularmente pacífico. No entanto, apenas uma vez desde que conquistaram a independência um país árabe montou uma invasão a outro em larga escala (a invasão do Kuwait pelo Iraque em 1990). Houve um bom número de embates fronteiriços (Síria contra a Jordânia em 1970), muitas intervenções armadas de um nos assuntos de outro (por exemplo, da Síria no Líbano), uma série de guerras civis (Argélia, Iêmen, Líbia) e inúmeros golpes de Estado e revoltas. Contudo, não teve nenhuma guerra maciça entre os Estados árabes, exceto a Guerra do Golfo. Mesmo ampliando o escopo para incluir todo o mundo muçulmano, só se registra mais um exemplo, a guerra entre o Irã e o Iraque. Não houve nenhuma guerra entre a Turquia e o Irã, entre o Paquistão e o Afeganistão, ou entre a Indonésia e a Malásia.

Na África, as coisas foram bem menos cor-de-rosa. Mas, mesmo lá, os conflitos são em geral guerras civis e golpes de Estado. Desde que se tornaram independentes nas décadas de 1960 e 1970, pouquíssimos países invadiram outro na esperança de conquistá-lo.

Antes houve períodos de calma relativa, como, por exemplo, entre 1871 e 1914 na Europa, porém sempre terminaram mal. Agora, contudo, é diferente, pois a verdadeira paz não significa a mera ausência de guerra: reside na implausibilidade de uma guerra. Nunca houve uma paz verdadeira no mundo. Entre 1871 e 1914, uma guerra europeia era uma eventualidade plausível, e a expectativa de que ela ocorresse dominava o pensamento de exércitos, políticos e cidadãos comuns. Esse presságio foi verdadeiro em todos os outros períodos pacíficos na história. Uma regra de ouro da política internacional decretava que "para cada duas entidades políticas quaisquer, há uma possibilidade plausível de que elas entrarão em guerra dentro de um ano". Essa lei da selva vigorou na Europa de fins do século XIX, na Europa medieval, na China antiga e na Grécia clássica. Se Esparta e Atenas estavam em paz em 450 a.C., havia um cenário plausível de que estariam em guerra em 449 a.C.

Hoje, a humanidade rompeu com a lei da selva. Por fim há uma paz verdadeira, e não apenas a ausência de guerra. Para a maior parte das entidades políticas, não há um cenário plausível que conduza a algum conflito de larga escala dentro de um ano. O que poderia levar a uma guerra entre Alemanha e França no ano que vem? Ou entre China e Japão? Ou entre Brasil e Argentina? Alguns choques menores nas fronteiras podem acontecer, mas apenas num cenário de fato apocalíptico veríamos uma guerra aberta, de estilo antigo, entre Brasil e Argentina, com divisões blindadas argentinas chegando às portas do Rio de Janeiro e bombardeiros brasileiros pulverizando o entorno de Buenos Aires. Guerras desse tipo podem ainda eclodir entre várias duplas de Estados, como entre Israel e Síria, Etiópia e Eritreia ou Estados Unidos e Irã, porém não passam de exceções que comprovam a regra.

Essa situação, é claro, pode se alterar no futuro e, em retrospecto, o mundo atual pode ser visto como incrivelmente ingênuo. Entretanto, de uma perspectiva histórica, nossa própria ingenuidade é fascinante. Nunca antes a paz foi tão prevalecente a ponto de que as pessoas nem pudessem imaginar a guerra.

Os estudiosos têm procurado explicar essa evolução feliz em mais livros e artigos que qualquer um gostaria de ler, tendo identificado diversos fatores que contribuíram para isso. O primeiro e mais importante é que o preço da guerra se elevou de maneira tremenda. O prêmio Nobel da paz, que serviria para acabar com todos os outros prêmios da paz, deveria ser dado a Robert Oppenheimer e a seus colegas que arquitetaram a bomba atômica. As armas nucleares tornaram a guerra entre as superpotências um suicídio coletivo, impossibilitando assim que se busque o domínio mundial pela força das armas.

Em segundo lugar, enquanto o preço da guerra disparava, seus lucros diminuíram. Durante quase toda a história, as entidades políticas podiam se enriquecer pilhando ou anexando territórios inimigos. A maior parte da riqueza consistia em bens materiais, como campos, gado, escravos e ouro, por isso era fácil efetuar saques e ocupações. Hoje, a riqueza consiste sobretudo em capital humano e saber organizacional. Em consequência, é difícil carregar esse tipo de coisa ou conquistá-la pela força militar.

Consideremos a Califórnia. Sua riqueza foi construída inicialmente com base nas minas de ouro, mas hoje é baseada no silício e no celuloide — o Vale do Silício e as colinas cinematográficas de Hollywood. O que aconteceria se os chineses montassem uma invasão armada da Califórnia, desembarcassem 1 milhão de soldados nas praias de San Francisco e irrompessem terra adentro? Ganhariam muito pouco. Não há minas de silício no vale que leva seu nome.

A riqueza reside na mente dos engenheiros do Google e dos brilhantes roteiristas, diretores e especialistas em efeitos especiais de Hollywood, que teriam tomado o primeiro avião para Bangalore ou Mumbai muito antes que os tanques chineses passassem pelo Sunset Boulevard. Não é coincidência que as poucas guerras internacionais de larga escala que ainda acontecem, como a invasão do Kuwait pelo Iraque, ocorram em lugares onde a riqueza ainda assume sua forma material antiga. Os xeiques do Kuwait puderam fugir para o exterior, porém os campos de petróleo ficaram lá e foram ocupados.

Enquanto a guerra se tornou menos lucrativa, a paz ficou mais rentável do que nunca. Nas economias agrícolas tradicionais, o comércio de longa distância e os investimentos estrangeiros eram secundários. Por conseguinte, a paz trazia pouco lucro, evitando apenas o custo da guerra. Se, por exemplo, a Inglaterra e a França estivessem em paz em 1400, os franceses não precisariam pagar os pesados impostos de guerra e sofrer com as destruidoras invasões inglesas, porém, tirando isso, não ganhariam mais nada. Nas economias capitalistas modernas, como o comércio e os investimentos externos alcançaram uma importância enorme, a paz gera dividendos substanciais. Enquanto a China e os Estados Unidos estão em paz, os chineses podem prosperar vendendo seus produtos nos Estados Unidos, negociando em Wall Street e recebendo investimentos norte-americanos.

Por último, mas não menos importante, uma mudança tectônica ocorreu na cultura política global. Muitas elites na história — chefes tribais hunos, nobres vikings e sacerdotes astecas, por exemplo — enxergavam a guerra como uma coisa positiva. Outros a viam como um mal que era inevitável, algo que que era melhor usar para benefício próprio. O nosso é o primeiro momento na história em que o mundo está dominado por uma elite que de fato ama a paz — políticos, homens de negócio, intelectuais e artistas que realmente veem a guerra como algo ruim a ser evitado. (Houve pacifistas no passado, como os primeiros cristãos, mas, nos raros casos em que chegaram ao poder, eles costumavam esquecer seu próprio conselho de "oferecer a outra face".)

Há um ciclo de retroalimentação positiva entre esses quatro fatores. A ameaça de um holocausto nuclear promove o pacifismo; quando o pacifismo se dissemina, a guerra recua e o comércio floresce; e o comércio aumenta tanto os lucros da paz quanto os custos da guerra. Com o tempo, essa retroalimentação cria outro obstáculo à guerra, que em última análise pode se comprovar o mais importante de todos. O estreitamento da rede de conexões internacionais

erode a independência da maioria dos países, reduzindo a chance de que qualquer um deles possa individualmente tomar uma iniciativa bélica. Os países em sua maioria não se envolvem mais em guerras de larga escala pela simples razão de que não são mais independentes. Embora os cidadãos de Israel, da Itália, do México ou da Tailândia possam abrigar ilusões de independência, o fato é que seus governos não podem conduzir políticas econômicas ou diplomáticas independentes, e sem dúvida são incapazes de iniciar e levar avante uma guerra em larga escala por conta própria. Como explicado no capítulo 11, estamos assistindo à formação de um império global. Assim como os que o precederam, esse império também impõe a paz dentro de suas fronteiras. E, como suas fronteiras abrangem o mundo inteiro, o Império Mundial efetivamente impõe a paz mundial.

Sendo assim, será que a era moderna é aquela da carnificina, da guerra e da opressão irracionais, exemplificadas pelas trincheiras da Primeira Guerra Mundial, pela nuvem em forma de cogumelo sobre Hiroshima e pelas loucuras sangrentas de Hitler e de Stálin? Ou é uma era de paz, caracterizada pelas trin-

44 e 45. *Mineiros na Califórnia durante a Corrida do Ouro, e a sede do Facebook perto de San Francisco. Em 1849, a Califórnia construiu sua fortuna com o ouro. Hoje, a região enriquece com o silício. Mas enquanto em 1849 o ouro realmente estava no subsolo californiano, os verdadeiros tesouros do Vale do Silício estão trancados na mente daqueles que trabalham na indústria de alta tecnologia.*

cheiras nunca abertas na América do Sul, as nuvens em forma de cogumelo nunca vistas sobre Moscou e Nova York, os rostos serenos de Mahatma Gandhi e Martin Luther King?

A resposta tem a ver com o momento histórico. Somos obrigados a refletir com frequência se a nossa visão do passado é distorcida por acontecimentos dos últimos anos. Se este capítulo tivesse sido escrito em 1945 ou 1962, provavelmente seria muito mais sombrio. Como foi escrito em 2014, adota uma abordagem relativamente alegre e confiante em relação à história moderna.

A fim de satisfazer otimistas e pessimistas, podemos concluir dizendo que estamos no limiar tanto do paraíso quanto do inferno, movendo-nos nervosos entre os portões de um e a antessala do outro. A história não decidiu ainda onde vamos terminar, e uma série de coincidências pode nos empurrar para qualquer uma dessas duas direções.

19. E viveram felizes para sempre

Os últimos quinhentos anos testemunharam uma série de revoluções de tirar o fôlego. A Terra foi unida numa única esfera ecológica e histórica. A economia cresceu de modo exponencial, a humanidade hoje desfruta do tipo de riqueza que costumava existir apenas nos contos de fadas. A ciência e a Revolução Industrial geraram poderes sobre-humanos e a energia é praticamente ilimitada. A ordem social foi transformada por completo, assim como a política, a vida cotidiana e a psicologia humana.

Mas estamos mais felizes? A riqueza que a humanidade acumulou ao longo desses cinco séculos se traduziu num contentamento recém-encontrado? A descoberta de recursos inesgotáveis de energia abriu para nós tesouros inesgotáveis de felicidade? Indo mais atrás, os cerca de setenta milênios turbulentos que transcorreram desde a Revolução Cognitiva fizeram do mundo um lugar melhor para se viver? Será que o falecido Neil Armstrong, cuja pegada permanece intacta na superfície sem vento da Lua, foi mais feliz que o caçador-coletor anônimo que há 30 mil anos deixou a marca de sua mão na caverna de Chauvet? Senão, qual é o sentido de desenvolver a agricultura, as cidades, a escrita, a moeda, os impérios, a ciência e a indústria?

Os historiadores raras vezes fazem essas perguntas. Não querem saber se os cidadãos de Uruk e da Babilônia eram mais felizes que seus ancestrais coletores, se a ascensão do islã tornou os egípcios mais satisfeitos, ou como o colapso dos impérios europeus na África influenciou o contentamento de incontáveis milhões de pessoas. No entanto, essas são as perguntas mais importantes que podemos fazer à história. A maioria das ideologias e programas políticos atuais se baseia em ideias muito débeis sobre a verdadeira fonte da felicidade humana. Os nacionalistas acreditam que a autodeterminação política é essencial para a nossa alegria. Os comunistas postulam que todos seriam felizes sob a ditadura do proletariado. Os capitalistas afirmam que apenas o livre mercado pode assegurar a maior satisfação para o maior número de indivíduos ao gerar crescimento econômico e abundância material, além de ensinar as pessoas a serem autossuficientes e empreendedoras.

O que aconteceria se pesquisas sérias negassem essas hipóteses? Se o crescimento econômico e a autossuficiência não tornam as pessoas mais felizes, qual o benefício do capitalismo? E se descobrirem que os súditos dos grandes impérios são em geral mais felizes que os cidadãos de Estados independentes, ou, por exemplo, que os habitantes de Gana eram mais felizes sob o domínio colonial britânico do que sob os ditadores "caseiros"? O que isso diria sobre o processo de descolonização e sobre o valor da autodeterminação nacional?

Essas são apenas possibilidades hipotéticas, porque até agora os historiadores têm evitado fazer tais perguntas — e muito menos respondê-las. Pesquisaram a história de praticamente tudo — política, sociedade, economia, gênero, doenças, sexualidade, alimentos, vestuário — e, contudo, raras vezes pararam para indagar como essas coisas influenciaram a felicidade humana.

Embora poucos tenham estudado a história de longa duração da felicidade, quase todos os pensadores e os homens comuns têm um conceito vago sobre ela. É normal se pensar que as capacidades humanas cresceram ao longo da história. Como os humanos em geral usam suas capacidades para diminuir sofrimentos e realizar aspirações, conclui-se que devemos ser mais felizes que nossos antepassados medievais, e esses devem ter sido mais felizes que os caçadores-coletores da Idade da Pedra.

Mas o relato dessa progressão é pouco convincente. Como vimos, novas aptidões, novos comportamentos e novas habilidades não propiciam necessariamente uma vida melhor. Quando os humanos aprenderam a criar plantas e animais na Revolução Agrícola, seu poder coletivo para moldar o meio ambiente aumentou, mas a vida cotidiana de muitos indivíduos se tornou mais dura. Os camponeses tinham de trabalhar mais pesado que os coletores a fim de obter uma alimentação menos variada e nutritiva, ficando muito mais expostos às doenças e à exploração. De modo semelhante, a disseminação dos impérios europeus incrementou muito o poder coletivo da humanidade ao circular ideias, tecnologias e plantas comestíveis, abrindo novas possibilidades para o comércio. Entretanto, isso não foi uma boa-nova para milhões de africanos, indígenas americanos e aborígenes australianos. Dada a conhecida propensão humana de usar mal seu poder, parece ingênuo acreditar que quanto mais capacidade eles têm, mais felizes serão.

Os que desafiam essa visão tomam uma posição diametralmente oposta. Afirmam existir uma correlação inversa entre as capacidades humanas e a felicidade. Segundo eles, o poder corrompe, e, à medida que conquistou mais poder, a humanidade criou um mundo frio e mecanicista mal adaptado a nossas necessidades reais. A evolução moldou nossa mente e nosso corpo para a vida de caçadores-coletores. A transição inicial para a agricultura e depois para a indústria nos condenou a levar uma vida antinatural que não pode proporcionar a plena expressão dos nossos instintos e das nossas inclinações inatas, e assim não é capaz de satisfazer nossos anseios mais profundos. Nada na vida confortável da classe média urbana pode chegar perto da excitação desenfreada e da euforia sentidas por um bando de coletores após a caçada exitosa de um mamute. Toda nova invenção simplesmente nos afasta ainda mais do Jardim do Éden.

No entanto, essa insistência romântica em ver uma sombra escura por trás de cada invenção é tão dogmática quanto a crença na inevitabilidade do progresso. Talvez estejamos desconectados do caçador-coletor que existe dentro de nós, porém isso não é tão ruim assim. Por exemplo, nos últimos dois séculos a medicina moderna reduziu a mortalidade infantil de 33% para menos de 5%. Será que alguém pode duvidar de que isso representou uma contribuição imensa à felicidade não apenas dessas crianças, que de outro modo morreriam, como também de suas famílias e amigos?

Uma postura mais matizada busca o ponto de equilíbrio. Até a Revolução Científica não havia uma clara correlação entre poder e felicidade. Os camponeses medievais podem de fato ter sido mais infelizes que seus ancestrais caçadores-coletores. Mas, nos últimos séculos, os humanos aprenderam a usar suas capacidades de maneira mais sábia. Os triunfos da medicina moderna são apenas um exemplo. Outras conquistas notáveis incluem a forte queda nos índices de violência, o desaparecimento praticamente completo das guerras internacionais e a eliminação quase total da fome em larga escala.

Todavia, isso também é uma simplificação exagerada. Primeiro, baseia sua avaliação otimista numa amostra muito pequena de anos. A maioria dos humanos começou a aproveitar os frutos da medicina moderna só depois de 1850, e a redução drástica na mortalidade infantil é um fenômeno do século xx. A fome em massa continuou a afligir boa parte da humanidade até meados do século xx. Durante o Grande Salto Adiante de 1958-61 na China comunista, entre 10 milhões e 50 milhões de seres humanos morreram de fome. As guerras internacionais só se tornaram raras depois de 1945, sobretudo graças à nova ameaça de aniquilamento nuclear. Portanto, embora as décadas mais recentes tenham constituído uma era dourada inédita para a humanidade, precisamos de mais tempo para saber se isso representa uma mudança fundamental nas correntes da história ou se é um redemoinho efêmero de boa sorte. Ao julgar a modernidade, é extremamente tentador assumir o ponto de vista de um cidadão ocidental de classe média no século xxi. Não devemos nos esquecer do ponto de vista de um mineiro de carvão galês do século xix, de um chinês viciado em ópio ou de um aborígene tasmaniano. Truganini não é menos importante que Homer Simpson.

Em segundo lugar, mesmo a breve era dourada do último meio século pode acabar se provando o momento em que semeamos a catástrofe futura. Nas últimas décadas, temos perturbado o equilíbrio ecológico de nosso planeta de milhares de novas maneiras, provocando consequências provavelmente graves. Um grande volume de evidências indica que estamos destruindo as fundações da prosperidade humana numa orgia de consumo desregrado.

Por fim, podemos nos congratular pelas realizações extraordinárias do sapiens moderno apenas se ignorarmos por completo o destino de todos os outros animais. Muito da alardeada riqueza material que nos protege da doença e da fome foi acumulada à custa de macacos em laboratórios, vacas leiteiras e frangos em esteiras transportadoras. Nos últimos dois séculos, dezenas de bilhões deles foram submetidos a um regime de exploração industrial cuja crueldade não encontra precedente nos anais do planeta Terra. Se aceitarmos apenas 10% daquilo que os ativistas de direitos dos animais vêm afirmando, então a agricultura industrial moderna pode de fato ser o maior crime da história. Ao avaliar a felicidade global é errado só considerar a felicidade das elites, dos europeus ou dos homens. Talvez também seja errado só considerar a felicidade dos humanos.

Até agora examinamos a felicidade como se fosse em larga medida o produto de fatores materiais, como saúde, dieta e riqueza. Se as pessoas são mais ricas e mais saudáveis, então também devem ser mais felizes. Mas será que é assim tão óbvio? Filósofos, sacerdotes e poetas têm se debruçado sobre a natureza da felicidade há milênios, e muitos concluíram que fatores sociais, éticos e espirituais exercem um impacto tão grande em nossa felicidade quanto as condições materiais. Talvez as pessoas em sociedades modernas abastadas, apesar de sua prosperidade, sofram muito devido à alienação e à falta de sentido na vida. E talvez nossos ancestrais menos ricos tenham encontrado muito contentamento na comunidade, na religião e nos vínculos com a natureza.

Em décadas recentes, psicólogos e biólogos aceitaram o desafio de estudar cientificamente o que de fato faz as pessoas felizes. Será o dinheiro, a família, a genética ou quem sabe a virtude? O primeiro passo reside em definir o que deve ser medido. A definição em geral aceita de felicidade é "bem-estar subjetivo". A felicidade, de acordo com essa visão, é uma coisa que sinto dentro de mim, uma sensação seja de prazer imediato ou de contentamento no longo prazo com a forma pela qual minha vida está seguindo. Se é alguma coisa que sinto dentro de mim, como ela pode ser medida de fora? Presumivelmente, podemos fazer isso pedindo às pessoas que nos digam como estão se sentindo. Por isso, os psicólogos ou os biólogos que desejam avaliar quanto as pessoas se sentem felizes lhes dão questionários para ser preenchidos e computam os resultados.

Um questionário típico sobre bem-estar subjetivo pede aos entrevistados que indiquem, numa escala de zero a dez, sua concordância com afirmações como: "Estou satisfeito com o que sou", "Acho a vida muito gratificante", "Estou otimista com relação ao futuro" e "A vida é boa". O pesquisador então soma todas as respostas e calcula o nível geral de bem-estar subjetivo do entrevistado.

Esses questionários são usados a fim de correlacionar a felicidade com vários fatores objetivos. Certo estudo pode comparar mil pessoas que ganham

100 mil dólares por ano com mil pessoas que ganham 50 mil dólares. Se o estudo descobrir que o primeiro grupo tem uma média de bem-estar subjetivo de 8,7, enquanto o segundo de apenas 7,3, o pesquisador pode·concluir de maneira sensata que há uma correlação positiva entre riqueza e bem-estar subjetivo. Em outras palavras, dinheiro traz felicidade. O mesmo método pode ser empregado para examinar se as pessoas que vivem em democracias são mais felizes que as que vivem em ditaduras, e se os casados são mais felizes que os solteiros, os divorciados ou os viúvos.

Isso fornece uma base para os historiadores, que podem analisar a riqueza, a liberdade política e os índices de divórcio no passado. Se as pessoas são mais felizes nas democracias e os casados são mais felizes que os divorciados, um historiador tem fundamentos para afirmar que o processo de democratização nas últimas décadas contribuiu para a felicidade humana, enquanto as taxas crescentes de divórcio indicam uma tendência oposta.

Essa maneira de pensar não é infalível, mas, antes de apontar algumas de suas deficiências, vale a pena considerar suas descobertas.

Uma conclusão interessante é que o dinheiro de fato traz felicidade. Porém só até certo ponto, além do qual ele tem pouca relevância. Para as pessoas imobilizadas nas camadas inferiores da pirâmide econômica, mais dinheiro significa mais felicidade. Caso você seja uma mãe solteira nos Estados Unidos, ganhando 12 mil dólares por ano para fazer faxina na casa dos outros, se de repente ganhar meio milhão na loteria é provável que sinta um forte e substancial aumento de longo prazo em seu bem-estar subjetivo. Será capaz de alimentar e vestir os filhos sem se afundar ainda mais em dívidas. No entanto, caso você seja um alto executivo que recebe 250 mil dólares por ano, ganhar 1 milhão na loteria ou ter o salário dobrado de repente pelo conselho de sua companhia faria com que seu aumento súbito de bem-estar talvez só durasse algumas semanas. Segundo as descobertas empíricas, quase não fará grande diferença no modo como você se sente a longo prazo. Vai comprar um carro mais vistoso, mudar-se para uma mansão, acostumar-se a beber Château Pétrus em vez de Cabernet californiano, mas isso em breve parecerá rotineiro e em nada excepcional.

Outra descoberta interessante é que a doença reduz a felicidade no curto prazo, mas é uma fonte de sofrimento no longo prazo apenas se o estado da pessoa estiver se deteriorando constantemente ou se a doença envolver uma dor permanente e debilitante. As pessoas que são diagnosticadas com uma doença crônica, como a diabetes, ficam em geral deprimidas por algum tempo, porém, caso a enfermidade não se agrave, elas se adaptam à nova condição e avaliam sua felicidade em níveis idênticos aos das pessoas saudáveis. Imaginemos que Lucy e Lucas são gêmeos de classe média que concordam em participar de um estudo sobre bem-estar subjetivo. Voltando do consultório psicológico, o carro de Lucy é atropelado por um ônibus, causando-lhe várias fraturas e uma perna aleijada para sempre. Enquanto a equipe de socorro está cortando as ferragens para liberá-la, o celular toca e Lucas anuncia aos gritos que acabou de ganhar 10 milhões na loteria. Dois anos depois, ela estará mancando e ele bem mais rico, mas, quando o psicólogo for fazer um estudo de acompanhamento, ambos provavelmente darão as mesmas respostas que deram na manhã daquele dia tão fatídico.

A família e a comunidade parecem ter mais impacto em nossa felicidade que o dinheiro e a saúde. As pessoas com famílias unidas que vivem em comunidades integradas e solidárias são significativamente mais felizes que aquelas cujas famílias são disfuncionais e que nunca encontraram (ou nunca buscaram) uma comunidade à qual pertencessem. O casamento é muitíssimo relevante. Diversos estudos indicam que há uma correlação bastante direta entre bons casamentos e elevado bem-estar subjetivo, assim como entre maus casamentos e infelicidade. Isso vale independentemente das condições econômicas e mesmo físicas. Um inválido sem recursos mas com uma esposa amorosa, uma família dedicada e uma comunidade acolhedora pode se sentir melhor que um bilionário alienado, desde que a pobreza do inválido não seja extrema e sua doença não seja degenerativa ou dolorosa.

Isso suscita a possibilidade de que a imensa melhoria nas condições materiais ao longo dos últimos dois séculos tenha sido anulada pelo colapso da família e da comunidade. Se for assim, a pessoa comum pode muito bem ser menos feliz hoje que em 1800. Mesmo a liberdade que tanto valorizamos pode estar trabalhando contra nós. Podemos escolher nossos cônjuges, amigos e vizinhos, porém eles podem preferir nos abandonar. Com o indivíduo exercendo um poder sem precedente de decidir seu próprio caminho na vida, descobrimos ser cada vez mais difícil assumir compromissos. Vivemos por isso num mundo cada vez mais solitário de comunidades e famílias que se dissolvem.

No entanto, a descoberta mais importante é que a felicidade não depende de condições objetivas em matéria de saúde, riqueza ou mesmo comunidade. Pelo contrário, depende da correlação entre condições objetivas e expectativas subjetivas. Se alguém deseja um carro de boi e consegue um carro de boi, fica contente. Se quer uma Ferrari novinha em folha e só consegue um Fiat de segunda mão, se sente privado. É por isso que ganhar na loteria exerce, no longo prazo, o mesmo impacto na felicidade da pessoa que um acidente de carro debilitante. Quando as coisas melhoram, as expectativas se elevam e, como consequência, mesmo melhorias drásticas nas condições objetivas podem nos deixar insatisfeitos. Quando as coisas vão mal, as expectativas murcham e, consequentemente, mesmo uma enfermidade grave pode nos deixar tão felizes quanto éramos antes.

Você pode dizer que não precisávamos de um monte de psicólogos e seus questionários para descobrir isso. Profetas, poetas e filósofos se deram conta, milênios atrás, de que estar satisfeito com o que já se tem é muito mais importante do que obter mais daquilo que se deseja. Entretanto, é bom quando a pesquisa moderna — reforçada por um monte de cifras e gráficos — chega às mesmas conclusões que os antigos.

A importância crucial das expectativas humanas tem profundas implicações para se compreender a história da felicidade. Se a felicidade dependesse apenas de condições objetivas, como riqueza, saúde e relações sociais, seria relativamente fácil investigar sua história. O reconhecimento de que ela depende de expectativas subjetivas torna a tarefa do historiador muito mais difícil. Dispomos hoje de um arsenal de tranquilizantes e analgésicos, porém nossas expectativas de satisfação e prazer, assim como nossa intolerância aos inconvenientes e desconfortos, aumentaram de tal forma que é bem possível que sintamos mais dor que nossos antepassados.

É custoso aceitar essa linha de raciocínio. O problema decorre de uma falácia de pensamento profundamente enraizada em nossa psique. Quando tentamos adivinhar ou imaginar quão felizes outras pessoas estão no momento, ou como o foram no passado, é inevitável que nos visualizemos em suas situações. Mas isso não funciona porque projeta nossas expectativas nas condições materiais dos outros. Em sociedades modernas abastadas é normal tomar banho e trocar de roupa todos os dias. Os camponeses medievais passavam meses sem tomar banho e quase nunca trocavam de roupa. A simples ideia de viver assim, sujos e fedendo a mil demônios, é repugnante para nós. Todavia, os camponeses medievais não parecem ter se importado. Estavam acostumados à sensação e ao cheiro de uma camisa que não via água havia muito tempo. Não é que desejassem trocar de roupa e não pudessem — eles tinham o que queriam. Por isso, ao menos no que se refere ao vestuário, estavam contentes.

Isso não surpreende tanto quando refletimos mais sobre o assunto. Afinal, nossos primos chimpanzés raramente se lavam e nunca mudam de roupa. Nem nos repugna o fato de que nossos cachorros e gatos de estimação não tomem banhos e não troquem de pelo todos os dias. Nós os acariciamos, abraçamos e beijamos da mesma forma. Crianças pequenas nas sociedades ricas em geral relutam em tomar banho, sendo necessários anos de educação e disciplina dos pais para que adotem esse hábito supostamente atraente. É tudo uma questão de expectativas.

Se a felicidade é determinada pelas expectativas, então dois pilares de nossa sociedade — os meios de comunicação de massa e a indústria de publicidade — podem, sem querer, estar esgotando os reservatórios globais de contentamento. Se você fosse um jovem de dezoito anos numa pequena aldeia 5 mil anos atrás, é provável que se achasse bonito porque só havia outros cinquenta homens no povoado, em sua maioria velhos com cicatrizes e rugas ou ainda muito jovens. Mas, se for um adolescente nos dias de hoje, tem uma probabilidade muito maior de se sentir inadequado. Mesmo que os colegas na escola sejam um bando de feiosos, você não se compara a eles, e sim a artistas de cinema, atletas e supermodelos que vê todos os dias na televisão, nas redes sociais e em cartazes gigantescos.

Talvez por isso o descontentamento do Terceiro Mundo seja fomentado não apenas por pobreza, doenças, corrupção e opressão política, mas também pela exposição aos padrões do Primeiro Mundo. O egípcio médio tinha bem menos chance de morrer de fome, pestes ou violência sob Hosni Mubarak do que sob Ramsés II ou Cleópatra. As condições materiais da maioria dos egípcios nunca foram tão boas. Era de esperar que estivessem dançando nas ruas em 2011, agradecendo a Alá por sua sorte. Em vez disso, se rebelaram com fúria para derrubar Mubarak. Não estavam se comparando aos ancestrais governados pelos faraós, e sim a seus contemporâneos nos Estados Unidos de Barack Obama.

46. *A Revolução Egípcia, 2011. Os egípcios se rebelaram contra o regime de Mubarak, embora ele lhes garantisse uma vida mais longa e segura do que qualquer regime anterior na história do vale do Nilo.*

Se é assim, mesmo a imortalidade pode levar ao descontentamento. Suponhamos que a ciência encontre uma cura para todas as doenças, terapias eficazes contra o envelhecimento e tratamentos regenerativos que mantenham as pessoas jovens por tempo indeterminado. É bem provável que o resultado imediato seja uma epidemia sem precedente de raiva e ansiedade.

Aqueles incapazes de pagar pelos novos tratamentos milagrosos — a vasta maioria das pessoas — ficarão simplesmente furiosos. Ao longo da história, os pobres e os oprimidos se consolaram com a ideia de que ao menos a morte era imparcial — que os ricos e poderosos também iriam morrer. Os pobres não se sentiriam confortáveis pensando que eles devem morrer enquanto os ricos permanecem jovens e bonitos para sempre.

Mas a minoria capaz de pagar pelos novos tratamentos também não ficará eufórica. Terá muitas razões para se sentir ansiosa. Embora possam prolongar a vida e a juventude, aquelas novas terapias não podem ressuscitar cadáveres. Como será terrível pensar que eu e meus entes queridos temos condições de viver para sempre, mas isso só se não formos atropelados por um caminhão ou transformados em picadinho pela bomba de um terrorista! É provável que pessoas potencialmente amortais passassem a ter aversão pelos menores riscos, e a agonia de perder um cônjuge, um filho ou um amigo íntimo seria insuportável.

FELICIDADE QUÍMICA

Os cientistas sociais distribuem os questionários de bem-estar subjetivo e correlacionam os resultados com fatores socioeconômicos, como riqueza e liberdade política. Os biólogos usam os mesmos questionários, porém correlacionam as respostas das pessoas com fatores bioquímicos e genéticos. Suas descobertas são chocantes.

Os biólogos afirmam que nosso mundo mental e emocional é governado por mecanismos bioquímicos moldados ao longo de milhões de anos de evolução. Como todos os outros estados mentais, nosso bem-estar subjetivo não é determinado por parâmetros externos, como salário, relações sociais e direitos políticos. Pelo contrário, é determinado por um complexo sistema de nervos, neurônios, sinapses e várias substâncias bioquímicas como serotonina, dopamina e oxitocina.

Ninguém nunca fica feliz por ganhar na loteria, comprar uma casa, ser promovido ou mesmo encontrar o amor verdadeiro. As pessoas ficam felizes por uma única razão — por ter sensações agradáveis em seu corpo. Alguém que acabou de ganhar na loteria ou encontrou um novo amor e pula de alegria não está de fato reagindo ao dinheiro ou ao ser amado. Está reagindo a vários hormônios que percorrem sua corrente sanguínea e à tempestade de sinais elétricos que cintila em diferentes partes de seu cérebro.

Infelizmente contrariando todas as esperanças de se criar o paraíso na terra, nosso sistema bioquímico interno parece estar programado para manter os níveis de felicidade de certa forma constantes. Não há uma seleção natural em favor da felicidade como tal — a linhagem genética de um eremita feliz pode ser extinta enquanto os genes de um casal de pais ansiosos avançam para a geração seguinte. A felicidade e a infelicidade só desempenham um papel na evolução na medida em que encorajam ou desencorajam a sobrevivência e a reprodução. Por isso, talvez não seja surpreendente que a evolução nos tenha moldado para não sermos nem infelizes nem felizes demais. Ela permite que desfrutemos de um surto temporário de sensações agradáveis, porém elas nunca duram para sempre. Cedo ou tarde, perdem a intensidade e dão lugar a sensações desagradáveis.

Por exemplo, a evolução proporcionou sensações agradáveis como recompensa aos machos que disseminam seus genes fazendo sexo com fêmeas férteis. Se o sexo não fosse acompanhado desse prazer, poucos machos se dariam ao trabalho. Ao mesmo tempo, a evolução se certificou de que essas sensações agradáveis se extinguissem rapidamente. Caso os orgasmos durassem para sempre, os machos muito felizes morreriam de fome pela falta de interesse na comida — e não se dariam ao trabalho de procurar outras fêmeas férteis.

Alguns estudiosos comparam a bioquímica humana a um sistema de ar-condicionado que mantém a temperatura constante, caso aconteça uma onda de calor ou uma nevasca. As mudanças climáticas podem afetar a temperatura por um momento, mas o sistema de ar-condicionado sempre a faz voltar ao mesmo ponto predefinido.

Alguns sistemas de ar condicionado são regulados para 25 graus centígrados. Outros, para vinte graus centígrados. Os sistemas de condicionamento da felicidade humana também diferem de pessoa para pessoa. Numa escala de um a dez, algumas nascem com um sistema bioquímico alegre que permite que seus estados de espírito flutuem entre os níveis seis e dez, estabilizando-se com o tempo em oito. Essa pessoa é bastante feliz mesmo se viver numa grande cidade alienante, perder todo o seu dinheiro num craque da bolsa e for diagnosticada como diabética. Outras pessoas são amaldiçoadas com uma bioquímica melancólica que flutua entre três e sete, que se estabiliza em cinco. Essa pessoa infeliz permanece deprimida mesmo se tiver o apoio de uma comunidade bem integrada, ganhar milhões na loteria e for tão saudável quanto um atleta olímpico. Na verdade, mesmo se nosso amigo deprimido ganhar 50 milhões de dólares pela manhã, descobrir a cura tanto para a aids quanto para o câncer ao meio-dia, fizer a paz entre israelenses e palestinos à tarde e durante a noite se reunir com o filho que havia desaparecido anos atrás — ela ainda assim seria incapaz de sentir qualquer coisa acima do nível sete de felicidade. Seu cérebro apenas não foi construído para a euforia, aconteça o que acontecer.

Pense por um instante em sua família e em seus amigos. Você conhece algumas pessoas que permanecem relativamente alegres não importa o que aconteça. E há aquelas que estão sempre insatisfeitas, não importa que dádivas o mundo tenha posto a seus pés. Costumamos acreditar que, se pudéssemos apenas mudar de emprego, nos casar, acabar de escrever aquele romance, comprar um carro novo ou quitar a hipoteca, estaríamos no sétimo céu. Entretanto, quando obtemos o que desejamos, não nos sentimos nem um pouco mais felizes. Comprar carros e escrever romances não mudam a nossa bioquímica. Podem mexer com ela por alguns breves momentos, mas ela logo retorna ao ponto em que foi regulada.

Como isso pode ser equacionado com as descobertas psicológicas e sociológicas antes mencionadas — de que, por exemplo, os casados são em média mais felizes que os solteiros? Primeiro, essas descobertas representam correlações — a direção da causalidade pode ser o oposto da que alguns pesquisadores presumiram. É verdade que os casados são mais felizes que os solteiros e que os divorciados, porém isso não significa necessariamente que o casamento produz felicidade. Pode ser que a felicidade cause o casamento. Ou, para ser mais exato, que a serotonina, a dopamina e a oxitocina causem e mantenham um casamento. As pessoas que nascem com a bioquímica alegre são em geral felizes e contentes. Essas pessoas são mais atraentes como cônjuges e, por consequência, têm maior chance de se casar. Provavelmente também têm menos chance de se divorciar, porque é bem mais fácil coabitar com um cônjuge feliz e contente do que com um deprimido e insatisfeito. Por isso, é verdade que os casados são em média mais felizes que os solteiros, mas uma mulher solteira com propensão à tristeza devido à sua bioquímica não se torna necessariamente mais feliz se arranjar um marido.

Além disso, os biólogos em sua maioria não são fanáticos. Defendem que a felicidade é determinada *principalmente* pela bioquímica, mas concordam que fatores psicológicos e sociológicos também têm seu lugar. Nosso sistema de ar-condicionado mental tem certa liberdade de movimento dentro de limites predeterminados. É quase impossível exceder os limites emocionais superiores e inferiores, porém o casamento e o divórcio podem ter algum impacto na área entre os dois. Alguém nascido com um nível médio cinco de felicidade nunca dançaria loucamente pelas ruas. Não obstante, um bom casamento lhe possibilitaria desfrutar do nível sete de tempos em tempos, evitando a amargura do nível três.

Se aceitamos a abordagem biológica da felicidade, então a história perde em relevância uma vez que os eventos históricos não exerceram impacto nenhum sobre nossa bioquímica. A história pode alterar os estímulos externos que provocam a secreção de serotonina, porém não modificam os níveis resultantes de serotonina e não podem, desse modo, fazer ninguém mais feliz.

Comparemos um camponês medieval francês com um banqueiro francês moderno. O camponês vivia numa choupana de barro sem aquecimento e com vista para o chiqueiro, enquanto o banqueiro vive numa cobertura esplêndida com todos os dispositivos tecnológicos mais sofisticados e uma bela vista do Champs-Élysées. Intuitivamente, esperaríamos que o banqueiro fosse muito mais feliz que o camponês. Todavia, choupanas de barro, coberturas e o Champs-Élysées não determinam de fato nosso estado de espírito. A serotonina, sim. Quando o camponês medieval completou a construção da choupana de barro, seus neurônios cerebrais secretaram serotonina, alcançando o nível X. Quando, em 2014, o banqueiro fez o último pagamento e fechou a compra da sua maravilhosa cobertura, seus neurônios cerebrais secretaram uma quantidade similar de serotonina, alcançando o mesmo nível X. Para o cérebro, não faz a menor diferença que a cobertura seja infinitamente mais confortável que a choupana de barro. A única coisa que conta é que, naquele momento, o nível de serotonina seja X. Como consequência, o banqueiro não seria nem um pingo mais feliz que o tataravô de seu tataravô, o pobre camponês medieval.

Isso é verdadeiro não apenas em relação a vidas privadas, como também a grandes acontecimentos coletivos. Tomemos, por exemplo, a Revolução Francesa. Os revolucionários estavam muito ocupados: executaram o rei, deram terras aos camponeses, proclamaram os direitos do homem, aboliram os privilégios da nobreza e entraram em guerra contra o resto da Europa. Não obstante, nada disso mudou a bioquímica de nenhum francês. Consequentemente, apesar de todas as reviravoltas políticas, sociais, ideológicas e econômicas causadas pela revolução, seu impacto na felicidade francesa foi pequeno. Aqueles que tinham ganhado uma bioquímica alegre na loteria genética foram tão felizes depois da revolução quanto antes. Os que tinham uma bioquímica melancólica reclamaram de Robespierre e de Napoleão com a mesma amargura com que antes reclamavam de Luís XVI e de Maria Antonieta.

Sendo assim, para que serviu a Revolução Francesa? Se as pessoas não se tornaram mais felizes, então qual o sentido de todo aquele caos, terror, sangue e guerra? Os biólogos nunca teriam tomado a Bastilha. As pessoas pensam que esta revolução política ou aquela reforma social as fará felizes, mas todas as vezes são trapaceadas por sua bioquímica.

Só um evento histórico tem importância real. Hoje, quando por fim entendemos que as chaves para a felicidade estão nas mãos de nosso sistema bioquímico, podemos parar de desperdiçar nosso tempo com reformas políticas e sociais, golpes de Estado e ideologias, e nos concentrar na única coisa que pode nos fazer efetivamente felizes: manipular nossa bioquímica. Se investirmos bilhões para entender a química de nosso cérebro e desenvolvermos tratamentos adequados, podemos fazer as pessoas serem muito mais felizes que antes sem a necessidade de revoluções. O Prozac, por exemplo, não muda regimes políticos, mas, ao elevar os níveis de serotonina, tira as pessoas da depressão.

Nada resume o argumento biológico melhor que o famoso slogan da New Age: "A felicidade começa dentro de você". Dinheiro, status social, cirurgia plástica, belas casas, posições de poder — nada disso lhe trará felicidade. A felicidade duradoura só resulta da serotonina, da dopamina e da oxitocina.[1]

No romance distópico de Aldous Huxley *Admirável mundo novo*, publicado em 1932 no auge da Grande Depressão, a felicidade é o valor supremo, e drogas psiquiátricas substituem a polícia e as urnas como fundamentos da política. Todos os dias, cada pessoa toma uma dose de "soma", uma droga sintética que faz todos ficarem felizes sem prejudicar sua produtividade e eficiência. O Governo Mundial, que comanda todo o planeta, nunca é ameaçado por guerras, revoluções, greves ou manifestações porque todos estão muitíssimo contentes com as suas condições atuais, quaisquer que sejam elas. A visão de Huxley do futuro é bem mais perturbadora que a de George Orwell em *1984*. O mundo de Huxley parece monstruoso para a maioria dos leitores, mas é difícil explicar por quê. Todos estão felizes o tempo inteiro — o que há de errado nisso?

O SIGNIFICADO DA VIDA

O mundo desconcertante de Huxley se baseia na premissa biológica de que felicidade é igual a prazer. Ser feliz é nada mais, nada menos que ter sensações corporais agradáveis. Como nossa bioquímica limita o volume e a duração dessas sensações, a única forma de permitir que as pessoas sintam um nível maior de felicidade por um período mais longo de tempo seria manipulando seu sistema bioquímico.

Entretanto, essa definição de felicidade é questionada por alguns pesquisadores. Em um estudo famoso, Daniel Kahneman, ganhador do prêmio Nobel de economia, pediu a várias pessoas que relatassem um dia normal de trabalho, repassando episódio por episódio e avaliando se haviam gostado ou não de cada momento. Ele descobriu o que parece ser um paradoxo na forma com que a maioria das pessoas vê suas vidas. Tomemos o trabalho de cuidar de um filho. Kahneman descobriu que, ao contar os momentos de alegria e os de trabalho estafante, cuidar de um filho revelou ser algo bastante desagradável. Consiste sobretudo em trocar fraldas, lavar pratos e lidar com birras, coisas que ninguém gosta de fazer. No entanto, a maioria dos pais declara que os filhos são sua maior fonte de felicidade. Será que isso significa que as pessoas de fato não sabem o que é bom para elas?

Essa é uma opção. Outra é que as descobertas demonstram que a felicidade não é o saldo positivo da comparação entre momentos agradáveis e desagradáveis. Pelo contrário, a felicidade consiste em ver sua vida por inteiro como algo significativo e válido. Há um importante componente cognitivo e ético na felicidade. Nossos valores fazem toda a diferença em nos vermos como "escravos infelizes de um bebê ditador" ou "cuidando com amor de uma nova vida".[2] Como disse Nietzsche, se você tem por que viver, pode aguentar quase qualquer como. Uma vida significativa pode ser extremamente satisfatória mesmo em meio a adversidades, enquanto uma sem sentido é uma provação terrível por mais confortável que seja.

Embora pessoas em todas as culturas e eras tenham sentido o mesmo tipo de dores e prazeres, o significado que deram a suas experiências provavelmente variou muito. Se for assim, a história da felicidade pode ter sido muito mais turbulenta do que os biólogos imaginam. Essa é uma conclusão que não favorece necessariamente a modernidade. Avaliando a vida minuto por minuto, os indivíduos da Idade Média com certeza não tinham uma existência fácil. Entretanto, se acreditassem na promessa da felicidade eterna após a morte, poderiam muito bem ver suas vidas como mais significativas e válidas que os ateus modernos, incapazes de esperar qualquer coisa no longo prazo senão o esquecimento total e sem sentido. Se perguntássemos às pessoas na Idade Média

"Você está satisfeita com sua vida como um todo?", talvez obtivéssemos resultados bastante altos num questionário de bem-estar subjetivo.

Quer dizer que nossos ancestrais medievais eram felizes por encontrar significado na vida em ilusões coletivas sobre a vida após a morte? Sim. Desde que ninguém desacreditasse suas fantasias, por que não deveriam ser? Tanto quanto podemos dizer, do ponto de vista puramente científico, a vida humana não tem nenhum sentido. Os seres humanos são o produto de processos evolucionários cegos que operam sem metas ou propósitos. Nossas ações não são parte de algum plano cósmico divino e, se o planeta Terra explodisse amanhã de manhã, é provável que o universo seguisse seu curso como de costume. Até onde sabemos hoje, a subjetividade humana não faria falta. Por isso, *qualquer* significado que as pessoas atribuam a suas vidas não passa de uma ilusão. Os significados sobrenaturais que os indivíduos da Idade Média encontravam em suas vidas não eram mais ilusórios que os significados humanistas, nacionalistas e capitalistas que as pessoas modernas encontram nas delas. O cientista que afirma que a vida é significativa porque ele contribui para aprimorar o conhecimento humano, o soldado que declara que sua vida é significativa porque ele luta para defender sua pátria e o empreendedor que encontra significado em criar uma nova companhia não estão menos iludidos que seus congêneres medievais que encontravam significado lendo as Escrituras, participando de uma cruzada ou erguendo uma nova catedral.

Por isso, talvez, a felicidade consista em cada um sincronizar suas ilusões pessoais sobre o significado da vida com as ilusões coletivas prevalecentes. Desde que minha narrativa pessoal esteja alinhada com as narrativas de quem me cerca, posso me convencer de que minha vida tem sentido — e encontrar felicidade nessa convicção.

Essa é uma conclusão bastante deprimente. Será que a felicidade depende de fato da autoilusão?

CONHECE-TE A TI MESMO

Se a felicidade é baseada em ter sensações agradáveis, então, para sermos mais felizes, precisamos reformular nosso sistema bioquímico. Se a felicidade é baseada no sentimento de que a vida é significativa, então, para sermos mais felizes, precisamos iludirmos a nós mesmos de maneira mais eficiente. Existirá uma terceira alternativa?

As duas visões expostas acima compartilham a premissa de que a felicidade é uma espécie de sensação subjetiva (de prazer ou de significado) e de que, a fim de avaliar a felicidade das pessoas, basta lhes perguntar como se sentem. Para muitos de nós, isso parece lógico porque a religião predominante em nossa era é o liberalismo, que santifica as sensações subjetivas dos indivíduos, por entender que elas constituem a fonte suprema da autoridade. O que é bom e o que é mau, o que é bonito e o que é feio, o que deve ser e o que não deve ser, tudo isso é determinado pelo que cada um de nós sente.

A política liberal se baseia na ideia de que os eleitores sabem o que é melhor, e não é necessário que o Big Brother nos diga o que é bom para nós. A economia liberal se baseia na ideia de que o freguês tem sempre razão. A arte liberal declara que a beleza está nos olhos de quem vê. Os alunos em escolas e universidades liberais são ensinados a pensar por si próprios. A publicidade nos diz "Faça isso!". Os filmes de ação, as peças de teatro, as novelas e as músicas pop nos doutrinam constantemente: "Seja fiel a você mesmo", "Ouça a si próprio", "Siga seu coração". Jean-Jacques Rousseau expôs essa visão na frase clássica: "O que sinto ser bom é bom. O que sinto ser ruim é ruim".

As pessoas que foram alimentadas desde crianças com esses slogans tendem a acreditar que a felicidade é uma sensação subjetiva, e que cada indivíduo sabe melhor que ninguém se é feliz ou não. No entanto, essa visão é específica do liberalismo. A maioria das religiões e das ideologias ao longo da história afirmou que há padrões objetivos para o que é bom e bonito, assim como para como as coisas devem ser. Elas suspeitavam das sensações e das preferências das pessoas comuns. Na entrada do templo de Apolo em Delfos, os peregrinos eram recebidos com a inscrição: "Conhece-te a ti mesmo!". A implicação era de que o homem comum ignora seu verdadeiro eu e, por isso, possivelmente ignora a verdadeira felicidade. É provável que Freud concordasse.*

---

* Paradoxalmente, embora os estudos psicológicos do bem-estar subjetivo dependam da capacidade de as pessoas diagnosticarem de maneira correta a sua felicidade, a *raison d'être* básica da psicoterapia é que as pessoas não se conhecem de fato e às vezes necessitam de ajuda profissional para se livrarem de comportamentos autodestrutivos.

O mesmo se aplica aos teólogos cristãos. São Paulo e Santo Agostinho sabiam muito bem que, se perguntadas, as pessoas em sua maioria diriam preferir fazer sexo a rezar a Deus. Será que isso prova que fazer sexo é a chave para a felicidade? Não, de acordo com Paulo e Agostinho. Só prova que a humanidade é pecadora por natureza, e que as pessoas são seduzidas com facilidade por Satã. Do ponto de vista cristão, a vasta maioria das pessoas está mais ou menos na mesma situação dos viciados em heroína. Imaginemos que um psicólogo conduz um estudo de felicidade entre os usuários de drogas. Faz suas indagações e descobre que eles declaram, sem exceção, que só estão felizes quando se injetam. Será que o psicólogo publicaria um ensaio afirmando que a heroína é a chave para a felicidade?

A ideia de que as sensações não são confiáveis não se restringe ao cristianismo. Pelo menos no que concerne ao valor das sensações, até mesmo Darwin e Richard Dawkins podem encontrar pontos em comum com são Paulo e Santo Agostinho. Segundo a teoria do gene egoísta, a seleção natural faz com que as pessoas, assim como outros organismos, escolham o que é bom para a reprodução de seus genes mesmo se isso for ruim para elas como indivíduos. A maioria dos homens passa a vida trabalhando, se preocupando, competindo e lutando, em vez de aproveitar a felicidade pacífica, porque seu DNA os manipula para alcançar seus próprios objetivos egoístas. Como Satã, o DNA usa os prazeres fugazes para tentar as pessoas e submetê-las a seu poder.

Consequentemente, a maior parte das religiões e das filosofias assumiu uma abordagem diferente daquela tomada pelo liberalismo no que se refere à felicidade.[3] A postura budista é bastante interessante. O budismo deu à questão da felicidade mais importância do que talvez qualquer outra crença humana. Durante 2500 anos, os budistas têm estudado sistematicamente a essência e as causas da felicidade, motivo pelo qual se verifica um interesse crescente na comunidade científica em relação tanto à sua filosofia quanto às práticas de meditação.

O budismo compartilha a percepção fundamental da abordagem bioquímica em relação à felicidade, ou seja, a de que ela depende de processos que ocorrem dentro do corpo das pessoas, e não de acontecimentos no mundo exterior. Entretanto, partindo do mesmo insight, o budismo chega a conclusões muito diferentes.

Segundo o budismo, a maior parte das pessoas identifica a felicidade com sensações agradáveis, enquanto relaciona o sofrimento com sensações desagradáveis. Em consequência, as pessoas atribuem imensa importância ao que sentem, ansiando por sentir mais e mais prazeres ao mesmo tempo que evitam a dor. O que quer que façamos durante nossas vidas — seja coçar a perna, remexer-se na cadeira ou lutar em guerras mundiais —, só estamos tentando ter sensações agradáveis.

O problema, de acordo com o budismo, é que nossas sensações não passam de vibrações passageiras, alterando-se a cada momento como as ondas do mar. Se cinco minutos atrás me senti alegre e decidido, agora esses sentimentos se foram e podem muito bem me deixar triste e deprimido. Por isso, se desejo ter sensações agradáveis, preciso correr atrás delas o tempo todo, afugentando ao mesmo tempo as sensações desagradáveis. Ainda que tenha sucesso, preciso recomeçar imediatamente sem nunca obter uma recompensa duradoura por meus esforços.

Por que é tão importante obter esses prêmios efêmeros? Por que lutar tanto a fim de alcançar alguma coisa que desaparece tão logo surge? De acordo com o budismo, a raiz do sofrimento não reside na sensação de dor nem na tristeza ou na falta de sentido. Pelo contrário, a verdadeira raiz do sofrimento está nessa procura interminável e inútil de sensações efêmeras, que nos leva a um estado permanente de tensão, ansiedade e descontentamento. Devido a essa busca, a mente nunca está satisfeita. Mesmo ao sentir prazer, não fica contente porque teme que a sensação pode desaparecer de imediato, quando anseia que ela permaneça e se intensifique.

As pessoas se libertam do sofrimento não ao sentir este ou aquele prazer transitório, mas ao compreender a natureza impermanente de todas as suas sensações e ao deixar de desejá-las. Esse é o objetivo das práticas de meditação budistas. Na meditação, espera-se que a pessoa observe com atenção sua mente e seu corpo, testemunhe o incessante brotar e fenecer de todas as suas sensações, e entenda quão inútil é persegui-las. Quando a busca cessa, a mente se torna muito tranquila, clara e satisfeita. Todas as espécies de sensações vêm e vão — alegria, raiva, tédio, desejo sexual —, mas, depois que se deixou de ansiar por determinados tipos, é possível simplesmente aceitá-las pelo que elas são. A pessoa vive no momento presente em vez de fantasiar sobre o que poderia ter sido.

A serenidade resultante é tão profunda que aqueles que levam a vida inteira na busca frenética de sensações agradáveis nem podem imaginá-la. É como um homem que passasse décadas à beira do mar, se deixando envolver por "boas" ondas e tentando impedir que elas se desintegrem, ao mesmo tempo que se afasta das ondas "más" a fim de evitar que o alcancem. Dia após dia, o homem permanece na praia, enlouquecendo devido àquele esforço inútil. Por fim, se senta na areia e simplesmente deixa que as ondas venham e se vão como queiram. Que paz!

Essa ideia é tão estranha à cultura liberal moderna que, quando os movimentos da New Age ocidental descobriram as percepções budistas, eles as traduziram em termos liberais e, dessa forma, as viraram de cabeça para baixo. Os cultos da New Age com frequência afirmam: "A felicidade não depende de condições externas. Só depende do que sentimos dentro de nós mesmos. As pessoas deveriam parar de buscar conquistas externas, como a riqueza e o status, conectando-se em vez disso com seus sentimentos interiores". Ou, de maneira mais sucinta: "A felicidade começa dentro de você". Isso é exatamente o que dizem os biólogos, mas quase o oposto do que Buda disse.

Buda concordava com a biologia moderna e com os movimentos da New Age quanto à circunstância de que a felicidade não depende das condições externas. Todavia, sua percepção mais importante e bem mais profunda foi que a verdadeira felicidade é também independente de nossas sensações internas. Na verdade, quanto mais importância damos a essas sensações, mais as desejamos, e mais sofremos. A recomendação de Buda era cessar não apenas a busca por conquistas externas, como também a busca por sensações internas.

Em resumo, os questionários de bem-estar subjetivo identificam nosso bem-estar com sensações subjetivas, assim como identificam a busca da felicidade com a busca por certos estados emocionais. Em contraste, para muitas filosofias e religiões tradicionais, como o budismo, a chave para a felicidade está em conhecer a verdade sobre si mesmo — compreender de fato quem e o que você é. A maioria das pessoas de modo equivocado se identifica com suas sensações, seus pensamentos, seus gostos e suas ojerizas. Quando sentem raiva, elas pensam: "Estou com raiva. Eu sou essa raiva". Em consequência, passam a vida evitando certas sensações e ansiando por outras. Nunca se dão conta de que não são constituídas por suas sensações, e que a busca incessante por determinados sentimentos simplesmente as aprisiona na infelicidade.

Sendo assim, então toda a nossa compreensão da história da felicidade pode estar equivocada. Talvez não seja tão importante que as expectativas das pessoas sejam satisfeitas e elas desfrutem de sensações agradáveis. A verdadeira questão é se as pessoas conhecem a verdade sobre si próprias. Que evidência temos de que as pessoas hoje em dia compreendem essa verdade melhor do que os antigos caçadores-coletores ou os camponeses medievais?

Como os estudiosos começaram a estudar a história da felicidade há apenas alguns anos, estamos ainda formulando hipóteses iniciais e procurando métodos de pesquisa adequados. É cedo demais para adotar conclusões rígidas e dar por encerrado um debate que mal começou. O importante é conhecer o máximo de abordagens possível e fazer as perguntas certas.

A maioria dos livros de história se concentra nas ideias dos grandes pensadores, na bravura dos guerreiros, na caridade dos santos e na criatividade dos artistas. Eles têm muito a nos dizer sobre como as estruturas sociais foram tecidas e se desfiaram, sobre a ascensão e a queda dos impérios, sobre a descoberta e a disseminação de tecnologias. No entanto, nada dizem sobre como tudo isso influenciou a felicidade e o sofrimento dos indivíduos. Essa é a maior lacuna em nosso entendimento da história. É melhor que comecemos a preenchê-la.

20. O fim do *Homo sapiens*

Este livro começou apresentando a história como o estágio seguinte de uma cadeia que vai da física à química, e dela para a biologia. Os sapiens estão sujeitos às mesmas forças físicas, reações químicas e processos de seleção natural que governam todos os seres vivos. A seleção natural pode ter proporcionado ao *Homo sapiens* um campo muito mais vasto para jogar do que concedeu a qualquer outro organismo, porém o campo continua a ter limites. A implicação tem sido a de que, independentemente de seus esforços e conquistas, os sapiens são incapazes de se libertar daquelas restrições determinadas biologicamente.

No entanto, na aurora do século XXI, isso já não é verdade: o *Homo sapiens* está transcendendo esses limites. Começa agora a romper as leis da seleção natural, substituindo-as pelas do design inteligente.

Durante quase 4 bilhões de anos, todos os organismos no planeta, sem exceção, evoluíram de acordo com a seleção natural. Nenhum deles foi projetado por um criador inteligente. A girafa, por exemplo, conseguiu seu pescoço comprido graças à competição entre girafas arcaicas, e não graças aos caprichos de um ser superinteligente. As protogirafas que possuíam pescoços mais longos tinham acesso a mais alimento e, consequentemente, geraram mais descendentes que as de pescoço curto. Ninguém, sem dúvida não as girafas, disse: "Um pescoço comprido possibilitará às girafas mastigar as folhas das copas das árvores. Vamos alongá-lo". A beleza da teoria de Darwin está em não precisar pressupor um programador inteligente para explicar por que as girafas acabaram com pescoços compridos.

Ao longo de bilhões de anos, o design inteligente não foi nem mesmo uma opção porque não havia uma inteligência capaz de projetar nada. Os microrganismos, que até bem pouco tempo atrás eram as únicas coisas vivas que circulavam pelo planeta, são capazes de feitos surpreendentes. Um microrganismo pertencente a determinada espécie pode incorporar em suas células os códigos genéticos de uma espécie totalmente diferente, ganhando desse modo novas capacidades como a resistência a antibióticos. Todavia, tanto quanto sabemos, os microrganismos não possuem consciência, nenhum objetivo na vida nem a capacidade de fazer planos para o futuro.

Em determinado momento, organismos como as girafas, os golfinhos, os chimpanzés e os neandertais desenvolveram a consciência e a capacidade de planejamento. Porém, mesmo se um neandertal imaginasse aves tão gordas e lentas que ele poderia agarrá-las quando estivesse com fome, ele não tinha como transformar essa fantasia em realidade. Era obrigado a caçar as aves que haviam sido selecionadas naturalmente.

A primeira rachadura na ordem antiga surgiu há cerca de 10 mil anos, durante a Revolução Agrícola. Os sapiens, que sonhavam com aves gordas e lentas, descobriram que, se acasalassem a galinha mais gorda com o galo mais lento, alguns dos pintinhos resultantes desse acasalamento seriam ao mesmo tempo gordos e lentos. Se, por sua vez, esses descendentes acasalassem entre si, era possível gerar uma linhagem de galinhas gordas e lentas. Era uma raça desconhecida na natureza, produzida pelo design inteligente não de um deus, mas de um ser humano.

Não obstante, comparado a um deus todo-poderoso, o *Homo sapiens* tinha habilidades limitadas como projetista. Os sapiens podiam usar o cruzamento seletivo para contornar e acelerar os processos de seleção natural que em geral afetavam as galinhas, porém não eram capazes de introduzir características completamente novas que estavam ausentes do repositório de genes das galinhas selvagens. De certa maneira, a relação entre o *Homo sapiens* e as galinhas era semelhante às muitas outras relações simbióticas que com tanta frequência surgiram de maneira espontânea na natureza. Os sapiens exerceram pressões seletivas peculiares sobre as galinhas, fazendo com que proliferassem animais gordos e lentos, assim como abelhas polinizadoras selecionam flores, proliferando as que têm cores mais brilhantes.

Atualmente, a ordem antiga de 4 bilhões de anos da seleção natural está diante de um desafio totalmente diferente. Em laboratórios espalhados por todo o mundo, os cientistas estão criando novos seres vivos. Violam as leis da seleção natural com impunidade, sem se deixar restringir nem mesmo pelas características originais do organismo. Eduardo Kac, um bioartista brasileiro, decidiu em 2000 criar uma obra de arte nova: uma coelha verde e fluorescente. Kac contratou um laboratório francês para que produzisse uma coelha radiante segundo suas especificações. Os cientistas franceses pegaram o embrião de um coelho branco comum, implantaram em seu DNA um gene tirado de uma água-viva verde e fluorescente, e *voilà*!: uma coelha verde e fluorescente *pour monsieur*. Kac chamou o bichinho de Alba.

É impossível explicar a existência de Alba valendo-se das leis da seleção natural. Ela é fruto do design inteligente. É também a precursora do que vem por aí. Se o potencial que Alba representa for plenamente realizado — e se os humanos não se aniquilarem antes disso —, a Revolução Científica pode se comprovar muito maior que uma simples revolução histórica. Pode se revelar a mais importante revolução *biológica* desde o aparecimento da vida na Terra. Após 4 bilhões de anos de seleção natural, Alba está situada no alvorecer de uma nova era cósmica em que a vida será governada pelo design inteligente. Se isso acontecer, toda a história humana até agora pode, em retrospecto, ser reinterpretada como um processo de experimentação e aprendizado que revolucionou o jogo da vida. Esse processo deve ser entendido a partir de uma perspectiva cósmica de bilhões de anos, e não de uma perspectiva humana de milênios.

Os biólogos de todo o mundo estão empenhados numa batalha contra o movimento do design inteligente, que se opõe ao ensino da evolução darwiniana nas escolas e afirma que a complexidade biológica prova a existência de um criador que idealizou com antecedência todas as nossas características biológicas. Os biólogos têm razão sobre o passado, mas os proponentes do design inteligente, ironicamente, podem estar certos quanto ao futuro.

No momento em que escrevo, a substituição da seleção natural pelo design inteligente pode acontecer de três maneiras: pela engenharia biológica, pela engenharia de ciborgues (seres que combinam partes orgânicas e não orgânicas) ou pela engenharia de vida inorgânica.

A engenharia biológica é uma intervenção humana deliberada em nível biológico (por exemplo, implantando um gene) com o objetivo de modificar o formato, as capacidades, as necessidades ou os desejos de um organismo a fim de concretizar alguma ideia cultural preconcebida, tal como as predileções artísticas de Eduardo Kac.

Não há nada de novo na engenharia biológica propriamente dita. As pessoas a utilizam há milênios para reformatar a si mesmas e a outros organismos. Um exemplo simples é a castração. Os humanos castram touros talvez há 10 mil anos para criar bois menos agressivos e por isso mais fáceis de treinar para puxar arados. Os humanos também castravam seus próprios meninos para criar cantores sopranos com vozes encantadoras, assim como eunucos a quem se podia confiar com segurança a supervisão do harém do sultão.

Mas os progressos recentes em nossa compreensão sobre como os organismos funcionam, chegando aos níveis celulares e nucleares, geraram possibilidades até então inimagináveis. Por exemplo, hoje podemos não apenas castrar um homem como também mudar seu sexo através de tratamentos cirúrgicos e hormonais. Porém isso não é tudo. Consideremos a surpresa, a repugnância e a consternação generalizadas quando, em 1996, a fotografia da p. 422 apareceu nos jornais e na televisão.

Não, não foi feita com o Photoshop. É a fotografia sem retoques de um camundongo de verdade em cujas costas os cientistas implantaram células de cartilagem bovina. Eles foram capazes de controlar o crescimento do novo tecido, nesse caso moldando-o no formato de alguma coisa que se parece com uma orelha humana. O processo pode em breve permitir aos cientistas manufaturar orelhas artificiais que seriam então implantadas em humanos.[1]

Maravilhas ainda mais impressionantes podem se tornar realidade com a engenharia genética, motivo pelo qual ela suscita numerosas questões éticas, políticas e ideológicas. E não são apenas monoteístas devotos que se opõem a que o homem usurpe o papel de Deus. Muitos ateus convictos não estão menos chocados com a ideia de que os cientistas estejam assumindo as funções da natureza. Os ativistas de direitos dos animais denunciam o sofrimento causado a animais de laboratório nos experimentos de engenharia genética, assim como aos de criação que são programados em completo desprezo por suas

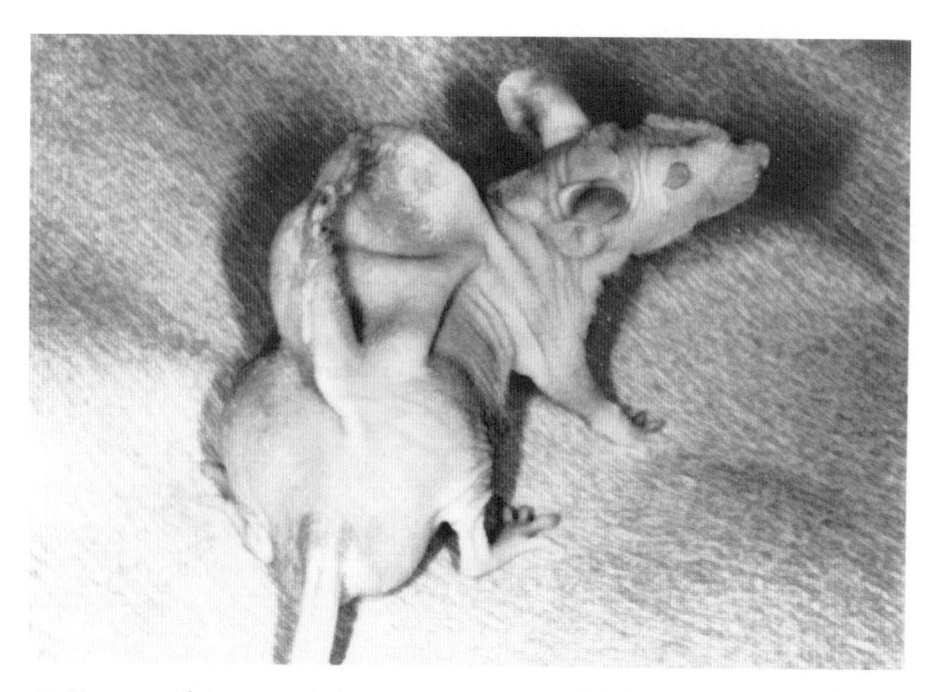

47. *Um camundongo em cujas costas os cientistas fizeram crescer uma "orelha" feita a partir de células de cartilagem bovina. Trata-se de um estranho eco da estátua do homem-leão encontrada na caverna de Stadel. Trinta mil anos atrás, os humanos já fantasiavam sobre a combinação de espécies diferentes. Hoje, eles podem de fato produzir essas quimeras.*

necessidades e seus desejos. Os ativistas dos direitos humanos temem que a engenharia genética possa ser usada para criar super-homens que transformarão todos nós em servos. Acólitos de Jeremias oferecem visões apocalípticas de bioditaduras que irão clonar soldados destemidos e trabalhadores obedientes. O sentimento prevalecente é o de que um número muito grande de oportunidades está surgindo rápido demais, e que nossa capacidade de alterar genes está correndo à frente de nossa capacidade de fazer usos sábios e previdentes desses poderes.

O resultado é que estamos agora utilizando apenas uma fração do potencial da engenharia genética. Os organismos que estão sendo programados são em sua maioria os que contam com menores grupos de pressão — plantas, fungos, bactérias e insetos. Por exemplo, cepas de *E. coli*, uma bactéria que vive em simbiose no intestino humano (e causa manchetes quando escapa dali e provoca infecções mortais) têm sido manipuladas geneticamente para produzir biocombustível.[2] A *E. coli* e várias espécies de fungos também têm sido modificadas para produzir insulina, reduzindo com isso o custo do tratamento da diabetes.[3] Certo gene extraído de um peixe ártico foi inserido em batatas, tornando-as mais resistentes às geadas.[4]

Alguns mamíferos também foram submetidos à engenharia genética. Todos os anos, a indústria de laticínios sofre prejuízos de bilhões de dólares devido à mastite, uma doença que ataca o úbere das vacas leiteiras. Os cientistas no momento estão fazendo experimentos com vacas geneticamente modificadas cujo leite contém lisostafina, uma substância bioquímica que ataca a bactéria responsável pela doença.[5] A indústria de carne de porco, que vem sofrendo uma queda nas vendas porque os consumidores estão preocupados com a gordura nociva no presunto e no bacon, deposita esperanças numa linhagem ainda experimental de porcos implantados com o material genético de um verme. Os novos genes fazem com que os porcos transformem o ácido graxo ômega-6 nocivo em seu primo saudável, o ômega-3.[6]

A próxima geração de engenharia genética vai fazer os porcos com gordura saudável parecer brincadeira de criança. Os geneticistas conseguiram não apenas prolongar em seis vezes a expectativa de vida média de certos vermes como também criar camundongos geniais com memórias e habilidades de aprendizado muito aperfeiçoadas.[7] Os ratos-do-campo são roedores pequenos e robustos que se parecem com camundongos, e em sua maioria são promíscuos. Porém há uma espécie que estabelece relações duradouras e monogâmicas entre machos e fêmeas. Os geneticistas afirmam haver isolado os genes responsáveis pela monogamia entre os ratos-do-campo. Se a adição de um gene pode transformar um rato-do-campo dom-juan num marido leal e amoroso, estamos muito longe de modelar geneticamente não apenas as capacidades individuais de roedores (e de humanos), mas também suas estruturas sociais?[8]

O RETORNO DOS NEANDERTAIS

No entanto, os geneticistas não querem modificar só linhagens vivas. Querem também reviver criaturas extintas. E não apenas dinossauros, como em *Jurassic Park*. Uma equipe de cientistas russos, japoneses e coreanos recentemente mapeou o genoma de antigos mamutes congelados na Sibéria. Planejam agora pegar um óvulo fertilizado de uma elefanta atual, substituir seu DNA pelo material genético reconstruído do mamute e implantar o óvulo no útero de uma elefanta. Depois de cerca de 22 meses, esperam que nasça o primeiro mamute em 5 mil anos.[9]

Mas por que parar nos mamutes? O prof. George Church, da Universidade Harvard, sugeriu recentemente que, terminado o Projeto Genoma dos Neandertais, podemos implantar o DNA reconstruído dessa espécie no óvulo de uma sapiens, produzindo dessa forma a primeira criança neandertal em 30 mil anos. Church afirmou ser capaz de fazer isso pela bagatela de 30 milhões de dólares. Várias mulheres já se apresentaram como voluntárias para servir como barriga de aluguel.[10]

Para que precisamos dos neandertais? Alguns argumentam que, se pudéssemos estudar neandertais vivos, seríamos capazes de responder a certas perguntas interessantes sobre as origens e as características únicas do *Homo sapiens*. Comparando o cérebro de ambas as espécies e mapeando onde suas estruturas diferem, talvez fosse possível identificar qual modificação biológica gerou a consciência como a sentimos hoje. Há também uma razão ética: alguns dizem que se o *Homo sapiens* foi responsável pela extinção dos neandertais, teríamos um dever moral de ressuscitá-los. E ter alguns neandertais por aí pode ser útil. Muitos industriais ficariam felizes em pagar a um neandertal para fazer o trabalho braçal de dois sapiens.

Mas por que parar até mesmo nos neandertais? Por que não ir até o caderno de desenho de Deus e projetar um sapiens melhor? As capacidades, as necessidades e os desejos do *Homo sapiens* têm uma base genética, e o genoma do sapiens não é mais complexo que o dos ratos-do-campo e dos camundongos. (O genoma do camundongo tem cerca de 2,5 bilhões de bases nucleicas, enquanto o genoma do sapiens tem cerca de 2,9 bilhões de bases — o que significa que este último é apenas 14% maior.)[11] A médio prazo — dentro de poucas décadas —, talvez a engenharia genética e outras formas de engenharia biológica possam nos permitir fazer alterações profundas não apenas em nossa fisiologia, em nosso sistema imunológico e em nossa expectativa de vida, mas também em nossas capacidades intelectuais e emocionais. Se a engenharia genética pode criar camundongos geniais, por que não gênios humanos? Se pode criar ratos-do-campo monogâmicos, por que não seres humanos programados para permanecerem fiéis a seus parceiros?

A Revolução Cognitiva, que transformou o *Homo sapiens* de um primata insignificante no dono do mundo, não exigiu nenhuma mudança notável na fisiologia e nem mesmo no tamanho e no formato exterior do cérebro do sapiens. Aparentemente, envolveu apenas poucas e pequenas alterações na estrutura interna do cérebro. Talvez outra pequena alteração seria o bastante para dar origem a uma Segunda Revolução Cognitiva, que crie um tipo novo de consciência e transforme o *Homo sapiens* em algo totalmente diferente.

É fato que ainda não dispomos do saber para alcançar isso, mas não parece existir nenhuma barreira técnica insuperável que nos impeça de criar super-homens de maneira artificial. Os maiores obstáculos são as objeções éticas e políticas que tornaram mais lentas as pesquisas envolvendo humanos. No entanto, por mais convincentes que sejam os argumentos éticos, é difícil ver como eles impedirão por muito tempo o passo seguinte, em especial se estiver em jogo a possibilidade de prolongar a vida humana indefinidamente, vencer doenças incuráveis e aperfeiçoar nossas capacidades cognitivas e emocionais.

O que aconteceria, por exemplo, se desenvolvêssemos uma cura para o Alzheimer que, como efeito secundário benéfico, pudesse aumentar de modo drástico a memória de pessoas saudáveis? Alguém poderia interromper uma pesquisa tão relevante? E quando a cura estivesse disponível, alguma autoridade legal poderia limitá-la aos pacientes com Alzheimer, impedindo as pessoas saudáveis de usá-la para adquirir uma supermemória?

Não se sabe se a bioengenharia será de fato capaz de ressuscitar neandertais, porém é muito provável que isso encerre a trajetória do *Homo sapiens*. Manipular nossos genes não vai necessariamente nos matar. Mas podemos mexer a tal ponto que não seríamos mais *Homo sapiens*.

VIDA BIÔNICA

Há outra nova tecnologia que poderia alterar as leis da vida: a engenharia de ciborgues. Ciborgues são seres que combinam partes orgânicas e inorgânicas, tal como um humano com mãos biônicas. De certo modo, quase todos nós hoje somos biônicos, uma vez que nossos sentidos e funções naturais são suplementados por dispositivos como óculos, marca-passos, órteses e até mesmo computadores e celulares (que aliviam nosso cérebro de parte dos ônus em matéria de armazenagem e processamento de dados). Estamos no limiar de nos tornarmos verdadeiros ciborgues, de possuir elementos inorgânicos capazes de modificar nossas capacidades, desejos, personalidades e identidades e que são inseparáveis de nossos corpos.

A Darpa (Agência de Projetos de Pesquisa Avançada de Defesa), uma instituição militar de pesquisa dos Estados Unidos, está desenvolvendo ciborgues a partir de insetos. A ideia é implantar, no corpo de uma mosca ou de uma barata, chips eletrônicos, detectores e processadores que permitirão a um humano ou a um operador automático controlar de forma remota os movimentos do inseto, além de captar e transmitir informações. A mosca, pousada na parede do centro de operações dos inimigos, poderia escutar as conversas mais secretas e, se não for apanhada antes por uma aranha, nos informar de maneira exata o que eles estão planejando.[12] Em 2006, o Centro Naval de Guerra Submarina dos Estados Unidos anunciou sua intenção de criar tubarões ciborgues, declarando que desenvolvia "um dispositivo cujo objetivo consiste em controlar o comportamento dos animais por meio de implantes neurais". Os pesquisadores esperam identificar campos eletromagnéticos causados por submarinos e minas explorando as capacidades naturais de detecção magnética dos tubarões, superiores às de qualquer aparelho feito pelo homem.[13]

Os sapiens também estão sendo transformados em ciborgues. Os aparelhos para surdez de última geração são às vezes chamados de "ouvidos biônicos". O dispositivo é um implante que capta os sons através de um microfone situado na parte externa do ouvido. O implante filtra os sons, identifica as vozes humanas e as traduz em sinais elétricos que são enviados diretamente ao nervo auditivo central, e de lá para o cérebro.[14]

A Retina Implant, uma companhia alemã patrocinada pelo governo, está desenvolvendo uma prótese de retina que pode permitir aos deficientes visuais adquirirem uma visão parcial através do implante de um pequeno microchip dentro do olho do paciente. Células fotoelétricas captam a luz que chega ao olho e a transformam em energia elétrica, que por sua vez estimula as células nervosas intactas da retina. Os impulsos nervosos dessas células estimulam o cérebro, onde são traduzidos em visão. No momento, a tecnologia permite que os pacientes se orientem no espaço, identifiquem letras e até mesmo reconheçam rostos.[15]

Jesse Sullivan, um eletricista norte-americano, perdeu os dois braços até os ombros num acidente em 2001. Hoje ele usa dois braços biônicos graças ao

Instituto de Reabilitação de Chicago. A característica especial dos novos braços de Jesse é que eles são operados apenas pelo pensamento. Sinais neurais que chegam do cérebro de Jesse são traduzidos por microcomputadores em comandos elétricos que movem os braços. Quando Jesse deseja levantar o braço, ele faz o mesmo que qualquer pessoa normal faria inconscientemente — e o braço se ergue. Embora esses braços executem uma gama muito mais limitada de movimentos que braços orgânicos, eles possibilitam a Jesse executar funções diárias simples. Um braço biônico similar foi instalado há pouco tempo em Claudia Mitchell, uma militar norte-americana que perdeu o membro num acidente de motocicleta. Os cientistas acreditam que em breve teremos braços biônicos que não apenas se moverão quando a pessoa quiser como também serão capazes de transmitir sinais de volta ao cérebro, permitindo dessa forma aos amputados que recuperem até mesmo o tato![16]

Por enquanto, esses braços biônicos são substitutos precários para os nossos originais orgânicos, porém têm um potencial ilimitado de desenvolvimento. Os braços biônicos, por exemplo, podem ser muito mais poderosos que os

48. *Jesse Sullivan e Claudia Mitchel se dando as mãos. O mais impressionante desses braços biônicos é o fato de serem operados pelo pensamento.*

orgânicos, fazendo com que mesmo um campeão de boxe se sinta fraco. Ademais, os braços biônicos têm a vantagem de poder ser substituídos dentro de poucos anos, ou separados do corpo e operados à distância.

Cientistas da Universidade Duke na Carolina do Norte recentemente demonstraram isso com macacos *Rhesus*, em cujos cérebros haviam sido implantados eletrodos que captavam sinais do cérebro e os transmitiam a dispositivos externos. Os macacos foram treinados para controlar braços e pernas biônicos à distância apenas por meio de pensamentos. Uma macaca chamada Aurora aprendeu a controlar pelo pensamento um braço biônico separado de seu corpo enquanto movia ao mesmo tempo seus dois braços orgânicos. Como uma deusa hindu, Aurora agora tem três braços, que podem estar situados em aposentos diferentes — ou mesmo em cidades diferentes. Sentada em seu laboratório na Carolina do Norte, ela pode coçar as costas com uma das mãos, coçar a cabeça com a segunda mão e, ao mesmo tempo, furtar uma banana em Nova York (embora a capacidade de comer uma fruta roubada à distância continue sendo um sonho). Outra macaca *Rhesus*, Idoya, ficou famosa internacionalmente em 2008 quando, de seu laboratório na Carolina do Norte, controlou pelo pensamento um par de pernas biônicas em Kyoto, no Japão. As pernas pesavam vinte vezes mais que Idoya.[17]

A síndrome do encarceramento é uma condição em que a pessoa perde toda ou quase toda a capacidade de mover qualquer parte do corpo, apesar de suas capacidades cognitivas permanecerem intactas. Os pacientes que sofrem dessa síndrome até agora só conseguem se comunicar com o mundo exterior por meio de pequenos movimentos dos olhos. Todavia, no cérebro de alguns foram implantados eletrodos que captam sinais. Estão sendo desenvolvidos esforços para traduzir esses sinais não apenas em movimentos como também em palavras. Se os experimentos tiverem êxito, os pacientes com a síndrome do encarceramento enfim poderiam se comunicar diretamente com o mundo exterior — e, com o tempo, talvez seja possível usar essa tecnologia para ler a mente de outras pessoas.[18]

No entanto, de todos os projetos em andamento, o mais revolucionário é a tentativa de criar uma interface direta e nos dois sentidos que permita aos computadores ler os sinais elétricos de um cérebro humano, transmitindo ao mesmo tempo sinais que o cérebro possa ler. Que tal se essas interfaces forem usadas para ligar o cérebro à internet, ou ligar diretamente vários cérebros a fim de gerar uma espécie de rede intercerebral? O que poderia acontecer à memória humana, à consciência humana e à identidade humana se o cérebro tivesse acesso direto a um banco de memória coletivo? Nessa situação, um ciborgue poderia, por exemplo, apropriar-se das memórias de outro — não ouvir falar sobre elas, não ler sobre elas numa autobiografia, e sim se lembrar delas diretamente, como se fossem suas. O que acontece com conceitos como o ego e a identidade de gênero quando as mentes se tornam coletivas? Como alguém poderia conhecer a si próprio ou correr atrás de seu sonho se o sonho não está em sua mente, mas num reservatório coletivo de aspirações?

Esse ciborgue já não seria humano ou mesmo orgânico. Seria alguma coisa completamente diversa. Seria outra espécie de ser em termos tão fundamentais que nem somos capazes de entender as implicações filosóficas, psicológicas ou políticas disso.

OUTRA VIDA

A terceira forma de alterar as leis da vida consiste em criar seres completamente inorgânicos. Os exemplos mais óbvios são os programas e os vírus de computador que podem sofrer uma evolução independente.

O campo da programação genética é hoje um dos espaços mais interessantes no mundo na ciência da computação, pois ali se tenta emular os métodos da evolução genética. Muitos programadores sonham em criar um programa capaz de aprender e evoluir de modo completamente independente de seu criador. Nesse caso, o programador seria um *primum mobile*, mas sua criação teria a liberdade de evoluir em direções que nem ele nem qualquer outro ser humano poderia ter imaginado.

Já existe um protótipo desse programa — é o que chamamos de vírus de computador. Ao se espalhar pela internet, o vírus se replica muitos milhões de vezes, sendo perseguido todo o tempo por programas predatórios de antivírus e competindo com outros por um lugar no ciberespaço. Certo dia, ao se replicar, ocorre um erro — uma mutação computadorizada. Talvez a mutação aconteça porque o engenheiro humano programou o vírus para cometer erros de replicação ocasionais e aleatórios. Talvez a mutação se deva apenas a um erro aleatório. Se, por acaso, o vírus modificado escapar melhor dos programas de antivírus sem perder a capacidade de invadir outros computadores, ele vai se espalhar pelo ciberespaço. Nesse caso, os mutantes sobreviverão e se reproduzirão. Com o passar do tempo, o ciberespaço estaria repleto de novos vírus que ninguém criou e que evoluem de forma inorgânica.

Seriam eles criaturas vivas? Depende do que cada um entende por "criaturas vivas". Sem dúvida são fruto de um novo processo evolucionário, totalmente independente das leis e das limitações da evolução orgânica.

Imaginemos outra possibilidade: vamos supor que você pudesse fazer um backup do seu cérebro, enviá-lo para um disco rígido portátil e então rodá-lo no seu laptop. Será que seu laptop poderia pensar e sentir exatamente como um sapiens? Se for assim, ele seria você ou outro ser? E se os programadores pudessem criar uma mente digital inteiramente nova, composta de códigos de computador, mas dotada de senso de identidade pessoal, consciência e memória? Caso você rodasse o programa em seu computador, seria uma pessoa? Se o deletasse, poderia ser acusado de assassinato?

Em breve talvez tenhamos resposta para essas perguntas. O Projeto Cérebro Humano, fundado em 2005, espera recriar um cérebro humano completo dentro de um computador, com circuitos eletrônicos emulando as redes neurais. O diretor do projeto afirmou que, se financiado da maneira correta, dentro de uma ou duas décadas poderíamos ter um cérebro humano artificial dentro de um computador capaz de falar e se comportar de modo bem semelhante ao de um ser humano. Se isso ocorresse, significaria que, após circular por 4 bilhões de anos no mundinho de componentes orgânicos, a vida de súbito despontaria nas vastidões do reino inorgânico pronta a assumir formas que transcendem nossos sonhos mais loucos. Nem todos os estudiosos concordam em que a mente funciona de maneira análoga aos computadores digitais de hoje — e, se não é assim, eles não seriam capazes de simulá-la. Entretanto, seria uma tolice negar de modo categórico essa possibilidade antes de tentar. Em 2013, o projeto recebeu 1 bilhão de euros da União Europeia.[19]

A SINGULARIDADE

No momento, apenas uma fração mínima dessas novas oportunidades foi concretizada. Contudo, o mundo atual já é um mundo em que a cultura está se libertando dos grilhões da biologia. Nossa capacidade de modificar não só o mundo à nossa volta como sobretudo o dentro de nossos corpos e mentes está se desenvolvendo a uma velocidade incrível. Cada vez mais esferas de atividade estão sendo sacudidas em sua complacência. Os advogados precisam repensar questões de privacidade e identidade; os governos estão sendo confrontados com novos problemas em termos de saúde e de igualdade; as associações esportivas e as instituições de ensino necessitam redefinir o que é fair play e excelência; os fundos de aposentadoria e o mercado de trabalho devem se reajustar a um mundo em que os sessenta anos talvez sejam os novos trinta. Todos têm de lidar com os enigmas da bioengenharia, dos ciborgues e da vida inorgânica.

O mapeamento do primeiro genoma humano exigiu quinze anos e 3 bilhões de dólares. Hoje, pode-se mapear o DNA de uma pessoa em poucas semanas e ao custo de algumas centenas de dólares.[20] A era da medicina personalizada — que define o tratamento à luz do DNA — já começou. O médico de família poderá bem cedo dizer com maior grau de certeza que você corre um alto risco de ter câncer de fígado, enquanto não precisa se preocupar muito com ataques cardíacos. Ele pode determinar que um remédio popular que ajuda 92% das pessoas é inútil para você, que deve substituí-lo por outra pílula — fatal para muita gente, mas adequada em seu caso. O caminho para a medicina quase perfeita está diante de nós.

Todavia, junto com as melhorias no conhecimento médico vêm novos dilemas éticos. Os estudiosos da ética e os peritos em direito já estão lutando com o espinhoso assunto da privacidade no que se refere ao DNA. As companhias de seguro terão o direito de pedir nosso mapa genético, elevando os valores caso descubram uma tendência genética a comportamentos imprudentes? Deveríamos enviar a empregadores em potencial nosso DNA em vez de nosso CV? Um empregador poderia dar preferência a certo candidato porque seu DNA parece melhor? Ou nós poderíamos processá-lo nesse caso por "discriminação genética"? Uma companhia que desenvolva uma nova criatura ou um novo órgão poderia patentear as sequências de DNA de suas invenções? É óbvio que alguém pode ter uma galinha, mas será que alguém pode possuir toda uma espécie?

Esses dilemas perdem muito em relevância diante das implicações éticas, sociais e políticas do Projeto Gilgamesh e de nossas novas capacidades em potencial de criar super-homens. A Declaração Universal dos Direitos do Homem, programas médicos governamentais em todo o mundo, sistemas nacionais de seguro-saúde e as constituições de muitos países reconhecem que uma sociedade humanitária deve garantir a todos os seus membros tratamento médico adequado e mantê-los em bom estado de saúde. Isso tudo parecia muito bem enquanto a medicina se preocupava principalmente em evitar doenças e em curar os enfermos. O que pode acontecer se a medicina passar a se preocupar com o aperfeiçoamento das capacidades humanas? Teriam todos os seres humanos direito a capacidades aperfeiçoadas, ou haveria uma nova elite de super-homens?

Nosso mundo moderno se orgulha de reconhecer, pela primeira vez na história, a igualdade básica entre todos os humanos, porém podemos estar prestes a gerar a mais desigual de todas as sociedades. Ao longo da história, as classes superiores sempre se declararam mais inteligentes, mais fortes e em geral melhores que a plebe. Normalmente se iludiam. Um bebê nascido de uma família pobre de camponeses era provavelmente tão inteligente quanto um príncipe herdeiro. Com a ajuda das novas capacidades médicas, as pretensões das classes superiores podem em breve se transformar numa realidade objetiva.

Isso não é ficção científica. A maior parte dos enredos do gênero descreve um mundo em que os sapiens — idênticos a nós — têm uma tecnologia superior, com espaçonaves que se deslocam na velocidade da luz e armas que lançam lasers. Os dilemas éticos e políticos apresentados nessas tramas são extraídos de nosso próprio mundo, simplesmente recriando nossas tensões emocionais e sociais num cenário futurista. No entanto, o potencial efetivo das futuras tecnologias consiste em alterar o próprio *Homo sapiens*, incluindo nossas emoções e nossos desejos, e não apenas veículos e armas. O que é uma nave espacial comparada a um ciborgue para sempre jovem que não tem filhos nem sexualidade, que pode compartilhar pensamentos diretamente com outros seres, cujas capacidades de concentração mental e memória são mil vezes maiores que as nossas, além de não ficar nunca triste ou com raiva, embora tenha emoções e desejos que somos incapazes de imaginar?

A ficção científica raras vezes descreve esse futuro porque uma descrição exata é por definição incompreensível. Produzir um filme sobre a vida de algum superciborgue é o mesmo que encenar *Hamlet* diante de uma plateia de neandertais. Na verdade, os futuros donos do mundo serão provavelmente mais diferentes de nós do que somos dos neandertais. Enquanto nós e os neandertais somos ao menos humanos, nossos herdeiros serão parecidos com deuses.

Os físicos definem o Big Bang como algo singular. Trata-se de um ponto em que todas as leis conhecidas da natureza não existiam. O tempo também não existia. Por isso, não faz sentido dizer que alguma coisa existia "antes" do Big Bang. Podemos estar nos aproximando rapidamente de uma nova singularidade, quando todos os conceitos que dão significado a nosso mundo — eu, você, homens, mulheres, o amor e o ódio — se tornarão irrelevantes. Qualquer coisa que aconteça além desse ponto não tem sentido para nós.

A PROFECIA DE FRANKENSTEIN

Em 1818, Mary Shelley publicou *Frankenstein*, a história de um cientista que tenta criar um ser superior e, em vez disso, cria um monstro. Nos últimos dois séculos, essa história foi diversas vezes, em inúmeras variantes, tornando-se o elemento central de nossa nova mitologia científica. À primeira vista, a história de Frankenstein parece nos alertar para o fato de que, se tentarmos desempenhar o papel de Deus e gerar vida, seremos punidos com severidade. Entretanto, a história tem um significado mais profundo.

O mito de Frankenstein confronta o *Homo sapiens* com o fato de que os últimos dias estão se aproximando rápido. De acordo com a história de Mary Shelley, a menos que alguma catástrofe nuclear ou ecológica intervenha, o ritmo do desenvolvimento tecnológico em breve levará à substituição do *Homo sapiens* por seres totalmente diferentes que possuem não apenas físicos distintos, mas também mundos cognitivos e emocionais muito diversos. A maioria dos sapiens considera isso extremamente perturbador. Gostamos de acreditar que no futuro pessoas como nós viajarão de planeta em planeta em espaçonaves velozes. Não gostamos de contemplar a possibilidade de que, no futuro, seres com emoções e identidades como as nossas não vão mais existir, e que nosso lugar será tomado por formas de vida estranhas, cujas capacidades põem as nossas no chinelo.

Tentamos nos consolar na fantasia de que o dr. Frankenstein só consegue criar monstros terríveis, que seríamos obrigados a destruir para salvar o mundo. Gostamos de contar a história desse jeito pois implica que somos os melhores de todos os seres, que nunca houve e nunca haverá algo superior a nós. Qualquer tentativa de nos aperfeiçoar fracassará inevitavelmente porque, mesmo se nossos corpos puderem ser melhorados, não é possível tocar no espírito humano.

Teríamos dificuldade em engolir o fato de que os cientistas poderiam criar tanto os corpos quanto os espíritos, e que por isso os futuros dr. Frankenstein seriam capazes de gerar algo verdadeiramente superior a nós, que nos olhará com a mesma condescendência com que olhamos para os neandertais.

Não podemos ter certeza se os Frankenstein de hoje farão com que a profecia se realize. O futuro é desconhecido, e seria surpreendente se as previsões das últimas páginas fossem concretizadas por completo. A história nos ensina que o que parece bem próximo pode nunca se materializar por causa de obstáculos imprevistos, e que outros cenários não imaginados se transformarão em realidade. Quando a era nuclear irrompeu na década de 1940, muitas previsões foram feitas sobre o mundo nuclear no ano 2000. Quando o *Sputnik* e a Apollo 11 incendiaram a imaginação do mundo, todos começaram a prever que, por volta do final do século, as pessoas estariam vivendo em colônias espaciais em Marte e em Plutão. Poucas dessas previsões se realizaram. Por outro lado, ninguém previu a internet.

Por isso, não saia por aí comprando apólices de seguro para indenizá-lo caso perca processos impetrados por seres digitais. As fantasias expostas acima — ou pesadelos — servem apenas para estimular sua imaginação. O que devemos levar a sério é a ideia de que o próximo estágio da história incluirá não apenas transformações tecnológicas e organizacionais como também transformações fundamentais na consciência e na identidade humanas. E essas podem ser transformações tão radicais que vão colocar em dúvida até o termo "humano". De quanto tempo dispomos? Ninguém sabe ao certo. Como foi dito anteriormente, alguns afirmam que, por volta de 2050, uns poucos humanos já serão amortais. Previsões menos drásticas falam do próximo século, ou do próximo milênio. No entanto, da perspectiva dos 70 mil anos de história dos sapiens, o que são alguns milênios?

Se a história dos sapiens está prestes a chegar ao fim, nós, como membros de uma de suas gerações derradeiras, deveríamos dedicar algum tempo para responder a uma última pergunta: o que queremos ser? Essa pergunta, às vezes conhecida como a pergunta sobre o aperfeiçoamento humano, torna insignificantes os debates que no presente preocupam políticos, filósofos, intelectuais e pessoas comuns. Afinal, a discussão de hoje entre as religiões, ideologias, nações e classes atuais irão provavelmente desaparecer junto com o *Homo sapiens*. Se nossos sucessores na verdade funcionarem num nível diferente de consciência (ou talvez possuam alguma coisa além da consciência que nem podemos conceber), parece duvidoso que o cristianismo ou o islamismo interesse a eles, que sua organização social seja comunista ou capitalista, ou que seus gêneros sejam homem e mulher.

E, apesar disso, os grandes debates da história são importantes porque ao menos a primeira geração desses deuses seria moldada pelas ideias culturais de seus criadores humanos. Seriam essas criaturas geradas à imagem do capitalismo, do islamismo ou do feminismo? A resposta a essa pergunta pode fazê-los rumar rápido em direções completamente diferentes.

A maioria das pessoas prefere não pensar nisso. Mesmo o campo da bioética acha mais conveniente examinar outra pergunta: "O que é proibido fazer?". É aceitável conduzir experimentos genéticos em seres humanos vivos? Em fetos abortados? Em células-tronco? É ético clonar ovelhas? E chimpanzés? E que tal humanos? Todas essas perguntas são importantes, porém é ingênuo imaginar que podemos apenas apertar o freio e fazer parar os projetos científicos que estão transformando o *Homo sapiens* num ser diferente. E isso porque tais projetos estão inextricavelmente ligados ao Projeto Gilgamesh. Pergunte aos cientistas por que eles estudam o genoma, ou tentam conectar um cérebro a um computador, ou tentam criar uma mente dentro de um computador. Nove em cada dez vezes você receberá a mesma resposta padrão: estamos fazendo isso para curar doenças e salvar vidas humanas. Mesmo que as implicações de criar uma mente dentro de um computador sejam muito mais dramáticas do que curar doenças psiquiátricas, essa é sempre a justificativa dada porque ninguém pode argumentar contra ela. Por isso, o Projeto Gilgamesh é a nau capitânia da ciência. Ele serve para justificar tudo que a ciência faz. O dr. Frankenstein sobe nos ombros de Gilgamesh. Como é impossível deter Gilgamesh, também é impossível deter o dr. Frankenstein.

A única coisa que podemos tentar fazer é influenciar a direção que os cientistas estão tomando. Mas, como em breve poderemos modificar artificialmente também nossos desejos, a verdadeira pergunta que nos confronta não é "O que queremos ser?", mas "O que queremos querer?". Os que não se sentem ameaçados por essa pergunta provavelmente não refletiram muito sobre ela.

O animal que se tornou um deus

Há 70 mil anos, o *Homo sapiens* era ainda um animal insignificante levando sua vida num canto da África. Nos milênios seguintes, ele se transformou no dono de todo o planeta e no terror do ecossistema. Hoje, está prestes a se tornar um deus, capaz de conquistar não apenas a juventude eterna como também capacidades divinas de criação e destruição.

Infelizmente, o domínio dos sapiens na Terra até agora produziu pouco de que possamos nos orgulhar. Controlamos o meio a nosso redor, aumentamos a produção de alimentos, construímos cidades, estabelecemos impérios e criamos vastas redes de comércio. Mas será que reduzimos a quantidade de sofrimento no mundo? Diversas vezes, aumentos substanciais de poder humano não melhoraram necessariamente o bem-estar dos sapiens como indivíduos, causando em geral imenso sofrimento a outros animais.

Em décadas recentes, por fim fizemos algum progresso real no que tange à condição humana com a redução da fome, das pestes e da guerra. No entanto, a situação dos outros animais está se deteriorando mais rápido do que nunca, e as melhorias no padrão de vida da humanidade ainda são muito recentes e frágeis para que estejamos certos delas.

Além do mais, apesar das coisas incríveis que os humanos são capazes de fazer, permanecemos inseguros quanto a nossos objetivos, dando a impressão de estarmos tão descontentes como sempre. Progredimos das canoas para as galeras, daí para os navios a vapor e para os ônibus espaciais — mas ninguém sabe para onde estamos indo. Somos mais poderosos do que nunca, porém temos pouquíssima ideia do que fazer com todo esse poder. Pior ainda, os humanos parecem mais irresponsáveis do que nunca. Deuses feitos por si próprios, tendo apenas as leis da física para nos fazer companhia, não prestamos contas a ninguém por nossos atos. Consequentemente, estamos devastando nossos amigos animais e o ecossistema que nos cerca, buscando pouco mais que nosso próprio conforto e divertimento sem jamais encontrar satisfação.

Existe alguma coisa mais perigosa que deuses insatisfeitos e irresponsáveis que não sabem o que querem?

Yuval Noah Harari: Pensador das eras humanas

*Rodrigo Petronio**

OBRA

Yuval Noah Harari é um dos mais impressionantes fenômenos intelectuais recentes. Traduzido em mais de sessenta idiomas, com dezenas de milhões de exemplares vendidos em todo o mundo, ele é figura recorrente nos mais importantes debates sobre globalização, algoritmos, vigilância, governabilidade, segurança, disrupção, inclusão social, novas tecnologias, pandemias, saúde global e futuro da humanidade. Lido, citado e admirado por Barack Obama, Bill Clinton, Bill Gates, Natalie Portman, Djamila Ribeiro, Suzana Herculano-Houzel e uma longa lista de autoridades, governantes, líderes, empresários, artistas e

* Rodrigo Petronio é escritor, filósofo e professor titular da Fundação Armando Álvares Penteado (Faap). Pesquisador associado do Programa de Pós-Graduação em Tecnologias da Inteligência e Design Digital (TIDD/PUC-SP), onde realizou uma pesquisa de pós-doutorado sobre a cosmologia de Alfred North Whitehead, é também doutor em literatura comparada pela Universidade Estadual do Rio de Janeiro (Uerj), no programa sanduíche com a Universidade Stanford. Com a pesquisadora Clarissa De Franco, organizou o livro *Crença e evidência: Aproximações e controvérsias entre religião e teoria evolucionária no pensamento contemporâneo* (São Leopoldo: Unisinos, 2014). Este ensaio inédito foi escrito especialmente para a edição comemorativa de dez anos de *Sapiens*.

celebridades, em 2012, recebeu o prêmio Polonsky de criatividade e originalidade nas disciplinas de humanidades. Especificamente o livro *Sapiens: Uma breve história da humanidade*, que o leitor tem em mãos, foi aclamado por resenhistas de ciência dos principais veículos de imprensa do mundo.

O percurso de Harari é também bastante sui generis. Nascido em Haifa, em Israel, em 1976, doutor pela Universidade de Oxford e professor da Universidade Hebraica de Jerusalém, foi por anos um pacato medievalista especializado em assuntos militares. Nessa área, publicou alguns livros e diversos artigos acadêmicos. Cumpria os protocolos do perfil internacional do *scholar*. A guinada ocorreu com a primeira edição de *Sapiens*, em hebraico, em junho de 2011. E desde então a figura de Harari não parou mais de se expandir vertiginosamente, tanto na lista de mais vendidos quanto em uma presença constante na mídia. Hoje é sem dúvida um dos principais intelectuais públicos do mundo.

Esta edição que o leitor tem em mãos comemora os dez anos da publicação de *Sapiens*, uma obra que nasceu clássica e se destina ao presente e ao século que se inicia. Em termos pessoais, outros elementos se sobrepõem a esse aspecto intelectual estrito. Como gay, judeu, praticante de meditação e vegano, alguns dos valores dessas orientações e condições estão intimamente ligados a suas ideias e crenças. Esses atributos fazem de Harari um observador de exceção, privilegiado, capaz de identificar diferentes mecanismos mentais e discursos de poder em esferas para as quais poucos estão atentos.

Aproveito esta edição comemorativa para explorar um pouco a qualidade, a importância, a singularidade e diria mesmo (sem hesitação) a genialidade deste livro e da obra de Harari como um todo. Neste texto sigo dois movimentos. Parto de questões seminais de *Sapiens* e as conecto a alguns temas nucleares da obra de Harari publicada até agora, em especial *Homo Deus* e *21 lições para o século 21*. Simultaneamente, articulo-as a autores, conceitos e obras contemporâneos que convergem para o âmago das indagações de Harari, ainda que não sejam citados por ele. Por onde começar? Comecemos pelo fim. Pela 21ª e última das *21 lições*: a meditação.

CETICISMO

Um dos elementos centrais do pensamento de Harari é o ceticismo. É possível até mesmo dizer que Harari é um pensador cético e que a filosofia cética permeia toda a sua obra. O ceticismo não é uma descrença na realidade. Não é acreditar que a realidade não existe. Tampouco é um sinônimo de pessimismo. O ceticismo é uma antiga tradição da filosofia grega documentada entre os séculos IV e III a.C., para a qual há infinitas variáveis, valores e critérios envolvidos na avaliação dos objetos e dos eventos mais simples. Para dificultar essa situação, nossa mente está a cada segundo produzindo juízos. Estamos sistematicamente atribuindo valores a tudo que nos cerca. Como se não bastasse a instabilidade do mundo material, a inconstância da mente ainda lhe sobrepõe mais camadas. A mente humana se move em uma espécie de lama de ações, estímulos, reações, paixões, afetos, intervenções. Uma proliferação sem fim de julgamentos. Isso produz um abismo entre a consciência e os fatos. Sendo assim, como me aproximo da verdade? Como atravesso essa cortina de chumbo e consigo observar objetos, seres, eventos e pessoas? Praticando a suspensão dos juízos (*epokhé*). Por meio do método suspensivo, defino um objeto. Dispo-o de todos os conceitos. Depuro-o dos preconceitos que tenho acerca dele. Observo-o. E o giro, tentando captar um número maior de pontos de vista, aspectos, perspectivas. Se o real é inacessível, se tudo é absolutamente relativo — de um copo sobre a mesa a uma estrutura hipercomplexa do cosmos —, se o mundo é um emaranhado infinito de julgamentos, cabe ao ceticismo apenas suspender os juízos e descrever o maior número de perspectivas de um objeto, de um ser, de um evento e de um fenômeno, seja ele qual for.

Um dos pais do ceticismo, Pirro de Élis (360 a.C.-270 a.C.) acompanhou Alexandre da Macedônia (356 a.C.-323 a.C.) nas expedições à Ásia e à Índia durante a invasão e conquista do Império Persa (334 a.C.-324 a.C.). Às margens do vale do Indo, teve contato com os *biddhus*, ascetas da floresta e mendicantes radicais que foram os primeiros guias espirituais de Siddhārtha Gautama antes da descoberta do Caminho do Meio. A historiadora das religiões Karen Armstrong analisa com maestria esses primeiros passos do avatar. Filólogo e professor do Departamento de Estudos Eurasianos da Universidade de Indiana, nos Estados Unidos, Christopher Beckwith demonstra em um estudo monumental como os principais conceitos do ceticismo grego foram polinizados por esta migração de ideias: ventos sopraram do Oriente em direção ao Ocidente, canalizados por Pirro. Ele chega a definir Pirro como um Buda grego.

A importância da suspensão é abordada na parte final de *Sapiens* e se concentra em um conceito central da filosofia de Harari: o eu. Diferentemente do que se pensa, o objetivo precípuo das filosofias e sabedorias, do Oriente e do Ocidente, não era a aniquilação do eu, o estado final da consciência, obtido apenas por alguns poucos iluminados. Era o descolamento entre o eu e as sensações. Somos banhados por sensações, da hora que acordamos até o momento em que vamos dormir. Essas sensações são flutuantes. Podem variar, por exemplo, entre desconforto, prazer, dor, incômodo, desespero, contentamento, tranquilidade, euforia e tristeza. Por que o eu precisa se descolar e suspender as sensações? Porque, se identificarmos o eu a uma sensação, deixaremos de perceber que ela não passa de uma paisagem passageira do eu. Acreditaremos que o eu *é* a sensação. Assim, identificaremos nosso eu apenas à negatividade ou à positividade das sensações mais recorrentes. E essa é uma das mais graves armadilhas mentais da humanidade.

Esse longo trabalho de desacoplamento do eu das sensações é uma diretriz da filosofia de Harari. O ceticismo tem então uma dupla função. A primeira é epistemológica. Ele é o método que Harari emprega em toda a sua obra para compreender fenômenos passados, presentes e futuros. Apenas quando suspendemos os fenômenos analisados e os observamos sob o maior número de perspectivas é que podemos acessar sua verdade, por mais relativa que seja. Isso gera a beleza da filosofia e da escrita de Harari, que parece guiar o leitor em um continuum de cenas e descrições que se mantêm sempre vivas e em aberto. Isso gera em nós também uma experiência contraintuitiva, ou seja, um estranhamento em relação ao senso comum, uma das principais tarefas da ciência. Não por acaso, o filósofo cético David Hume (século XVIII) é um dos pais da ciência experimental moderna. A segunda diz respeito à própria estrutura da vida. E é um dos elementos nucleares para compreendermos a revolução descrita em *Homo Deus*.

CONSCIÊNCIA E INTELIGÊNCIA

Como isso ocorre? Em *Sapiens* e em *Homo Deus*, Harari ergue um arco entre o passado e o futuro dos seres humanos. A estrutura desse projeto se baseia em duas agendas e seis imperativos distintos. O passado da humanidade até agora foi guiado por uma agenda cujos imperativos foram: peste, fome e guerra. No século XXI, adentramos uma nova agenda. Os novos imperativos serão: felicidade, amortalidade e divindade. A divinização do humano seria a culminação desses três novos imperativos. Para tanto, há uma complicação lógica entre eles. A felicidade conduz à amortalidade, e esta produz a divindade. O cerne dessa mutação é a eliminação das contradições internas que ao longo de dezenas de milhares de anos determinaram a essência do sapiens. À medida que adentramos essa nova agenda, a "felicidade química" se torna o novo imperativo dos humanos e passa a ser a chave para compreendermos a construção da nova superespécie *Homo Deus*. Por meio de alterações biofisioquímicas nos organismos, essa nova felicidade é a tentativa de erradicar as sensações ruins e eternizar o fluxo das sensações boas. Essa meta engendra em si outra consequência: a amortalidade, que em breve deve se tornar efetiva por meio da bioengenharia. Se toda vida é esvaziada de dor, de contradição e de sofrimento, deve aspirar a ser amortal. Conforme passam a existir espécies humanas amortais, estas foram desenquadradas dos critérios de definição do sapiens e dão origem a uma nova espécie. Mais do que isso: a uma nova categoria de ser. O resultado: a divinização dos humanos, que deixarão de seguir as flutuações e ambivalências dos sapiens e se transformarão em uma nova casta — *Homo Deus*. Esse é o objetivo do Projeto Gilgamesh, definido em *Sapiens* e esmiuçado em *Homo Deus*. Não mais imortalizar a alma em um plano divino, mas divinizar o humano por meio da amortalidade do corpo. A pedra angular desse projeto é a identificação do eu com as sensações e, por conseguinte, com a divisão radical entre sensações positivas e negativas.

As novas tecnologias também oferecem seus novos e sedutores paraísos artificiais. E muitas vezes é difícil dizer que são destituídos de potência e valor. Quanto mais avançam os estudos de neurociência e de teoria cognitiva, mais os cientistas percebem uma evidência: é impossível demarcar as fronteiras entre matéria e mente, entre natureza e consciência. Harari define a inteligência como todo ato mental que pode ser quantificado, ou seja, traduzido em algoritmos, ao passo que a consciência seria todo campo infinito de sutilezas, nuances e intencionalidades que escapam a qualquer quantificação. Estamos imersos no "oceano da consciência". Talvez por isso o conceito de consciência seja tão vago e praticamente inútil para a ciência. Se tudo é consciência, nada o é. Por outro lado, a compreensão e a manipulação da inteligência não param de se expandir. Todo ser, vivo e não vivo, pode ser definido em termos quantitativos, ou seja, pode ser decomposto em números — algoritmos. Enquanto a consciência se torna cada vez mais nebulosa, a inteligência se torna cada vez mais quantificável. Enquanto a consciência se torna cada vez mais misteriosa, a inteligência se torna cada vez mais operacionalizável. Por isso surge a partir do século XXI um novo horizonte para o eu: o eu absolutamente decomponível. Como lemos em *Homo Deus*, para os sistemas algorítmicos e as inteligências artificiais (IA), não somos indivíduos. Somos seres divíduos: absolutamente subdivisíveis em sistemas e subsistemas, em processos informacionais químicos, físicos, biológicos, neuronais, atômicos, quânticos, entre outros.

Como pensador dos paradoxos, para Harari nem tudo é tão cristalino assim. De fato, a inteligência artificial pode promover o "grande desacoplamento": a separação radical entre sistemas inteligentes e naturais. Por meio do dataísmo, a "religião dos dados", a datificação infinita do real pode vir a armazenar, recodificar e transmutar todo mundo material em um imenso universo "imaterial" de informações. Uma espécie de upload do cosmos, uma inteligência artificial capaz de "rebobinar" os sistemas e subsistemas do universo, dos humanos e da vida. Convergente com uma intuição do físico Richard Feynman, Harari admite que o universo pode ser remodelado átomo a átomo. A vida pode ser reprogramada gene a gene. Não há nada na biologia que diga que a morte seja inevitável. Contudo, o problema volta a ser o mais inusitado: o da consciência. Ironicamente, enquanto a consciência seguir sendo indefinível, continuará a ser não passível de ser capturada pelos algoritmos e convertida em inteligência operacional. Independentemente do avanço das tecnologias, existiria sempre um elemento residual que não pode ser matematizado. Todas essas questões estão postas na Revolução Científica de *Sapiens*. São parte da "descoberta da ignorância". São a "revolução permanente" que chega ao "fim do *Homo sapiens*", culminação lógica desse encadeamento. A cena de abertura de *2001: Uma odisseia no espaço*, de Stanley Kubrick, descreve o osso que, arremessado por um primata, se transforma em uma nave espacial. Por fim, o bebê que observa a Terra pode ser interpretado como uma nova humanidade transgaláctica. Esses continuam sendo os maiores saltos temporais da história do audiovisual. Das ficções coletivas que emergiram dos grandes primatas ao longo da especiação à inteligência transumana de HAL e de outros supercomputadores, Harari realiza um salto semelhante. Entre o pré-humano e o pós-humano, os elementos essenciais, presentes na gênese da hominização, estão na origem do *Homo Deus*. Permeiam toda a odisseia futura de nossa espécie, incluindo nossa própria extinção.

A realidade é projeção material de uma consciência que não pode ser definida? Ou a realidade é o simples produto da combinação e recombinação infinitas de algoritmos? Em termos céticos, trata-se de um falso dilema. Em ambos os casos, a realidade continuará sendo a soma das infinitas perspectivas que nunca se fecham em um todo. A minha mente é um pântano de desejos, paixões, impressões e percepções, facciosas e parciais. Apenas por meio da suspensão dos juízos consigo acessar os resíduos mínimos de realidade, latentes em cada fenômeno. Para compreender os objetos e eventos mais simples, preciso descrever o maior número possível de perspectivas e pontos de vista desses objetos e eventos. Um upload perfeito da minha consciência para a núvem de uma inteligência artificial, para ser totalmente inteligente, precisaria conter essas imperfeições, sutilezas, nuances e tonalidades que definem minha consciência como a de um ser vivo. Em resumo, tudo isso quer dizer que, natural ou artificial, a realidade está sempre sendo colocada entre parênteses. Não é ela que acessamos, mas sim uma soma indefinida de pontos de vista da realidade. Acessamos narrativas.

NARRATIVAS

"Em um mundo inundado de informações irrelevantes, clareza é poder", diz a primeira frase de *21 lições*. Um dos valores da obra de Harari é a clareza, que havia sido prefigurada em *Sapiens*. Outro valor é a capacidade de organizar de modo narrativo as informações, uma constante em todos os seus livros. Primeiro, narra a odisseia dos hominídeos, protagonizada pelo sapiens. Em *Homo Deus*, descreve a vida da humanidade até 2100 a partir de exponencialização, extrapolação e especulação de elementos do presente, recurso usado pelos criadores de ficção científica e escritores especulativos. Em *21 lições*, incorpora pequenas histórias cotidianas para ilustrar os conceitos. Os três livros estão fincados sobre o modelo clássico da narrativa em três atos: passado, presente e futuro da humanidade. Esse modelo vem de Aristóteles? Sim. Mas sua origem data de milhares de anos antes dos gregos. O arqueólogo sul-africano David Lewis-Williams, especialista em pré-história da mente, em suas explorações de cavernas do Sul da África, deparou-se com imagens rupestres excepcionais. A novidade dessas galerias é que se dispõem em unidades de ação dramática. E podem ser divididas em três etapas. Lewis-Williams define essa disposição como Três Estágios do Transe (TST ou Three Stages of Trance, em inglês) e a conecta às origens remotas do xamanismo. Qual a conexão entre as cavernas africanas, a origem grega do drama e a mente do sapiens do século XXI? Como projetar essas estruturas em direção aos próximos milênios? É a partir de intuições como essas que Harari organiza sua filosofia. Essa forma de tratar as informações demonstra uma primeira preocupação: resgatar as "grandes narrativas".

No começo do século XX, autores como Oswald Spengler, com *Declínio do Ocidente*, e Arnold Toynbee, com os doze volumes de *Um estudo da história*, criaram grandes afrescos da história no Oriente e no Ocidente. Ao longo do século passado, a partir de *O outono da Idade Média*, obra-prima do holandês Johan Huizinga, começa a se tornar dominante uma tendência diferente da historiografia: captar os movimentos de cada época a partir de mudanças da mentalidade. A chamada "história das mentalidades" deu ensejo a um movimento conhecido como "história do cotidiano", também definido como micro-história. O importante era perceber a ruptura entre uma época e outra, não a continuidade. O importante é documentar o micro, não narrar o macro. Essa ênfase se aprofunda com os conceitos de microfísica e de episteme de Michel Foucault, um dos autores mais influentes de todas as ciências humanas. A episteme é o conjunto de dispositivos de saber-poder de uma determinada época, que configuram a estrutura de um tempo, mas estão sempre mudando e são radicalmente locais. Analisar a episteme do século XVII é perceber o que pertence apenas ao século XVII. É ler um soneto de Quevedo sabendo que foi escrito com uma pena de ganso.

A Escola dos Annales francesa e seus expoentes, como Fernand Braudel, bem como o historiador alemão Reinhart Koselleck, com seu conceito de "estratos do tempo", propuseram uma dilatação da abordagem dos fenômenos históricos a partir de camadas inclusive geológicas. Entretanto, a ênfase cada vez maior sobre a importância do microtempo tornou dominantes as abordagens micro. E deixou adormecidas virtualidades da chamada macro-história ou história mundial. Diante dessas historiografias, uma das originalidades de Harari é reativar os potenciais adormecidos dessa perspectiva macrotemporal. Entre eles, a organização dos eventos humanos de um modo narrativo, como se formassem uma *storytelling*. Uma maneira de fazer isso é utilizar o recurso que ele chama de "satélite-espião". Se entender a direção da história depende da "posição estratégica" em que se situa o observador, o melhor a fazer é adotar uma visão distanciada, que "enxerga milênios, e não séculos".

Se nos ativermos a décadas e a séculos, não conseguiremos captar o movimento do todo. E um dos valores da obra de Harari é ajudar o leitor a compreender as direções, os vetores e as tendências do mundo, incluindo o presente e o futuro. Uma primeira passada de olhos em *Sapiens* nos revela um pouco desse projeto narrativo subjacente ao estudo desse "animal insignificante". Não por acaso, o primeiro passo do livro é uma cronologia identificando eventos do universo que não estariam vinculados ao trabalho do historiador. E que nem sequer são relativos às ciências humanas. A física se ocupa da formação da matéria, da energia, do tempo, do espaço e das leis de um universo surgido há 13,8 bilhões de anos. A química se ocupa dos átomos, das moléculas e das interações que surgiram 300 mil anos depois do Big Bang. A biologia se ocupa dos seres vivos, cujos primeiros sinais datam de quase 4 bilhões de anos.

O fundamento, não apenas de *Sapiens*, mas de toda a obra e de todo o pensamento de Harari, é a teoria mais revolucionária de todos os tempos: a teoria da evolução de Darwin. Em termos darwinianos, ao longo de bilhões de anos, a vida passou por diversos processos de especiação, que consistem em mutações genéticas que, por sua vez, produziram a esplendorosa biodiversidade da Terra. Costuma-se situar a origem dos hominídeos há 2,5 milhões de anos, na África Oriental, a partir de uma especiação do *Australopithecus*, o "macaco do Sul". Essa seria a emergência dos humanos, não apenas do sapiens, como Harari faz questão de ressaltar logo na abertura de seu livro. O que é decisivo na teoria darwiniana, e uma bússola intelectual para Harari, é que o processo de especiação não se concluiu. Continua em aberto. E, observando as inúmeras bifurcações da vida desde um passado imemorial, a chance de o sapiens dar origem a uma nova espécie é de praticamente 100%. Os primatas (família) deram origem aos hominídeos (gênero). E destes emergiu o sapiens (espécie), há 70 mil anos. Nesse processo de longa duração, Harari identifica o cerne do livro: as três revoluções do sapiens. A primeira, Cognitiva (há 70 mil anos), a segunda, da Agricultura (há 12 mil anos), e a terceira, Científica (há quinhentos anos).

Como o leitor deve perceber, aqui surge um problema. A história é definida a partir do advento da escrita, cerca de 10 mil anos atrás. Então por que o historiador Harari pretende rastrear as pegadas do sapiens a partir de 70 mil anos atrás? Esse seria um trabalho para a arqueologia (um ramo mais setorizado da história) e, ainda melhor, para a paleontologia (ramo da biologia) e a paleoantropologia (união entre antropologia e biologia). Por que não se ater apenas aos registros documentados, como faz o historiador? Como conciliar a contradição das duas temporalidades, o tempo veloz das mudanças humanas e o tempo infinitamente lento das mudanças na natureza? Como ocorre esse cruzamento entre biologia e história? Começam aqui os percursos sinuosos e contraintuitivos de seu pensamento. E, nesse caso, uma chave importante de acesso a essa filosofia é o conceito de paradoxo.

PARADOXOS

Sapiens, o livro, é atravessado por paradoxos. Eles também adquirem centralidade em *21 lições para o século 21* e em *Homo Deus*. O que é um paradoxo? É um conflito entre duas crenças (*para doxa*), a oposição estrutural entre duas opiniões, sem conciliação possível. Pensar de modo paradoxal é compreender a vida como algo fraturado, como uma balança que anula os seus respectivos pesos. Um processo que sempre implica duas ou mais opiniões antagônicas e que esses antagonismos não são passíveis de solução. Diferentemente do que acreditamos, o pensamento paradoxal não é pessimista. As culturas "estão sempre tentando conciliar tais contradições" e "esse processo alimenta as mudanças". Se os humanos "fossem incapazes de manter crenças e valores contraditórios, provavelmente seria impossível construir e manter qualquer cultura humana". Por isso, essa dupla articulação que funda nossa humanidade sapiens é um tema antigo. Desde Platão, acredita-se que o humano é um animal anfíbio, um misto de riqueza e de pobreza, de perfeição e de imperfeição. Em seu conhecido aforismo sobre os "dois infinitos", Pascal define o humano como tudo perante o nada e nada perante o infinito. Essa natureza estruturalmente paradoxal do humano está no âmago da filosofia de Harari. Os caçadores-coletores tinham uma alimentação e hábitos de vida melhores que os nossos? A agricultura trouxe mais malefícios do que benefícios? Sim. Entretanto, podemos reformular a pergunta. Em que medida essas experiências positivas e negativas do passado são importantes para que hoje tenhamos as condições necessárias para relativizá-las e mesmo superá-las? Afinal, é sempre a partir do presente que escoa o passado. Da mesma forma que os nossos ancestrais não tinham clareza para discernir os impactos do sedentarismo, hoje não a temos para discernir o impacto do simples uso de um celular sobre as liberdades individuais e coletivas.

Essa estrutura paradoxal está presente nas três revoluções descritas em *Sapiens*. A Revolução Cognitiva promove o primeiro êxodo humano em direção àquilo que Harari define como Mundo Exterior. Pela primeira vez, o sapiens sai de seus ecossistemas africanos e conquista o mundo. Chega às estepes da Eurásia (70 mil anos), povoa parte da Ásia (60 mil anos), ocupa a Europa e a Austrália (45 mil anos), atravessa o Estreito de Bering (16 mil anos) e se dispersa pelas Américas (entre 14 e 12 mil anos). A Indonésia, banhada pelo oceano Pacífico, entre a Ásia e a Oceania, guarda registros das navegações desses primeiros sapiens. Essa migração por mar tem sido corroborada por análises recentes de DNA de povos autóctones dessa região e habitantes primevos da América do Sul. Para Harari, as sociedades caçadoras-coletoras pré-agrícolas seriam as sociedades afluentes originais. Embora a qualidade de vida e a nutrição ideal desses povos sejam muitas vezes enaltecidas, o paradoxo é claro: tanto maior era sua vulnerabilidade.

Os pequenos grupos humanos que se deslocaram ao longo de 60 mil anos de nomadismo estavam muito mais expostos a predadores desconhecidos, inimigos humanos e não humanos, intempéries climáticas, escassez de recursos. Enfrentavam constantemente o maior de todos os perigos: um horizonte desconhecido. O paradoxo do nomadismo é uma expansão do domínio sobre o globo e, simultaneamente, uma instabilidade produzida por esse mesmo movimento. O paradoxo gerado pelo sedentarismo há cerca de 10 mil anos é ainda maior. E por isso a constante valorização da Revolução Agrícola pelos historiadores pode ser considerada "a maior fraude da história" e "uma armadilha". O perigo básico que a agricultura e o sedentarismo representam é a "armadilha do luxo". O que assegura essa tese é "uma das poucas regras de ouro da história". Segundo ela, "os luxos tendem a se transformar em necessidades, gerando novas obrigações". A violência cotidiana contra os animais — outras "vítimas da revolução" —, que vemos hoje exponencializada, começou aqui.

O luxo aqui é entendido como todas as proteções, os controles, os sistemas, os dispositivos, as estruturas e as crenças essenciais para manter os excedentes e aumentar ainda mais sua quantidade. Nesse círculo vicioso, quanto mais excedentes, maior a necessidade de acumulação. E maior o aumento dos mesmos excedentes. Essa constatação está na crítica clássica de Marx às formas de acumulação primitiva. Harari se concentra em demonstrar como a busca por condições de vida mais fáceis desencadeou um dos maiores impactos da história do sapiens — e como os humanos não tinham clareza de sua consequência. Enquanto o nomadismo aumentava o controle (paradoxal) da natalidade por meio da fragilidade mesma dos grupos humanos, o abandono da vida nômade levou a uma explosão da demografia, mas (paradoxalmente) a "mortalidade infantil cresceu depressa", e o hábito de alimentar as crianças com mais mingau e menos leite materno debilitou seu sistema imunológico. Por outro lado, os excedentes de alimentos não se traduziram em uma maior prosperidade geral nem em uma alimentação melhor ou em mais tempo de lazer. Além da explosão populacional, produziu disseminação de doenças, desigualdade social e elites controladoras dos excedentes.

Qual teria sido o efeito devastador final da agricultura? Ela possibilitou a criação de "redes de cooperação em massa". Se pensarmos que o coletivismo é o chão antropológico do sapiens, negar um sistema que propiciou isso talvez fosse de fato impossível. Como um camundongo, o sapiens se viu capturar pela armadilha que ele mesmo havia criado. Talvez uma das principais lições a serem tiradas do advento da agricultura é que ela gerou uma "discrepância entre o sucesso evolutivo e o sofrimento individual". Além disso, promoveu uma inversão temporal: "a chegada do futuro". A partir da Revolução Agrícola, o futuro se tornou "muito mais importante do que havia sido até então". Isso pode ser entendido a partir de uma vinculação estrutural entre a agricultura e o nascimento das religiões abraâmicas (judaísmo, cristianismo e islamismo). Como aponta Mircea Eliade, um dos maiores historiadores das religiões do século XX, as religiões abraâmicas trazem uma novidade: a salvação não está em um conhecimento das origens, mas direcionada ao fim dos tempos. A protologia (orientação pela origem) cede espaço à escatologia (orientação pelo fim), inversão fundamental para compreendermos a argumentação de Harari sobre o papel dos sistemas de seguridade e de confiança da modernidade, cuja raiz estaria na agricultura, bem como as origens religiosas do "credo capitalista" em um futuro de recursos infinitos. O impacto que essa invenção do futuro desempenha para os humanos permeia *Sapiens* e é essencial ao projeto *Homo Deus*.

O excesso e os valores negativos decorrentes da agricultura são importantes na filosofia de Harari. E também são transversais, pois transbordam para as sociedades atuais, posteriores à Revolução Científica. Esses paradoxos do luxo reverberam nas chamadas "sociedades de abundância" (a expressão é do economista John Kenneth Galbraith). Em uma acepção muito próxima à de Harari, o filósofo alemão Peter Sloterdijk a emprega também no terceiro volume de sua trilogia *Esferas*, intitulado *Espumas*, no qual aborda os "sistemas cofrágeis", as "sociedades de paredes finas" e a cultura da "leveza", surgidos com a modernidade a partir do século xv. O conceito de abundância é central na última parte de *Sapiens*, quando se critica e se relativiza o desenvolvimentismo moderno. E também se destaca em *Homo Deus*, quando se põe em perspectiva os problemas gerados pela abundância desde o século xviii até o mundo atual, em que "o açúcar é mais perigoso que a pólvora".

Por fim, os paradoxos da Revolução Científica decorrem do próprio sucesso que essa revolução obteve. Surgida da "descoberta da ignorância", nunca o sapiens havia se deparado com um universo da magnitude do que lhe foi apresentado pela ciência moderna. O universo se infinitiza para fora (cosmos) e para dentro (o mundo subatômico). Isso revela uma nova fisionomia para o sapiens: uma infinita pequenez. Todas as narrativas religiosas, filosóficas ou científicas que o alocavam no centro do universo são destruídas. A ciência, contudo, não serve a fins meramente especulativos. O "casamento entre ciência e império" é um dos motores da formação desse novo mundo, em termos políticos e econômicos: o mundo do "inferno capitalista". Os paradoxos dessa nova religião do desenvolvimento são diversos. Diferente do que se imagina, o liberalismo não é laico. Ele também é uma crença, uma "religião" na acepção em que Harari utiliza o termo. A crença nos recursos infinitos da Terra, a defesa de um avanço contínuo de ganhos em direção ao futuro e as doutrinas de aperfeiçoamento constante do ser humano e da sociedade são narrativas: não podem ser demonstradas empiricamente.

Por outro lado, a revolução científica é também uma vitória do capitalismo e do pensamento utilitarista. Os filósofos utilitaristas dos séculos xvii e xviii, como John Stuart Mill e Jeremy Bentham, tinham uma premissa clara sobre o humano: a essência do humano é aumentar o prazer e minimizar a dor. Ora, esse é justamente o corolário das tecnologias produzidas a partir da ciência moderna: minimizar doenças, sofrimentos, disfunções e problemas de toda ordem que antes levavam os humanos à morte. E é o admirável mundo novo descrito na distopia de Aldous Huxley. O paradoxo é que essa mesma aspiração à felicidade deve conduzir ao "fim do *Homo sapiens*" e ao nascimento do *Homo Deus*. O paradoxo supremo aqui é que a ciência aprofundou a insignificância do sapiens e, ao mesmo tempo, criou condições para que ele se tornasse plenipotente para se negar a si mesmo a ponto de gerar uma superespécie que pode vir a ser a causadora de sua extinção.

Aqui cabe um parêntese. Podemos alinhar Harari a um grupo de pensadores iluministas e progressistas. Eles defendem um aumento das liberdades individuais, a minimização de todas as formas de violência, uma maior emancipação dos grupos humanos, sobretudo das minorias, a potência das democracias e dos Estados de direito, a secularização, o agnosticismo, a laicidade, entre outros valores que emergiram a partir da Declaração dos Direitos Humanos e das filosofias do século XVIII. Nesse sentido, obviamente Harari é um defensor dos valores herdados do mundo moderno, sobretudo da ciência experimental. O importante é frisar que esse esclarecimento crescente não caracteriza uma visão puramente otimista, de um progresso sem fim, como se acreditava no século XIX.

É como se a filosofia de Harari previsse dois movimentos na história: 1) A preservação e a reativação de conteúdos arcaicos, adormecidos no sapiens, a despeito dos avanços materiais e tecnológicos. Como exemplo disso, a obsessão pela internet e pela realidade virtual nada mais seria do que uma forma de nomadismo mental. Afinal, fomos nômades por 60 mil anos e somos sedentários há apenas 10 mil. 2) A presença sempre marcante de uma pluralidade de tempos dentro de um mesmo tempo. Nesse sentido, aspectos extremamente modernos e mesmo disruptivos podem conviver com o recrudescimento de violências de todos os tipos, efetivas ou simbólicas. Não por acaso, Harari nos adverte que a emergência do *Homo Deus* pode gerar uma das sociedades "mais desiguais de toda a história humana". E o que são os padrões de vigilância do big data senão uma "segregação personalizada"? Por isso a importância do paradoxo em sua filosofia. Ele assegura que os diversos termos da balança se mantenham sempre por um fio. Esse enfrentamento dos paradoxos e das contradições é mais realista do que visões solucionistas ou utópicas. E, ainda que não seja o meio mais imediato, o realismo sempre foi o mais efetivo para solucionar problemas.

Pode ter havido conquistas em algumas dimensões humanas, mas essas mesmas conquistas nos advertem para novas formas de opressão, contra as quais precisamos estar sempre alertas. É o que Sloterdijk chama de paradoxos da imunologia e de "colapsos imunológicos". Para o fortalecimento de qualquer ser, precisa haver uma constante troca entre sistema e meio, vida e ambiente. O estímulo externo do meio pode ser intrusivo em um primeiro momento, mas faz os seres vivos aumentarem seus níveis de imunização. Da mesma forma, uma ausência de trocas com o meio pode gerar uma situação de paz. Esta, porém, será uma paz falsa, que aos poucos pode produzir uma queda do sistema imune e um colapso imunológico de grupos, populações ou sociedades humanas inteiras. Essa reflexão nos coloca nas fronteiras entre sistema e meio ambiente, biologia e história, vida e linguagem, fronteira na qual a filosofia de Harari se enraíza.

Vamos compreender um pouco essa relação.

BIOLOGIA E LINGUAGEM

Além da estrutura paradoxal subjacente às três revoluções, com as contradições internas a cada uma delas, há outro paradoxo ainda mais estruturante: a relação entre a biologia e a linguagem. Para criar seu grande mosaico do sapiens, Harari conecta duas ciências, uma natural e outra humana: a biologia e a história. O intuito é articular duas grandes camadas temporais, ambas conectadas para compreender uma mesma entidade: o ser humano. A primeira compreende o sapiens como ser histórico. A segunda o compreende como ser biológico. Não conseguiremos entender o pensamento de Harari se não analisarmos o sapiens a partir dessa dupla articulação. Se extrapolarmos essa concepção, podemos dizer que boa parte dos erros de interpretação acerca dos problemas e das soluções do presente humano decorre de ignorarmos essa articulação dupla. A cultura seria a "diversidade de realidades imaginadas" que passaram a proliferar desde a emergência de nossa espécie. Entretanto, o relativismo de visões diferentes dessa multiplicidade de culturas não é suficiente para algumas dimensões centrais do humano.

A partir da Revolução Cognitiva, as "narrativas históricas substituem as teorias biológicas". Claro que a ênfase de Harari ressalta aqui a liberdade ficcional de os humanos construírem suas próprias narrativas e negarem a fatalidade da biologia. Essa é uma premissa de quase todas as ciências humanas do século xx. O objetivo é evitar a biologização e a naturalização, origem de diversas ideologias perniciosas. Contudo, essa substituição é paradoxal. Primeiro porque o reino das ficções não impediu o sapiens de produzir essas narrativas, como veremos adiante. Segundo porque, por diversos motivos, a filosofia de Harari não constitui um esvaziamento ou um apagamento completo das disposições biológicas. Há diversos exemplos que comprovam a persistência de alguns mecanismos evolutivos arcaicos. Um deles é o "gene guloso", herança dos caçadores-coletores, que nos leva, ainda hoje, a exceder nossa capacidade alimentar e a estocar gordura. O medo atávico de não termos animais para abater vem das savanas africanas e se projeta no consumo exagerado de alimentos e nas doenças atuais relativas a esse excesso.

Quais seriam as relações então entre história e biologia? O filósofo brasileiro Ernildo Stein analisa as relações entre linguagem e biologia de modo primoroso. Apoia-se nas convergências entre algumas linhas da filosofia (hermenêutica, fenomenologia, existencialismo) e teorias das ciências naturais contemporâneas. A partir dessas ferramentas conceituais, formula o chamado "paradoxo compreensivo". O que seria isso? Definimos o que somos e nossa humanidade por meio da linguagem. Mas esta apenas emergiu em nós por meio de uma mutação genética e cerebral. Precisamos da linguagem para determinar o humano que somos em termos biológicos; precisamos da biologia para possuirmos a linguagem e podermos nomear as propriedades humanas que nos determinam em termos culturais. O significado profundo do paradoxo compreensivo, portanto, é que não é possível definir o humano a partir de categorias puramente biológicas nem a partir de categorias puramente culturais.

Por que essa constatação do paradoxo compreensivo é tão importante para a ciência e a filosofia? Porque toda a ciência e todo o mundo modernos em alguma medida são formados a partir de uma visão de mundo dualista, cuja matriz remonta a Descartes, não por acaso um dos fundadores da ciência moderna. E o cerne duro desse dualismo é a divisão entre sujeito e objeto, subjetividade e objetividade. A crença dualista divide o ser humano nas esferas natural e cultural. O naturalismo procura explicar todos os fenômenos humanos do ponto de vista objetivo e material. Já o construtivismo procura explicar todos os fenômenos humanos do ponto de vista cultural e subjetivo.

Há um termo para definir ambas as visões: reducionismo. Ou seja, uma delas busca reduzir os aspectos subjetivos e culturais a estruturas naturais; a outra busca reduzir aspectos naturais e objetivos a estruturas culturais. Claro que esses reducionismos têm sido criticados em praticamente todas as ciências. E muitas alternativas têm sido oferecidas para compreender essa região de intervalo entre natureza e cultura: as teorias da complexidade, do sistema Terra, do caos, das cordas, quântica, das esferas, cognitiva, pampsiquismo, novas ontologias, novos animismos, filosofia especulativa, entre outros ramos e segmentos. Um dos conceitos orientadores dessas diversas teorias? Emergência — um conceito transversal a diversas ciências e saberes. As propriedades emergentes não estão nos seres, elas emergem nas relações entre eles, sejam humanos ou não, vivos ou não, naturais ou artificiais, macroscópicos ou microscópicos.

Nenhuma teoria reducionista consegue explicar a origem do sapiens. Não se pode reduzi-lo a um componente cerebral. "O cérebro dos neandertais era maior" do que o do sapiens. Mesmo assim, eles não sobreviveram. Nem se pode reduzir a emergência do sapiens às tecnologias. Muito antes deles, outros hominídeos domesticaram e usaram o fogo, produziram facas de sílex e ferramentas de pedra. Tampouco se pode reduzir a emergência do sapiens à religião, um fenômeno muito tardio na evolução humana e que muitas vezes se perpetuou apenas na medida em que auxiliou os seres humanos a sobreviver, sendo descartada quando perdia eficiência e funcionalidade. E, por fim, não se pode reduzir a emergência do sapiens à linguagem. Outros humanos possuíam linguagem tão articulada quanto a nossa. E, como vimos no paradoxo compreensivo, para desenvolvermos a linguagem precisamos necessariamente ter passado por uma mutação genética.

Harari tem completa ciência desses problemas e fantasmas reducionistas que permeiam a ciência há séculos. Em *Sapiens*, desenvolve uma teoria que procura resolver o impasse e o paradoxo entre objetividade e subjetividade. Chama de "intersubjetividade" o intervalo entre essas duas dimensões. Em uma palavra mais simples, o lugar de emergência do sapiens, entre a biologia e a história, é a maior invenção de todos os tempos: a ficção.

FICÇÕES

A tese de *Sapiens* é clara. Há um fator decisivo para a passagem dos grandes primatas aos hominídeos em termos darwinianos. São as ficções, uma "linguagem única", que não são entendidas como o oposto da realidade ou como um pacto de "suspensão da descrença", como a definiu o poeta Samuel Taylor Coleridge para descrever o acordo previsto na fruição de obras ditas ficcionais. Essa é a concepção em vigor a partir do século XIX e se baseia em uma divisão representacional entre realidade e ficção cuja origem remonta a Kant. Harari altera essa acepção. As ficções não são representações da realidade — elas *são* a realidade. São a "cola mítica" germinativa do sapiens. Ao mesmo tempo, são o modo pelo qual o sapiens conseguiu conferir plasticidade ao seu desempenho no mundo. Essas "ficções coletivas" podem ser nomeadas como "ordens imaginadas", "realidades imaginadas", "construções sociais", entre outros atributos. O movimento decisivo proporcionado por elas é a "capacidade de cooperar".

Pela primeira vez, os hominídeos conseguiram uma "cooperação entre muitas dezenas de indivíduos". De um ponto de vista evolucionário, "a diferença entre nós e os chimpanzés" seria estritamente essa cola mítica que "une grandes números de indivíduos, famílias e grupos". O importante é compreendermos que a revolução cognitiva é uma mutação que permitiu ao sapiens produzir as ficções que dotam o mundo de sentido e que, ao mesmo tempo, não lhe são exteriores. Outra alteração significativa dessa tese da ficção é que a origem da civilização humana não estaria nas religiões, nos mitos, nos ritos, nas tecnologias, na filosofia ou em outras narrativas sublimes. Estaria na fofoca, a possibilidade que os pequenos grupos de sapiens encontraram para compartilhar informações em uma escala exponencial. Mais do que isso, a fofoca seria a origem de nossa "capacidade de transmitir informações sobre coisas que não existem".

Os exemplos da distinção entre o sapiens e os demais seres vivos decorrente dessa revolução cognitiva são diversos. Os chimpanzés conseguem cooperar em bandos. Pode haver flexibilidade de linguagem, mas a malha de conexões de indivíduos é pequena. Abelhas e formigas conseguem cooperar em milhares. Mas a flexibilidade é pequena: suas organizações coletivas e "realidades imaginadas" são as mesmas há milhões de anos. Contudo, nunca nos esqueçamos: não existe hierarquia na natureza. No sentido darwiniano, a seleção natural opera por acaso cego. A imensa diversidade de narrativas e realidades imaginadas é resultado da enorme diversidade de padrões de comportamento do sapiens — é o que chamamos de culturas.

Nesses termos, Harari identifica as seguintes relações complementares entre história e biologia: 1) A biologia estabelece as fronteiras dos comportamentos básicos do sapiens. 2) A variedade desses comportamentos é extremamente grande. Isso possibilitou ao sapiens criar estruturas ficcionais cada vez mais complexas em suas combinações. 3) Em consequência disso, a função do historiador é descrever a evolução dos padrões de comportamentos do sapiens, ou seja, os conjuntos de ficções que lhe fornecem os eixos de valores — em resumo, os modos pelos quais ele age no mundo e cria novos mundos. Entretanto, se as ficções são pulverizadas pelas inúmeras culturas e crenças humanas, como conseguir uma narrativa unificada? A resposta de Harari está no método do "satélite de espionagem", que descrevi acima. Mas também em uma das maiores conquistas da historiografia de longa duração: a teoria das eras axiais.

AXIS MUNDI

O psiquiatra e filósofo alemão Karl Jaspers teve uma das intuições mais brilhantes da historiografia do século XX. Analisando importantes sistemas de crenças da humanidade, percebeu uma curiosa sincronia de alguns avatares. A datação de todos eles é controversa, mas, em linhas gerais, Siddhārtha Gautama surgiu entre os séculos VI a.C. e V a.C.; Zoroastro, entre IX a.C. e VI a.C.; Lao-Tsé e Confúcio, entre VI a.C. e V a.C.; o Dêutero-Isaías, por volta de VI a.C.; Sócrates, entre V a.C. e IV a.C.; e Jesus, no ano zero dos cristãos. Em termos sequenciais, temos os fundadores do budismo, do zoroastrismo (que também é uma das raízes do islamismo), do taoismo, do confucionismo, do judaísmo, da filosofia e do cristianismo. Isso significa que, ao longo do último milênio antes de Cristo, surgiram praticamente todas as doutrinas que se tornariam imperiais e orientariam a maior parte da humanidade nos dois milênios seguintes. Por conta disso, Jaspers definiu o último milênio antes de Cristo como "era axial". Em latim, *axis* significa *eixo*, donde *axis mundi* é *eixo dos mundos*. Por isso, um dos ramos da filosofia que estuda os valores é denominado *axiologia*. As axiologias são sistemas de valores que orientam a vida humana. Como se pode ver, não são estritamente religiosos ou espirituais, pois a filosofia também pode ser entendida como um sistema axial. São eixos de orientação e de coordenadas, em torno dos quais elementos dispersos adquirem coesão. Sloterdijk chama esses sistemas axiais oriundos da Antiguidade de "ontologias imperiais".

Embora não siga os passos exatos de Jaspers, essa teoria da axialidade é desenvolvida de modo admirável ao longo de *Sapiens*. Não por acaso, Harari diz que "um avanço ainda mais importante ocorreu durante o primeiro milênio a.C.". Trata-se do período em que "a ideia de ordem universal criou raízes". O que isso significa? Antes da era axial, o sapiens se aglutinava em grupos que eram regidos pelas regras do "nós" versus "eles". As ordens imaginadas fundadas sobre essas oposições excludentes "tendiam a ignorar uma parte considerável da humanidade". Por isso o primeiro milênio antes de Cristo é decisivo, pois "testemunhou o aparecimento de três ordens potencialmente universais". A primeira foi a econômica (monetária), a segunda foi a política (imperial) e a terceira foi a religiosa, ou seja, "a ordem das religiões universais como o budismo, o cristianismo e o islamismo". A premissa da axialidade faculta a Harari a possibilidade de compor uma macronarrativa da humanidade. E, ao mesmo tempo, de compreender os principais vetores que fizeram com que o sapiens tomasse certos rumos, e não outros. Sabiamente, Harari aloca a axialidade religiosa em apenas uma das linhas de desenvolvimento. E cria outras duas linhas complementares para a economia e a política, cujas modificações profundas também ocorreram no primeiro milênio a.C.

Essas três ficções de universalidade, representadas pelas três ordens, são bastante eficazes. A ordem econômica-monetária se vincula à invenção do dinheiro. E o dinheiro é "baseado em dois princípios universais: a conversibilidade universal e a confiança universal". Corroborando a tese das ficções estruturantes do sapiens, a revolução produzida pelo dinheiro não foi nem tecnológica nem biológica, e sim puramente mental. Trata-se de um dos primeiros "sistemas impessoais" e não tradicionais, ou seja, que não são mais regidos pelos imperativos e vinculações interpessoais das comunidades tradicionais. O dinheiro pode (e deve) circular a despeito das identidades, etnias, crenças, religiões, culturas e valores locais. O que é um império? O movimento imperial é todo aquele que domina "um número significativo de povos distintos", expande sem limites as suas fronteiras e possui "um apetite potencialmente ilimitado". Embora tenham sido "uma das principais razões para a drástica redução na diversidade humana", desde mais ou menos 200 a.C., "a maioria dos humanos viveu em impérios". E, por fim, a ordem religiosa é representada por algumas daquelas doutrinas universalistas e axiais. A sobreposição dessas três ordens é patente. Não haveria conquistas imperiais sem o recurso às religiões, circulação de dinheiro sem as expansões religiosas e imperiais, potencialização das religiões sem dinheiro e imperialismo sem acumulação de riqueza. Essas ordens não se esgotam entre si; seguem o devir da história. E uma das origens da Revolução Científica é justamente "o casamento da ciência com o império", ou seja, entre a ordem imperial e a nova esfera nascente da ciência experimental moderna. Entretanto, há uma ordem das mais potentes e transversais da história do sapiens: a ordem tecnológica. Falemos agora da sua centralidade na filosofia de Harari.

TECNOLOGIAS

Há 2 milhões de anos, mutações genéticas produziram o *Homo erectus*. Ele se caracteriza por ter desenvolvido ferramentas de pedra, às quais sempre é associado. Durante os milhões de anos de existência do erectus, suas ferramentas permaneceram as mesmas. Como assinala Harari, há 800 mil anos uma espécie de hominídeo já fazia uso do fogo. Há 300 mil anos o erectus, os neandertais e os antepassados do sapiens usavam o fogo diariamente. Seguindo os estudos de Herculano-Houzel, o fogo não muda apenas a química dos alimentos. Altera também a biologia dos humanos, a estrutura cerebral, acelerando a assimilação de proteínas. O fogo abriu uma primeira fenda de distanciamento entre humanos e animais, que foi se expandindo até se tornar um abismo, depois da extinção dos demais hominídeos. A teologia pretende definir uma distinção radical entre o humano e a natureza. Trata-se apenas de um abismo produzido ao longo de milhões de anos pelo fogo, pela seleção natural e pela extinção de nossos irmãos humanos. Um abismo que deixou o sapiens em uma ilha de solidão e isolamento no cosmos.

Se tanto o sapiens quanto o erectus são hominídeos, por que a diferença tão grande? Dela podemos inferir alguns pontos: 1) Não foram as tecnologias que moldaram a mente do sapiens na revolução cognitiva, pois, se assim fosse, o erectus teria passado pela mesma mutação. 2) Dentro da crítica aos reducionismos, não é possível reduzir a revolução cognitiva do sapiens ao surgimento dos artefatos tecnológicos, senão ele teria surgido milhões de anos antes.

3) Tampouco há tecnologias significativas concomitantes à explosão cognitiva de 70 mil anos atrás. A domesticação do fogo teria um efeito muito mais profundo sobre a cognição dos hominídeos do que as tecnologias da época da Revolução Cognitiva. Essa observação não minimiza a importância decisiva da tecnologia na evolução humana, haja vista a centralidade das tecnologias na obra de Harari.

Qual seria a explicação para o corte entre os hominídeos e os demais grandes primatas? Uma explicação que recua ao século XIX e continua cada vez mais pertinente é a neotenia, uma hipótese que surgiu a partir do anatomista holandês Lodewijk Bolk. Sua definição chega a ser mais sublime do que Shakespeare: a humano é uma "fetalização do macaco". A neotenia se refere a seres que nascem prematuramente. Os grandes primatas têm uma gestação de doze meses, e os humanos, de nove. Embora Harari não empregue exatamente o termo, a hipótese neotênica faz todo o sentido. Justamente porque foi concebido como um animal "fraco", o sapiens desenvolveu ao longo de milhares de anos recursos para suplementar essa "lacuna" da natureza. Todas as camadas de proteção criadas pelos hominídeos seriam artificializações do meio circundante com o objetivo de simular um útero artificial. Em um paralelo com Harari, a neotenia pode explicar a plasticidade dos humanos como um todo e a capacidade de produzir "cooperação flexível", infusa neles desde há milhões de anos. A neotenia talvez seja o elo perdido de conexão entre biologia e cultura. E uma origem arcaica das ficções, entendidas como meios artificiais, "tecnologias" capazes de alterar o meio circundante e o próprio sapiens. Essas seriam o elemento disruptivo dessa plasticidade adormecida por meio de uma alteração radical de padrões cognitivos. Ela também traz à tona um tema delicado: as relações de dominação entre os humanos.

VIOLÊNCIA

Embora a tese de que houve muitas humanidades seja conhecida no mundo acadêmico, o trabalho de divulgação dessa teoria para um público vasto é uma das belezas de *Sapiens*. Imaginar as outras humanidades anteriores e concomitantes à nossa espécie é fascinante. *Homo floresiensis, Homo neanderthalensis, Homo ergaster, Homo erectus, Homo rudolfensis, Homo soloensis, Homo denisovensis*: todos são rigorosamente "nossos irmãos" humanos desaparecidos. A humanidade é um gênero; não se restringe à espécie sapiens. Como sapiens, somos apenas uma espécie de uma humanidade mais ampla. Se tivessem sobrevivido, imagine quantas artes, religiões, ciências, políticas, sexualidades, economias e crenças, ao mesmo tempo distintas e semelhantes às nossas, não existiriam hoje? Todas rigorosa e efetivamente humanas. Essas humanidades, flexionadas no plural, são um dos fascínios da obra de Harari. Por outro lado, desde as primeiras páginas, o leitor é convidado a passear por cenários desoladores. Eles envolvem a potência letal dos humanos. A Terra passou por "ciclos de resfriamento e aquecimento", que produziram a extinção de diversas espécies. A partir dessa constatação, os biólogos procuram separar efeitos "sistêmicos e antrópicos", aqueles que dizem respeito ao sistema Terra como um todo e aqueles que têm sua origem exclusivamente no humano (*antropos*). Diante dessas avaliações, Harari é assertivo: "o registro histórico faz com que o *Homo sapiens* pareça um assassino ecológico em série". Muito antes da Revolução Industrial, "o *Homo sapiens*, em disputa com todos os demais organismos, já havia batido o recorde por ter levado o maior número de espécies de plantas e de animais à extinção". E conclui desta forma: "Temos a dúbia honraria de ser a espécie mais letal nos anais da biologia". Para abordar os sentidos dessa violência humana, Harari se vale de duas teorias: a da substituição (extinção de uma espécie por outra) e a da miscigenação (fusão das espécies).

Para a primeira teoria, o sapiens teria sido a única espécie sobrevivente dos hominídeos. Até 70 mil anos atrás, ele tinha tido pouco contato com o Mundo Exterior. A partir da Revolução Cognitiva, produziu tecnologias e habilidades que possibilitaram não apenas o êxodo da África, mas a criação de um "proto-imperialismo afro-asiático" que se estendeu da Austrália (45 mil anos atrás) às Américas (16 mil anos atrás). Deduz-se uma estranha coincidência entre a chegada do sapiens ao continente e a extinção de 23 das 24 espécies de animais australianos com mais de cinquenta quilos. "Na época em que chegaram à Austrália, os sapiens já haviam dominado a técnica das queimadas", um efeito indireto que dificulta a determinação de causas antrópicas e sistêmicas dessas extinções. Para a segunda teoria, a expansão dos sapiens os levou a procriar com neandertais. Essas duas espécies teriam se fundido na região da Eurásia. Na Ásia, o sapiens teria se mesclado ao *Homo erectus*, de modo que chineses e coreanos seriam resultado dessa mistura. Descobriu-se que de 1% a

4% do DNA de populações europeias seria de neandertais. Em 2010, a equipe de pesquisa do Instituto Max Planck, liderada por Svante Pääbo, um dos maiores primatologistas do mundo, sequenciou o DNA de um exemplar do homem de Denisova (caverna na Sibéria). Os resultados foram impressionantes: 6% do DNA de melanésios e de aborígenes australianos seria do *Homo denisovensis*.

O que isso significa? Seguindo a teoria da substituição, o sapiens teria concorrido diretamente para o extermínio das demais humanidades. Por conta dessa violência excludente, haveria uma forte homogeneidade genética na espécie e uma clara distinção genética entre o sapiens e os demais hominídeos. Por outro lado, a teoria da mestiçagem pressupõe resíduos genéticos de outros hominídeos no sapiens. Isso pode parecer bonito em um primeiro momento. Mas quantas novas teorias racistas, eugenistas e higienistas não podem surgir dessa hipótese? Sapiens que tenham maior ou menor carga genética mesclada à de outros hominídeos podem vir a ser considerados menos sapiens e, por conseguinte, menos "humanos" do que outros? Em ambos os casos, a violência da nossa espécie é inconteste. E uma das mais brutais que se conhece: a violência intra e interespécies.

Qual seria o caminho dessa violência ao longo da evolução? A violência quantitativa diminui ao longo do tempo? Há sincronia entre violência física e simbólica? Quais as origens evolucionárias da violência humana? Há muitas teorias sobre o assunto. Entre todas elas, uma das mais importantes teses contemporâneas acerca da violência é a de René Girard, teórico da literatura e antropólogo que lecionou em Stanford. Para ele, a violência é constitutiva e inerradicável do ser humano. Ela nasce da "estrutura mimética" do desejo que, inerente ao sapiens, sempre acarreta algum tipo de "rivalização". Os poucos momentos de interrupção da violência se devem à fabricação de "bodes expiatórios", sempre inocentes, que impedem o extermínio do grupo, em uma guerra de todos contra todos, produzindo uma estranha, surpreendente e sinistra reorganização coletiva que o pacifica. Diante dessa catarse, a solução não pode ser outra: sacralizar o humano assassinado. Para Girard, todas as religiões são fundadas sobre o cadáver de um inocente. Como era de esperar, a "solução" da sacralização é parcial e a ambivalência dessa relação entre "violência e sagrado" não apenas não impede a criação de novos bodes expiatórios como pode aprofundar a rivalização, originando novos colapsos.

Em geral, essas teorias são chamadas de "teorias hidráulicas". Embora não recorra diretamente a esses autores, a obra de Harari é uma alternativa às teorias hidráulicas. E, como alternativa, Harari se alinha à obra de um dos autores com os quais talvez tenha mais afinidade: Steven Pinker. Professor em Harvard e um dos expoentes mundiais da teoria cognitiva, a tônica da obra de Pinker é uma revisão do conceito de tábula rasa, central nos estudos da mente e título de uma obra homônima. O conceito procede das filosofias empiristas do século XVII, sobretudo de Locke e Berkeley. A ideia central é a seguinte: a mente humana é uma folha em branco. Nada é inato. Todas as ideias, qualidades, sensações e entidades do mundo são impressas nessa tela em branco. Embora tenha sido adotada por diversas correntes modernas, há um problema claro nessa tese. Como explicar toda memória acumulada pelos organismos desde a origem da vida? Pinker atualiza o conceito da seguinte forma: a tábula rasa contém toda a memória da vida, da espécie e de cada indivíduo. Entretanto, se não houver um estímulo externo, esses conteúdos podem adormecer, como se tivessem sido extintos. No caso da violência, não quer dizer que ela tenha sido erradicada. Os impulsos destrutivos continuam presentes virtualmente na natureza humana. Mas, se não forem estimulados por fatores sociais, tornar-se-ão inativos, como se tivessem deixado de existir.

A obra mais importante de Pinker nesse sentido é *Os anjos bons da nossa natureza*, uma das referências bibliográficas de *Sapiens*. Em quase mil páginas de argumentação cerrada, centenas de referências especializadas em diversas ciências, gráficos, tabelas, quantificadores, estimativas, estatísticas e mais uma grande massa de dados empíricos e documentais, a tese de Pinker é contraintuitiva e polêmica: vivemos no momento mais pacífico da história do sapiens na Terra. Dois fatores nos levam a demonizar o presente: 1) Do ponto de vista cognitivo, é mais assustador para nós ver uma morte pela televisão ou saber de uma violência cometida pelo nosso vizinho do que imaginar todas as mortes, destruições e assassinatos ocorridos no passado. 2) Mortes, guerras e destruições do passado ainda não foram comparadas em termos rigorosamente quantitativos e proporcionais em relação à violência do presente. E é isso que Pinker se propõe fazer no livro.

Os resultados são impressionantes. Da emergência do sapiens há 70 mil anos até o século XVIII, morria-se de modo incomensuravelmente mais banal. E havia muito mais violência do que nos últimos séculos, incluindo o século XX. A destruição das guerras mongóis dos séculos XIII e XIV foi proporcionalmente mais devastadora do que muitas outras guerras da história. Mas como podemos nos reportar, sentir e viver como um mongol dessa época? Quase impossível. Trata-se de fatos muito distantes, alheios às nossas preocupações cotidianas e aos nossos estilos de vida atuais. E assim podemos pensar em relação a todo fluxo de violência do sapiens ao longo de milênios.

Para Pinker, o corte ocorre no século XVIII. E se resume àquilo que o sociólogo Norbert Elias chama de "processo civilizatório". Com a queda do Antigo Regime e as revoluções burguesas, grande parte das conquistas que antes eram exclusivas da nobreza e dos impérios passou a ser democratizada. O mesmo ocorreu com os produtos da ciência moderna, como vacinas, medicina preventiva, redes de esgoto, distribuição de poderes, combate a pestes, administração e erradicação de doenças, acesso à medicina, controle de natalidade, segmentação do espaço público, secularização, emancipação de populações marginalizadas, inclusão das mulheres, entre muitos outros. Esses fatores criaram o que Elias chama de "segunda natureza": uma rede de proteção artificial e civilizacional, produzida pela modernidade, pela ciência e pelas tecnologias nos últimos três séculos — e que pode ser vista aqui como um aprofundamento da estatura neotênica dos humanos. Essa rede é invisível, pois estamos imersos nela e cercados por ela. Mas haveria um abismo de diferença entre o mundo moderno e as sociedades dos últimos milênios antes da modernidade. A crítica que se pode fazer a Pinker é que ele considera a violência sempre em termos físicos. Não contempla outros tipos, sobretudo psicológica, cada vez mais presentes na nossa era da mineração da mente, de extrativismo de algoritmos e de monetização de nossa subjetividade, bem como toda carga de violência envolvida nesse processo. Entretanto, dentro das premissas de sua argumentação, os resultados são assombrosos.

Como Pinker, Harari é um defensor da herança iluminista do século XVIII, assim como critica o negativismo e o catastrofismo das teorias que transformam o presente em um vale de morte e destruição. Ademais, em ambos vemos claramente uma refutação das teorias hidráulicas da violência. Por mais que tenha havido muita violência na história, e isso não pode ser minimizado, tudo leva a crer que possamos ter uma boa dose de otimismo na nossa espécie. Em *Sapiens*, Harari traz diversos exemplos nesse sentido. Em levantamentos arqueológicos no Vale do Danúbio, dezoito de cerca de quatrocentos esqueletos encontrados (4,5%) tinham marcas de morte violenta. Entretanto, se formos computar em termos quantitativos, durante o século XX, apenas 5% das mortes foram resultantes de violência humana. E hoje, no século XXI, esse número é de apenas 1,5%, incluindo guerras e crimes. O Vale do Danúbio foi tão violento quanto o século XX e mais violento do que o século XXI. Os exemplos se multiplicam.

Essas comparações abundam em *21 lições*, sobretudo na minimização (e quase banalização) do valor do terrorismo, cada vez mais obsoleto e pouco lucrativo. Nos primeiros capítulos de *Homo Deus*, a minimização da violência e os ganhos gerados pela rede protetora da modernidade são enfatizados em uma lista de exemplos. E são os principais argumentos em defesa da mudança das agendas. Os imperativos da fome, da peste e da guerra, que nortearam os sapiens nos últimos 70 mil anos, tornam-se aos poucos menos decisivos. Adentramos agora uma nova agenda guiada pelos imperativos da felicidade, da amortalidade e da divindade. Alguns críticos tentaram acusar Harari de incoerência, devido à experiência que atravessamos na pandemia atual. Entretanto, trata-se de desinformação ou de superficialidade. Obviamente, Harari nunca disse que os imperativos anteriores serão extintos. Voltamos à tábula rasa de Pinker. Caso não haja estímulos externos, podem vir a adormecer, tornando-se inativos. É diferente de dizer que eles tenham sido superados. Para Harari, as condições civilizacionais do sapiens nos dias de hoje são suficientes para evitar que esses antigos imperativos voltem a ser os demônios dominadores da vida. Isso não quer dizer que nunca mais virão assombrar os anjos bons que também constituem a natureza humana.

HUMANOS

Por falar em natureza humana, como podemos defini-la a partir de Harari? Um dos pontos mais originais de sua obra é a definição de humanismo. Para compreendê-la, precisamos fazer uma separação clara e distinta entre hominização e humanismo. A primeira é o processo de longa duração da formação dos diversos hominídeos a partir dos grandes primatas. Essa geração de uma espécie a partir de outra chama-se especiação. É uma das principais leis da natureza e uma constante ininterrupta em bilhões de anos de vida. Esse processo começou de modo mais claro há mais de 2 milhões de anos. E, em termos evolucionários, continua totalmente em aberto. Assim como houve diversas humanidades antes de nós, o devir infinito da vida com certeza deve gerar outras humanidades e outros organismos, radicalmente distintos daqueles que hoje povoam a Terra. Já o humanismo é um brevíssimo capítulo dentro dessa odisseia titânica da hominização, cuja data de nascimento é o século XVIII. Para compreender o fenômeno na acepção em que Harari o define, precisamos entender primeiro como ele define religião.

Todas as instituições humanas são ficcionais, do dinheiro ao Estado, das artes às leis, da filosofia às ciências, da política às religiões. Dentro desse estatuto, as religiões seriam ficções sobre entidades metaempíricas (que estão além dos sentidos). Algumas ficções humanas envolvem crenças, mas não agentes metaempíricos. Por exemplo, esportes envolvem adesão afetiva, "ordens imaginadas" coletivas, mas não agências infra-humanas ou sobre-humanas. Por outro lado, existem "ordens naturais" extra-humanas. Embora descritas pelos humanos, extrapolam sua dimensão de atuação e não dependem das crenças humanas para existirem. Por exemplo: a teoria da relatividade. As religiões propriamente ditas estariam no meio-termo entre "ordens imaginadas" e "ordens naturais". Embora seja assente para cientistas das religiões e antropólogos, a tese de Harari quebra o senso comum: a religião não se restringe àqueles fenômenos e crenças que o sapiens define como sendo religião. Por isso, é comum ouvirmos que os últimos trezentos anos são "uma era de crescente secularismo", em que "as religiões foram perdendo importância". Entretanto, "se levarmos em conta as religiões baseadas na lei natural, então a modernidade é uma era de intenso fervor religioso".

A religiões são metaempíricas porque se situam entre a empiria (os sentidos e o senso comum) e aquilo que a transcende (as ordens naturais). Essa definição é boa porque, dentro do espectro infinito de agências, crenças, imagens, cultos e ritos, contempla quase todos os fenômenos que o sapiens define pelo termo. E ainda abre uma possibilidade para compreendermos fenômenos que, mesmo não sendo considerados religiosos, partilham da mesma estrutura que define as religiões. Todas as experiências que não podem ser demonstradas e todos os agentes que não se reduzem aos sentidos povoam esse campo metaempírico que chamamos de religião. Nesse escopo, Harari propõe uma reflexão desconcertante. Em todas as épocas, em todas as geografias e em todas as culturas, entidades superiores e inferiores ao humano sempre foram adoradas.

Divindades celestes e divindades ctônicas (subterrâneas) povoaram ao longo de milênios a imaginação coletiva de todos os sistemas de crenças e de mitos que chamamos de religião. A partir do século XVIII, uma novidade toma a cena do mundo: a religião do humano. A "santificação da vida humana" e a sacralização dos valores humanos passam a fazer parte de nosso cotidiano de tal modo que não percebemos mais esse subtexto religioso que nos anima. Nesse sentido, a morte de Deus, apregoada por Nietzsche, pode ser entendida como a morte de um tipo de representação transcendente de Deus. A figura dos deuses e demônios abandonou os cumes celestes e as profundezas do inferno e se traduziu em uma pacata fisionomia que vemos todos os dias no espelho: humanos.

Essa tese de Harari pode ser endossada por diversos autores. Em um primeiro momento, a reflexão dele se aproxima do filósofo canadense Charles Taylor, um dos maiores pensadores do século XX acerca da secularização, que não seria exatamente uma negação da natureza sagrada da vida, mas uma projeção dessa divindade nos planos temporal e humano. Esse projeto se confunde com a modernidade e é também conhecido como "teologias seculares". Outro estudo importante nessa linha é de autoria de Hans Joas, pesquisador do Instituto Max Weber. A maioria esmagadora da bibliografia vincula a Declaração dos Direitos Humanos aos pensadores do Iluminismo, quase sempre agnósticos, deístas (que acreditam em Deus apenas como uma parte da razão) ou ateus. Joas se baseia em fontes documentais primárias do século XVIII para defender uma tese contraintuitiva: a pedra angular dos direitos humanos é a *pessoa*, uma categoria cristã. Chama isso de "sacralidade da pessoa".

Ora, para Harari, a sacralização da pessoa humana ocorre por meio de um novo paradoxo. Enquanto deuses e demônios são metaempíricos, os humanos acreditam que sua própria humanidade é autoevidente. As divindades, ínferas ou celestes, têm uma pletora infinita de representações. Para saber o que é um humano, basta olhar no espelho. Quando os valores do humanismo começam a se proliferar e a consolidar no mundo moderno, eles se apoiam na crença de que existe algo empírico e definível que possamos chamar de *o* humano. Mas se tudo é ficção, se a evolução do sapiens é uma proliferação de ficções e se não é possível definir os humanos do ponto de vista biológico sem recorrer a uma ficção, como podemos definir o humano em um sentido universal? Exemplifico. Diversas etnias de ameríndios brasileiros têm nomes, definições, categorias e propriedades distintas para aquilo que chamamos de *humano*. Para os ianomâmis, a palavra *ianomâmi* quer dizer *humanos*. Ou seja: se apenas os ianomâmis, nas acepções ianomâmis, são humanos, o que seriam os não ianomâmis? A distinção de etnia e de humanidade nesse caso é radical. Esse pequeno exemplo demonstra algo quase insólito. Assim como existiram diversas espécies de humanos, distintas em termos biológicos, existiram e existem, dentro do sapiens, diversas humanidades que variam de acordo com as definições ficcionais do que o ser humano venha a ser. Se não há exterioridade entre a ficção e o real, o mundo é uma proliferação heterogênea de ficções. Se aquilo que chamamos de natureza nada mais é do que uma ficcionalização desta, não é possível definir uma natureza humana exterior ou anterior à linguagem que a define. Estamos às voltas aqui de novo com o paradoxo compreensivo.

HUMANISMOS

E também estamos às voltas com uma argumentação perigosa, que pode gerar uma divisão indiscriminada de humanidades dentro da humanidade. Harari prevê esse problema. Tanto que, em *21 lições*, critica duramente aquilo que chama de culturalismo, pois "pode ser uma forma de racismo". Assim como o racismo se apoia em uma hierarquia das raças construída a partir de uma ficcionalização da biologia, uma multiplicação de definições ficcionais do que seria o humano pode ser uma forma de dividir a unidade e a universalidade do sapiens, entendido como espécie. A culturalização da biologia é tão perigosa quanto a biologização da cultura. Por isso, como mencionei, é urgente superar essas visões dualistas e reducionistas. Esse problema é identificado e desenvolvido com acuidade pelo filósofo negro camaronês Achille Mbembe. Ao longo de cinco séculos, a expropriação das populações pretas da África foi a maior escravização massiva da história dos sapiens. Mbembe demonstra como todo projeto escravagista transatlântico foi definido a partir de um humanismo "euro-americano". Como não havia a categoria "preto" entre os povos africanos, a divisão preto-branco foi a grande estratégia fabuladora para a criação dos discursos de "animalização" dos pretos e de "humanização" dos brancos. Como o "humano" é uma ficção e não pode ser demonstrado, os euro-americanos se identificaram a si mesmos, brancos e cristãos, como sendo *o* humano universal. Nessa equação perversa, a violência perpetrada contra os africanos ainda assumiu uma tonalidade redentora. Os pretos, ao serem escravizados, estariam sendo convertidos à verdadeira cultura europeia e salvos pela verdadeira fé cristã. Ou seja: humanizados.

Harari produz uma leitura fina sobre essas relações entre humanismo e escravidão. Para a construção desses sistemas fundados sobre uma economia política racista, os "conceitos de contaminação e pureza desempenham um papel crucial na manutenção das divisões sociais e políticas". E também "[foram] explorados por inúmeras classes dominantes para manter seus privilégios". Para legitimar o tráfico escravista transatlântico, muitos "mitos religiosos e científicos foram acionados". Sabe-se da conhecida narrativa, segundo a qual os africanos descendiam de Cam, filho de Noé amaldiçoado pelo pai, que "disse que seus filhos seriam escravos". Essa legitimação produziu um círculo vicioso que se propaga até os dias de hoje com as populações pretas: 1) Um "acontecimento histórico ocasional" produz o "controle dos brancos sobre os negros". 2) Isso gera "leis discriminatórias". 3) Estas produzem "pobreza e falta de instrução entre os negros". 4) E isso reforça os "preconceitos culturais". Esse seria o efeito do "humanismo", ou seja, de um mito europeu, sobre as populações pretas. Como se lê em *Sapiens*, do século XVI ao XIX, "cerca de 10 milhões de escravos africanos foram levados para a América". Esse comércio não era controlado por nenhum Estado ou governo. "Era uma empreitada puramente comercial, organizada e financiada pelo livre mercado segundo as leis da oferta e da procura", arremata Harari. Em outras palavras, a aliança entre racismo, humanismo, liberalismo econômico e livre mercado foi a estrutura fundacional de toda economia mercantil e escravocrata do Ocidente ao longo de cinco séculos.

Assim como o "devir-negro do mundo" de Mbembe, Harari descreve com originalidade as contradições e a presença massiva dessa nova religião secular nos últimos três séculos. E a divide em três matrizes principais: o humanismo liberal, o socialista e, para o estranhamento do leitor, o nazifascista. O humanismo liberal é aquele que adveio com a revolução burguesa do século XIX, a expansão do liberalismo, as sociedades de mercado e os modelos das democracias modernas. Seus valores são o livre-arbítrio, a liberdade individual, a autorregulação dos mercados, a livre-iniciativa, a valorização da privacidade e da propriedade privada, em resumo, uma anuência à estrutura e ao funcionamento do capitalismo em franca expansão. Nesse sentido, "a seita humanista mais importante" nos últimos séculos é "o humanismo liberal". Ele "acredita que a 'humanidade' é uma qualidade de humanos individuais, e que portanto a liberdade de indivíduos é sacrossanta".

Em relação a essa crença, o humanismo socialista é uma contrarrevolução. A partir dos marxistas, anarquistas e comunitaristas, esse humanismo faz a "crítica da economia política" subjacente ao modelo burguês-liberal. Por trás dessa aparente autonomia e liberdade apregoada pela filosofia liberal, há uma cortina de fumaça que nos cega: a ideologia. Ela impede que ponhamos a nu as verdadeiras engrenagens do capitalismo: a produção de todo tipo de desigualdades. A ideologia é a superestrutura de ideias que permeia todas as esferas da vida: o Estado, o direito, a arte, a ciência, a economia, a política e todas as instituições humanas. Enquanto isso, a infraestrutura material gira em falso: produz cada vez mais excedentes para poucos e cada vez mais precarização para muitos. O objetivo da ideologia é mascarar essa desigualdade sistêmica do capital. Esse acoplamento parasitário entre ideologia e capital, entre infraestrutura ideológica e superestrutura material, é o que mantém intacto o status quo das classes dominantes. Mais que isso, inviabiliza que enxerguemos a essência do capitalismo: a produção de alienação em todas as dimensões da cadeia produtiva e de trabalho. Os humanistas socialistas vão buscar uma forma corretiva dessas disparidades estruturais a partir de uma mediação do Estado. E por meio de uma crença: a possibilidade da igualdade.

A definição do humanismo nazifascista é um pouco mais delicada. Emergente na República de Weimar com a chamada "revolução conservadora" (Carl Schmitt) e com raízes em mitologias nacionalistas do século xix, o projeto nazifascista é uma crítica tanto ao liberalismo euro-americano quanto ao igualitarismo socialista. Apropriando-se do chamado darwinismo social, deformação da teoria de Darwin produzida por Herbert Spencer, os nazifascistas criam uma ficção sedutora: a hierarquia da natureza. Se o sapiens sobreviveu até aqui, é porque ele seria geneticamente mais apto do que os demais hominídeos. Existe um design inteligente na natureza que seleciona uns em detrimento de outros, não por meio do acaso cego, mas por meio de propriedades que lhes são inatas. Ironia para o leitor: qualquer semelhança com as teorias atuais do design inteligente não é mera coincidência. Se essas propriedades são definidas geneticamente, pode-se selecionar os humanos e aperfeiçoá-los rumo a uma superespécie: o ariano. Isso não sem antes eliminar todas as demais espécies indesejadas, ou seja, todos os não arianos do planeta. Ora, como lembra Harari, o problema é que "as hierarquias sociopolíticas, em sua maioria, carecem de base lógica ou biológica". Elas "não passam da perpetuação de eventos acidentais sustentados por mitos". Entre elas, uma das mais nefastas é a "hierarquia de gêneros", entre homens e mulheres, masculino e feminino, analisada detalhadamente por Harari.

Nasce aqui o projeto de produção dos super-humanos, outra deformação gerada a partir da filosofia de Nietzsche e de seu conceito de além-do-humano (*Übermensch*). O objetivo do nazifascismo não é nem a liberdade nem a igualdade. É a hierarquia e o fortalecimento da coesão social por meio de uma anulação das individualidades em uma massa homogênea e orientada para um mesmo fim (*fascio*). Essa massa precisa ser coordenada por um super-humano condutor da história: o *Führer* (guia). As inconsistências dessa crença podem ser reveladas por uma leitura simples da própria obra de Darwin. Para ele, os sobreviventes não são mais fortes, mas sim mais aptos. Ademais, não há nenhuma evidência de que os seres mais bem-sucedidos sejam sapiens melhores ou que sejam seres vivos que auxiliem e otimizem a existência do sapiens. Isso é um absurdo, porque uma prerrogativa da teoria da evolução é a descentralização radical do humano do centro do universo. Como ironiza Harari, um asteroide exterminou os dinossauros há 65 milhões de anos e "isso abriu caminho para os mamíferos". Hoje "ratos e baratas, por exemplo, estão vivendo em uma era dourada". Se houver um armagedom, esses seres "provavelmente sairiam de debaixo das ruínas fumegantes" para "disseminar seu DNA". Assim como hoje agradecemos ao asteroide que destruiu os dinossauros, daqui a 65 milhões de anos, talvez, "ratos inteligentes olharão para trás e agradecerão à dizimação causada pela humanidade". Um protozoário tem mais chances evolutivas de sobrevivência do que um atleta caucasiano dos Alpes suíços de olhos azuis.

Isso quer dizer que na natureza não existem nem a liberdade defendida pelo liberalismo, nem a igualdade defendida pelo socialismo, nem a hierarquia defendida pelo nazifascismo. Como diriam filósofos analíticos a partir de Wittgenstein, esses humanismos são "jogos de linguagem" que espelham a natureza, mas não a acessam. As ficções são "pluralidades de mundos" (David Lewis) em constante guerrilha. Seguindo o filósofo trágico Clement Rosset, cujas intuições se assemelham muito ao projeto de Harari, todas as descrições da natureza são ficcionalizações dela. Entretanto, o devir da história nos confronta com algumas realidades efetivas, muito mais disruptivas do que discursivas. A tese de Harari, então, é a seguinte. O humanismo liberal venceu o nazifascista na Segunda Guerra Mundial, em 1945. O humanismo liberal venceu o socialista com a queda do Muro de Berlim, em 1989. E agora o humanismo liberal está sendo implodido e vencido por dentro por uma de suas principais criações: as tecnologias.

As novas tecnologias, fruto da ciência experimental que se expandiu no ambiente das democracias liberais, estão erodindo sistematicamente todos os valores do liberalismo. O que é liberdade para o big data? O que é livre-arbítrio em um mundo algoritmizado que lê e customiza nossos movimentos de sobrancelhas? O que é privacidade em um mundo de hackeamento dos dados subjetivos de toda a população da Terra? O que é privacidade em um mundo de *deep web* e empresas que comercializam dados? O que é meritocracia em um mundo de Inteligência Artificial? O que é empreendedorismo em um mundo de robôs? O que é liberdade de expressão em um mundo de *bots*? O que é propriedade privada em um mundo de virtualização das ações e das commodities? O que é crescimento em um mundo de capital cada vez mais volatilizado, imaterial e flutuante, ao sabor das ondas e das tempestades? O que é democracia em um mundo em que fake news elegem presidentes? O que são fatos em um mundo governado pelas *deep fakes*? O que é o capitalismo em um mundo onde cada um de nós é o ativo econômico e a moeda de troca? Todas essas mitologias românticas da religião liberal e do credo burguês estão sendo desmanchadas em plena luz do dia. Por isso, Harari diagnostica: adentramos um mundo pós-liberal.

Esse diagnóstico não é uma defesa do socialismo e muito menos do nazifascismo, pois ambos são também soluções que foram trituradas pela história. Como diria Marx, a história se repete apenas como farsa. E muito cuidado aqui. A ascensão anacrônica de novos fascismos e mesmo de ideologias neonazistas que hoje testemunhamos precisa ser compreendida em sua raiz para que seja devidamente criticada. E um dos aspectos mais complexos desses movimentos é que eles se apoiam em um dos sentimentos mais arcaicos e profundos sedimentados na memória genética do sapiens: as ficções de pertencimento a um grupo. Independentemente de se pautarem ou não em teorias eugenistas, racistas e higienistas, essas novas ficções gregárias apelam para um componente-chave da evolução humana: os laços afetivos. Como todo mamífero oriundo dos grandes primatas, os humanos podem prescindir de tudo, menos de vínculos emocionais.

Os fundamentos do liberalismo não dão mais sustentação à complexidade de um mundo em que todos os paradigmas foram perdidos (Edgar Morin). Vivemos em um mundo de catástrofes, de perda das estrelas (*astra*) que guiaram o sapiens, desde as savanas africanas até o século xx, na acepção de Jean-Pierre Dupuy. O desafio do século xxi é criar novas bússolas de orientação e novos sistemas de produção, de riqueza, de distribuição, de valores. Como nos adverte o filósofo da ciência Bruno Latour, estamos vivendo uma mutação civilizacional, não apenas uma mudança de modelos econômicos, políticos ou sociais. Como Harari identificou em seus escritos e entrevistas sobre a pandemia, o desafio é gerar novos acordos e lideranças globais. Outro paradoxo do mundo que vivemos é este: a globalização liberal ruiu, mas a pandemia do coronavírus provou que não temos como viver em um mundo que não siga uma "agenda global". Como expõe em *21 lições para o século 21*, as culturas são infinitas, mas a civilização é apenas uma. A saída é fortalecer cada vez mais a unidade da civilização humana. Caso isso não aconteça, em termos evolutivos fatalmente a especiação irá nos conduzir a uma nova bifurcação do sapiens. Como pensar em projetos coletivos de emancipação humana em um contexto como este em que vivemos? Para respondermos a essa pergunta, precisamos responder a uma questão candente nesta reflexão sobre os humanismos.

JUSTIÇA

O leitor deve se perguntar por que Harari realiza essas tipologias do humanismo no fim de *Sapiens* e as retoma como leitmotiv de *Homo Deus*. E, diante desse cenário de conflito entre os humanismos, quais seriam as saídas. Para compreender estas questões, podemos recorrer a uma premissa dos historiadores: "A única lei da história é a mudança". Então, se tudo sempre muda e a justiça depende de valores relativamente permanentes, como pensar a justiça? Por mais que isso seja difícil de ser assumido por nossa sensibilidade moderna e democrática, esses três humanismos são igualmente ficções. Não existe uma verdade inerente a nenhum deles capaz de nos conduzir à justiça porque simplesmente "não existe justiça na história". E se ela não existe na história, tampouco existe na natureza. Do Código de Hamurábi à Declaração de Independência dos Estados Unidos, o sapiens tem erigido leis em torno da justiça. Ambos se propõem como "princípios universais e eternos de justiça ditados pelos deuses". Para Harari, "ambos estão errados". E o erro decorre de sistemas de crenças que acreditam que o humano foi criado por um Deus, por deuses ou por alguma outra entidade. Onde está o erro? De acordo com a biologia, "as pessoas não foram 'criadas': elas evoluíram". E "certamente não evoluíram para serem 'iguais'". A ideia de igualdade estaria "ligada de maneira indissolúvel à ideia da criação".

A tese é dura. Significa que toda tentativa de naturalizar uma igualdade ou uma hierarquia entre os humanos é falsa. Cada um de nós traz em si um "código genético diferente" e somos ao longo da vida expostos a "influências ambientais diversas". Essa interação de cada ser vivo com seu ambiente é sempre radicalmente singular, não universal, pois "a evolução é baseada na diferença, não na igualdade". Em vez de dizermos que as pessoas "são criadas iguais" por uma divindade, deveríamos dizer que elas "evoluíram de forma distinta" pela natureza. Por fim, os defensores da hierarquia entre os humanos também se equivocam. O fato de a evolução ser um continuum de diferenciação entre seres não quer dizer que essas distinções constituam hierarquias. Tanto a hierarquia quanto a igualdade são ficções úteis que funcionam de acordo com os termos postos de uma negociação, em realidades determinadas. A cultura "tende a argumentar que só proíbe o que é antinatural". Entretanto, "de uma perspectiva biológica, não há nada que seja antinatural".

Nesses termos, a filosofia de Harari se alinha muito ao pragmatismo, uma vertente da filosofia contemporânea que vem de Charles Sanders Peirce e William James e se desdobra em diversos autores contemporâneos, como Richard Rorty, John Searle e Judith Butler. O cerne da filosofia pragmática é a ação (*pragma*). Todas as atividades humanas, desde cognições, conceitos, linguagens e sensações a atividades propriamente cinéticas e motoras, individuais ou coletivas, são ações que implicam uma dinâmica de crença e de confiança. A verdade é instável, pois está sempre flutuando de acordo com situações e contextos diferentes. Para o pragmatismo, tudo que existe se alicerça na experiência. E a experiência é radicalmente contingente. Em filosofia, a contingência é sinônimo de acaso e se opõe à necessidade, à esfera das leis universais e imutáveis. A contingência é tudo que poderia ter sido diferente do que foi e que pode ser diferente do que é. A necessidade é tudo que não poderia ter sido diferente do que foi e não pode ser diferente do que é. Cada situação humana é contingente, encontra-se em constante mudança, como o fluxo contínuo de experiência da vida. A argumentação de Harari sobre a justiça enfatiza essa raiz contingente de todos os valores, leis e princípios. O chão contingente dos códigos ditos universais é feito de ficções criadas por seres humanos que se diferenciaram ao longo do processo evolutivo. Um salto de mestre dessa argumentação de Harari é a equivalência entre história e biologia. A primeira é o reino da casualidade. A evolução é o reino do acaso. Ambas são guiadas pela contingência e pela singularidade de cada ser, de cada evento, de cada fato. Todos os sistemas que pregam a universalidade e a imutabilidade de leis são sistemas ficcionais.

Aqui é importante fazer um adendo. Alguns críticos de Harari dizem que seu conceito de ficção seria amoral. Se todos os discursos se equivalem, como pensar em uma ética que não seja uma mera guerra entre ficções? Cairíamos na tese de Nietzsche, segundo a qual a verdade nada mais é do que uma cadeia sem fim de interpretações, o que nos impossibilita fundar uma ética. Ademais, se tudo é ficção, onde entra a ciência empírica? Se a ciência empírica é tão ficcional quanto uma narrativa mítica, isso poderia gerar uma série de discursos anticientíficos, como o terraplanismo e os movimentos anticiência que presenciamos nos dias de hoje. Ora, essas críticas demonstram uma leitura superficial da obra de Harari. A solução para esse dilema se encontra na distinção entre dois conceitos realizada em *Sapiens*: a diferença entre "ordem natural" e "ordem imaginada".

Uma ordem imaginada "corre sempre o risco de desmoronar". Isso ocorre porque ela "depende de mitos", e "os mitos desaparecem tão logo as pessoas param de acreditar neles". Está "enraizada no mundo material" e "molda nossos desejos", porque toda "ordem imaginada é intersubjetiva". Por seu turno, "uma ordem natural é uma ordem estável". Em que sentido? Ela prescinde da construção de mitos, "existe independentemente da consciência e das crenças humanas". Nesse sentido, "a radioatividade, por exemplo, não é um mito". Aqui adentramos a distinção nuclear no pragmatismo entre crença (reino do mito) e evidência (reino da ciência). A gravitação geral de Newton não é uma crença nem um mito. Embora seja uma "descoberta" humana, ela não existe porque os humanos a "criaram". Não é preciso nenhuma crença, mito ou ritualização humanos para que a gravidade "aconteça" ou se "revele". Ela existe a despeito e independentemente de nós. Ainda que toda a humanidade deixe de "acreditar" nela, as maçãs continuarão a cair na cabeça de quem, por acaso ou contingência, esteja debaixo daquela árvore naquele instante.

Na Índia védica, os brâmanes precisavam realizar rituais até para que o Sol se levantasse. Os cientistas de todos os departamentos de cosmologia do mundo não precisam executar nenhum ritual para continuarem estudando o Sol e as estrelas do universo. Se houver uma colisão catastrófica de um asteroide com a Terra neste exato momento, de fato o Sol não se "levantará" amanhã, pois não o veremos. Isso seria uma enorme instabilidade. Mas esse evento tampouco será decorrente de uma ordem imaginada. Embora o evento catastrófico esteja distante do que chamaríamos de ordem, o fato de o Sol não se levantar nesse caso não fere a ordem natural do cosmos, no qual uma infinidade de asteroides se desloca e colide com planetas, sistemas, estrelas. Os mitos sobre o asteroide que colidiu com a Terra vão mais tarde dar ensejo a novas religiões e a novas "ordens imaginadas" para os sobreviventes. Contudo, a colisão em si é um fato, não um mito. A exigência de racionalidade da ciência é uma exigência de isenção. Para a absoluta indiferença do universo e para os mecanismos indiferentes de seleção da vida, não existem pontos de vista privilegiados. A natureza, entendida a partir da teoria darwiniana, é espetacular justamente por conta dessa antinomia. Ao mesmo tempo que a seleção natural produz a maravilha da diversidade, por meio da qual nenhuma forma de vida singular se equivale a outra, produz também uma profunda simetria entre todos os seres vivos, todos selecionados pelo acaso.

Esse é um dos problemas epistemológicos mais complexos enfrentados por Harari em sua obra. Ele demandaria um longo debate sobre as funções da dedução e da indução em toda a história da ciência, o que não cabe neste texto. O importante é apenas demarcar, no sistema ficcional de Harari, esse corte entre "ordens imaginadas" e "ordens naturais". Esse debate é nuclear para dirimirmos críticas superficiais à obra de Harari, que a acusam de irracional, anticientífica ou avessa à construção de uma ética. Como pensador secular, há, sim, uma ética na obra de Harari. Podemos chamá-la de ética da evidência. A evidência é o fundamento que unifica a civilização. Por isso, como diz em *21 lições*, por mais que haja uma miríade de culturas e ficções, não há muitas civilizações (esse sim é um argumento irracional): há apenas uma. A civilização que vivemos é unificada pelo conceito que define o coração da ciência experimental e racional moderna: a evidência. Todos os negacionismos e obscurantismos se unem em um mesmo objetivo: reduzir a evidência a um mito. Caso não consigamos defender a unicidade desta civilização humana que criamos, não conseguiremos tampouco articular sob um denominador comum o sapiens e as demais humanidades que surgirão no horizonte. E, nesse caso, nesse novo mundo por vir, provavelmente todos nós, humanos que lemos este livro sobre nossa espécie, seremos os animais domesticados de um novo humano-deus.

ANIMAIS

Os animais são um dos eixos epistêmicos que norteiam a filosofia de Harari, tanto em *Sapiens* como em toda a sua obra. Essa centralidade do estudo dos animais não é nova. Recua à origem da filosofia grega, a Aristóteles (*Parva naturalia*), aos geniais pensadores islâmicos da Fālsāfā (séculos VIII a XIII), à catalogação dos viajantes do século XVI, às taxonomias dos séculos XVII e XVIII (Owen, Hocke, Leibniz, Harvey, Digby), às grandes sistematizações da natureza dos séculos XVIII e XIX (Buffon, D'Holbach, Von Humboldt, Haeckel, Lamarck) e às inovações da biologia e da etologia do século XX (Von Uexküll, Plessner, Lorenz).

A posição de Darwin nessa genealogia é singular e revolucionária. E o é por um motivo simples: a dissolução radical do humano no oceano da vida e do universo. Pela primeira vez podemos compreender de modo irrestrito o humano como apenas mais um ser em meio aos trilhões de seres vivos que habitam a Terra. Recentemente, algumas linhas de pesquisa têm sofisticado essa abordagem. Se os humanos se ligam a toda a rede da vida da Terra em complexos sistemas de solidarização, como as demais formas de vida se manifestam *no* humano? A pergunta inverte os pressupostos habituais. Não se trata de descrever os animais do ponto de vista dos humanos, mas de analisar como o comportamento e a estrutura de outros seres vivos se manifestam no animal humano. Esse campo de estudos se chama *animal studies*. Outro movimento correlato dos últimos anos e muito produtivo é o chamado *nonhuman turn*. Trata-se de uma guinada intelectual em direção aos não humanos, representada por pensadores de orientações distintas, como Jane Bennett, Richard Grusin, Timothy Morton, Peter Godfrey-Smith, Jussi Parikka, entre outros. Há também importantes impactos sociais e políticos no movimento *animal liberation*, que tem na obra do filósofo australiano Peter Singer um de seus marcos. Toda crítica ao chamado especismo (privilegiar o humano em detrimento dos demais seres sencientes) se alinha a esse reposicionamento dos animais na natureza.

Para o leitor isso pode parecer um pouco exagerado. Afinal, não é evidente que as propriedades humanas nos são específicas? Qual o vínculo que os humanos teriam com os polvos? Qual a relação entre humanos e aranhas? Quais os comportamentos compartilhados entre humanos e insetos? Para entender essa coextensão, basta refletirmos sobre algumas propriedades básicas dos humanos. Para exemplificar, analisemos o "amor". Há formas de amar especificamente humanas. Entretanto, a vinculação afetiva que definimos como amor pertence a um vasto domínio dos mamíferos. Em que medida o que chamamos de "amor humano" não é apenas uma segmentação do "amor mamífero" mais amplo? Quando falamos em "sexo", uma procissão de simbolismos, representações, narrativas, sentidos e camadas psíquicas passa por nossos olhos. Quando falamos em "morte", um desfile de imagens religiosas, filosóficas e existenciais nos vem à mente. Mas a experiência do "sexo" e da "morte" não é exclusiva dos humanos nem dos seres sencientes. A morte está estruturalmente ligada a uma noção muito simples e difusa: sem o sexo, não há sobrevivência da espécie e, por conseguinte, dos indivíduos. É, portanto, uma forma de "morte" do indivíduo que atesta sua "submissão" ao outro (parceiro). Mas, ao mesmo tempo, o sexo é uma "vitória" do indivíduo que "sobrevive" e se "eterniza" na espécie. Não por acaso, em quase todas as narrativas religiosas do sapiens, a imortalidade, a morte e a sexualidade estão intimamente ligadas, seja como termos antagônicos, seja como funções complementares. Não poderia ser diferente. Trata-se de uma experiência compartilhada pelo sapiens com todos os seres vivos sexuados. Querer definir como restrito ao humano aquilo que é geral de outras vidas é um falso silogismo.

Todo o núcleo de *Sapiens* que trata do sofrimento animal parte dessa prerrogativa: sofrimento é sofrimento. O ponto de vista humano não pode ser tomado como privilegiado sobre a vida apenas pelo fato de sermos humanos. Os animais são violentados pelos humanos desde a sua domesticação, com o sedentarismo. Essa violência vem atingindo dimensões gigantes nos últimos séculos com a escala industrial de produção e a explosão populacional. Isso sem contar a violência do abate e da predação de animais silvestres e não domesticados. E, para piorar, o efeito cascata de violência, sofrimento e extinção produzido pelas ações indiretas do sapiens, como a deterioração de ecossistemas, mutações climáticas, desequilíbrio de biomas, impactos ambientais e sobre a flora que comprometem a diversidade da fauna, erradicação de espécies que controlam outras espécies predadoras, entre diversos outros fatores.

Por isso, tanto em *Sapiens* quanto em *Homo Deus*, a atenção especial dada por Harari aos animais é, indiretamente, dada aos humanos. O fato de o sapiens ocupar o topo da cadeia alimentar e ter se tornado o senhor do mundo não quer dizer absolutamente nada — essa é sua advertência de fundo. Boa parte das espécies extintas também foi senhora dos mundos passados. E a amplitude dessas extinções pode ser ainda maior, dado que os resíduos paleontológicos e geológicos a que temos acesso ainda são ínfimos diante da diversidade da Terra. Nada assegura que a potência do sapiens não possa involuir a ponto de conduzi-lo à extinção. Aliás, biólogos, zoólogos e paleontólogos, como Elizabeth Kolbert, têm trabalhado com a possibilidade (e mesmo a iminência) de uma sexta extinção em massa à qual o sapiens não sobreviveria. Para Harari, a fragilidade dos animais é um espelho da fragilidade humana. Precisamos nos olhar nesse espelho embaçado que reflete um rosto distinto do nosso para compreendermos o que fomos no passado e o que podemos vir a ser no futuro.

Além disso, o estudo dos animais é valioso para compreendermos um dos conceitos mais importantes da biologia contemporânea: a coevolução. Cada vez mais os cientistas têm trabalhado com a tese de que as espécies, por mais longínquas ou mesmo radicalmente distintas, não evoluem de modo isolado. Afinal, não existe solidão na natureza. Todos os seres, vivos e não vivos, estão implicados uns nos outros, em um emaranhamento de sofisticado equilíbrio sistêmico. Pensando assim, precisamos rastrear a evolução de uma espécie a partir da reconstrução das suas relações, tanto com o seu meio circundante quanto com as demais, próximas e distantes. Nesse mesmo sentido, lembremos uma famosa passagem de *Sapiens*. Se a palavra domesticar vem do latim *domus*, que significa *casa*, quem "estava vivendo em uma casa"? Certamente não era o trigo, mas o sapiens. Disso decorre que não foi o humano que domesticou o trigo, mas o trigo que domesticou o humano.

A abordagem humano-animal nunca pode ser feita em uma mão única. Assim como os humanos dominam a natureza, a natureza dominada também produz a condição de possibilidade de sobrevivência dos humanos. Esse processo recursivo se chama *autopoiesis*: a vida transforma o meio que vai em seguida transformá-la. Esse conceito é central para autores da teoria sistêmica (Niklas Luhmann), da biologia (Francisco Varela e Humberto Maturana), da teoria de Gaia (James Lovelock), da teoria da complexidade (Edgar Morin), da teoria das esferas (Peter Sloterdijk) e da teoria ator-rede (Bruno Latour). Como se vê, Harari está bem acompanhado por alguns dos grandes pensadores da transição entre os séculos xx e xxi.

No caso da domesticação dos mares, esses registros são antigos. Havia aldeias de pescadores no litoral da Indonésia há 45 mil anos. O primeiro empreendimento transoceânico teria sido a invasão da Austrália. Além desses exemplos, Harari destaca o lobo como o primeiro animal domesticado. Os primeiros indícios dessa domesticação datam de cerca de 15 mil anos, mas eles podem ter se unido milhares de anos antes dessa data. O maravilhoso documentário *A caverna dos sonhos esquecidos* (2010), do diretor alemão Werner Herzog, investiga pela primeira vez a caverna de Chauvet-Pont-d'Arc, no sul da França, que havia acabado de ser descoberta. Possui alguns dos registros rupestres mais antigos do sapiens, de 32 mil anos atrás. Em uma cena, as pegadas de um lobo e de uma criança se perdem. Será que foram amigos? Será que o lobo abateu a criança? Poderíamos acrescentar: será que a criança teria sobrevivido sem o lobo? Em alguma bifurcação da evolução, talvez a existência do lobo tenha sido decisiva para a sobrevivência do sapiens contra adversidades, predadores, escassez, inimigos. Em consonância com essas ideias de Harari, a bióloga e antropóloga americana Donna Haraway chega a cunhar o termo "espécies companheiras" para definir esses processos fortes de coevolução e de solidarização entre espécies. E, de modo mais amplo, entre todos os seres vivos, sem os quais certamente um ou mais teriam sucumbido. Essa simetria entre humanos e animais não se esgota nesses paralelismos interespecistas. Distribui-se pelo oceano da consciência, que engloba todos os seres sencientes e inteligentes, orgânicos e inorgânicos, vivos e não vivos, bem como todas as esferas de sentido.

Em português, a palavra "sentido" tem cinco acepções. Em primeiro lugar, dotar algo de sentido é preencher uma lacuna semântica. Em segundo, no plural, designa o conjunto das apreensões sensoriais, bem como outras dimensões perceptivas. Em terceiro, é uma referência afetiva: quando algo faz sentido, quer dizer que houve um preenchimento de expectativas e alguma vinculação entre dois seres. Em quarto, é uma designação de destino: uma seta ou um vetor que aponta para algum lugar e fornece orientações. Por fim, refere-se ao particípio passado do verbo *sentir*, denotando emoções ou sensações que foram ou são sentidas, no passado ou no presente. Esta acepção descreve o estado de quem ficou ou está magoado com algo ou alguém. Algo similar a "ressentido" e a "ressentimento". Em termos filosóficos, essas cinco acepções da palavra podem ensinar muito sobre a odisseia do sapiens descrita por Harari. E podem ensinar algo sobre uma de nossas angústias mais ancestrais: o desejo de achar o fio condutor que conecte essas cinco acepções.

De um ponto de vista puramente científico, "a vida humana não tem nenhum sentido". "Os seres humanos são o produto de processos evolucionários cegos que operam sem metas ou propósitos", arremata Harari. E, no belo capítulo de *21 lições* chamado justamente "Sentido", ele aprofunda essa visão. O universo é uma extensão infinita, em uma infinita combustão atômica, um oceano sem contornos ou margens que não sejam os pobres limites da ilha de nosso conhecimento atual. A ciência descreve esse universo e torna-o conhecido (sentido racional). Dimensiona um cosmos sem dimensão. Assim, por meio da ciência, conseguimos conceber racionalmente trilhões de estrelas e galáxias e temporalizar um cosmos eterno, sem começo ou fim. Em outras palavras: explicamos fenômenos inexplicáveis. Para tanto, a ciência também se apoia em descrições e estabilizações de fenômenos (sentido sensorial). Contudo, a ciência não utiliza (e não deve utilizar) essas descrições para suprir outras expectativas humanas. O sapiens não consegue viver cotidianamente diante desse nada, racionalmente descrito e explicado. E, por isso, cria ficções, que são molduras da experiência e, ao mesmo tempo, fazem-nos sentir que a vida tem sentido (sentido afetivo). Nesse processo, uma pedra sempre atravessa nosso caminho: a necessidade de achar que a razão, as sensações e o afeto têm uma finalidade (*telos*), um vetor em direção a algo (sentido orientador). Como era de esperar, essa quarta acepção conflita com a premissa de que o universo não tem objetivo. O universo se expande, mas não evoluiu ou progride em direção a nada. Por isso, essas demandas de orientação são sempre frustradas. E isso produz o ressentimento (sentido reativo), um dos frutos mais amargos, enfraquecedores e venenosos da vida.

Harari é o Carl Sagan da historiografia. A contribuição de sua obra é inestimável. Difunde um debate científico de qualidade para milhões de leitores, levanta questões originais, aborda problemas humanos perenes e abre novos caminhos para a transdisciplinaridade. Além de todos esses motivos intelectuais e do prazer de explorar uma obra como esta, há um motivo mais subjetivo que podemos extrair dela. Uma mensagem subliminar e sibilina que corre nas entrelinhas: a tentativa de desacoplar as acepções contidas nos diversos sentidos da vida. Em alguns momentos, o sentido da vida é uma compreensão racional. Um preenchimento de expectativas e de conhecimentos a que aspiramos. E que nunca se completa a não ser com a morte. Em outros momentos, o sentido da vida talvez seja apenas o ato de sentir e de fruir um conjunto de formas: uma brisa, uma manhã, uma paisagem, uma presença, um sabor. Há ainda aqueles momentos de profunda significação. Sentimo-nos vinculados ao mundo, a certos valores, a certas pessoas, a crenças, a costumes, a ideias. A vida também é cercada por todos os lados de orientações e de orientadores: pronomes e dêixis, futuros e promessas, sinalizações e signos, dedos e olhos, vetores e direções. Provavelmente o sentido profundo dessa floresta de signos seja percebermos como ela se organiza em tendências gerais — em grandes narrativas. Mas precisamos sobretudo compreender que esses diversos direcionamentos não podem (e não devem) se unificar em uma única direção. Não preenchem os quesitos de um sentido global, para a vida e o universo. Talvez esse seja um modo de evitarmos o ressentimento. E, caso ele um dia surja, o melhor talvez seja compreendê-lo como um fenômeno que não decorre do fato de não termos conseguido unificar todos os sentidos dispersos da vida nesse sentido universal que, certamente, não existe.

Por que a elite digital adora tanto seu principal crítico?

*Nellie Bowles**

O filósofo futurista Yuval Noah Harari tem muitas preocupações.

Ele se preocupa com o fato de que o Vale do Silício está minando a democracia e dando origem a uma distopia infernal em que o voto se tornará obsoleto.

Ele se preocupa com o fato de que, ao criar poderosas máquinas de influência que controlam bilhões de mentes, as grandes empresas de tecnologia estão destruindo a ideia de um indivíduo soberano dotado de livre-arbítrio.

Ele se preocupa com o fato de que, como a revolução tecnológica exige tão poucos trabalhadores para o seu funcionamento, o Vale do Silício está gerando uma pequena classe dirigente e uma numerosíssima e furiosa "classe dos inúteis".

Mas, recentemente, o sr. Harari está ansioso com alguma coisa muito mais pessoal. Se esse é o seu alerta assustador, então por que os presidentes das empresas do Vale do Silício o amam tanto?

"Uma possibilidade é que minha mensagem não os ameaça e, por isso, podem adotá-la", disse certa tarde de outubro um Harari intrigado. "Para mim, isso é mais preocupante. Será que estou deixando escapar alguma coisa?"

Neste outono, quando Harari circulou pela Bay Area para promover seu

* Perfil originalmente publicado no *New York Times*, em 9 nov. 2018.

último livro, a receptividade foi incongruentemente calorosa. Reed Hastings, o principal executivo da Netflix, ofereceu um grande jantar em sua homenagem. Os líderes da X, o departamento de pesquisas secretas da Alphabet, convidaram-no para visitá-los. Bill Gates fez uma resenha do livro ("Arrebatador" e "um escritor muito instigante"), publicada no *New York Times*. "Estou interessado na forma pela qual o Vale do Silício pode estar tão apaixonado por Yuval — é uma loucura que ele seja tão popular, todos o convidam para visitar suas sedes —, embora o que Yuval esteja dizendo corroa a premissa do modelo de seus produtos, baseado na publicidade e no engajamento", disse Tristan Harris, antigo responsável pelas questões éticas na Google e cofundador do Center for Humane Technology.

Parte da razão pode ser que o Vale do Silício, em certo nível, não é otimista em relação ao futuro da democracia. Quanto maior a desorganização em Washington, mais o mundo das empresas de tecnologia se interessa por criar algo diferente, que pode não se assemelhar à representação por meio do voto. Os escritores de código há muito se ressentem das restrições legais e se mostram curiosos no que tange a formas alternativas de governo. Lá existe uma facção separatista: de tempos em tempos, investidores de risco recomendam que a Califórnia se separe do resto do país ou se divida, até mesmo através da criação de Estados-nações corporativos. E, neste verão, Mark Zuckerberg, que recomendou Harari para seu clube de leitura, reconheceu ter uma fixação pelo autocrata César Augusto. "Basicamente", Zuckerberg disse à revista *The New Yorker*, "por meio de uma abordagem de fato agressiva, ele garantiu duzentos anos de paz mundial."

Refletindo sobre tudo isso, Harari diz o seguinte: "Utopia e distopia dependem dos valores de cada um".

Harari, que possui um doutorado de Oxford, é um filósofo israelense de 42 anos e professor de história na Universidade Hebraica de Jerusalém. Sua fama atual vem de 2011, quando publicou um livro cujo objetivo era notavelmente ambicioso: analisar a totalidade da existência humana. *Sapiens: Uma breve história da humanidade*, inicialmente lançado em hebraico, não desbravou novas áreas em termos de pesquisa histórica nem sua premissa — a de que os seres humanos são animais e nosso predomínio, um acidente — parecia sugerir algum sucesso comercial. No entanto, a linguagem descontraída e a forma acessível com que Harari entrelaçou o conhecimento existente em diversos campos proporcionaram uma leitura profundamente agradável, muito embora a obra terminasse com a noção de que o processo de evolução humana pode ter chegado ao fim. Traduzido para o inglês em 2014, o livro vendeu mais de 8 milhões de exemplares, fazendo do autor uma celebridade intelectual.

A sequência foi dada por *Homo Deus: Uma breve história do amanhã*, que esboçou sua visão do que virá depois da evolução humana. Na obra, ele descreve o "dataísmo", uma nova crença baseada no poder dos algoritmos. No futuro, segundo Harari, as grandes massas de dados serão idolatradas, a inteligência artificial superará a inteligência humana, e alguns seres humanos desenvolverão capacidades semelhantes às de Deus.

Agora, escreveu um livro sobre o presente e como ele pode levar ao futuro: *21 lições para o século 21*. A intenção é que seja lido como uma série de alertas. Seu último TED Talk foi intitulado "Por que o fascismo é tão tentador — e como seus dados pessoais podem servir de combustível para ele".

As profecias de Harari poderiam tê-lo transformado em uma espécie de portador de más notícias no Vale do Silício, ou pelo menos uma presença indesejada. Em vez disso, ele precisou se reconciliar com a estranha apreciação dos locais. "Se você faz as pessoas pensarem de maneira bem mais profunda e séria sobre essas questões", ele me disse, em tom cansado, "algumas das coisas podem não ser as que você queria que elas pensassem."

Harari concordou que eu o acompanhasse durante alguns dias em suas andanças pelo Vale do Silício; numa tarde de setembro, esperei por ele do lado de fora dos escritórios da X, em Mountain View, enquanto conversava com os funcionários da Alphabet. Depois de algum tempo, ele apareceu: um homem tímido, magro, de óculos, cabelos pretos e ralos. Harari lembra uma coruja por sua aparência sábia e porque não move muito o corpo, mesmo ao olhar para os lados. Seu rosto não é particularmente expressivo, exceto por uma sobrancelha astuta. Ao encará-lo, é possível captar um olhar cauteloso — como se ele desejasse saber se você também compreende exatamente como o mundo vai ficar pior.

Seu editor o havia acompanhado durante a conversa na Alphabet. Eles contaram que os funcionários mais jovens haviam manifestado preocupação com a possibilidade de que seus trabalhos estivessem contribuindo para uma sociedade menos livre, enquanto os executivos em geral acreditavam que o impacto disso era positivo.

Alguns funcionários tentaram prever quão bem os seres humanos se adaptariam à grande mudança tecnológica com base na maneira como haviam reagido a pequenas alterações, como a nova versão do Gmail. Harari lhes pediu que pensassem melhor: se não houver uma grande intervenção com políticas públicas, a maioria dos seres humanos provavelmente não irá se adaptar.

Ele me disse que se entristecia ao ver as pessoas construindo coisas que destruirão suas próprias sociedades, mas que trabalha todos os dias para manter um distanciamento acadêmico e se lembrar de que os seres humanos não passam de animais. "Parte disso vem de ver os seres humanos como primatas, é assim que eles se comportam", disse Harari, e acrescentou: "Eles são chimpanzés. São sapiens. É o que fazem".

Ele estava meio cabisbaixo. Socializar o deixa exausto.

Ao embarcarmos no Tesla asa de gaivota que Harari havia alugado para aquela visita, ele comentou sobre o livro de Aldous Huxley. Várias gerações ficaram horrorizadas com o romance *Admirável mundo novo*, que retrata um regime de controle das emoções e de consumo indolor. Os leitores que entram em contato com o livro nos dias de hoje, disse Harari, com frequência o acham ótimo. "Como tudo é tão agradável, o livro se torna intelectualmente perturbador porque você de fato tem dificuldade em expressar o que há de errado nele. E, atualmente, algumas pessoas no Vale do Silício projetam uma visão que vai naquele rumo."

Um gerente de relações públicas da Alphabet mais tarde procurou a equipe de Harari para que lhe dissesse que eu deveria ser informada de que a visita à X não podia fazer parte do artigo. O pedido deixou Harari perplexo, e depois o divertiu. É interessante, ele comentou, que, ao contrário dos políticos, as empresas de tecnologia não necessitem de uma imprensa livre, uma vez que já controlam os meios de distribuição de mensagens. Ele disse que se resignara com o domínio global dos executivos daquelas empresas, assinalando como os políticos eram piores. "Conheci alguns desses gigantes da alta tecnologia, e em geral são pessoas legais", disse. "Não são Átila, o rei dos hunos. Numa loteria de líderes humanos, poderia sair coisa bem pior."

Ele crê que alguns de seus fãs ligados à alta tecnologia o procuram por pura ansiedade. "Alguns podem estar muito assustados com o impacto do que estão fazendo", disse Harari.

Não obstante, a receptividade entusiasmada que dão a seu trabalho o deixa incomodado. "É simplesmente uma regra geral da história que, se você é muito mimado pelas elites, isso deve significar que não vai querer ameaçá-las", disse. "Elas podem absorvê-lo. Você pode se transformar num divertimento intelectual."

JANTAR, COM UMA PITADA DE IMORTALIDADE MEDICAMENTOSA

Depoimentos de CEOs sobre a perspicácia de Harari não são difíceis de encontrar. "Sou atraído pela clareza de pensamento do Yuval", disse por e-mail Jack Dorsey, presidente do Twitter e da Square, elogiando em especial um capítulo sobre meditação.

E Reed Hastings escreveu: "Yuval é o oposto do Vale do Silício — não usa celular e passa a maior parte do tempo em contemplação, quando não está conectado. Vemos nele o que gostaríamos de ser". E acrescentou: "Seu pensamento sobre inteligência artificial e biotecnologia amplia nossa compreensão dos dramas que estão por vir".

No jantar em que Hastings foi um dos anfitriões, acadêmicos e líderes industriais debateram os perigos da coleta de dados e até que ponto as terapias de longevidade estenderão a vida humana. (Harari escreveu que a classe dominante irá viver muito mais que a dos inúteis.) "O evento daquela noite foi pequeno, mas poderia crescer para simbolizar seu impacto no coração do Vale do Silício", disse o dr. Fei-Fei Li, um especialista em inteligência artificial que pressionou internamente a Google para que as atividades da empresa no processamento de filmagens de drones para o Pentágono ficasse em segredo. "Seu livro consegue reunir aquelas pessoas em torno de uma mesa, e essa é a sua contribuição."

Algumas noites antes, Harari falou para 3500 pessoas em San Francisco, lotando uma sala de cinema. Um homem de certa idade que tinha vindo ver a palestra me disse que era corajoso e honesto da parte de Harari usar a expressão "classe dos inúteis".

O autor debateu com o prolífico intelectual Sam Harris, que entrou no palco usando um terno cinza e uma camisa social branca bem passada. Harari estava menos à vontade, usando um terno amassado, as mãos cruzadas no colo ao se sentar na poltrona funda. No entanto, ao falar sobre meditação — ele passa duas horas por dia e dois meses por ano em silêncio —, assumiu o controle. Numa parte do país em que os programas de autoaperfeiçoamento são fundamentais e a meditação constitui um esporte de competição, a devoção de Harari lhe confere o status de herói.

Ele disse à plateia que o livre-arbítrio é uma ilusão e que os direitos humanos são apenas uma historinha que contamos uns para os outros. Os partidos políticos, segundo ele, talvez não façam mais sentido. Argumentou em seguida que a ordem liberal do mundo está baseada em ficções, como "o freguês tem sempre razão" e "siga seu coração", porque essas ideias não funcionam mais na era da inteligência artificial, quando os corações podem ser manipulados deliberadamente.

Todos no Vale do Silício estão empenhados em construir o futuro, continuou Harari, enquanto a maioria da população mundial nem mesmo é necessária o bastante para ser explorada. "Agora, sentimos cada vez mais que há todas essas elites que simplesmente não precisam de nós", disse. "E é muito pior ser irrelevante do que ser explorado."

A classe dos inúteis que ele descreve é especialmente vulnerável. "Há um século você fazia uma revolução contra a exploração, mas sabia que, se a coisa apertasse, eles não podiam matar todo mundo porque precisavam de nós", ele disse, citando o serviço militar e o trabalho nas fábricas.

Agora se torna menos claro por que a elite governante não iria simplesmente exterminar a nova classe dos inúteis. "Vocês são totalmente dispensáveis", ele disse à plateia.

Como Harari me falou mais tarde, é por isso que o Vale do Silício está tão animado com a ideia de renda básica universal ou de salários pagos independentemente de a pessoa trabalhar ou não. A mensagem é: "Não precisamos de vocês. Mas, como somos bonzinhos, vamos cuidar de vocês".

Em 14 de setembro, ele publicou um ensaio no *Guardian* criticando outra velha expressão — "o voto é a vontade do povo".

"Se os seres humanos são animais passíveis de serem hackeados, se nossas escolhas e opiniões não refletem nosso livre-arbítrio, para que serve a política?", escreveu. "Como você vive sabendo que [...] seu coração pode ser um agente do governo, que sua amídala cerebral pode estar trabalhando para Putin e que o próximo pensamento que surgir em sua mente pode perfeitamente ser resultado de algum algoritmo que conhece você melhor do que você próprio? Essas são as questões mais interessantes com que a humanidade hoje se defronta."

"MUITO BEM, ENTÃO TALVEZ A HUMANIDADE VÁ DESAPARECER"

Harari e seu marido, Itzik Yahav, que é também seu empresário, alugaram uma casinha durante a visita a Mountain View, e certa manhã os encontrei ali preparando um mingau de aveia. Harari observou que, à medida que se tornara mais conhecido no Vale do Silício, os fãs da alta tecnologia passaram a notar mais o seu estilo de vida.

"O Vale do Silício já era um lugar onde se pratica muito essas coisas, como meditação e ioga", ele disse. "E me tornei mais popular e palatável aqui por também gostar disso." Ele vestia um casaco velho de moletom e calças jeans de exercício. Falava baixo, mas fazia gestos largos, agitando as mãos a ponto de esbarrar numa jarra que continha espátulas.

Harari foi criado em Kiryat Ata, perto de Haifa, onde seu pai trabalhava na indústria de armas. A mãe, que administrava um escritório, agora se voluntariou para cuidar da correspondência do filho, que recebe cerca de mil mensagens por semana. A mãe de Yahav é a contadora deles.

Na maior parte dos dias, Harari não usa despertador, acorda entre as 6h30 e 8h30 e medita antes de tomar uma xícara de chá. Trabalha até as quatro ou cinco da tarde, quando medita por mais uma hora e depois caminha por outra hora, isso se não praticar natação; mais tarde, vê televisão com Yahav.

Os dois se conheceram dezesseis anos atrás pelo site Check Me Out. "Não acreditamos tanto assim na paixão", disse Harari. "Foi mais uma escolha racional."

"Nos encontramos e pensamos: 'Muito bem… vamos viver juntos'", disse Yahav.

Yahav se tornou o empresário de Harari. Na época em que os editores de língua inglesa não estavam muito animados com a viabilidade comercial de *Sapiens* — achando o livro sério demais para leitores comuns e pouco sério para estudiosos —,Yahav persistiu, até contratar Deborah Harris, uma agente sediada em Jerusalém. Num dia em que Harari estava fora da cidade meditando, Yahav e Harris por fim venderam a obra num leilão para a Random House de Londres.

Hoje, eles têm uma equipe de oito pessoas em Tel Aviv trabalhando nos projetos de Harari. O diretor de cinema Ridley Scott e o documentarista Asif Kapadia estão adaptando *Sapiens* para uma série de televisão, e Harari vem escrevendo livros para crianças para atingir um público mais amplo.

Yahav costumava meditar, porém parou recentemente. "Era frenético demais", ele disse, enquanto dobrava a roupa lavada. "Eu não conseguiria ter um sucesso tão grande e manter uma prática regular." Harari continua dedicado.

"Se só dependesse dele, Yuval seria um monge numa caverna. Escrevendo sem parar e sem cortar o cabelo", disse Yahav, olhando para o marido. "Posso contar aquela história?"

Harari disse que não.

"Em nosso primeiro encontro", disse Yahav, "ele mesmo havia cortado os cabelos. Ficou horrível."

O casal é vegano, e Harari é particularmente sensível quando o assunto é animais. Identificou a camisa que estava usando como a que havia comprado pouco antes da morte de um de seus cachorros. Yahav interrompeu para perguntar se podia contar outra história; Harari, parecendo saber exatamente do que se tratava, disse de modo taxativo que não.

"No meio da noite", disse Yahav, "se aparece um mosquito, ele o pega e leva para fora."

O fato de ser gay, disse Harari, ajudou-o em seu trabalho — criou certa distância para estudar melhor as culturas, pois o levou a questionar as histórias dominantes de sua própria sociedade judaica e conservadora. "Se a sociedade se enganou nisso, quem garante que não tenha errado também com relação a todo o resto?", ele perguntou.

"Se eu fosse um super-homem, meu superpoder seria o distanciamento", acrescentou Harari. "Está bem, então talvez a humanidade vá desaparecer. Ótimo, vamos apenas observar."

O passatempo do casal é ver televisão. É seu assunto favorito, sendo, nas palavras de Yahav, a única coisa da qual Harari não se sente distanciado.

Acabaram há pouco de ver a série *Dear White People* e adoraram a australiana *Please Like Me*. Naquela noite, planejavam se encontrar com executivos do Facebook na sede da empresa ou assistir a *Cobra Kai* no YouTube.

Harari partiu do Vale do Silício no fim de semana seguinte. Em pouco tempo, em dezembro, entrará num *ashram* fora de Mumbai para outros sessenta dias de silêncio.

Agradecimentos

Por seus conselhos e sua ajuda, agradeço a Sarai Aharoni, Dorit Aharonov, Amos Avisar, Tzafrir Barzilai, Noah Beninga, Suzanne Dean, Caspian Dennis, Tirza Eisenberg, Amir Fink, Sara Holloway, Benjamin Z. Kedar, Yossi Maurey, Eyal Miller, David Milner, John Purcell, Simon Rhodes, Shmuel Rosner, Rami Rotholz, Michal Shavit, Michael Shenkar, Idan Sherer, Ellie Steel, Ofer Steinitz, Haim Watzman, Guy Zaslavsky e todos os professores e alunos do programa de história universal da Universidade Hebraica de Jerusalém.

Agradecimentos especiais a Jared Diamond, que me ensinou a enxergar o quadro completo; a Diego Holstein, que me inspirou a escrever uma história; e a Itzik Yahav e Deborah Harris, que me ajudaram a divulgá-la.

Notas

1. UM ANIMAL INSIGNIFICANTE [pp. 21-38]

1. Ann Gibbons, "Food for Thought: Did the First Cooked Meals Help Fuel the Dramatic Evolutionary Expansion of the Human Brain?". *Science* , v. 316, n. 5831, pp. 1558-60, 2007.

2. A ÁRVORE DO CONHECIMENTO [pp. 39-59]

1. Robin Dunbar, *Grooming, Gossip and the Evolution of Language.* Cambridge, MA: Harvard University Press, 1998.

2. Frans de Waal, *Chimpanzee Politics: Power and Sex Among Apes.* Baltimore: Johns Hopkins University Press, 2000; id., *Our Inner Ape: A Leading Primatologist Explains Why We Are Who We Are.* Nova York: Riverhead Books, 2005; Michael L. Wilson e Richard W. Wrangham, "Intergroup Relations in Chimpanzees". *Annual Review of Anthropology*, v. 32, pp. 363-92, out. 2003; M. McFarland Symington, "Fission-Fusion Social Organization in Ateles and Pan". *International Journal of Primatology*, v. 11, n. 1, p. 49, 1990; Colin A. Chapman e Lauren J. Chapman, "Determinants of Groups Size in Primates: The Importance of Travel Costs", em Sue Boinsky e Paul A. Garber (orgs.), *On the Move: How and Why Animals Travel in Groups.* Chicago: University of Chicago Press, 2000, p. 26.

3. Dunbar, *Grooming, Gossip and the Evolution of Language*, pp. 69-79; Leslie C. Aiello e R. I. M. Dunbar, "Neocortex Size, Group Size, and the Evolution of Language". *Current Anthropology*, v. 34, n. 2, p. 189, 1993. Sobre as críticas a essa abordagem, ver: Christopher McCarthy et al., "Comparing Two Methods for Estimating Network Size". *Human Organization*, v. 60, n. 1, p. 32,

2001; R. A. Hill e R. I. M. Dunbar, "Social Network Size in Humans". *Human Nature*, v. 14, n. 1, p. 65, 2003.

4. Yvette Taborin, "Shells of the French Aurignacian and Perigordian", em Heidi Knecht, Anne Pike-Tay e Randall White (orgs.), *Before Lascaux: The Complete Record of the Early Upper Paleolithic*. Boca Raton: CRC Press, 1993, pp. 211-28.

5. G. R. Summerhayes, "Application of PIXE-PIGME to Archaeological Analysis of Changing Patterns of Obsidian Use in West New Britain, Papua New Guinea", em Steven M. Shackley (org.), *Archaeological Obsidian Studies: Method and Teory*. Nova York: Plenum Press, 1998, p. 129.

3. UM DIA NA VIDA DE ADÃO E EVA [pp. 60-82]

1. Christopher Ryan e Cacilda Jethá, *Sex at Dawn: The Prehistoric Origins of Modern Sexuality*. Nova York: Harper, 2010; S. Beckerman e P. Valentine (orgs.), *Cultures of Multiple Fathers: The Theory and Practice of Partible Paternity in Lowland South America*. Gainesville: University Press of Florida, 2002.

2. Noel G. Butlin, *Economics and the Dreamtime: A Hypothetical History*. Cambridge: Cambridge University Press, 1993, pp. 98-101; Richard Broome, *Aboriginal Australians*. Sydney: Allen & Unwin, 2002, p. 15; William Howell Edwards, *An Introduction to Aboriginal Societies*. Wentworth Falls, NSW: Social Science Press, 1988, p. 52.

3. Fekri A. Hassan, *Demographic Archaeology*. Nova York: Academic Press, 1981, pp. 196-9; Lewis Robert Binford, *Constructing Frames of Reference: An Analytical Method for Archaeological Theory Building Using Hunter-Gatherer and Environmental Data Sets*. Berkeley: University of California Press, 2001, p. 143.

4. Brian Hare e Vanessa Woods, *The Genius of Dogs: How Dogs Are Smarter Than You Think*. Nova York: Penguin, 2013.

5. Christopher B. Ruff, Erik Trinkaus e Trenton W. Holliday, "Body Mass and Encephalization in Pleistocene *Homo*". *Nature*, v. 387, pp. 173-6, 1997; M. Henneberg e M. Steyn, "Trends in Cranial Capacity and Cranial Index in Subsaharan Africa During the Holocene". *American Journal of Human Biology*, v. 5, n. 4, pp. 473-9, 1993; Drew H. Bailey e David C. Geary, "Hominid Brain Evolution: Testing Climatic, Ecological and Social Competition Models". *Human Nature*, v. 20, n. 1, pp. 67-79, 2009; Daniel J. Wescott e Richard L. Jantz, "Assessing Craniofacial Secular Change in American Blacks and Whites Using Geometric Morphometry", em Dennis E. Slice (org.), *Modern Morphometrics in Physical Anthropology: Developments in Primatology: Progress and Prospects*. Nova York: Plenum Publishers, 2005, pp. 231-45.

6. Nicholas G. Blurton Jones et al., "Antiquity of Postreproductive Life: Are There Modern Impacts on Hunter-Gatherer Postreproductive Life Spans?". *American Journal of Human Biology*, v. 14, n. 2, pp. 184-205, 2002.

7. Kim Hill e A. Magdalena Hurtado, *Aché Life History: The Ecology and Demography of a Foraging People*. Nova York: Aldine de Gruyter, 1996, pp. 164, 236.

8. Ibid., p. 78.

9. Vincenzo Formicola e Alexandra P. Buzhilova, "Double Child Burial from Sunghir (Russia): Pathology and Inferences for Upper Paleolithic Funerary Practices". *American Journal of*

Physical Anthropology, v. 124, n. 3, pp. 189-98, 2004; Giacomo Giacobini, "Richness and Diversity of Burial Rituals in the Upper Paleolithic". *Diogenes*, v. 54, n. 2, pp. 19-39, 2007.

10. I. J. N. Torpe, "Anthropology, Archaeology and the Origin of Warfare". *World Archaeology*, v. 35, n. 1, pp. 145-65, 2003; Raymond C. Kelly, *Warless Societies and the Origin of War*. Ann Arbor: University of Michigan Press, 2000; Azar Gat, *War in Human Civilization*. Oxford: Oxford University Press, 2006; Lawrence H. Keeley, *War Before Civilization: The Myth of the Peaceful Savage*. Oxford: Oxford University Press, 1996; Slavomil Vencl, "Stone Age Warfare", em John Carman e Anthony Harding (orgs.), *Ancient Warfare: Archaeological Perspectives*. Stroud: Sutton Publishing, 1999, pp. 57-73.

4. O DILÚVIO [pp. 83-95]

1. James F. O'Connel e Jim Allen, "Pre-LGM Sahul (Pleistocene Australia — New Guinea) and the Archaeology of Early Modern Humans", em Paul Mellars, Ofer Bar-Yosef e Katie Boyle (orgs.), *Rethinking the Human Revolution: New Behavioural and Biological Perspectives on the Origin and Dispersal of Modern Humans*. Cambridge: McDonald Institute for Archaeological Research, 2007, pp. 395-410; id., "When Did Humans First Arrive in Greater Australia and Why Is it Important to Know?". *Evolutionary Anthropology*, v. 6, n. 4, pp. 132-46, 1998; id., "Dating the Colonization of Sahul (Pleistocene Australia — New Guinea): A Review of Recent Research". *Journal of Radiological Science*, v. 31, n. 6, pp. 835-53, 2004; Jon M. Erlandson, "Anatomically Modern Humans, Maritime Voyaging and the Pleistocene Colonization of the Americas", em Nina G. Jablonski (org.), *The First Americans: The Pleistocene Colonization of the New World*. San Francisco: University of California Press, 2002, pp. 59-60, 63-4; Jon M. Erlandson e Torben C. Rick, "Archaeology Meets Marine Ecology: The Antiquity of Maritime Cultures and Human Impacts on Marine Fisheries and Ecosystems". *Annual Review of Marine Science*, v. 2, n. 1, pp. 231-51, 2010; Atholl Anderson, "Slow Boats from China: Issues in the Prehistory of Indo-China Seafaring". *Modern Quaternary Research in Southeast Asia*, v. 16, pp. 13-50, 2000; Robert G. Bednarik, "Maritime Navigation in the Lower and Middle Paleolithic". *Earth and Planetary Sciences*, v. 328, n. 8, pp. 559-60, abr. 1999; Robert G. Bednarik, "Seafaring in the Pleistocene". *Cambridge Archaeological Journal*, v. 13, n. 1, pp. 41-66, 2003.

2. Timothy F. Flannery, *The Future Eaters: An Ecological History of the Australasian Lands and Peoples*. Port Melbourne: Reed Books Australia, 1994; Anthony D. Barnosky et al., "Assessing the Causes of Late Pleistocene Extinctions on the Continents". *Science*, v. 306, n. 5693, pp. 70-5, 2004; Barry W. Brook e David M. J. S. Bowman, "The Uncertain Blitzkrieg of Pleistocene Megafauna". *Journal of Biogeography*, v. 31, n. 4, pp. 517-23, 2004; Giford H. Miller et al., "Ecosystem Collapse in Pleistocene Australia and a Human Role in Megafaunal Extinction". *Science*, v. 309, n. 5732, pp. 287-90, 2005; Richard G. Roberts et al., "New Ages for the Last Australian Megafauna: Continent Wide Extinction about 46,000 Years Ago". *Science*, v. 292, n. 5523, pp. 1888-92, 2001.

3. Stephen Wroe e Judith Field, "A Review of Evidence for a Human Role in the Extinction of Australian Megafauna and an Alternative Explanation". *Quaternary Science Reviews*, v. 25, n. 21-2, pp. 2692-703, 2006; Barry W. Brook et al., "Would the Australian Megafauna Have Become Extinct if Humans Had Never Colonised the Continent? Comments on 'A Review of the Evidence for a Human Role in the Extinction of Australian Megafauna and an Alternative Explanation'

de S. Wroe e J. Field". *Quaternary Science Reviews*, v. 26, n. 3, pp. 560-4, 2007; Chris S. M. Turney et al., "Late Surviving Megafauna in Tasmania, Australia, Implicate Human Involvement in their Extinction". *Proceedings of the National Academy of Sciences*, v. 105, n. 34, pp. 12 150-3, 2008.

4. John Alroy, "A Multispecies Overkill Simulation of the End-Pleistocene Megafaunal Mass Extinction". *Science*, v. 292, n. 5523, pp. 1893-6, 2001; O'Connel e Allen, "Pre-LGM Sahul", pp. 400-1.

5. L. H. Keeley, "Proto-Agricultural Practices Among Hunter-Gatherers: A Cross-Cultural Survey", em T. Douglas Price e Anne Birgitte Gebauer (orgs.), *Last Hunters, First Farmers: New Perspectives on the Prehistoric Transition to Agriculture*. Santa Fe: School of American Research Press, 1995, pp. 243-72; R. Jones, "Firestick Farming". *Australian Natural History*, v. 16, pp. 224-8, 1969.

6. David J. Meltzer, *First Peoples in a New World: Colonizing Ice Age America* Berkeley: University of California Press, 2009.

7. Paul L. Koch e Anthony D. Barnosky, "Late Quaternary Extinctions: State of the Debate". *Annual Review of Ecology, Evolution, and Systematics*, v. 37, pp. 215-50, 2006; Anthony D. Barnosky et al., "Assessing the Causes of Late Pleistocene Extinctions on the Continents", pp. 70-5.

5. A MAIOR FRAUDE DA HISTÓRIA [pp. 99-119]

1. O mapa se baseia sobretudo em: Peter Bellwood, *First Farmers: The Origins of Agricultural Societies*. Malden: Blackwell Publishing, 2005.

2. Jared Diamond, *Guns, Germs, and Steel: The Fates of Human Societies*. Nova York: W. W. Norton, 1997.

3. Gat, *War in Human Civilization*, pp. 130-1; Robert S. Walker e Drew H. Bailey, "Body Counts in Lowland South American Violence". *Evolution and Human Behavior*, v. 34, n. 1, pp. 29-34, 2013.

4. Katherine A. Spielmann, "A Review: Dietary Restriction on Hunter-Gatherer Women and the Implications for Fertility and Infant Mortality". *Human Ecology*, v. 17, n. 3, pp. 321-45, 1989. Ver também: Bruce Winterhalder e Eric Alder Smith, "Analyzing Adaptive Strategies: Human Behavioral Ecology at Twenty-Five". *Evolutionary Anthropology*, v. 9, n. 2, pp. 51-72, 2000.

5. Alain Bideau, Bertrand Desjardins e Hector Perez-Brignoli (orgs.), *Infant and Child Mortality in the Past*. Oxford: Clarendon Press, 1997; Edward Anthony Wrigley et al., *English Population History from Family Reconstitution, 1580-1837*. Cambridge: Cambridge University Press, 1997, pp. 295-6, 303.

6. Manfred Heun et al., "Site of Einkorn Wheat Domestication Identifed by DNA Fingerprints". *Science*, v. 278, n. 5341, pp. 1312-4, 1997.

7. Charles Patterson, *Eternal Treblinka: Our Treatment of Animals and the Holocaust*. Nova York: Lantern Books, 2002, pp. 9-10; Peter J. Ucko e G. W. Dimbleby (orgs.), *The Domestication and Exploitation of Plants and Animals*. Londres: Duckworth, 1969, p. 259.

8. Avi Pinkas (org.), *Farmyard Animals in Israel: Research, Humanism and Activity*. Rishon Le-Ziyyon: The Association for Farmyard Animals, 2009, pp. 169-99; "Milk Production — the Cow". Disponível em: The Dairy Council, <www.milk.org.il/cgiwebaxy/sal/sal.pl?lang=he&ID =645657_milk&act=sho w&dbid=katavot&dataid=cow.htm>. Acesso em: 21 ago. 2020.

9. Edward Evan Evans-Pritchard, *The Nuer: A Description of the Modes of Livelihood and Political Institutions of a Nilotic People*. Oxford: Oxford University Press, 1969; E. C. Amoroso e P. A. Jewell, "The Exploitation of the Milk-Ejection Refex by Primitive People", em A. E. Mourant e F. E. Zeuner (org.), *Man and Cattle: Proceedings of the Symposium on Domestication at the Royal Anthropological Institute, 24-26 May 1960*. Londres: The Royal Anthropological Institute, 1963, pp. 129-34.

10. Johannes Nicolaisen, *Ecology and Culture of the Pastoral Tuareg*. Copenhague: National Museum, 1963, p. 63.

6. CONSTRUINDO PIRÂMIDES [pp. 120-41]

1. Angus Maddison, *The World Economy*. v. ii. Paris: Centro de Desenvolvimento da Organização de Cooperação e Desenvolvimento Econômico, 2006, p. 636; us Census Bureau, "Historical Estimates of World Population".

2. Robert B. Mark, *The Origins of the Modern World: A Global and Ecological Narrative*. Lanham, MD: Rowman & Littlefeld Publishers, 2002, p. 24.

3. Raymond Westbrook, "Old Babylonian Period", em Raymond Westbrook (org.), *A History of Ancient Near Eastern Law*. v. 1. Leiden: Brill, 2003, pp. 361-430; Martha T. Roth, *Law Collections from Mesopotamia and Asia Minor*. 2. ed. Atlanta: Scholars Press, 1997, pp. 71-142; M. E. J. Richardson, *Hammurabi's Laws: Text, Translation and Glossary*. Londres: T & T Clark International, 2000.

4. Roth, *Law Collections from Mesopotamia*, p. 76.

5. Ibid., p. 121.

6. Ibid., pp. 122-3.

7. Ibid., pp. 133-3.

8. Constance Brittaine Bouchard, *Strong of Body, Brave and Noble: Chivalry and Society in Medieval France*. Nova York: Cornell University Press, 1998, p. 99; Mary Martin McLaughlin, "Survivors and Surrogates: Children and Parents from the Ninth to Thirteenth Centuries", em Carol Neel (org.), *Medieval Families: Perspectives on Marriage, Household and Children*. Toronto: University of Toronto Press, 2004, p. 81*n*.; Lise E. Hull, *Britain's Medieval Castles*. Westport: Praeger, 2006, p. 144.

7. SOBRECARGA DA MEMÓRIA [pp. 142-55]

1. Andrew Robinson, *The Story of Writing*. Nova York: Tames & Hudson, 1995, p. 63; Hans J. Nissen, Peter Damerow e Robert K. Englund, *Archaic Bookkeeping: Writing and Techniques of Economic Administration in the Ancient Near East*. Chicago; Londres: The University of Chicago Press, 1993, p. 36.

2. Marcia e Robert Ascher, *Mathematics of the Incas: Code of the Quipu*. Nova York: Dover Publications, 1981.

3. Gary Urton, *Signs of the Inka Khipu*. Austin: University of Texas Press, 2003; Galen Brokaw, *A History of the Khipu*. Cambridge: Cambridge University Press, 2010.

4. Stephen D. Houston (org.), *The First Writing: Script Invention as History and Process*. Cambridge: Cambridge University Press, 2004, p. 222.

8. NÃO HÁ JUSTIÇA NA HISTÓRIA [pp. 156-83]

1. Sheldon Pollock, "Axialism and Empire", em Johann P. Arnason, S. N. Eisenstadt e Björn Wittrock (orgs.), *Axial Civilizations and World History*. Leiden: Brill, 2005, pp. 397-451.

2. Harold M. Tanner, *China: A History*. Indianapolis: Hackett, 2009, p. 34.

3. Ramesh Chandra, *Identity and Genesis of Caste System in India*. Délhi: Kalpaz Publications, 2005; Michael Bamshad et al., "Genetic Evidence on the Origins of Indian Caste Population". *Genome Research*, v. 11, pp. 904-1004, 2001; Susan Bayly, *Caste, Society and Politics in India from the Eighteenth Century to the Modern Age*. Cambridge: Cambridge University Press, 1999.

4. Houston, *First Writing*, p. 196.

5. Secretário-Geral, ONU, *Report of the Secretary General on the In-depth Study on All Forms of Violence Against Women*, apresentado à Assembleia Geral das Nações Unidas, doc. A/16/122/ Add.1, 6 jul. 2006, p. 89.

6. Sue Blundell, *Women in Ancient Greece*. Cambridge, MA: Harvard University Press, 1995, pp. 113-29, 132-3.

10. O CHEIRO DO DINHEIRO [pp. 198-213]

1. Francisco López de Gómara, *Historia de la Conquista de Mexico*. v. 1. Org. de D. Joaquin Ramirez Cabañes. Cidade do México: Editorial Pedro Robredo, 1943, p. 106.

2. Andrew M. Watson, "Back to Gold — and Silver". *Economic History Review*, v. 20, n. 1, pp. 11-2, 1967; Jasim Alubudi, *Repertorio Bibliográfico del Islam*. Madri: Vision Libros, 2003, p. 194.

3. Watson, "Back to Gold — and Silver", pp. 17-8.

4. David Graeber, *Debt: The First 5,000 Years*. Nova York: Melville House, 2011.

5. Glyn Davies, *A History of Money: From Ancient Times to the Present Day*. Cardif: University of Wales Press, 1994, p. 15.

6. Szymon Laks, *Music of Another World*, . Trad. de De Chester A. Kisiel. Evanston, IL: Northwestern University Press, 1989, pp. 88-9. O "mercado" de Auschwitz estava restrito a certas classes de prisioneiros e as condições se alteraram drasticamente com o passar do tempo.

7. Ver também: Niall Ferguson, *The Ascent of Money*. Nova York: Penguin, 2008, p. 4.

8. Para informações sobre o dinheiro em forma de cevada me baseei numa tese de ph.D. não publicada: Refael Benvenisti, "Economic Institutions of Ancient Assyrian Trade in the Twentieth to Eighteenth Centuries BC". Universidade Hebraica de Jerusalém, tese de ph.D. não publicada, 2011. Ver também: Norman Yofee, "The Economy of Ancient Western Asia", em J. M. Sasson (org.), *Civilizations of the Ancient Near East*. v. 1. Nova York: C. Scribner's Sons, 1995, pp. 1387-99; R. K. Englund, "Proto-Cuneiform Account-Books and Journals", em Michael Hudson e Cornelia Wunsch (orgs.), *Creating Economic Order: Record-Keeping, Standardization and the*

Development of Accounting in the Ancient Near East. Bethesda, MD: CDL Press, 2004, pp. 21-46; Marvin A. Powell, "A Contribution to the History of Money in Mesopotamia Prior to the Invention of Coinage", em B. Hruška e G. Komoróczy (orgs.), *Festschrift Lubor Matouš*. Budapeste: Eötvös Loránd Tudományegyetem, 1978, pp. 211-43; Marvin A. Powell, "Money in Mesopotamia". *Journal of the Economic and Social History of the Orient*, v. 39, n. 3, pp. 224-42, 1996; John F. Robertson, "The Social and Economic Organization of Ancient Mesopotamian Temples", em Sasson (org.), *Civilizations of the Ancient Near East*. v. 1, pp. 443-500; M. Silver, "Modern Ancients", em R. Rollinger e U. Christoph (orgs), *Commerce and Monetary Systems in the Ancient World: Means of Transmission and Cultural Interaction*. Stuttgart: Steiner, 2004, pp. 65-87; Daniel C. Snell, "Methods of Exchange and Coinage in Ancient Western Asia", em Sasson (org.), *Civilizations of the Ancient Near East*. v. 1, pp. 1487-97.

11. VISÕES IMPERIAIS [pp. 214-33]

1. Nahum Megged, *The Aztecs*. Tel Aviv: Dvir, 1999, p. 103.

2. Tacitus, *Agricola*, cap. 30. Cambridge, MA: Harvard University Press, 1958, pp. 220-1.

3. A. Fienup-Riordan, *The Nelson Island Eskimo: Social Structure and Ritual Distribution*. Anchorage: Alaska Pacifc University Press, 1983, p. 10.

4. Yuri Pines, "Nation-State, Globalization and a United Empire: The Chinese Experience (Fifth to Third Centuries BCE)". *Historia*, v. 15, p. 54, 1995.

5. Alexander Yakobson, "Us and Them: Empire, Memory and Identity in Claudius' Speech on Bringing Gauls into the Roman Senate", em Doron Mendels (org.), *On Memory: An Interdisciplinary Approach*. Oxford: Peter Land, 2007, pp. 23-4.

12. A LEI DA RELIGIÃO [pp. 234-61]

1. W. H. C. Frend, *Martyrdom and Persecution in the Early Church*. Cambridge: James Clarke & Co., 2008, pp. 536-7.

2. Robert Jean Knecht, *The Rise and Fall of Renaissance France, 1483-1610*. Londres: Fontana Press, 1996, p. 424.

3. Marie Harm e Hermann Wiehle, *Lebenskunde für Mittelschulen — Fünfter Teil. Klasse 5 für Jungen*. Halle: Hermann Schroedel Verlag, 1942, pp. 152-7.

13. O SEGREDO DO SUCESSO [pp. 262-9]

1. Susan Blackmore, *The Meme Machine*. Oxford: Oxford University Press, 1999.

14. A DESCOBERTA DA IGNORÂNCIA [pp. 273-301]

1. David Christian, *Maps of Time: An Introduction to Big History*. Berkeley: University of

California Press, 2004, pp. 344-5; Angus Maddison, *The World Economy*. v. II. Paris: Centro de Desenvolvimento da Organização de Cooperação e Desenvolvimento Econômico, 2001, p. 636; US Census Bureau, "Historical Estimates of World Population".

2. Maddison, *The World Economy*. v. 1. p. 261.

3. Banco Mundial, Dados e Estatística, "Gross Domestic Product 2009". Disponível em: <http://siteresources.worldbank.org/DATASTATISTICS/Resources/GDP.pdf>. Acesso em: 5 set. 2020.

4. Christian, *Maps of Time*, p. 141.

5. O maior cargueiro contemporâneo pode transportar cerca de 100 mil toneladas. Em 1470, todas as frotas do mundo podiam carregar juntas não mais que 320 mil toneladas. Por volta de 1570, o total global chegava a 730 mil toneladas (Maddison, *The World Economy*, v. 1, p. 97).

6. O maior banco do mundo — o Banco Real da Escócia — registrou em 2007 depósitos no valor de 1,3 trilhão de dólares, o que corresponde a cinco vezes a produção global por ano em 1500. Ver: Banco Real da Escócia, "Annual Report and Accounts 2008", p. 35. Disponível em: <http://fles.shareholder.com/downloads/RBS/626570033x0x278481/eb7a003a-5c9b-41ef-bad-3-81fb 98a6c823/RBS_GRA_2008_09_03_09.pdf>. Acesso em: 5 set. 2020.

7. Ferguson, *Ascent of Money*, pp. 185-98.

8. Maddison, *The World Economy*. v. 1, p. 31; Wrigley, *English Population History*, p. 295; Christian, *Maps of Time*, pp. 450, 452; World Health Organization, "World Health Statistic Report 2009", pp. 35-45.

9. Wrigley, *English Population History*, p. 296.

10. Escritório de Estatísticas Nacionais, "England, Interim Life Tables, 1980-82 to 2007-09".

11. Michael Prestwich, *Edward I*. Berkeley: University of California Press, 1988, pp. 125-6.

12. Jennie B. Dorman et al., "The *age*-1 and *daf*-2 Genes Function in a Common Pathway to Control the Lifespan of Caenorhabditis elegans". *Genetics*, v. 141, n. 4, pp. 1399-406, 1995; Koen Houthoofd et al., "Life Extension Via Dietary Restriction is Independent of the Ins/IGF-1 Signalling Pathway in Caenorhabditis Elegans". *Experimental Gerontology*, v. 38, n. 9, pp. 947-54, 2003.

13. Shawn M. Douglas, Ido Bachelet e George M. Church, "A Logic-Gated Nanorobot for Targeted Transport of Molecular Payloads". *Science*, v. 335, n. 6070, pp. 831-4, 2012; Dan Peer et al., "Nanocarriers as an Emerging Platform for Cancer Therapy". *Nature Nanotechnology*, v. 2, n. 12, pp. 751-60, 2007; Dan Peer et al., "Systemic LeukocyteDirected siRNA Delivery Revealing Cyclin D1 as an Anti-Infammatory Target". *Science*, v. 319, n. 5863, pp. 627-30, 2008.

15. O CASAMENTO DA CIÊNCIA COM O IMPÉRIO [pp. 302-31]

1. Stephen R. Bown, *Scurvy: How a Surgeon, a Mariner and a Gentleman Solved the Greatest Medical Mystery of the Age of Sail*. Nova York: Tomas Dunne Books; St. Martin's Press, 2004; Kenneth John Carpenter, *The History of Scurvy and Vitamin C*. Cambridge: Cambridge University Press, 1986.

2. James Cook, *The Explorations of Captain James Cook in the Pacific, as Told by Selections of his Own Journals 1768-1779*. Org. de Archibald Grenfell Price. Nova York: Dover Publications, 1971, pp. 16-7; Gananath Obeyesekere, *The Apotheosis of Captain Cook: European Mythmaking in the Pacific*. Princeton: Princeton University Press, 1992, p. 5; J. C. Beaglehole (org.), *The Jour-*

nals of Captain James Cook on His Voyages of Discovery. v. 1. Cambridge: Cambridge University Press, 1968, p. 588.

3. Mark, *Origins of the Modern World*, p. 81.

4. Christian, *Maps of Time*, p. 436.

5. John Darwin, *After Tamerlane: The Global History of Empire Since 1405*. Londres: Allen Lane, 2007, p. 239.

6. Soli Shahvar, "Railroads i. First Railroad Built and Operated in Persia", na edição on-line da *Encyclopaedia Iranica*, modificada pela última vez em 7 abr. 2008. Disponível em: <www.iranicaonline.org/articles/railroads-i>. Acesso em: 21 ago. 2020; Charles Issawi, "The Iranian Economy 1925-1975: Fifty Years of Economic Development", em George Lenczowski (org.), *Iran Under the Pahlavis*. Stanford: Hoover Institution Press, 1978, p. 156.

7. Mark, *Origins of the Modern World*, p. 46.

8. Kirkpatrick Sale, *Christopher Columbus and the Conquest of Paradise*. Londres: Tauris Parke Paperbacks, 2006, pp. 7-13.

9. Edward M. Spiers, *The Army and Society: 1815-1914*. Londres: Longman, 1980, p. 121; Robin Moore, "Imperial India, 1858-1914", em Andrew Porter (org.), *The Oxford History of the British Empire: The Nineteenth Century*. v. III. Nova York: Oxford University Press, 1999, p. 442.

10. Vinita Damodaran, "Famine in Bengal: A Comparison of the 1770 Famine in Bengal and the 1897 Famine in Chotanagpur". *The Medieval History Journal*, v. 10, n. 1, p. 151, 2007.

16. A FÉ CAPITALISTA [pp. 332-61]

1. Maddison, *World Economy*, v. 1, pp. 261, 264; "Gross National Income Per Capita 2009, Atlas Method and PPP". Banco Mundial. Disponível em: <http://siteresources.worldbank.org/DATASTATISTICS/Resources/GNIPC.pdf>. Acesso em: 5 set. 2020.

2. Os cálculos referentes ao meu exemplo da padaria não são tão precisos quanto deveriam ser. Como os bancos estão autorizados a emprestar dez dólares para cada dólar que possuem, de cada 1 milhão de dólares o banco só pode emprestar a empreendedores 909 mil dólares, mantendo 91 mil dólares em seus cofres. Mas, para facilitar a vida dos leitores, preferi trabalhar com números redondos. Além disso, os bancos nem sempre seguem as regras.

3. Carl Trocki, *Opium, Empire and the Global Political Economy*. Nova York: Routledge, 1999, p. 91.

4. Georges Nzongola-Ntalaja, *The Congo from Leopold to Kabila: A People's History*. Londres: Zed Books, 2002, p. 22.

17. AS ENGRENAGENS DA INDÚSTRIA [pp. 362-77]

1. Mark, *Origins of the Modern World*, p. 109.

2. Nathan S. Lewis e Daniel G. Nocera, "Powering the Planet: Chemical Challenges in Solar Energy Utilization". *Proceedings of the National Academy of Sciences*, v. 103, n. 43, p. 15731, 2006.

3. Kazuhisa Miyamoto (org.), "Renewable Biological Systems for Alternative Sustainable Energy Production". *FAO Agricultural Services Bulletin*, n. 128. Osaka: Osaka University, 1997, cap. 2.1.1. Disponível em: <www.fao.org/docrep/W7241E/w7241e06. htm#2.1.1percent20solar-

percent20energy>. Acesso em: 5 set. 2020; James Barber, "Biological Solar Energy". *Philosophical Transactions of the Royal Society*, A, v. 6365, n. 1853, p. 1007, 2007.

4. US Energy Information Administration, "International Energy Outlook 2010".

5. S. Venetsky, "'Silver' from Clay". *Metallurgist*, v. 13, n. 7, p. 451, 1969; Fred Aftalion, *A History of the International Chemical Industry*. Filadélfia: University of Pennsylvania Press, 1991, p. 64; A. J. Downs, *Chemistry of Aluminium, Gallium, Indium and Tallium*. Glasgow: Blackie Academic & Professional, 1993, p. 15.

6. Jan Willem Erisman et al., "How a Century of Ammonia Synthesis Changed the World". *Nature Geoscience*, v. 1, n. 10, p. 637, 2008.

7. G. J. Benson e B. E. Rollin (orgs.), *The Well-Being of Farm Animals: Challenges and Solutions*. Ames, IA: Blackwell, 2004; M. C. Appleby, J. A. Mench e B. O. Hughes, *Poultry Behaviour and Welfare*. Wallingford: CABI Publishing, 2004; J. Webster, *Animal Welfare: Limping Towards Eden*. Oxford: Blackwell Publishing, 2005; C. Druce e P. Lymbery, *Outlawed in Europe: How America Is Falling Behind Europe in Farm Animal Welfare*. Nova York: Archimedean Press, 2002.

8. Harry Harlow e Robert Zimmermann, "Affectional Responses in the Infant Monkey". *Science*, v. 130, n. 3373, pp. 421-32, 1959; Harry Harlow, "The Nature of Love". *American Psychologist*, v. 13, n. 12, pp. 673-85, 1958; Laurens D. Young et al., "Early Stress and Later Response to Separation in Rhesus Monkeys". *American Journal of Psychiatry*, v. 130, n. 4, pp. 400-5, 1973; K. D. Broad, J. P. Curley e E. B. Keverne, "Mother-Infant Bonding and the Evolution of Mammalian Social Relationships". *Philosophical Transactions of the Royal Society*, B, v. 361, n. 1476, pp. 2199-214, 2006; Florent Pittet et al., "Efects of Maternal Experience on Fearfulness and Maternal Behaviour in a Precocial Bird". *Animal Behaviour*, v. 85, n. 4, pp. 797-805, abr. 2013.

9. "National Institute of Food and Agriculture", Departamento de Agricultura dos Estados Unidos. Disponível em: <www.csrees.usda.gov/qlinks/extension.html>. Acesso em: 5 set. 2020.

18. UMA REVOLUÇÃO PERMANENTE [pp. 378-403]

1. Vaclav Smil, *The Earth's Biosphere: Evolution, Dynamics and Change*. Cambridge, MA: MIT Press, 2002; Sarah Catherine Walpole et al., "The Weight of Nations: An Estimation of Adult Human Biomass". *BMC Public Health*, v. 12, n. 439, 2012. Disponível em: <www.biomedcentral.com/1471-2458/12/439>. Acesso em: 21 ago. 2020.

2. William T. Jackman, *The Development of Transportation in Modern England*. Londres: Frank Cass & Co., 1966, pp. 324-7; H. J. Dyos e D. H. Aldcroft, *British Transport: An Economic Survey From the Seventeenth Century to the Twentieth*. Leicester: Leicester University Press, 1969, pp. 124-31; Wolfgang Schivelbusch, *The Railway Journey: The Industrialization of Time and Space in the 19th Century*. Berkeley: University of California Press, 1986.

3. Para uma apresentação detalhada da paz sem precedentes das últimas décadas, ver, em especial: Steven Pinker, *The Better Angels of Our Nature: Why Violence Has Declined*. Nova York: Viking, 2011; Joshua S. Goldstein, *Winning the War on War: The Decline of Armed Confict Worldwide*. Nova York: Dutton, 2011; Gat, *War in Human Civilization*.

4. "World Report on Violence and Health: Summary, Geneva 2002", Organização Mundial da Saúde. Disponível em: <www.who.int/whr/2001/en/whr01_annex_en.pdf>. Acesso em: 21

ago. 2020. Sobre o índice de mortalidade em eras anteriores, ver: Lawrence H. Keeley, *War Before Civilization: The Myth of the Peaceful Savage.* Nova York: Oxford University Press, 1996.

5. Organização Mundial da Saúde, "World Health Report, 2004", p. 124. Disponível em: <www.who.int/whr/2004/en/report04_en.pdf>. Acesso em: 21 ago. 2020.

6. Raymond C. Kelly, *Warless Societies and the Origin of War.* Ann Arbor: University of Michigan Press, 2000, p. 21. Ver também: Gat, *War in Human Civilization*, pp. 129-31; Keeley, *War Before Civilization.*

7. Manuel Eisner, "Modernization, Self-Control and Lethal Violence". *British Journal of Criminology*, v. 41, n. 4, pp. 618-38, 2001; Manuel Eisner, "Long-Term Historical Trends in Violent Crime". *Crime and Justice: A Review of Research*, v. 30, pp. 83-142, 2003; Organização Mundial da Saúde, "World Report on Violence and Health: Summary, Geneva 2002". Disponível em: <www.who.int/whr/2001/en/whr01_annex_en.pdf>. Acesso em: 21 ago. 2020; Organização Mundial da Saúde, "World Health Report, 2004", p. 124. Disponível em: <www.who.int/whr/2004/en/report04_en.pdf>. Acesso em: 21 ago. 2020.

8. Walker e Bailey, "Body Counts in Lowland South American Violence", p. 30.

19. E VIVERAM FELIZES PARA SEMPRE [pp. 404-25]

1. Tanto no que se refere à psicologia quanto à bioquímica da felicidade, as seguintes fontes são um bom ponto de partida: Jonathan Haidt, *The Happiness Hypothesis: Finding Modern Truth in Ancient Wisdom.* Nova York: Basic Books, 2006; R. Wright, *The Moral Animal: Evolutionary Psychology and Everyday Life.* Nova York: Vintage Books, 1994; M. Csikszentmihalyi, "If We Are So Rich, Why Aren't We Happy?", *American Psychologist*, v. 54, n. 10, pp. 821-7, 1999; F. A. Huppert, N. Baylis e B. Keverne (orgs.), *The Science of Well-Being.* Oxford: Oxford University Press, 2005; Michael Argyle, *The Psychology of Happiness.* 2. ed. Nova York: Routledge, 2001; Ed Diener (org.), *Assessing Well-Being: The Collected Works of Ed Diener.* Nova York: Springer, 2009; Michael Eid e Randy J. Larsen (orgs.), *The Science of Subjective Well-Being.* Nova York: Guilford Press, 2008; Richard A. Easterlin (org.), *Happiness in Economics.* Cheltenham: Edward Elgar Publishing, 2002; Richard Layard, *Happiness: Lessons From a New Science.* Nova York: Penguin, 2005.

2. Daniel Kahneman, *Thinking, Fast and Slow.* Nova York: Farrar, Straus and Giroux, 2011; Inglehart et al., "Development, Freedom and Rising Happiness", pp. 278-81.

3. D. M. McMahon, *The Pursuit of Happiness: A History from the Greeks to the Present.* Londres: Allen Lane, 2006.

20. O FIM DO *HOMO SAPIENS* [pp. 426-44]

1. Keith T. Paige et al., "De Novo Cartilage Generation Using Calcium Alginate-Chondrocyte Constructs". *Plastic and Reconstructive Surgery*, v. 97, n. 1, pp. 168-78, 1996.

2. David Biello, "Bacteria Transformed into Biofuels Refneries", *Scientifc American*, 27 jan.

2010. Disponível em: <www.scientificamerican.com/article.cfm?id=bacteriatransformed-into-
-biofuel-refineries>. Acesso em: 5 set. 2020.

3. Gary Walsh, "Terapeutic Insulins and Their Large-Scale Manufacture". *Applied Microbiol-
ogy and Biotechnology*, v. 67, n. 2, pp. 151-9, 2005.

4. James G. Wallis et al., "Expression of a Synthetic Antifreeze Protein in Potato Reduces Elec-
trolyte Release at Freezing Temperatures". *Plant Molecular Biology*, v. 35, n. 3, pp. 323-30, 1997.

5. Robert J. Wall et al., "Genetically Enhanced Cows Resist Intramammary Staphylococcus
Aureus Infection". *Nature Biotechnology*, v. 23, n. 4, pp. 445-51, 2005.

6. Liangxue Lai et al., "Generation of Cloned Transgenic Pigs Rich in Omega-3 Fatty Acids".
Nature Biotechnology, v. 24, n. 4, pp. 435-6, 2006.

7. Ya-Ping Tang et al., "Genetic Enhancement of Learning and Memory in Mice". *Nature*,
v. 401, n. 6748, pp. 63-9, 1999.

8. Zoe R. Donaldson e Larry J. Young, "Oxytocin, Vasopressin and the Neurogenetics of So-
ciality". *Science*, v. 332, n. 5903, pp. 900-4, 2008; Zoe R. Donaldson, "Production of Germline
Transgenic Prairie Voles (Microtus Ochrogaster) Using Lentiviral Vectors". *Biology of Reproduc-
tion*, v. 81, n. 6, pp. 1189-95, 2009.

9. Terri Pous, "Siberian Discovery Could Bring Scientists Closer to Cloning Woolly Mam-
moth". *Time*, 17 set. 2012; Pasqualino Loi et al, "Biological Time Machines: A Realistic Approach
for Cloning an Extinct Mammal". *Endangered Species Research*, 14, 2011, pp. 227-33; Leon Huy-
nen, Craig D. Millar e David M. Lambert, "Resurrecting Ancient Animal Genomes: The Extinct
Moa and More". *Bioessays*, v. 34, pp. 661-9, 2012.

10. Nicholas Wade, "Scientists in Germany Draft Neanderthal Genome". *New York Times*, 12
fev. 2009. Disponível em: <www.nytimes.com/2009/02/13/science/13neanderthal.html?r=2&ref
=science>. Acesso em: 21 ago. 2020; Zack Zorich, "Should We Clone Neanderthals?". *Archaeology*, v. 63, n. 2, 2009. Disponível em: <http://www.archaeology.org/1003/etc/neanderthals.html>.
Acesso em: 21 ago. 2020.

11. Robert H. Waterston et al., "Initial Sequencing and Comparative Analysis of the Mouse
Genome". *Nature*, v. 420, n. 6915, p. 520, 2002.

12. Microsystems Technology Office, Darpa, "Hybrid Insect Micro Electromechanical Systems (HI-MEMS)". Ver também: Sally Adee, "Nuclear-Powered Transponder for Cyborg Insect",
IEEE Spectrum, dez. 2009. Disponível em: <http://spectrum.ieee.org/semiconductors/devices/
nuclearpowered-transponder-for-cyborg-insect>. Acesso em: 21 ago. 2020; Jessica Marshall,
"The Fly Who Bugged Me". *New Scientist*, v. 197, n. 2646, pp. 40-3, 2008; Emily Singer, "Send in
the Rescue Rats". *New Scientist*, v. 183, n. 2466, pp. 21-2, 2004.

13. Bill Christensen, "Military Plans Cyborg Sharks". *Live Science*, 7 mar. 2006. Disponível
em: <www.livescience.com/technology/060307_shark_implant.html>. Acesso em: 21 ago. 2020;
Susan Brown, "Stealth Sharks to Patrol the High Seas". *New Scientist*, v. 189, n. 2541, pp. 30-1,
2006.

14. Instituto Nacional de Surdos e outras Deficiências de Comunicação, "Cochlear Im-
plants".

15. Retina Implant. Disponível em: <www.retina-implant.de/>.

16. David Brown, "For 1st Woman with Bionic Arm, a New Life Is Within Reach". *Washing-

ton Post, 14 set. 2006. Disponível em: <www.washingtonpost.com/wp-dyn/content/article/2006/09/13/AR2006091302271.html>. Acesso em: 21 ago. 2020.

17. Miguel Nicolelis, *Beyond Boundaries: The New Neuroscience of Connecting Brains and Machines — and How it Will Change Our Lives*. Nova York: Times Books, 2011.

18. Chris Berdik, "Turning Tought into Words". *BU Today*, 15 out. 2008. Disponível em: <www.bu.edu/today/2008/turning-thoughts-into-words/>. Acesso em: 21 ago. 2020.

19. Jonathan Fildes, "Artificial Brain '10 Years Away'". bbcNews, 22 jul. 2009. Disponível em: <http://news.bbc.co.uk/2/hi/8164060.stm>. Acesso em: 21 ago. 2020.

20. Radoje Drmanac et al., "Human Genome Sequencing Using Unchained Base Reads on Self-Assembling dna Nanoarrays". *Science*, v. 327, n. 5961, pp. 78-81, 2010; "Complete Genomics", disponível em: <www.completegenomics.com/>. Acesso em: 21 ago. 2020; Rob Waters, "Complete Genomics Gets Gene Sequencing under $5,000 (Update 1)". Bloomberg, 5 nov. 2009. Disponível em: </www.bloomberg.com/apps/news?pid=newsarchive&sid=aWutnyE4SoWw>. Acesso em: 21 ago. 2020; Fergus Walsh, "Era of Personalised Medicine Awaits". bbc News, atualizado pela última vez em 8 abr. 2009. Disponível em: <http://news.bbc.co.uk/2/hi/health/7954968.stm>. Acesso em: 21 ago. 2020; Leena Rao, "PayPal Co-Founder and Founders Fund Partner Joins dna Sequencing Firm Halcyon Molecular". *TechCrunch*, 24 set. 2009. Disponível em: <https://techcrunch.com/2009/09/24/paypal-co-founder-and-founders-fund-partner-joins--dna-sequencing-firm-halcyon-molecular/>. Acesso em: 21 ago. 2020.

Créditos das imagens

1. © ImageBank/ Getty Images Israel.
2. © Visual/ Corbis.
3. © Instituto e Museu de Antropologia, Universidade de Zurique.
4. Tomas Stephan © Ulmer Museum.
5. © Hadrian/ Shutterstock.
6. © Andreas Solaro/ AFP/ Getty Images.
7. Museu de Pré-História da Alta Galileia.
8. © Visual/ Corbis.
9. © Visual/ Corbis.
10. Waterhouse Hawkins, *c.* 1862 © Museu de História Natural.
11. © Visual/ Corbis.
12. Karl G. Heider © Harvard College, Museu Peabody de Arqueologia e Etnologia, PM# 2006.17.1.89.2 (arquivo digital # 98770053).
13. © Instituto Alemão de Arqueologia.
14. © Visual/ Corbis.
15. © Animals Now (Israel).
16. © De Agostini Picture Library/ G. Dagli Orti/ The Bridgeman Art Library.
17. William J. Stone, 1823 © The Art Archive/ National Archives in Washington, DC (ref.: AA399024).
18. © Adam Jones/ Corbis.
19. © Coleção Schøyen, MS 1717 (Oslo e Londres). <www.schoyen collection.com/>.
20. *History of the Inca Kingdom, Nueva Coronica y buen Gobierno, c.* 1587. Ilustrações de Guamán Poma de Ayala (Peru) © The Art Archive/ Museu de Arqueologia de Lima/ Gianni Dagli Orti (ref.: AA365957).

21. Guy Tillim/ Africa Media Online, 1989 © africanpictures/ akg.

22. © Réunion des musées nationaux/ Gérard Blot.

23. © Visual/ Corbis.

24. © Visual/ Corbis.

25. © Universal History Archive/ UIG/ The Bridgeman Art Library.

26. Ilustração baseada em Joe Cribb (org.), *Money: From Cowrie Shells to Credit Cards*. Londres: British Museum Publications, 1986, p. 27.

27. © akg/ Bible Land Pictures.

28. © Stuart Black/ Robert Harding World Imagery/ Getty Images.

29. © Niti Kantarote/ Shutterstock.

30. Library of Congress, Bildarchiv Preussischer Kulturbesitz, Museu do Memorial do Holocausto dos Estados Unidos © cortesia de Roland Klemig.

31. Boaz Neumann, *Kladderadatsch*, 49, 1933, p. 7.

32. © Visual/ Corbis.

33. © Ria Novosti/ Science Photo Library.

34. *Franklin's Experiment, June 1752*, publicado por Currier & Ives © Museu da Cidade de Nova York/ Corbis.

35. C. A. Woolley, 1866, Biblioteca Nacional da Austrália (ref: an23378504).

36. © British Library Board (*shelfmark* 11267).

37. © Florença, Biblioteca Medicea Laurenziana, Ms. Laur. Med. Palat. 249 (mapa Salviati).

38. © Neil Gower.

39. *Redraft of the Castello Plan*, John Wolcott Adams, 1916 © Coleção da Sociedade Histórica de Nova York/ The Bridgeman Art Library.

40. © Museu Marítimo Nacional (Greenwich, Londres).

41. ©Animals Now (Israel).

42. © Photo Researchers/ Visualphotos.com.

43. © Chaplin/ United Artists/ The Kobal Collection/ Max Munn Autrey.

44. Litografia baseada numa foto de Fishbourne & Gow, década de 1850 (San Francisco) © Corbis.

45. © Proehl Studios/ Corbis.

46. © Khaled El Fiqi/ EPA/ Corbis.

47. © Charles Vacanti.

48. © ImageBank/ Getty Images (Israel).

Índice remissivo

Os números em *itálico* indicam imagens.

Aldrin, Buzz, 312

Alemanha, 13, *42*, 54, 169, 283, 287-8, 308, 369, 391, 400

além-do-humano (*Übermensch*), 479

Alexandre da Macedônia, 449

Alexandre, o Grande, 134, 170, 180, 222, 316

algoritmos, 151, 447, 451-3, 472, 493

Aliança para o Futuro da Áustria (partido), 330

Aliates, rei da Lídia, 207

Alphabet Inc., 492-4

Altamira (Pará, Brasil): arte rupestre de, 122

alumínio, 207, 363, 368

Amarelo, rio, 123

Amazônia, 82, 90, 396

América, descobrimento da (1492), 313, 317, 319

América Central, 90, 100, 111, 150, 192, 222, 319

América do Norte, 79, 87, 91, 100, 102, 130, 192, 194, 302

América do Sul, 91, 100, 149, 192, 311, 319, 403, 457

América Latina, 308

Américas, 17, 345, 457, 469

ameríndios *ver* indígenas

Ananke (divindade grega), 239

Anatólia, 125, 207

Andes, 192

Angra Mainyu (deus zoroastrista), 246

animais, 15, 17-8, 457, 462, 467, 469, 485-8, 492, 494, 496, 498; agricultura industrial e, 372, 407-8; crueldade com, 115-6, 118, 407-8; de estimação, *67*, 118, 412; domesticação de, 17, 66, 72, 95, 100-1, 115-8, 123, 486-7; engenharia biológica, 428-9; extinção de, 86-9, 92, 94, 95, 118, 259, 332, 379, 487

animismo, 74-6, 236-9, 243, 248

Anjos bons da nossa natureza, Os (Pinker), 471

Antigo Regime, 472

Antigo Testamento, 207, 247-8

Antonino Pio, imperador romano, 226

Anu (deus mesopotâmico), 129

apaches (indígenas), 194

apartheid, *158*

aperfeiçoamento humano, pergunta sobre o, 443

Apollo 11 (nave espacial), 84, 312, 314, 442

aprendizado de máquina, 10

aquecimento global, 90, 107, 233, 379; *ver também* mudança climática

Aquenáton, faraó, 242

Aquiles (personagem mitológica), 170

árabes, 154, 175, 220, 227-9, 264, 279, 289, 311, 399

Arábia, 32, 225, 227, 243

araueté (indígenas), 396

Argélia, 397-9

Argentina, *78*, 90, 148, 193-5, 400

arianos, 161, 164, 257, *259*, 329-30

Aristóteles, 157, 159, 453, 485

"armadilha do luxo", 110, 111, 457

armamentos, 58, 287, 290, 299; armas nucleares, 398-400; *ver também* bomba atômica

armênios, 218, 394

Armstrong, Karen, 449

Armstrong, Neil, 312, 331, 404

artes rupestres, 76, *77*, 122, 453

Arthur, rei, 136, 188

Ártico, 79, 87, 90, 94, 345

Ásia, 24, 26, 83-5, 88, 91, 99, 175, 190, 192, 194, 210, 243, 307-8, 313-4, 323-4, 327, 343, 345, 349, 449, 457, 469; Central, 193, 234, 246, 329, 397-8; Eurásia, 17, 25, 32, 87, 457, 469; Extremo Oriente, 310; Leste da, 25, 163, 202, 210, 252, 315; mundo afro-asiático, 83-4, 88, 92, 115, 175, 192, 195, 198, 243, 248, 269, 290, 313; Ocidental, 24-5, 243, 344; Oriental, 24, 33, 40, 243, 313

Assíria, 221

astecas, 75, 175, 198, 240, 311, 319-23, 401; *ver também* Império Asteca

Atahualpa (governante inca), 323

Atenas, 169, 173, 216-7, 316, 399; *ver também* Grécia Antiga

Califórnia (eua), 302, 333, 400, 403, 492

Calígula, imperador romano, 118

Cam (filho de Noé), 164, 477

camponeses, 60, 70-1, 100-1, 103-5, 108-11, 116, 118, 120-4, 126, 159, 237, 360, 364, 374, 377, 380, 384-5, 406, 412, 417, 425, 440

camundongos, 429, 430, 431-2

Canadá, 91, 302

caóticos, sistemas, 265

capitalismo, 9-10, 18, 29, 135, 137, 158, 193, 224, 228, 253, 255, 265, 277, 281, 290, 297, 301, 309-10, 331-2, 339-44, 348, 353, 355-7, 359-62, 375, 377, 401, 405, 420, 443, 458-9, 478, 480; *ver também* dinheiro

Caribe, ilhas do, 92, 319, 322

carne, produção de, *119*

carros autônomos, 11

Cartago, 214, 216, 289, 316

casamentos, 62-3, 138, 153, 161-3, 165-6, 168, 183, 284, 302, 389, 410, 416

casas, 103

castas, sistema de, 158-63, 169

Çatal Hüyük (Anatólia), 125

catolicismo *ver* Igreja católica

cavaleiros medievais, 188, 212

cavalos, 22, 35, 56, 91, 100, 116, 118, 194, *195*, 223, 274, 363

Caverna dos sonhos esquecidos, A (documentário), 488

celtas, 215, 225, 245, 327, 329

Cerco de Numância, O (Cervantes), 215

cérebros, 27-9, 31-3, 37, 39-40, 49, 60, 70, 142, 143-6, 150, 152, 154, 158, 167, 204, 279, 289, 374-5, 414-5, 417-8, 432-8, 443; Projeto Cérebro Humano, 438

Cervantes, Miguel de: *O cerco de Numância*, 215

César Augusto, imperador romano, 492

César, Júlio, 180, 194

ceticismo, 448-50

Chak Tok Ich'aak, rei de Tikal, 191

Chaplin, Charlie, *381*

Chauvet-Pont-d'Arc (caverna francesa), 122, 147, 404, 488

Chhatrapati Shivaji (estação ferroviária de Mumbai), *231*

Chile, 148, 369, 399

chimpanzés, 13, 17, 22-3, 27, 31, 44-6, 51, 53, 57-8, 61, 76, 133, 137, 172, 178, 195, 261, 378-9, 412, 427, 443, 464, 494

China, 13, 18, 37, 53, 68, 71, 100, 105, 126, 150, 152, 168, 174, 180, 191, 193, 209, 222-3, 227, 234, 247-8, 257, 264, 269, 289-90, 307-10, 317, 323, 343, 353, 364, 385, 390, 399-401, 407; Grande Salto Adiante (1958- -61), 407

Church, George, 432

Cibele (deusa asiática), 240, 263

ciborgues, 428, 433-4, 439

Cícero, 219

ciências da vida, 261

cínicos (escola filosófica), 134-5, 248

Cipião Emiliano (general romano), 214, 289

Ciro, o Grande (imperador persa), 221-2, 224

"classe dos inúteis", 496

Cláudio, imperador romano, 226

Cleópatra, 174, 412

Clinton, Bill, 447

Cobra Kai (seriado), 499

Coca-Cola Company, 137

Código de Hamurábi, 126, *127*, 128, 130-1, 133, 156, 207, 482

Coleridge, Samuel Taylor, 464

Colombo, Cristóvão, 84, 273-4, 298, 311, 313-5, 317, *318*, 319, 331, 344

comércio, 40, 54-5, 58, 67, 84, 163, 195, 210, 212, 224, 238, 262, 316, 337, 346, 349, 353, 357, 401, 406, 445

Companhia Britânica das Índias Orientais, 230, 353, 359

Companhia do Mississippi, 350-2

Companhia Holandesa das Índias Ocidentais (West-Indische Compagnie, wic), 349

Companhia Holandesa das Índias Orientais (Vereenigde Osstindische Compagnie, voc), 348, 349, 352, 359 companhias de responsabilidade limitada, 49, 51-2, 132, 345, 391

complexo militar-industrial-científico, 307-8

Comunidade Europeia, 391

comunidades, colapso de, 384-9, *390*

"comunidades imaginadas", 390-1

comunismo, 54, 168, 189, 228, 253-4, 258, 267, 280, 297, 301, 360-1, 398, 405, 407, 443

conchas, comércio de, 54, 56, 67, 125, 199, 202, 205

Confúcio, 285, 291, 377, 465

confucionismo, 248, 277

Congo, Estado Livre do, 360-1

conquista, a mentalidade de, 310-4

consciência, 452, 488

Constantino, imperador romano, 241, 263-4, 290

Constituição norte-americana, 164

consumismo, 137-9, 375-7, 391; romântico, 137, 139

controle pelo pensamento, 435

Cook, capitão James, 303-4, 306, 308, 311, 328, 331

Cook, ilhas (Oceania), 94

cooperação social, 42-3, 47, 52, 56, 58, 67, 125-7, 142-3, 156, 180, 182, 212, 329

Copérnico, Nicolau, 302

Corão, 37, 278, 281

corporações, 50, 52, 55, 338, 349, 370

corrida armamentista, 268-9

Corrida do Ouro (Califórnia, 1849), *403*

Cortés, Hernan, 198, 210, 319-23

covid-19, pandemia de, 473

cozimento de alimentos, hábito do, 31, 467

crédito financeiro, 155, 298, 335-8, *340*, 342-6, 348, 354-6

cristianismo, 18, 57, 100, 120, 124, 131, 135, 171, 188-91, 196, 199, 242-5, 247-8, 255-6, 261, 263-4, 267, 269, 273, 277-8, 293, 305, 315, 357, 359, 422, 443, 458, 465-6, 475-6

cromossomos, 172, 174

Cruzadas, 188

Cuba, 92, 322

Cueva de las Manos (Argentina), *78*

culturas humanas, 21, 61, 170, 189-90, 228, 291, 331, 335; assimilação cultural, 225-6; cultura comum promovida por impérios, 223-4; maioria das culturas como fruto de impérios, 220; memes culturais (memética), 268-9

"culturismo", 330-1

cuneiforme, escrita, 150, 325-6

cunhagem de moedas, 199, 202, 205, 207, 209

danis (povo), 105

Danúbio, vale do, 80-1

Dario I, rei da Pérsia, 326

Darpa (Agência de Projetos de Pesquisa Avançada de Defesa), 434

Darwin, Charles, 37, 279, 284, 298-9, 310, 312, 329, 422, 427, 455, 478-9, 485

darwinismo social, 478

dataísmo, 452, 493

Davi, rei, 219

Dear White People (seriado), 498

Declaração de Independência dos Estados Unidos (1776), 37, *128*, 130-2, 157, 482

Declaração dos Direitos Humanos, 460, 475

Declínio do Ocidente (Spengler), 454

deep fakes, 480

democracia, 132, 135, 216, 224, 230, 330, 384, 398, 409, 480, 491-2

demografia, 68, 90, 106, 111, 284, 307, 332

denário (moeda romana), 208-9

Denisova (caverna siberiana), 26, 470

denisovanos, 13, 34-7, 468-70

Departamento de Defesa dos Estados Unidos, 289

desastres ecológicos, 92, 94, 264, 293, 367, 379

design inteligente, 18, 426-8, 478

desigualdades, 478

Destino (Moira, Ananke, divindade grega), 239

determinismo, 263, 265

deuses de culturas politeístas, 13-4, 18, 239, 475, 482

Dêutero-Isaías, 465

Gênesis, Livro do, 37, 237

genética, 26, 33-4, 40, 52-4, 63, 65, 163, 257, 263, 300, 408, 414, 417, 432, 439, 452; engenharia genética, 14, 429-32; programação genética, 437

genocídios, 33, 36, 80, 219, 268, 319, 322, 394

genoma, 143, 432, 443; do *Homo sapiens*, 35, 106, 143, 432, 439; dos neandertais, 34-5, 432; Projeto Genoma dos Neandertais, 432; Projeto Genoma Humano, 439

georgianos, 218

germanos, 224

Gilgamesh, rei de Uruk, 293-4

Girard, René, 470

globalização, 194, 447, 481

Gmail, 494

gnosticismo, 246-7

Göbekli Tepe (Turquia), 111-2, *113*, 147

Google, 52, 401, 492, 495

Gorbatchóv, Mikhail, 398

GPT-3 (inteligência artificial do OpenAI), 10-1, 15

Grã-Bretanha, 102, 112, 164, 216, 231, 304, 308-10, 350, 353-4, 365-6, 382, 397

Grande Depressão, 418

Grande Levantamento da Índia (séc. XIX), 325

Grande Pirâmide de Gizé, *138*

Grande Salto Adiante (China, 1958-61), 407

Grécia Antiga, 170, 214, 217, 310, 354, 399; *ver também* Atenas

Green, Charles, 303

Greenwich, Observatório de, 382

grego (idioma), 75, 238, 327, 329

Gregório XIII, papa, 241

gregos, 169, 170, 239, 354

gregos, deuses, 239

Guardian, The (jornal), 496

Guerra Civil dos Estados Unidos (1861-5), 134, 164

Guerra do Golfo (1990-1), 399

Guerra do Ópio, Primeira (1840-2), 353

Guerra do Vietnã, 324, 397

Guerra Fria, 394

guerras: civis, 124, 263, 399; desaparecimento das, 398-9; guerra tribal, *104*; internacionais, 395, 399, 401, 407; pré-industriais, 80; *ver também* Primeira Guerra Mundial; Segunda Guerra Mundial

Guilherme II, imperador alemão, 54

Haber, Fritz, 369

Habsburgo, dinastia dos, 216, 219

HAL (supercomputador), 452

Halley, Edmond, 283

Hamurábi, rei da Babilônia, 127, 133, 135, 143, 151; *ver também* Código de Hamurábi

Haraway, Donna, 488

Harlow, Harry, 372-4

Harris, Deborah, 498

Harris, Sam, 495-6

Harris, Tristan, 492

Harry Potter (personagem), 160

Hastings, Reed, 492, 495

Havaí, 83, 94, 192

Heféstio, 170

Heliogábalo, imperador romano, 226

Henrique, o Navegador, príncipe de Portugal, 311

Herculano-Houzel, Suzana, 447, 467

Herzog, Werner, 488

hierarquias, 45-6, 133, 159-61, 167, 235, 370

hieróglifos, 146, 150

hinduísmo, 150, 158, 161-2, 239, 252, 254, 327, 436

hindus, 153, 158, 161-3, 166, 177, 231, 239, 300

Hispaniola, ilha, 92

História, 460; bem-estar humano e, 267; biologia e, 56-61; direção da, 190; evolução da, 191, 269; falácia da retrospectiva, 263-6; historiografia, 454-5, 465, 490; justiça na, 128-31, 156-83, 204, 211, 215, 481-85; linha do tempo da, 17-8, 21-3; nascimento da, 21; previsões, 265, 266, 442; próximo estágio da, 442

Hitler, Adolf, 258, *260*, 394, 402

"homem-leão" (estatueta em marfim), *42*

Homero: *Ilíada*, 150, 170

hominídeos, 453, 455, 463-4, 467-70, 473, 478

Homo, gênero, 23, *24*, 26, 30, 37; *ver também* humanos

Homo denisovensis, 13, 26, 37, 468-70

Homo Deus (Harari), 448, 450-3, 456, 458-60, 473, 481, 487, 493

Homo erectus, *25*, 26, 30, 33, 53, 99, 467-9

Homo ergaster, 26, 99, 468

Homo floresiensis, 26, 468

Homo luzonensis, 12

Homo naledi, 12

Homo neanderthalensis, 13, 17, *25*, 463, 467-8, 470

Homo rudolfensis, *24*, 26, 468

Homo sapiens: como criatura xenofóbica, 222; fim do, 426-44; migrações globais, 32-3, 39, 68, 72, 89-90; outras espécies humanas e, 35-40, 52, 67, 92; Revolução Agrícola *ver* Revolução Agrícola; Revolução Científica *ver* Revolução Científica; Revolução Cognitiva *ver* Revolução Cognitiva; surgimento na África, 22, 24, 26, 32-3, 39; torna-se um deus, 445-6; unificação da humanidade, 185-269

Homo soloensis, *25*, 37, 468

homossexualidade, 65, 162, 170, 172, 183, 257

Hong Kong, 353

Huitzilopochtli (deus asteca), 240, 244

Huizinga, Johan, 454

humanismo, 137, 255-6, 258, 370, 420, 473, 475, 476, 477, 478, 480, 481; evolucionário, 256, 258, 260; humanismos, 476, 479, 481; liberal, 255, 256, 258, 261, 280; socialista, 256, 258

humanos, 455, 469, 473, 474, 475, 476; andar ereto, 28; cadeia alimentar, salto para o topo da, 30, 85, 178-9; características comuns definidoras de, 27; cérebros de, 27, 31; controle do fogo e preparo de alimentos, 30-1, 467; descobertas recentes de ramos novos na árvore da família humana,

12; disseminação a partir da África para a Eurásia, 32; divinização dos, 451; espécies distintas, 24, 25; neotenia e, 468; outros primatas e, 57; pergunta sobre o aperfeiçoamento humano, 443; primeiras ferramentas de pedra, 26, 28-9, 33, 37, 39, 53, 63, 81; relações entre diferentes espécies e, 430; "super-homem", 257-8, *260*, 300, 430, 433, 440-1; surgimento de, 22, 24, 26, 32, 39; *ver também espécies individualmente*

Hume, David, 450

Hussein Pasha, capitão, 308

Hussein, Saddam, 392

Huxley, Aldous, 460, 494; *Admirável mundo novo*, 418, 460, 493-4

ianomâmis (indígenas), 396, 476

Idade da Pedra, 31, 59, 61, 63, 76, 87, 405

Idade do Bronze, 281

Idade Média, 47, 135-6, 167, 188-9, 234, 273, 278, 285, 290, 296, 314, 316, 357-8, 377, 380, 383, 385, 390-1, 396, 399, 417, 419-20

ideologias, 228, 253-4, 293, 297, 300, 329, 405, 418, 421, 443, 478

Iêmen, 399

ignorância, a descoberta da, 273-301

Igreja católica, 50, 54, 204, 215

igualdade, ideia de, 131-2, 135, 156-7, 189, 228, 256, 258, 330, 439-40

Ilíada (Homero), 150, 170

Iluminismo, 475

império: global, 232-3, 345, 402

Império Acádio, 18, 125-6, 220, *221*

Império Árabe, 220, 227, 267

Império Assírio, 175, 218, 220, 326

Império Asteca, 192, 217, 240, 244, 319, *320*, 322; *ver também* astecas

Império Babilônico, 126-7, 220, 392; *ver também* Babilônia; Mesopotâmia

Império Britânico, 175, 216, 230, 352, 397

Império Chinês, 290, 308, 323, 386

Império dos Habsburgo, 216, 219

Império Espanhol, 319, 346

Império Francês, 180, 352, 397

Império Gupta, 231

Império Han, 220, 227

Império Hitita, 220

Império Holandês, 348, 352

Império Inca, 148, *149*, 152, 192, 202, 319, *320*, 323

Império Kushana, 231

Império Macedônico, 175, 214, 289

Império Maia, 191, 319

Império Majapahit, 316

Império Máuria, 224, 231

Império Ming, 307, 386

Império Mogol, 190-1, 230, 307, 323

Império Mongol, 225, 471

Império Neoassírio, 126, 218

Império Otomano, 307-8, 323, 324, 343, 354, 386, 398

Império Persa, 18, 126, 175, *221*, 449

Império Persa Aquemênida, 246

Império Persa Sassânida, 246-7, 267, 289, 383

Império Romano, 18, 126, 175, 208, 218, 233, 240-1, 243, 247, 263, 269, 306, 492

Império Safávida, 307, 323

Império Selêucida, 214, 289

Império Song, 290

Império Zulu, 220

impérios, 466, 472; assimilação cultural sob, 225-6; capitalismo e, 332-61; ciclo imperia, 229; ciência e, 302-31; comerciais, 299; como ordem universal, 196; cultura comum promovida em, 223-4; definição de império, 216; heranças positivas de, 216, 220; imperialismo, 79, 219, 228-9, *232*, 301, 306, 309-11, 343; línguas imperiais, 220; maioria das culturas como fruto de, 216, 220; modernos, 307, 324; "natureza má" de, 217-9; primeiro, 125-6, 220; "proto-imperialismo afro-asiático", 469; religião e, 235-6, 240, 243-4, 246-7, 263, 269

impostos, 49, 126, 143, 145-6, 148, 153, 189, 199, 202, 206, 208, 217, 224, 245, 266, 276,

299, 336, 341, 343-4, 348, 356, 364, 385-6, 388, 401

imunologia, paradoxos da, 461

incas, 148, *149*, 175, 319, 323, 383; *ver também* Império Inca

Incitatus (cavalo de Calígula), 118

Índia, 15, 18, 138, 154, 159, 161, 163-4, 167, 169, 193, 209-11, 230, *231-2*, 235, 243, 246-9, 252, 264, 268-9, 307-8, 310-1, 317-8, 323, 325-30, 343, 352, 353, 369, 397, 449, 484; Grande Levantamento da Índia (séc. XIX), 325

indígenas, 61, 79, 156-7, 194, 310, 312-3, 349, 396, 406, 475

individualismo, 136, 256

Indo, rio, 123, 236, 325

Indonésia, 24-5, 32, 68, 84, 193, 316-8, 349, 353, 359-60, 399, 457, 488

Inglaterra, 13-4, 130, 174, 226, 244, 295-6, 303, 335, 344, 401

Inscrição de Behistun (Pérsia), 326

Instituto Max Planck, 470

Instituto Max Weber, 475

inteligência artificial (IA), 10-2, 14, 155, 452-3, 480, 493, 495-6

internet, 393, 436-7, 442

intersubjetividade, 139-40, 173, 202, 391, 463

iorubás, religião dos, 239

Irã, 76, 100, 127, 193, 220, 399-400

Iraque, 127, 209, 220, 392, 395, 399, 401

Irlanda, 194, 245

Isabela, rainha consorte da França, 297

Ísis (deusa egípcia), 240, 263

islamismo, 18, 196, 229, 234, 236, 243-4, 248, 253-4, 264, 267, 277, 293, 310, 390, 405, 443, 458, 465-6, 485

Israel, 13, *67*, 80-1, 105, 193, 242, 400, 402, 415, 448, 497

Iugoslávia, 124

iupiks (povo), 222

Jabl Sahaba (Sudão), 81

jainismo, 248

macaquinhos, 372, *373*, 374
Macedônia, 170, 209, 289
machine learning, 10
macho alfa, 45, 53, *55*, 137, 178
Maclaurin, Colin, 283
Madagascar, 83, 93, 302, 318
Magalhães, Fernão de, 192, 274, 311
Mahabharata (épico hindu), 150
maias, 319
Mal, Problema do, 245-6
Malásia, 397, 399
Mali, 235
Malthus, Robert, 284
Malvinas, ilhas, 311
mamíferos, 27, 29, 84-5, 91-2, 106, 115, 222, 370, 372, 374, 379, 431, 479, 486
mamutes, 23, 69, 76, 78, 87, 90-1, 95, 100, 112, 432
Mandato do Céu (teoria política chinesa), 222-4, 233
Manhattan, ilha de (Nova York), 346, *350*
maniqueísmo, 246-7, 262-3, 267, 281
Manus, ilha de (Oceania), 84
maoris, 87, 227, 305
mapas, *34*
mapas-múndi, 313, *314*, 315, *317*, 323-4
Marco Aurélio, imperador romano, 226
Marduk (deus mesopotâmico), 129, 135
Mari (Mesopotâmia), 151
Marinha Real Britânica, 304, 311
Marquesas, ilhas (Polinésia), 94
marsupiais, 85, 89
Marx, Karl, 37, 253, 310, 458, 480
marxismo, 253-4, 267, 478
masculinidade, 169, 172, 174-5, *176*, *177*
Massacre da Noite de São Bartolomeu (1572), 241
matemática, 147-8, 154-5, 277, 281-3, 285, 327
matérias-primas, 69, 362, 368-9
Matrix (filme), 155
Maturana, Humberto, 488
Mbembe, Achille, 476-7

Meca (Arábia Saudita), *185*, 234, 265, 346
mecânica quântica, 154, 279, 282, 285-6
medicina, 237, 275, 292, 295, 303, 307, 406-7, 439-40; personalizada, 439
meditação, 251, 422-3, 448, 495-7
Mediterrâneo, 54, 94, 124, 126, 209-11, 214, 217, 220, 248, 263, 307, 368
melanésios, 34
memes culturais (memética), 268-9
mentalidade de conquista, 310-4
mente humana, 14, 42, 123, 285, 449, 453, 471
Mercado Comum Europeu, 391
Mesopotâmia, 126-8, 145, 152, 191, 207, 220, 234; *ver também* Babilônia; Império Babilônico
México, 75, 90, 100, 194, 198, 210, 217, 319-20, 322-3, 402
microrganismos, 275-6, 427
Mill, John Stuart, 459
Ming, dinastia, 307, 316
misoginia, 330
Mississippi, rio, 90, 350-1
Mitchell, Claudia, 435
mitologia, 125, 161, 237; científica, 441
mitologias, 281
mitos, 44, 47, 52, 67, 125-6, 131, 133, 137-40, 164, 165, 167, 170, 172, 181, 183, 187, 218, 280, 291, 309, 391, 464, 475, 477, 479, 483-5
mitraísmo, 263
moedas, *209*
moedas, cunhagem de, 199, 202, 205, 207, 209
Mohenjo-daro (Índia), 325
Moira (divindade grega), 239
monogamia, 59, 61-2, 76, 431-2
monoteísmo, 239, 242-3, 245-8, 254, 256, 262
Montezuma II, imperador asteca, 321-2, 324
Morin, Edgar, 481, 488
mortalidade infantil, 71-2, 108, 295, 361, 406-7
motor de combustão interna, 342, 366
Mubarak, Hosni, 266, 412, 413
muçulmanos, 167, 190, 199, 209-11, 222, 224,

227, 229, 231, *232*, 235, 247, 262, 267, 308, 310, 325, 330, 343, 390

mudança climática, 86-7, 89, 92, 415; *ver também* aquecimento global

mulheres: caçadores-coletores e, 61, 71, 81, 106, 108; hierarquias e, 156-7, 162, 166, 168-9, 172, 179-80, 183, 388; libertação do indivíduo e, 395; Revolução Agrícola e, 81; sexo e gênero, 168, 169, 172-5, 178, 183

Mumbai (Índia), *231*, 274, 401

mundo afro-asiático, 83-4, 88, 92, 115, 175, 192, 195, 198, 243, 248, 269, 290, 313

Mundo Andino, 192

Mundo Australiano, 192

"mundo de fora/mundo exterior", 83, 87, 215, 306, 436, 457, 469

Mundo Mesoamericano, 192

Mundo Oceânico, 192

Mussolini, Benito, 287

nacionalismo, 44, 137, 228-9, 232, 253, 255, 265, 268, 298, 354, 387, 391, 405, 420

Nações Unidas, 52, 58, 398

Nader Xá, 343-4

nanismo, 25

nanotecnologia, 288-9, 297, 343

Napoleão Bonaparte, 82, 180, 290, 311, 352, 417

Napoleão III da França, imperador, 368

natufianos, 107, 108, 111, 147

naturalismo, 462

Navarino, Batalha de (1827), 354, *355*

navegadores, primeiras sociedade de, 55, 84

nazifascismo, 477-80

nazismo, 54, 253, 256-8, *259*, *260*, 280, 301, 359, 382

neandertais, 13, 17, *25*, 26-7, 30-1, 33-5, *36*, 37, 39-40, 43, 54, 56-7, 81, 89, 99, 125, 147, 257, 427, 431-3, 463, 467-8, 470

neotenia, 468

Netflix, 492

New Orleans, 350-1

New York Times, The (jornal), 492

New Yorker, The (revista), 492

Newton, Isaac, 282, 285, 310, 483; *Princípios matemáticos da filosofia natural*, 282

Nietzsche, Friedrich, 419, 475, 479, 483

Nilo, rio, 125, 354, 413

nível dos oceanos, 84, 379

Noé, 164, 477

nomadismo, 457-8, 460

nórdicos, deuses, 239

Nova Amsterdam (futura Nova York), 349, *350*

Nova Bretanha, ilha de (Oceania), 55, 84

Nova Caledônia, ilhas, 94

Nova Guiné, 55, 100, *104*, 105, 116

Nova Irlanda, ilha de (Oceania), 55, 84

Nova Zelândia, 66, 83, 87, 94, 192, 303-5

Novo Testamento, 54, 292

Nu Kua (deusa chinesa), 159

nuers (povo), 222

Numância (Ibéria), 214-5, 225

numerais arábicos, 149

Nurhachi, 343, 344

Obama, Barack, *177*, 412, 447

obsidianas, 55-6, 199, 236

Oceania, 195, 202, 243, 324, 457

oceanos, nível dos, 84, 379

Ofnet, caverna de (Baviera), 81

Olímpia da Macedônia, rainha, 170

Olodumare (deus supremo iorubá), 239

OpenAI (laboratório), 10

ópio, 353-4, 407

Oppenheimer, Robert, *271*, 400

ordem sobre-humana, 235, 236, 248, 253-4

ordens imaginadas, 9, 126, 133, 140, 156, 196, 464, 466, 474, 484

ordens universais, 195-7; *ver também* dinheiro; império; religião

organismos, surgimento dos primeiros, 21

Oriente Médio, 33-4, 39-40, 100, 102, 106-8, 111, 126, 154, 163, 218, 246-7, 266, 306, 325-6, 330, 358, 392

Orwell, George: *1984*, 418

Projeto Gilgamesh, 297, 439, 443, 451

Projeto Manhattan, 288, 290

proletariado, 224, 253, 384, 387, 405

protestantes, 161, 241, 345

protologia *versus* escatologia, 458

psicologia evolucionária, 372

Purusha (ser primevo no hinduísmo), 158

Qin Shi Huang Di (imperador chinês), 223-4

Qin, dinastia, 126

Qing, dinastia, 307, 343

quântica, física, 40, 154, 279, 282, 285-6

química, origens da, 21

quipos, 148, *149*

raça: ariana, 257, *259*; biologia e, 157, 257, 329-30

racismo, 34, *158*, 164, 167, 258, 323, 330-1, 357, 476-7

Ragnarök (Crepúsculo dos Deuses), 239

Ramsés II, faraó, 412

Random House, 498

ratos, 75, 379, *430*, 479

Rawlinson, Henry, 326-7

realidades imaginadas, 51, 56, 65

Rebelião Grega (1821), 354

reducionismo, 462

relações sexuais, 35, 44, 53, *55*, 61-2, 166

religião, 14, 17, 36-7, 40, 44, 47, 63, *254*, 449, 458-9, 463-7, 469-70, 474-5, 477, 484, 486; animismo e *ver* animismo; caçadores-coletores e, 67, 73, 76, 81-2, 112, 236, 237; ciência e, 261, 280, 294, 299-300, 342, 422; dualismo, 245-7, 262; falácia da retrospectiva e, 263; impérios e, 235-6, 240, 243-4, 246-7, 263, 269; linguagem e surgimento da, 44; livre-arbítrio e, 245, 261; local e exclusiva (religiões antigas), 236; monoteísmo, 239, 242-3, 245-8, 254, 256, 262; politeísmo, 238-45, 248, 263; Problema do Mal, 245-6; religiões abraâmicas, 458; religiões baseadas na lei natural, 248, 252-3; religiões humanistas, 255, 258, 370; religiões univer-

sais, 196-7, 236, 262; sacrifícios humanos, 73, 79; santos padroeiros, 242, 245; sincretismo, 248; teísmo, 75; *ver também religiões específicas*; mitologia

renda básica universal, 496

Revolução Agrícola, 17, 21, 59, 62, 65, 68, 72, 79-80, 92, 95, 97, 99, 102, 103, *104*, 105-6, 110-1, 115, 118, 120, 122, 125, 144-5, 156, 168, 174, 187, 200, 237, 360-1, 369, 384, 405, 427, 455-8; *ver também* agricultura

Revolução Científica, 18, 21, 269, 271, 275-7, 291, 294, 306, 308, 310, 337, 428, 452, 455, 459, 467

Revolução Cognitiva, 17, 21, 40, 41, 44, 46, 52-3, 57-9, 62, 65, 83, 92, 95, 196, 384, 404, 433, 455, 457, 461, 468-9

Revolução Egípcia (2011), *413*

Revolução Francesa, 57, 124, 189, 352, 393-4, 417

Revolução Industrial, 18, 94, 165, 290, 359, 363, 367-9, 374, 378, 380-1, 383-4, 387, 392, 404, 469

revoluções burguesas, 472

Ribeiro, Djamila, 447

Riqueza das nações, A (Smith), 338

Robespierre, Maximilien de, 394, 417

romantismo, 137-8

Romênia, 398

Rosset, Clement, 479

Rousseau, Jean-Jacques, 421

Rússia, 76, 193, 308, 310

"sacralidade da pessoa", 475

sacrifícios humanos, 73, 79

Sagan, Carl, 490

Salomão, ilhas, 94

Salviati, mapa-múndi de, *317*

Samarcanda (Ásia Central), 234

Samoa, 94, 187

San Francisco (Califórnia), 10, 15, 495

sânscrito, 327, 329

Santo Graal, 188

Saraswati (deusa hindu), 240

ESTA OBRA FOI COMPOSTA EM MINION PELO ACQUA ESTÚDIO E IMPRESSA
PELA GEOGRÁFICA EM OFSETE SOBRE PAPEL PÓLEN SOFT
DA SUZANO S.A. PARA A EDITORA SCHWARCZ EM OUTUBRO DE 2021